Jean M. Auel (Chicago, 1936) se casó a los 18 años y a los 25 ya había tenido cinco hijos. En 1964 se unió a la prestigiosa organización Mensa, que agrupa a personas con un elevado coeficiente intelectual.

Después de asistir a clases nocturnas de álgebra, física y electrónica, estudió en la Portland State University y en la University of Portland, y en 1976 obtuvo su MBA. También ha recibido títulos honoríficos de la University of Maine y del Mount Vernon College.

Una noche de 1977 comenzó a darle vueltas a una historia sobre una mujer que vivía durante la E.... ....cial con otros humanos que eran diferentes y men... .... Su gran curiosidad la llevó a pasar mes... ......r cursos de supervivencia en los o.... ..... nuestros antepasados, y a viajar por e.... .....uropa. En un estallido de energía creativa esc 1.... .....er borrador de la serie completa en sólo cuatro meses.

Sus exhaustivas lecturas de las obras más prestigiosas sobre la Prehistoria, además de sus múltiples y constantes contactos con los especialistas más relevantes en esta materia, han permitido a la autora convertirse en una gran conocedora de las formas de vida y de la evolución étnica y cultural de aquellas sociedades primitivas.

LOS HIJOS DE LA TIERRA® representa el mejor relato histórico de nuestros antepasados, y es uno de los fenómenos literarios más extraordinarios y acreditados a escala mundial.

Jean M. Auel vive actualmente en Oregón, donde sigue dedicándose a la investigación de la Prehistoria.

JEAN M. AUEL

LOS HIJOS DE LA TIERRA®

EL CLAN DEL OSO CAVERNARIO

EL CLAN DEL OSO CAVERNARIO

JEAN M. AUEL

LOS HIJOS DE LA TIERRA®

EL CLAN DEL OSO CAVERNARIO

EMBOLSILLO

LOS HIJOS DE LA TIERRA®

EL CLAN DEL OSO CAVERNARIO
EL VALLE DE LOS CABALLOS
LOS CAZADORES DE MAMUTS
LAS LLANURAS DEL TRÁNSITO
LOS REFUGIOS DE PIEDRA
LA TIERRA DE LAS CUEVAS PINTADAS

Título original: *The Clan of the Cave Bear*
Edición original: CROWN PUBLISHER, Inc. New York, 1980

Diseño de cubierta:
ALASDAIR OLIVER

Fotografía de JEAN M. AUEL:
AARON JOHANSON

ANTERIORES EDICIONES BOLSILLO:
 1.ª edición: mayo de 1992
40.ª edición: abril de 2010

EDICIÓN ACTUALIZADA:
 1.ª edición: enero de 2011
 2.ª edición: marzo de 2011
 3.ª edición: mayo de 2011
 4.ª edición: noviembre de 2011
 5.ª edición: febrero de 2012

© JEAN M. AUEL, 1980
© de la traducción: LEONOR TEJADA CONDE-PELAYO
© de esta edición: EMBOLSILLO, 2011
   Benito Castro, 6
   28028 Madrid
   emaeva@maeva.es
   www.maeva.es

ISBN: 978-84-15140-20-7
Depósito Legal: M-42.402-2011

Fotomecánica: Gráficas 4, S. A.
Impresión: Lavel, S. A.
Impreso en España / Printed in Spain

Para RAY

*mi crítico más exigente,
… mi mejor amigo.*

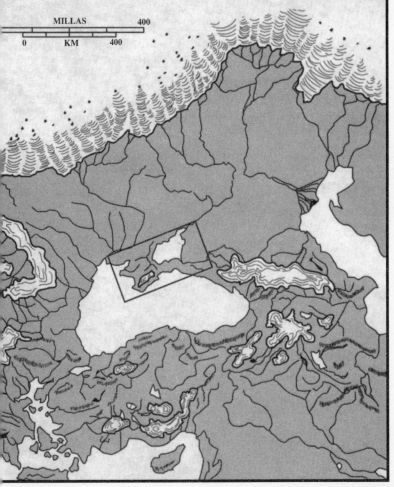

Mapa diseñado por Rafael Palacios, según Auel

1

La niña desnuda salió corriendo del cobertizo de cuero hacia la playa rocosa en el recodo del riachuelo. No se le ocurrió volver la vista atrás. Nada en su experiencia le daba razón alguna para poner en duda que el refugio y los que estaban dentro seguirían allí cuando regresara.

Se tiró al río chapoteando y, al alejarse de la orilla, que se hundía rápidamente, sintió cómo la arena y los guijarros se escapaban bajo sus pies. Se zambulló en el agua fría y salió nuevamente, escupiendo, antes de dar unas brazadas firmes para alcanzar la escarpada orilla opuesta. Había aprendido a nadar antes que a andar, y a los cinco años de edad se encontraba a gusto en el agua. En muchas ocasiones, la única manera en que se podía cruzar un río era nadando.

La pequeña jugó un buen rato, nadando de un lado para otro, y después dejó que la corriente la arrastrara río abajo; cuando éste se ensanchó y empezó a hacer borbotones sobre las piedras, se puso en pie y regresó a la orilla, donde se dedicó a escoger piedrecillas. Acababa de colocar una en la cima de un montoncillo formado por algunas especialmente bonitas, cuando la tierra empezó a temblar.

La niña vio, sorprendida, que la piedrecita rodaba como por voluntad propia, y observó con espanto cómo las que formaban la pequeña pirámide temblaban y volvían al suelo. Sólo entonces se dio cuenta de que también ella era sacudida, pero todavía experimentaba más sorpresa que aprensión. Lanzó una mirada en derredor tratando de comprender por qué su universo se había alterado de manera incomprensible. Se suponía que la tierra no debía moverse.

El riachuelo, que momentos antes corría suavemente, se había vuelto turbulento, con olas agitadas que salpicaban las orillas mientras su lecho se alzaba contra la corriente, sacando lodo del fondo. Los matorrales que crecían cerca de las orillas río arriba se estremecían, animados por un movimiento invisible de sus raíces, y río abajo las rocas oscilaban, presas de una agitación insólita. Más allá, las majestuosas coníferas del bosque por el que pasaba el río se inclinaban de manera grotesca. Un pino gigantesco próximo a la orilla, con sus raíces al aire y debilitado por la corriente del arroyo, se inclinó hacia la orilla opuesta; con un crujido se desplomó por encima de las turbias aguas y se quedó temblando sobre la tierra inestable.

La pequeña dio un brinco al oír la caída del árbol; el estómago se le revolvió y se le hizo un nudo cuando el temor cruzó por su mente. Trató de ponerse en pie, pero cayó de espaldas al perder el equilibrio por efecto del horrible balanceo. Lo intentó nuevamente, consiguió enderezarse y se quedó en pie, insegura, sin atreverse a dar un paso.

Al echar a andar hacia el cobertizo de cuero, un poco apartado del río, sintió un rumor sordo, que se convirtió en un estrepitoso rugido aterrador; un olor repugnante a humedad surgió de una grieta que se abría en el suelo, como si fuera el aliento fétido que exhala por la mañana la tierra al bostezar. La niña miró, sin comprender, la tierra, las piedras y los arbolillos que caían en la brecha, que seguía abriéndose mientras la corteza fría del planeta en fusión se resquebrajaba en sus convulsiones.

El cobertizo, encaramado en la orilla más lejana del abismo, se inclinó al retirarse la mitad de la tierra firme que tenía debajo; el esbelto poste se balanceó como indeciso antes de desplomarse y desaparecer en el profundo orificio, llevándose su cubierta de cuero y todo su contenido. La niña tembló, horrorizada y con los ojos desorbitados, mientras las apestosas fauces abiertas se tragaban todo lo que había dado sentido y seguridad a los escasos años de su vida.

–¡Madre! ¡Madreee! –gritó cuando empezó a darse cuenta de lo que estaba sucediendo. No sabía si el grito que resonaba en sus oídos era el suyo en medio del rugido atronador de las rocas que se resquebrajaban. Se acercó gateando a la profunda grieta, pero la tierra se elevó y la derribó. Se aferró a la tierra, tratando de agarrarse a algo en aquel suelo oscilante y movedizo. Entonces la brecha se cerró, el rugido cesó y la tierra agitada se calmó. La que no se calmó fue la niña. Tendida boca abajo sobre la tierra floja y húmeda, dominada por el paroxismo que acababa de sacudirla, temblaba de miedo; tenía sobradas razones para estar asustada.

La niña se encontraba sola en medio de un desierto de estepas herbosas y florestas dispersas. Al norte, los glaciares cubrían el continente, empujando su frío por delante. Un número incalculable de animales herbívoros, y los carnívoros que de ellos se sustentaban, recorrían las vastas praderas, pero apenas había alguien. No tenía adónde ir ni nadie que pudiera ocuparse de ella. Estaba sola.

El suelo volvió a estremecerse, asentándose, y la niña oyó una especie de sordo rugido en las profundidades, como si la tierra estuviera haciendo la digestión de una comida engullida sin masticar. Dio un salto, presa del pánico, aterrada ante la idea de que pudiera abrirse de nuevo. Miró hacia el lugar en donde había estado el cobertizo: lo único que allí quedaba era tierra descarnada y arbustos desarraigados. Deshecha en llanto, la niña corrió otra vez hacia el riachuelo y se dejó caer hecha un ovillo sollozante junto a la fangosa corriente.

Pero las húmedas orillas del riachuelo no brindaban refugio alguno contra el convulso planeta. Otra sacudida, esta vez más intensa, agitó el suelo. La niña se quedó mirando con asombro la salpicadura de agua fría sobre su cuerpecito desnudo. Nuevamente se apoderó de ella el pánico, haciéndola incorporarse. Tenía que apartarse de ese aterrador lugar de tierra sacudida, devoradora, pero ¿adónde podría dirigirse?

No había lugar en donde pudieran brotar semillas sobre la playa rocosa, y tampoco había otro tipo de vegetación; pero las riberas río arriba estaban cubiertas de maleza que comenzaba a retoñar hojas nuevas. Un instinto profundo le decía que debería permanecer cerca del agua, pero las enmarañadas zarzas parecían impenetrables. A través de sus ojos empañados por el llanto que le enturbiaba la visión, miró hacia el otro lado, hacia la selva de altas coníferas.

Delgados haces de rayos de sol se filtraban por entre las ramas tupidas de densos árboles perennes que se apretujaban cerca del río. La selva umbrosa carecía casi por completo de maleza, pero muchos de aquellos árboles no se erguían ya. Unos cuantos habían caído sobre la tierra, otros más se inclinaban en ángulos estrambóticos, sostenidos por vecinos que todavía estaban firmemente anclados. Más allá del revoltijo de árboles, la selva boreal era oscura y no resultaba más atractiva que la maleza río arriba. No sabía hacia dónde ir; miró primero a un lado y después a otro, indecisa.

Un temblor bajo sus pies, mientras miraba río abajo, la puso en movimiento. Dirigiendo una última mirada anhelante hacia el paisaje vacío, con la esperanza infantil de que el cobertizo siguiera allí, echó a correr hacia los bosques.

Estimulada por algún que otro gruñido sordo mientras la tierra se asentaba, la niña siguió el curso de la corriente. En su prisa por alejarse, se detenía sólo para beber. Las coníferas que habían sucumbido a las sacudidas telúricas yacían postradas sobre el suelo; la niña evitaba los cráteres abiertos por el cepellón circular de raíces cortas que aún tenían tierra y grava pegadas a sus partes ocultas, ahora al descubierto.

Al atardecer, comenzó a advertir menos evidencias de perturbación, menos árboles arrancados y menos rocas desplazadas, y el agua estaba más clara. Se detuvo cuando ya no pudo ver por dónde andaba, y se dejó caer, agotada, sobre la tierra del bosque. El ejercicio le había ayudado a conservar el calor mientras estuvo en movimiento, pero comenzó a tiritar bajo los efectos del aire frío de la noche, se sumió en la espesa alfombra de agujas caídas de los árboles, se hizo un ovillo y se cubrió a puñados con ellas.

Pero, por cansada que estuviera, no logró conciliar el sueño la asustada criaturita. Mientras había estado ocupada en rodear obstáculos para seguir el curso del río, había conseguido apartar de su mente el temor que ahora la abrumaba. Estaba tendida, perfectamente inmóvil, con los ojos muy abiertos, observando cómo la oscuridad se espesaba y congelaba a su alrededor. Temía moverse, casi temía respirar.

Nunca anteriormente se había encontrado sola de noche; siempre había tenido cerca una hoguera para mantener a raya la oscuridad desconocida. Finalmente no pudo dominarse más y, con un sollozo convulsivo, desahogó su angustia. Su cuerpecito se sacudía al ritmo de sus sollozos y su hipo. Eso terminó por sosegarla y adormecerla. Un animalillo nocturno la olfateó con curiosidad amable sin que ella se diera cuenta.

¡Despertó gritando!

El planeta seguía inquieto y lejanos rugidos que resonaban en las profundidades la devolvieron a su horror en una espantosa pesadilla. Se puso en pie, quiso echar a correr, pero sus ojos no podían ver más estando abiertos que con los párpados cerrados. Al principio no pudo recordar dónde se encontraba. Su corazón palpitaba fuertemente: ¿por qué no podía ver? ¿Dónde estaban los amorosos brazos que siempre habían estado allí para reconfortarla cuando despertaba de noche? Poco a poco el recuerdo consciente de su terrible situación se fue abriendo paso en su mente y, tiritando de frío y de miedo, volvió a hacerse un ovillo y a sumirse en el suelo cubierto de agujas. Los primeros pálidos rayos del alba la encontraron dormida.

La luz del día llegó lentamente a la profundidad de la selva. Cuando despertó la niña, la mañana estaba ya muy avanzada, pero bajo aquella sombra espesa resultaba difícil advertirlo. Se había alejado del río la noche anterior cuando la luz empezó a menguar y un amago de pánico amenazó apoderarse de ella cuando miró en derredor y sólo vio árboles.

La sed le ayudó a reconocer el sonido de agua borboteante. Siguió el sonido y sintió un gran alivio al ver de nuevo el riachuelo. No estaba menos perdida junto al río que dentro de la selva, pero se sentía mejor al tener algo que seguir; podría calmar su sed mientras estuviera cerca de él. El día anterior había sentido la satisfacción de tener agua fresca, pero no le servía de mucho para aplacar su hambre.

Sabía que había raíces y vegetales que se podían comer, pero no sabía lo que era comestible. La primera hoja que probó era amarga y le lastimó la boca; la escupió y se enjuagó para quitar el mal sabor. Esa experiencia la hizo vacilar a la hora de probar otras. Bebió más agua, pues tenía la sensación pasajera de estar ahíta, y volvió a seguir la orilla río abajo. Los profundos bosques la aterrorizaban y se mantuvo cerca del río mientras brilló el sol. Al caer la noche, abrió un hoyo en las agujas que cubrían el suelo y se acurrucó nuevamente entre ellas para dormir.

Su segunda noche de soledad no fue mejor que la primera. Juntamente con el hambre, un terror helado le contraía el estómago; nunca había sentido semejante terror, ni tanta hambre: nunca había estado tan sola. Su sensación de estar perdida era tan dolorosa que empezó a bloquear el recuerdo del terremoto y de su vida anterior a él; y como pensar en el futuro la ponía igualmente al borde del pánico, luchó por apartar también esos temores de su mente. No quería pensar en lo que pudiera suceder ni en quién podría encargarse de ella.

Vivía sólo para el momento presente, salvando el siguiente obstáculo, cruzando el siguiente afluente, trepando por encima del siguiente tronco caído. Seguir el río se convirtió en un fin en sí, no porque la fuera a llevar a parte alguna, sino porque era lo único que le proporcionaba alguna orientación, algún propósito, algún motivo de acción. Era mejor que no hacer nada.

Al cabo de cierto tiempo, el vacío de su estómago se convirtió en un dolor sordo que le nublaba la mente. Lloraba de vez en cuando mientras seguía avanzando penosamente, y sus lágrimas pintaban chorretes blancos en su rostro sucio. Su cuerpecito desnudo estaba cubierto de tierra, y los cabellos, que habían sido anteriormente casi blancos y tan finos y suaves como la seda, estaban pegados a su cabeza en una maraña de agujas de pino, ramitas y barro.

El viaje se complicó cuando la selva de árboles siempre verdes cambió por una vegetación menos espesa y cuando el suelo cubierto de agujas dejó paso a matorrales, hierbas y pastos que cubren generalmente el suelo debajo de árboles de hoja más pequeña. Cuando llovía, se acurrucaba bajo un tronco caído o se cobijaba bajo una roca grande, o bajo las ramas de un árbol, o simplemente se dejaba lavar por la lluvia mientras seguía avanzando pesadamente por el barro. De noche, amontonaba hojas secas caídas la temporada anterior y se enterraba en ellas para dormir.

El abundante consumo de agua potable impidió que la deshidratación originara una hipotermia, esa bajada de temperatura corporal que provoca la muerte por exposición, pero la niña se estaba debilitando. Estaba ya más allá del hambre; sólo sentía un dolor sordo y constante, y una ocasional sensación de mareo. Trataba de no pensar en ello ni en cosa alguna que no fuera el río, seguir el río.

La luz del sol, al penetrar en su nido de hojas, la despertó. Salió del cómodo cobijo entibiado por el calor de su cuerpo y se dirigió al río para beber agua, con hojas secas todavía pegadas a su piel. El cielo azul y el sol brillante eran un consuelo después de la lluvia del día anterior. Poco después de que echara a andar, la orilla del río que ella seguía comenzó a subir gradualmente. Cuando decidió tomar otro trago, una pendiente abrupta la separaba del agua. Empezó a bajar cuidadosamente, pero perdió pie y cayó rodando hasta abajo.

Se quedó tendida, raspada y magullada, en el barro junto al agua, demasiado cansada, demasiado débil y demasiado infeliz para moverse. Gruesos lagrimones se formaban en sus ojos y corrían por su rostro, y tristes lamentos rasgaban el aire. Nadie la oyó. Sus gritos se convirtieron en plañidos pidiendo que alguien viniera a ayudarla. Nadie acudió. Los sollozos sacudían sus hombros mientras lloraba su desesperanza. No quería ponerse en pie, no quería seguir adelante, pero ¿qué otra cosa podía hacer? ¿Quedarse allí llorando en el barro?

14

Cuando paró de llorar se quedó tendida junto al agua. Al sentir que una raíz se le incrustaba en el costado y que su boca sabía a lodo, se sentó. Entonces se puso pesadamente en pie y fue a beber un poco de agua del río. Reanudó la marcha, retirando obstinadamente las ramas que obstruían su paso, trepando por troncos caídos y cubiertos de musgo, chapoteando a la orilla del río.

La corriente, que ya estaba crecida debido a las inundaciones de principios de primavera, había aumentado hasta más del doble de su caudal gracias a sus afluentes. La niña oyó un rugido lejano mucho antes de ver la cascada que caía desde la alta ribera en la confluencia de un río grande con el más pequeño, un río que iba a doblar nuevamente su volumen. Más allá de la cascada, las rápidas corrientes de los ríos unidos hervían sobre las piedras mientras corrían hacia las llanuras herbosas de la estepa.

La rugiente catarata saltaba desde el borde de la alta orilla formando una amplia cortina de agua blanca. Venía a estrellarse contra una poza espumante que había sido horadada en la base de la roca, provocando una pulverización constante de rocío y remolinos de corrientes contrarias allí donde se unían los ríos. En algún momento de un pasado lejano, el río había labrado más profundamente el farallón de piedra dura detrás de la cascada. El saliente desde el cual se precipitaba el agua sobresalía del muro que había detrás de la cascada, de modo que entre muro y cascada quedaba un paso.

La pequeña se acercó, miró cuidadosamente el túnel húmedo y después echó a andar por detrás de la movediza cortina de agua. Se pegaba a la roca mojada para mantener el equilibrio, pues la continua caída del agua la aturdía. El rugido era ensordecedor, rebotando contra la pared de piedra detrás del tumultuoso caudal. Alzó con temor la vista, angustiosamente consciente de que el río quedaba más arriba de las rocas que chorreaban por encima de su cabeza, y avanzó cautelosa y lentamente.

Estaba casi en el otro lado cuando se terminó el pasaje, que se había ido estrechando poco a poco hasta ser otra vez una muralla escarpada. El corte en el farallón no llegaba hasta el otro lado; la niña tuvo que dar media vuelta y volver sobre sus pasos. Cuando llegó a su punto de partida, miró al torrente que surgía por encima del borde y meneó la cabeza: no había otro camino.

El agua estaba fría cuando empezó a vadear el río y las corrientes eran fuertes. Nadó hasta el medio, dejó que la fuerza del agua la llevara bordeando las cataratas y después se volvió hacia la orilla del ancho río que se había formado más abajo. Se cansó de nadar, pero ahora estaba más limpia que desde hacía algún tiempo, excepto su enredado y enmarañado cabello. Volvió a andar sintiéndose fresca, pero no por mucho tiempo.

El día era inusitadamente caluroso para fines de primavera, y cuando los árboles y las malezas dejaron paso a la pradera abierta, el cálido sol resultó agradable. Pero a medida que la ardiente bola ascendía, sus rayos calurosos se ensañaron en las pocas reservas que le quedaban a la niña. Por la tarde iba tambaleándose a lo largo de una estrecha franja de arena entre el río y un escarpado farallón. El agua chispeante reflejaba sobre ella el brillante sol, mientras la casi blanca arenisca devolvía luz y calor, sumándose al fulgor deslumbrante.

Del otro lado del río y más allá, se extendían hasta el horizonte pequeñas flores herbáceas blancas, amarillas y púrpuras, que armonizaban con el brillante y fresco verdor de la hierba a medio crecer, con una vida nueva. Pero la niña no se fijaba en la efímera belleza primaveral de la estepa: la debilidad y el hambre la hacían delirar y empezó a tener alucinaciones.

–Dije que tendría cuidado, madre. Sólo nadé un poco, pero ¿adónde te has ido? –murmuraba–. Madre, ¿cuándo vamos a comer? Tengo mucha hambre y hace mucho calor. ¿Por qué no viniste cuando te llamé? Llamé y llamé, pero tú no viniste. ¿Dónde has estado? ¿Madre? ¡Madre! ¡No te vayas de nuevo! ¡Quédate aquí! ¡Madre, espérame! ¡No me dejes!

Se encaminó hacia donde había visto el espejismo cuando ya la visión se desvanecía, siguiendo la base del farallón, pero éste se alejaba de la orilla del agua, apartándose del río. La niña estaba alejándose de su fuente de agua. Corriendo ciegamente, se golpeó el dedo gordo del pie con una piedra y cayó pesadamente, lo que casi la devolvió a la realidad. Se sentó frotándose el dedo y tratando de ordenar sus pensamientos.

La muralla dentada de piedra arenisca estaba perforada de oscuros accesos a cuevas y marcada por estrechas grietas y hendiduras. La dilatación y la contracción provocadas por cambios extremos en la temperatura, desde un calor agobiante hasta un frío por debajo de cero, habían quebrantado la roca blanda. La niña echó una ojeada a un orificio que había cerca del suelo, en el muro junto a ella, pero la insignificante gruta no le causó la menor impresión.

Mucho más impresionante era la manada de uros que pastaba pacíficamente la jugosa hierba nueva que crecía entre el farallón y el río. En su ciega precipitación por perseguir un espejismo, la pequeña no se había fijado en los enormes animales salvajes, de un castaño rojizo y casi dos metros de altura en la cruz, con inmensos cuernos curvos. Cuando se dio cuenta, un temor repentino barrió las últimas telarañas de su cerebro. Retrocedió pegándose a la muralla rocosa, sin apartar la vista de un corpulento toro que había dejado de pacer para observarla; entonces se dio media vuelta y echó a correr.

Miró hacia atrás por encima del hombro y contuvo la respiración al vislumbrar una súbita mancha en movimiento y se paró en seco. Una enorme leona, dos veces mayor que cualquier felino de los que poblarían las sabanas mucho más al sur en una era muy ulterior, había estado rondando la manada. La niña ahogó un grito al ver que la monstruosa gata se arrojaba sobre una vaca salvaje.

En un remolino de colmillos descubiertos y zarpas salvajes, la gigantesca leona derribó al enorme uro. En medio de un crujido de potentes quijadas, el mugido aterrado del bovino dejó súbitamente de oírse cuando el imponente carnívoro le abrió la garganta. Un surtidor de sangre mojó el hocico de la cazadora cuadrúpeda y manchó de carmesí su piel castaña oscura. Las patas del uro se agitaban espasmódicamente todavía cuando la leona le abría el estómago y le arrancaba un bocado de carne roja y caliente.

Un terror absoluto se adueñó de la niña: echó a correr dominada por el pánico mientras otro de los grandes gatos la observaba atentamente. La niña había penetrado sin saberlo en el territorio de los leones cavernarios. Normalmente, los grandes felinos habrían desdeñado a una criatura tan pequeña como un humano de cinco años, pues escogían sus presas entre los robustos uros, los descomunales bisontes o los gigantescos ciervos para satisfacer las necesidades de la flor y nata de los hambrientos leones cavernarios. Pero la niña que huía se estaba acercando demasiado a la cueva que alojaba a un par de maullantes cachorros recién nacidos.

El león de melena desgreñada, que había quedado al cuidado de las crías mientras la leona cazaba, lanzó un rugido de advertencia. La niña levantó la cabeza y se quedó sin resuello al avistar al gigantesco gato agazapado sobre un saliente, preparándose para saltar. Gritó, se detuvo, resbaló, se cayó, se arañó la pierna con la grava suelta que había junto a la pared y gateó para darse la vuelta. Aguijoneada por un temor todavía mayor, volvió corriendo por donde había venido.

El felino cavernario brincó con una gracia lánguida, confiando en su habilidad para atrapar a la pequeña intrusa que se atrevía a profanar la santidad de la cueva-guardería. No tenía prisa –ella se movía despacio en relación con su fluida velocidad– y se sentía de humor para jugar al ratón y al gato.

En su pánico, sólo su instinto guió a la niña hacia un pequeño orificio junto al suelo en la fachada del farallón. Le dolía el costado y apenas podía respirar, pero se escurrió por un agujero justo lo suficientemente capaz para ella. Era una cueva minúscula, poco profunda, apenas una hendidura. Se revolvió en el reducido espacio hasta encontrarse de rodillas con la espalda pegada a la pared, tratando de fundirse con la roca sólida que tenía detrás.

El león cavernario rugió su frustración al llegar al agujero y ver que su presa se le escapaba. La niña tembló al oír el rugido y se quedó mirando con horror hipnótico cómo la fiera tendía la pata estirando sus garras curvas dentro del orificio. Incapaz de alejarse, vio cómo se le acercaba la garra y gritó de dolor al sentir que se le hundía en el muslo izquierdo rayándolo con cuatro profundos arañazos paralelos.

La niña se revolvió para ponerse fuera de su alcance y encontró una ligera depresión en la oscura muralla a su izquierda. Recogió sus piernas, se aplastó como pudo y contuvo la respiración. La garra volvió a meterse lentamente en el pequeño orificio tapando casi por completo la escasa luz que penetraba en el nicho, pero esta vez no encontró nada. El león cavernario rugió y siguió rugiendo mientras iba y venía frente al orificio.

La niña pasó el día entero en su estrecha cueva, también la noche y la mayor parte del día siguiente. La pierna se le hinchó y la herida infectada le producía un dolor constante, además de que el reducido espacio de la cueva de paredes ásperas no le permitía volverse ni estirarse. Estuvo delirando de hambre y dolor la mayor parte del tiempo, tuvo espantosas pesadillas de terremotos, garras agudas y un temor angustioso y solitario. Pero no fue ni su herida ni el hambre, ni siquiera su dolorosa insolación, lo que la sacó finalmente de su refugio: fue la sed.

La pequeña miró temerosamente por el pequeño orificio. Dispersos bosquecillos de sauces y pinos castigados por el viento proyectaban largas sombras al principio de la tarde. La niña estuvo mirando un buen rato el trozo de tierra cubierto de hierba y el agua chispeante más allá, antes de hacer suficiente acopio de valor para salir; se lamió los agrietados labios con su lengua seca

18

mientras examinaba el terreno. Sólo se movía la hierba agitada por el viento. La manada de leones se había esfumado; la leona, preocupada por sus pequeños y molesta por el olor extraño de la criatura desconocida que tan cerca estaba de su cueva, decidió buscar otra guarida para sus hijos.

La chiquilla salió del agujero y se puso en pie. La cabeza le golpeteaba por dentro y veía manchas bailando vertiginosamente frente a sus ojos. Oleadas de dolor la envolvían a cada paso y sus heridas comenzaron a supurar un líquido verde-amarillo que chorreaba a lo largo de su pierna hinchada.

No estaba segura de poder llegar hasta el agua, pero su sed era insoportable. Cayó de rodillas y se arrastró los últimos pasos, gateando; después se tendió boca abajo y bebió vorazmente grandes tragos de agua fría. Cuando calmó finalmente su sed, intentó incorporarse de nuevo, pero había llegado al límite de su resistencia. Por delante de sus ojos seguían pasando manchas, la cabeza le daba vueltas y todo se oscureció mientras se desplomaba sobre el suelo.

Un ave de rapiña, que hacía círculos perezosos allá arriba, localizó la forma inmóvil y fue descendiendo para verla más de cerca.

2

El grupo de viajeros atravesó el río un poco más allá de la cascada, donde la corriente se ensanchaba y levantaba espuma alrededor de las rocas que sobresalían del agua poco profunda. Eran veinte, jóvenes y viejos. El clan había contado veintiséis miembros antes del terremoto que destruyó su cueva. Dos hombres abrían el paso, muy por delante de un núcleo de mujeres y niños, flanqueados por un par de hombres mayores. Los varones jóvenes formaban la retaguardia.

Seguían el ancho río, que iniciaba su rumbo sinuoso, lleno de meandros, a través de la estepa, y observaron a las aves de rapiña volando en círculos. Si aún volaban, significaba que lo que había llamado su atención seguía con vida. Los hombres que iban delante apretaron el paso para investigar. Un animal herido era presa fácil para los cazadores, siempre que algún cuadrúpedo depredador no abrigara las mismas intenciones.

Una mujer, más o menos a mediados de su primer embarazo, avanzaba delante de las demás mujeres. Vio a los dos hombres-guía mirar al suelo y seguir su camino. «Debe de ser un carnívoro», pensó; el clan no solía comer animales carnívoros.

Medía poco más de un metro y treinta y cinco centímetros de estatura; era de huesos fuertes, robusta y patizamba, pero caminaba erecta sobre unas fuertes piernas musculosas y unos pies planos descalzos. Sus brazos, largos en proporción con el resto del cuerpo, estaban encorvados como sus piernas. Tenía una ancha nariz en forma de pico, una mandíbula prognata, que se proyectaba como un hocico, y carecía de barbilla. Su frente baja era estrecha e inclinada, y su cabeza, larga y grande, descansaba sobre un cuello corto y grueso. En la nuca tenía un nudo huesudo, un promontorio occipital que acentuaba su perfil posterior.

Un vello suave, corto y moreno, con tendencia a rizarse, cubría sus piernas y hombros y corría a lo largo de la parte superior de su espalda. Al llegar a la cabeza, se convertía en una cabellera pesada, larga y bastante tupida. La mujer estaba perdiendo ya su palidez invernal a cambio de un tostado veraniego. Sus ojos grandes, redondos y oscuros, profundamente sumidos bajo unas cejas prominentes, estaban llenos de curiosidad cuando aceleró el paso para ver lo que los hombres habían dejado atrás.

Para ser aquél su primer embarazo, la mujer era ya mayor; tenía casi veinte años y el clan la había creído estéril, hasta que comenzó a notarse la vida que se iniciaba dentro de ella. La carga que transportaba no se había visto aligerada porque estuviera embarazada. Llevaba un gran canasto sujeto a sus espaldas como un cuévano, con bultos atados detrás, colgando y amontonados encima; varias bolsas cerradas con cuerdas colgaban de una correa atada alrededor de la piel flexible que llevaba como un manto a la altura de las caderas, de modo que formaba dobleces y bolsas para guardar objetos. Una bolsa se distinguía especialmente: estaba hecha con piel de nutria, lo que resultaba evidente, pues se había curtido dejando intactas las patas, la cola y la cabeza.

En vez de abrir el vientre del animal, sólo se había hecho un corte en el cuello para poder sacar por ese orificio las vísceras, la carne y los huesos, dejando una bolsa entera. La cabeza, atada por una tira de piel a la espalda, era la tapadera; una cuerda de tendón teñido de rojo pasaba por los agujeros que rodeaban la abertura del cuello y estaba apretada y atada a la correa que la mujer llevaba alrededor de la cintura.

Cuando la mujer vio a la criatura que los hombres habían dejado atrás, se quedó intrigada por lo que parecía un animal sin pelo. Pero, al acercarse, se quedó boquiabierta y retrocedió un paso, echando mano a la pequeña bolsa de cuero que llevaba colgada del cuello, en un gesto inconsciente por apartar a los espíritus desconocidos. Tocó los pequeños objetos que llevaba en su amuleto, invocando protección, y se inclinó para ver más de cerca, sin atreverse a dar un paso, pero sin conseguir convencerse de que estaba viendo lo que realmente creía ver.

Sus ojos no la habían engañado. No era un animal lo que había atraído a las aves de rapiña, era una niña, ¡una niña flaca y de aspecto extraño!

La mujer echó una mirada a su alrededor, preguntándose qué otros temibles enigmas podría encontrar por allí cerca, y empezó a rodear a la niña inconsciente, pero oyó un gemido. La mujer se detuvo y, olvidando sus temores, se arrodilló junto a la niña y la sacudió suavemente. La curandera comenzó a desatar la cuerda que mantenía cerrada la bolsa de nutria tan pronto como vio la infección de los arañazos y la pierna hinchada al rodar la niña sobre sí misma.

El hombre que iba a la cabeza de la tribu miró hacia atrás y vio a la mujer arrodillada junto a la niña. Volvió sobre sus pasos.

–¡Iza! ¡Ven! –ordenó–. Huellas de león cavernario más adelante.

–¡Es una niña, Brun! Está herida pero no muerta –replicó.

Brun miró a la niña flaca de frente alta, nariz pequeña y rostro curiosamente plano.

–No es del clan –dijo el jefe con un ademán seco y cortante, y se volvió para reanudar su marcha.

–Brun, es una niña y está herida. Morirá si la dejamos aquí. –Los ojos de Iza suplicaban mientras se expresaba con gestos de sus manos.

El jefe del pequeño clan se quedó mirando a la mujer que imploraba. Era mucho más alto que ella, medía más de metro y medio, sus músculos eran pesados y potentes, su pecho abultado y sus piernas fuertes y arqueadas. Su estereotipo era similar aunque más pronunciado: nariz más grande y arco superciliar más abultado. Sus piernas, estómago y pecho, así como la parte superior de su espalda, estaban cubiertos de pelos morenos y ásperos que no constituían una pelambre, pero casi, casi. Una barba tupida ocultaba su mandíbula sin barbilla. Su manto también se parecía al de ella, pero no era tan completo: era más corto y estaba atado de distinta manera, con menos dobleces y bolsas para guardar cosas.

No llevaba carga alguna, sólo su manto exterior de pieles, colgado de su espalda por una ancha banda de cuero enrollada a su frente inclinada, y sus armas. Sobre su muslo derecho había una cicatriz, ennegrecida como un tatuaje, más o menos en forma de U, con los rasgos superiores hacia fuera: era la marca del bisonte, su tótem. No necesitaba señal ni adorno alguno para poder ser identificado como líder. Su porte y la deferencia que los demás le mostraban evidenciaban suficientemente su posición.

Retiró del hombro el garrote que llevaba –era una larga pata delantera de caballo– y lo apoyó en el suelo sosteniéndolo contra su muslo; Iza comprendió que estaba considerando seriamente la súplica que ella le había hecho. Esperó tranquilamente, disimulando su agitación, para dejarle pensar. Brun dejó en el suelo su pesada lanza de madera, apoyando el mango en su hombro, con la afilada punta, endurecida al fuego, hacia arriba, y ajustó las boleadoras que llevaba colgadas del cuello junto con su amuleto, para que las tres bolas de piedra se equilibraran mejor. Entonces, de la correa que rodeaba su cintura, sacó un pedazo de gamuza flexible unido en ambos extremos y abultado en el medio para guardar las piedras destinadas a la honda, y se puso a tirar de la suave piel con sus manos, reflexionando.

A Brun no le gustaba tomar decisiones apresuradas respecto a nada insólito que pudiera afectar a su clan, especialmente ahora que estaban sin hogar, y resistió al impulso de negarse de buenas a primeras. «Debería haber supuesto que Iza querría ayudarla, pensó; incluso ha hecho uso de magia curativa algunas veces con animales, sobre todo con crías. Se va a contrariar si no le permito ayudar a esta niña. Que sea del clan o de los Otros es lo de menos: lo único que ve es una criatura herida. Bueno, quizá eso haga que sea una curandera tan buena.

»Pero curandera o no, sólo es una mujer. ¿Qué importa que se moleste? Iza se cuidará mucho de exteriorizarlo, y ya tenemos suficientes problemas sin una extraña enferma. Pero lo sabrá su tótem y todos los espíritus también. ¿Estarán más enojados si ella se ve contrariada? Si encontramos una cueva... no, cuando encontremos otra cueva, Iza tendrá que elaborar la bebida para la ceremonia de la cueva. ¿Y si comete un error por estar preocupada? Los espíritus enojados pueden hacer que todo salga mal... y ya están suficientemente enojados. Nada debe salir mal en la ceremonia de la nueva cueva.

»Pues que recoja a la niña, se dijo. Pronto se cansará de llevar a cuestas esa carga adicional; la niña se encuentra tan mal que ni siquiera la magia de mi hermana será lo suficientemente fuerte para salvarla.» Brun volvió a meter la honda en la correa que le servía de cinturón, recogió sus armas y se encogió de hombros, sin comprometerse. A ella le correspondía tomar la decisión: Iza podría llevarse a la niña con ellos o no, como quisiera. Brun se dio media vuelta y siguió su camino a grandes zancadas.

Iza metió la mano en su canasta y sacó un manto de cuero; cubrió con él a la niña, la envolvió bien, la levantó en vilo y la aseguró a su cadera con la piel flexible, sorprendida al sentir lo poco que pesaba para su estatura. La niña gimió al sentirse alzada; entonces Iza la acarició para tranquilizarla antes de echar a andar detrás de los dos hombres.

Las demás mujeres se habían detenido, manteniéndose alejadas de la conversación entre Iza y Brun. Cuando vieron que la curandera recogía algo y lo llevaba, sus manos volaron en rápidos ademanes, apoyados de vez en cuando por algunos sonidos guturales, discutiendo el asunto con mucha curiosidad. Con excepción de la bolsa de nutria, el resto de su vestimenta era igual al de Iza, y transportaban tanta carga como ella. Entre todas llevaban a cuestas todas las posesiones terrenales del clan, lo que se había podido rescatar de entre los escombros después del terremoto.

Dos de las siete mujeres llevaban niños de pecho en un repliegue de su manto y pegados a su piel, lo que facilitaba el darles de mamar. Mientras estaban esperando, una de ellas sintió una gota de humedad caliente; sacó a su hijito desnudo del pliegue y lo sostuvo mientras terminaba de orinar. Cuando no viajaban, los bebés solían estar envueltos en suaves mantillas de piel. Para absorber la humedad y las defecaciones lechosas, se acumulaban a su alrededor diversos materiales, como vellón de ovejas silvestres prendido en matorrales espinosos cuando los musmones estaban de muda, plumón del pecho de aves o borra de plantas fibrosas. Pero mientras viajaban, era más fácil y más sencillo llevar a los bebés desnudos y, sin dejar de andar, ponerles a que hicieran sus cosas sobre el suelo.

Cuando reanudaron la marcha, una tercera mujer cogió a un niño, sujetándolo contra su cadera con un manto de cuero de los empleados para transportar carga; pero al poco rato el chiquillo empezó a agitarse para bajar al suelo y andar solo. La madre dejó que se fuera, pues bien sabía que regresaría con ella tan pronto como se sintiera cansado. Una muchacha mayor, que todavía no era mujer pero que llevaba la misma carga que las demás, caminaba detrás de la mujer que seguía a Iza; de vez en cuando volvía la mirada hacia atrás, hacia un mozo que casi era un hombre y que avanzaba detrás de las mujeres. Éste se las arreglaba para dejar entre ellas y él la suficiente distancia para que pareciera que formaba parte del grupo de tres cazadores que constituían la retaguardia, y no del grupo de los niños. Se parecía por poder llevar también él alguna pieza de caza y envidiaba al viejo, uno de los que flanqueaban a las mujeres, que llevaba una enorme liebre al hombro, derribada por una piedra de su honda.

Los cazadores no eran la única fuente de alimentos para el clan. Con frecuencia las mujeres aportaban la mayor parte, y sus fuentes eran más seguras. A pesar de ir cargadas, recolectaban mientras viajaban, y lo hacían con tanta eficiencia que apenas retrasaban su marcha. Una mancha de lirios diurnos era prontamente despojada de capullos y flores, y las raíces nuevas y tiernas quedaban al punto desenterradas con unos cuantos golpes de los palos de cavar. Las raíces de espadaña, arraigadas bajo la superficie de aguas pantanosas, eran todavía más fáciles de arrancar.

Si no hubieran estado de viaje, las mujeres habrían tenido buen cuidado de tomar nota de la ubicación de las altas plantas talludas para volver, cuando la estación estuviera más avanzada, a recoger los brotes tiernos de la parte superior, como verdura. Más adelante aún, el polen amarillo, mezclado con el almidón obtenido de las fibras de raíces viejas mojadas, se convertiría en unos bizcochos pastosos sin levadura. Una vez secas las partes de arriba, se recogería la borra; algunas de las canastas estaban hechas con tallos y hojas duras. Ahora sólo recogían lo que encontraban al pasar, pero no se les pasaba mucho por alto.

Cortaban los brotes nuevos y las hojas tiernas del trébol, de la alfalfa, del diente de león; arrancaban las púas del cardo antes de cortarlo y recogían algunas bayas y frutas tempranas. Los agudos palos de cavar estaban constantemente ocupados, y nada quedaba a salvo de su punta en las hábiles manos femeninas. Los empleaban como palancas para dar vuelta a troncos caídos en busca de tritoncillos y deliciosos gusanos gordos; pescaban moluscos de agua dulce en los ríos y los acercaban a la ribera para facilitar su captura; extraían de la tierra diversidad de bulbos, tubérculos y raíces.

Todo ello iba siendo depositado en los prácticos repliegues de los mantos de las mujeres o en algún rincón vacío de sus canastas. Las hojas verdes servían para envolver; algunas de ellas, como las de bardana, se cocían como verduras. También recogían la leña seca, las ramillas y la hierba, así como el excremento de los herbívoros. Aun cuando la selección sería más variada una vez que el verano avanzara, había alimentos abundantes... para quien sabía dónde buscar.

Iza levantó la mirada cuando un anciano, de más de treinta años, llegó cojeando hasta ella una vez que hubieron reanudado la marcha. No llevaba arma ni carga, sólo un largo cayado para ayudarse a andar. Su pierna derecha estaba lisiada y era más corta que la izquierda, pero aun así se las arreglaba para moverse con una agilidad sorprendente.

Tenía atrofiados el hombro y el brazo derechos, y el brazo seco había sido amputado más abajo del codo. El fuerte hombro, el brazo y la pierna de su lado izquierdo, musculosos y plenamente desarrollados, le daban el aspecto de estar torcido. Su enorme cráneo era todavía mayor que los del resto del clan. Las complicaciones de su nacimiento habían sido causa del defecto que le había dejado baldado de por vida.

Era también hermano de Iza y Brun, el mayor, y habría sido jefe de no haber nacido tullido. Vestía un manto de cuero cortado al estilo masculino y llevaba sobre sus espaldas, como los demás hombres, su piel peluda por fuera, la cual usaba también para dormir. Pero de la correa que le rodeaba la cintura llevaba colgadas varias bolsas, y un manto del mismo estilo del que empleaban las mujeres envolvía un gran bulto que cargaba a la espalda.

El lado izquierdo de su rostro tenía horribles cicatrices y le faltaba un ojo, pero el derecho estaba bien y destellaba inteligencia junto con algo más. A pesar de su cojera, se movía con una gracia que provenía de su gran sabiduría y de la seguridad que le daba su puesto dentro del clan. Era Mog-ur, el mago más poderoso, el más imponente y más reverenciado hombre santo de todos los clanes. Estaba convencido de que su cuerpo arruinado le había sido dado para que pudiera ocupar su lugar de intermediario ante el mundo espiritual y no a la cabeza de su clan. En muchos aspectos su poder era mayor que el de cualquier jefe, y él lo sabía. Sólo sus parientes próximos recordaban el nombre que le fue dado al nacer y lo usaban al hablarle.

–Creb –dijo Iza, saludándolo y reconociendo su llegada con un movimiento que significaba el placer que le proporcionaba su presencia.

–¿Iza? –preguntó él con un gesto dirigido hacia la criatura que llevaba. La mujer abrió su manto y Creb observó detenidamente el rostro menudo y encendido. Su mirada llegó hasta la pierna hinchada y la herida que supuraba antes de volverla hacia el rostro de la curandera y leer en sus ojos. La niña gimió y la expresión de Creb se ablandó. Afirmó con un gesto de la cabeza.

–Bueno –dijo. El sonido era ronco y gutural. Entonces hizo una señal como para indicar: «Ya han muerto suficientes».

Creb se quedó junto a Iza. No tenía que someterse a las reglas tácitas que definían la posición de cada persona y su situación; él podía caminar junto a cualquiera, incluyendo al jefe si así lo deseaba. Mog-ur estaba por encima y aparte de la estricta jerarquía del clan.

Brun condujo a los suyos mucho más allá de las huellas de los leones cavernarios antes de detenerse para examinar el paisaje. Del otro lado del río, hasta donde alcanzaba la vista, la pradera se extendía en bajas colinas que ondulaban hasta perderse en un espacio plano y verde a lo lejos. Su vista no encontraba obstáculos. Los pocos árboles atrofiados, deformados por el viento incesante cual caricaturas en movimiento interrumpido, apenas prestaban perspectiva al campo abierto y subrayaban su vacuidad.

Cerca del horizonte, una nube de polvo revelaba la presencia de una numerosa manada de animales ungulados: Brun intentó vanamente señalar su presencia a sus cazadores y correr tras ellos. A sus espaldas sólo podían verse las copas de las coníferas detrás de los árboles deciduos, más bajos, de la selva que ya se veía empequeñecida por la vastedad de la estepa.

De este lado del río la pradera terminaba abruptamente, cortada por el farallón que estaba ya a cierta distancia y se apartaba cada vez más río abajo. La cara rocosa de la abrupta muralla se fundía con los contrafuertes de majestuosas montañas coronadas de hielo que se erguían allí cerca; sus picos helados, vibrantes de vivos tonos rosa, púrpura, violáceo y rojo, reflejaban el sol poniente, cual gigantescas joyas rutilantes que coronaban las cimas soberanas. El propio jefe, sumido en sus prosaicas reflexiones, se sintió conmovido por el espectáculo.

Se apartó del río y condujo a su clan hacia el farallón que brindaba la posibilidad de encontrar cuevas. Necesitaban un refugio; pero, lo que era casi más importante, sus espíritus totémicos protectores necesitaban un hogar, si es que no habían abandonado ya al clan. Estaban furiosos, el terremoto así lo demostraba, tan furiosos como para causar la muerte de seis de sus miembros y haber destruido su hogar. Si no se encontraba un lugar permanente para los espíritus totémicos, dejarían al clan a merced de los perversos, que causaban enfermedad y alejaban la caza. Nadie sabía por qué estaban enojados los espíritus, ni siquiera Mog-ur, aun cuando todas las noches celebraba ritos con el fin de calmar su ira y contribuir a aliviar la ansiedad del clan. Todos estaban preocupados, pero ninguno de ellos lo estaba tanto como Brun.

El clan era responsabilidad suya, y él sentía la tensión a la que estaba sometido. Los espíritus, esas fuerzas invisibles cuyos deseos eran insondables, le desconcertaban. Se encontraba más a gusto en el mundo físico de la cacería y de la dirección de su clan. Ninguna de las cuevas que había visitado hasta entonces era apropiada; a cada una de ellas le faltaba alguna condición esencial, y empezaba a desesperar. Se estaban perdiendo, en la búsqueda de un nuevo hogar, preciosos días cálidos durante los cuales deberían haber estado almacenando alimentos para el invierno siguiente. Pronto se vería obligado a resguardar a su clan en una cueva que distaría mucho de ser la adecuada, y habría que reanudar la búsqueda al año siguiente. Eso sería perturbador, tanto emocional como físicamente, y Brun esperaba fervientemente no tener que verse en esa situación.

Caminaron a lo largo de la base del farallón mientras se alargaban las sombras. Cuando llegaron cerca de una cascada que se precipitaba desde el risco y se pulverizaba formando un brillante arco iris a los rayos del sol, Brun mandó que se detuvieran. Cansadamente, las mujeres dejaron su carga en el suelo y se desplegaron por la orilla de la poza que estaba debajo y de su angosto arroyo en busca de leña.

Iza tendió su manto de piel y acostó a la niña encima, antes de dedicarse a ayudar a las demás mujeres. Estaba preocupada por la niña: su respiración era entrecortada y aún no se había movido; incluso su gemido era menos frecuente. Iza había estado pensando en la manera de ayudarla repasando las hierbas secas que llevaba en su bolsa de nutria y, mientras recogía leña, examinaba las plantas que crecían por allí. Para ella, le fuera conocido o no, todo tenía algún valor, medicinal o alimenticio, aunque realmente era muy poco lo que no supiera identificar.

Cuando vio largos tallos de lirio a punto de florecer en la orilla fangosa del arroyuelo, una de sus preguntas encontró respuesta; los arrancó de raíz. Las hojas trilobadas del lúpulo, que trepaba abrazando uno de los árboles, le dio otra idea, pero decidió utilizar el lúpulo seco en polvo que llevaba consigo, pues la fruta cónica no había madurado aún. Arrancó una suave corteza grisácea de un joven aliso que crecía junto a la poza y la olfateó: desprendía un fuerte aroma; la curandera aprobó con un gesto para sí misma mientras lo metía en un pliegue de su manto. Antes de volver a toda prisa junto a las demás, arrancó varios puñados de hojas nuevas de trébol.

Cuando se reunió toda la leña y se preparó el sitio para encender el fuego, Grod, el hombre que caminaba delante al lado de Brun, descubrió un ascua encendida envuelta en musgo y conservada en el extremo vacío de un asta de uro. Podían prender fuego, pero cuando viajaban por territorio desconocido era más fácil coger un carbón del fuego de un campamento y mantenerlo encendido para iniciar el siguiente que dedicarse cada noche a encender uno nuevo con materiales posiblemente inadecuados.

Grod había alimentado el ascua ardiente con gran ansiedad mientras viajaban. El carbón encendido procedente del fuego de la noche anterior provenía, a su vez, de un carbón encendido en el fuego de la noche anterior a la víspera, y podía seguírsele la pista hasta el fuego que habían atizado en la boca de la vieja caverna. Para que los ritos hicieran que una nueva cueva fuera una residencia apropiada, tenían que iniciarse con el fuego de un carbón cuya lumbre original proviniera de su residencia anterior.

El mantenimiento del fuego sólo podía confiarse a un varón de alta jerarquía. Si el carbón llegara a apagarse, sería una señal segura de que sus espíritus protectores los habían abandonado y Grod sería degradado de segundo-al-mando hasta la posición masculina más baja del clan; una humillación que no podía ni siquiera imaginarse. Gozaba de un honor muy grande que le imponía una pesada responsabilidad.

Mientras Grod colocaba cuidadosamente el trozo de carbón ardiente en un lecho de yesca seca y soplaba hasta sacar llamas, las mujeres se dedicaban a otras tareas. Con técnicas que les habían sido transmitidas desde generaciones atrás, desollaron rápidamente las piezas cazadas. Poco después de que el fuego ardiera alegremente, ya estaba asándose la carne atravesada por varas verdes afiladas colocadas sobre ramas bifurcadas. El calor era tan fuerte que la tostaba rápidamente por fuera dejando el jugo dentro, de modo que cuando el fuego convirtió la leña en carbón, poco quedaba que pudieran consumir las llamas.

Con los mismos afilados cuchillos de piedra que empleaban para despellejar y cortar la carne, las mujeres raspaban y rebanaban raíces y tubérculos. Llenaron de agua recipientes tejidos tupidamente a prueba de filtraciones y cuencos de madera, e introdujeron en ellos piedras calientes; cuando éstas se enfriaban, volvían a ponerlas al fuego, al mismo tiempo que introducían otras ya calientes en el agua para que hirviera y se cocieran las verduras. Tostaron gordos gusanos hasta que se tornaron crujientes y asaron lagartijas hasta que su ruda piel se ennegreció y estalló, dejando a la vista jugosas porciones de carne bien cocida.

Iza efectuó sus propios preparativos mientras ayudaba a hacer la comida. En un cuenco de madera que había vaciado en un trozo de tronco muchos años atrás, puso agua a hervir. Lavó las raíces de lirio y las masticó hasta hacer con ellas una pulpa que escupió dentro del agua hirviendo. En otro cuenco –una parte de quijada inferior de gamo en forma de taza– aplastó hojas de trébol, midió cierta cantidad de lúpulo en polvo en su mano, hizo tiritas la corteza de aliso y vertió encima agua hirviendo. Entonces molió carne seca y dura de sus raciones de reserva para emergencias hasta formar una tosca papilla entre dos piedras, mezclando después la proteína concentrada con agua que había servido para cocer las verduras, en un tercer cuenco.

La mujer que había caminado detrás de Iza echaba de vez en cuando una mirada hacia ésta, con la esperanza de que hiciera algún comentario. Todas las mujeres, y también los hombres, aun cuando no lo manifestaran, estaban consumidos por la curiosidad. Habían visto a Iza recoger a la niña y todos habían encontrado alguna buena razón para pasar al lado de la piel de Iza una vez establecido el campamento. Se especulaba mucho sobre la razón de que la niña estuviera allí, sobre dónde estaría el resto de su gente y, por encima de todo, por qué habría permitido Brun que Iza se trajera consigo una niña que, obviamente, era de los Otros.

Ebra sabía mejor que nadie lo presionado que se sentía Brun. Era ella quien trataba de aliviar la tensión de su cuello y sus hombros a fuerza de masajes, y era ella quien soportaba el peso de su humor nervioso, tan raro en el hombre que era su compañero. Brun era conocido por su autodominio, y ella sabía que lamentaba sus estallidos aun cuando no incrementaría su falta admitiéndolo. Pero Ebra misma se preguntaba por qué habría permitido que aquella criatura viniera con ellos, especialmente cuando cualquier desviación de la conducta normal podría exacerbar la ira de los espíritus.

Por mucha curiosidad que sintiera, Ebra no hizo preguntas a Iza, y ninguna de las demás mujeres gozaba de posición suficientemente alta para considerar siquiera la posibilidad de hacerlo. Nadie molestaba a una curandera cuando ésta se encontraba tan visiblemente ocupada en su magia, e Iza, por su parte, no estaba de humor para charlar ociosamente. Su preocupación estaba centrada en la niña que necesitaba su ayuda. También Creb estaba interesado en la niña, pero Iza agradecía su presencia.

Le observó con silenciosa gratitud cuando el mago se acercó a la niña inconsciente, la contempló reflexivamente un buen rato y después, apoyando su báculo contra una roca, se puso a hacer movimientos ondulantes por encima de ella, con su única mano: una invocación a los espíritus benévolos, para que la ayudaran a restablecerse. La enfermedad y los accidentes eran manifestaciones misteriosas de la guerra entre los espíritus. La magia de Iza procedía de espíritus protectores que actuaban por intermedio de ella, pero ninguna curación resultaba completa sin el hombre santo. Una curandera era un simple agente de los espíritus; un mago intercedía directamente ante ellos.

Iza no sabía por qué la preocupaba tanto una niña tan diferente del clan, pero deseaba que viviera. Una vez que Mog-ur hubo terminado, Iza cogió a la niña en sus brazos y la llevó hasta la poza que había al pie de la cascada. La sumergió toda, dejándole sólo la cabeza fuera, y lavó la tierra y el lodo seco que cubría el delgado cuerpecillo. El agua fría despertó a la niña, pero estaba delirando. Se agitaba, se retorcía, llamaba y emitía sonidos diferentes a todo lo que había oído anteriormente. Iza estrechó a la niña contra su cuerpo mientras regresaba emitiendo agradables murmullos que sonaban a suaves gruñidos.

Con suavidad, a la vez que con experimentada eficacia, Iza lavó las heridas con un trozo de piel de conejo porosa, previamente empapada en el líquido caliente en que había hervido la raíz del lirio. Entonces quitó la pulpa roja, la puso directamente sobre las heridas, la cubrió con la piel de conejo y envolvió la pierna de la niña en tiras de suave gamuza para mantener la cataplasma en su sitio. Sacó del cuenco de hueso el trébol molido, las tiras de corteza de aliso y las piedras con una ramita en forma de horquilla, y lo puso a enfriar junto al tazón de caldo caliente.

Creb hizo un ademán interrogativo hacia los tazones. No era una pregunta directa –ni siquiera Mog-ur preguntaría directamente a una curandera acerca de su magia–, sólo revelaba interés. A Iza no le importaba que su hermano mostrara interés; él, mejor que nadie, apreciaba su sabiduría. Empleaba algunas de las mismas hierbas que ella, pero para diferentes fines. Excepto en las reuniones de clanes, donde había otras curanderas, hablar con Creb era lo más parecido a una discusión con una colega profesional.

–Esto destruye los malos espíritus que causan la infección –explicó Iza con gestos, señalando la solución antiséptica de raíz de lirio–. Una cataplasma de raíz extrae los venenos y ayuda a sanar la herida. –Cogió el cuenco de hueso y metió dentro un dedo para comprobar la temperatura–. El trébol fortalece el corazón para combatir contra los malos espíritus, lo estimula. –Iza articulaba pocas palabras cuando hablaba, y lo hacía sobre todo para dar énfasis a lo que decía. La gente del clan no podía articular suficientemente bien como para tener un lenguaje verbal completo; se comunicaba más bien mediante gestos y movimientos, pero su lenguaje mímico era plenamente comprensible y abundaba en matices.

—El trébol es alimento. Anoche lo comimos —señaló Creb.

—Sí —asintió Iza—, y también esta noche. La magia consiste en la manera de prepararlo. De un manojo grande hervido en poca agua se extrae lo necesario y se tiran las hojas. —Creb hizo señas de que comprendía y ella prosiguió—: La corteza de aliso limpia la sangre, la purifica, saca los espíritus que la envenenan.

—También has empleado algo de tu bolsa de medicinas.

—Lúpulo pulverizado, los conos maduros con pelillos, para calmarla y hacer que duerma. Mientras pelean los espíritus, ella necesita descansar.

Creb asintió nuevamente con la cabeza; estaba familiarizado con las virtudes soporíficas del lúpulo, que producía un estado de euforia leve en otro uso distinto. Aunque siempre le interesaban los tratamientos de Iza, pocas veces revelaba nada respecto a las maneras en que él mismo utilizaba la magia vegetal. Esos conocimientos esotéricos eran para los mog-ures y sus acólitos, no para las mujeres, aunque fueran curanderas. Iza sabía mucho más sobre las propiedades de las plantas que él, y Mog-ur tenía miedo de que ella dedujera demasiado. Sería muy poco propicio que adivinara mucho acerca de su magia.

—¿Y el otro tazón? —preguntó.

—Es sólo caldo. La pobre criatura estaba medio muerta de hambre. ¿Qué crees tú que haya podido sucederle? ¿De dónde vendrá? ¿Dónde estará su gente? Seguramente anduvo vagando por ahí días enteros.

—Sólo los espíritus lo saben —replicó Mog-ur—. ¿Estás segura de que tu magia curativa obrará en ella? No es del clan.

—Debería obrar; también los Otros son humanos. ¿Recuerdas que nuestra madre nos contaba la historia de aquel hombre con un brazo roto, al que su madre ayudó? La magia del clan surtió efecto en él, aun cuando decía nuestra madre que tardó en recuperarse de la medicina para dormir más tiempo de lo que se esperaba.

—Es una lástima que nunca hayas conocido a la madre de nuestra madre. Era una curandera tan buena que venía gente de los demás clanes para consultarla. Lástima que se fuera al mundo de los espíritus tan pronto después de tu nacimiento, Iza. Ella me contó lo del hombre, y también lo hizo el Mog-ur anterior a mí. El hombre se quedó algún tiempo después de restablecerse y cazó con el clan. Debe de haber sido buen cazador, pues se le permitió unirse a una ceremonia de caza. Es verdad, son humanos, pero también diferentes. –Mog-ur se interrumpió; Iza era demasiado sagaz, no se le podía decir mucho so pena de que comenzara a sacar algunas conclusiones respecto a los ritos secretos de los hombres.

Iza volvió a examinar sus tazones, y entonces, colocando la cabeza de la niña sobre su regazo, se puso a alimentarla a pequeños sorbos con el contenido del tazón de hueso. Fue más fácil suministrarle el caldo. La niña murmuró algo incoherente y trató de apartar la medicina amarga, pero hasta en medio de su delirio su cuerpo hambriento anhelaba comer. Iza la sostuvo hasta que se sumió en un sueño tranquilo; luego comprobó los latidos de su corazón y su respiración. Había hecho todo lo que podía. Si la niña no había traspasado el límite de su resistencia tenía una oportunidad. Ahora le correspondía a los espíritus y a la fuerza interior de la niña hacer el resto.

Iza vio que Brun se acercaba a ella y que la miraba con disgusto. Se levantó rápidamente y corrió para ayudar a servir la cena. El jefe había apartado de su mente a la niña extraña, una vez pasada su reflexión inicial, pero ahora abrigaba ciertas reservas. Aun cuando era costumbre apartar la mirada para evitar quedarse mirando a la gente que hablaba entre sí, no pudo dejar de observar lo que estaba comentando su clan. Al ver que estaban intrigados porque él había permitido que la niña viniera con ellos, también él comenzó a hacerse preguntas. Comenzó a temer que la ira de los espíritus fuera en aumento debido a la extraña criatura que había entre ellos. Se desvió para cruzarse con la curandera, pero Creb le vio y se lo llevó aparte.

–¿Pasa algo malo, Brun? Pareces preocupado.

–Iza debe dejar aquí a la niña, Mog-ur: no es del clan; los espíritus se van a disgustar si sigue con nosotros mientras buscamos una caverna nueva. No debería haber permitido que Iza la trajera.

–No, Brun –le contradijo Mog-ur–, los espíritus protectores no están enojados por la bondad. Ya conoces a Iza: no puede soportar ver que algo sufre sin prestar su ayuda. ¿No crees que también los espíritus la conocen? Si no quisieran que Iza la ayudara, la niña no habría sido puesta en su camino. Tiene que haber alguna razón para ello. De todos modos, la niña puede morir, Brun, pero si Ursus quiere llamarla al mundo de los espíritus, deja que él tome la decisión. Ahora no interfieras. Seguramente morirá si la dejamos aquí.

A Brun no le gustaba aquello; había algo en la niña que le molestaba, pero sometiéndose al superior conocimiento que Mog-ur tenía en lo referente al mundo de los espíritus, dio su aquiescencia.

Creb se quedó sentado, sumido en un silencio contemplativo, después de la cena, esperando que todos terminaran de comer para poder iniciar la ceremonia vespertina mientras Iza le arreglaba su lecho y hacía los preparativos para la mañana siguiente. Mog-ur había prohibido que hombres y mujeres durmieran juntos antes de que se encontrara otra cueva, para que los hombres pudieran concentrar todas sus energías en los rituales y que cada quien tuviera la impresión de estar esforzándose por lograr un nuevo hogar.

A Iza no le afectaba; su compañero había sido uno de los que habían muerto en el derrumbe. Había llevado su luto con el pesar debido en su funeral –habría dado mala suerte no hacerlo–, pero no se sentía desdichada por su pérdida. No era un secreto que había sido un hombre cruel y exigente. Nunca había existido afecto entre ellos. Ella no sabía lo que decidiría hacer Brun con ella, ahora que estaba sola. Alguien tendría que sustentarla, a ella y a la criatura que llevaba en su seno; lo único que esperaba era poder seguir cocinando para Creb.

Él había compartido su fuego desde el principio. Iza comprendía que a él tampoco le agradaba su compañero aun cuando nunca se inmiscuyó en los problemas internos de sus relaciones. Siempre había considerado Iza que era un honor cocinar para Mog-ur; más aún, había desarrollado un vínculo de afecto hacia su hermano semejante al que muchas mujeres llegan a experimentar por su compañero.

Iza sentía a veces lástima por Creb; podría haber tenido compañera propia si hubiera querido. Pero ella sabía que, a pesar de su gran magia y su situación privilegiada, ninguna mujer miraba jamás su cuerpo deforme y su rostro cubierto de cicatrices sin sentir asco, y estaba segura de que él lo sabía. Nunca tomó compañera y se mantuvo apartado. Eso incrementaba su categoría. Todos, incluyendo a los hombres, con excepción tal vez de Brun, temían a Mog-ur o lo miraban con un temor reverente. Todos menos Iza, que había conocido su dulzura y su sensibilidad desde que nació; era una parte de su naturaleza que Mog-ur desvelaba muy pocas veces.

Y esa parte de su propia naturaleza era lo que ocupaba en aquellos momentos los pensamientos del gran Mog-ur. En vez de meditar sobre la ceremonia de aquella noche, estaba pensando en la niña. A menudo había sentido curiosidad sobre su especie, pero la gente del clan evitaba a los Otros en lo posible, y hasta entonces nunca había visto a uno de sus miembros jóvenes. Sospechaba que el terremoto tenía algo que ver con que anduviera sola, aun cuando le sorprendía que hubiera gente de aquella tan cerca. Por lo general vivían mucho más al norte.

Observó que algunos hombres abandonaban el campamento y entonces se levantó apoyándose en su báculo para vigilar los preparativos. El ritual era prerrogativa y deber masculino. En muy raras ocasiones se permitía que las mujeres tomaran parte en la vida religiosa del clan, y les estaba totalmente prohibido asistir a estas ceremonias. No podría haber desastre tan grande como que una mujer presenciara los ritos secretos de los hombres. No sólo traería mala suerte, sino que alejaría a los espíritus protectores. El clan entero moriría.

Pero no había mucho peligro de que eso sucediera. Nunca se le ocurriría a una mujer aventurarse por las cercanías de un ritual tan importante. Ellas esperaban esos momentos para descansar, liberadas de las exigencias constantes de los hombres y de la necesidad de portarse con el decoro y el respeto debidos. Era muy duro para las mujeres tener a su vera a los hombres todo el tiempo, especialmente cuando éstos se mostraban tan nerviosos y se desahogaban con sus compañeras. En circunstancias normales, ellos se iban de cacería durante prolongados espacios de tiempo. Las mujeres sentían la misma ansia por encontrar un nuevo hogar, pero no podían hacer gran cosa. Brun fijaba la dirección que habían de seguir y a ellas no se les pedía consejo, ni podrían haberlo dado.

Las mujeres dependían de sus hombres para dirigir, asumir responsabilidades y tomar decisiones importantes. El clan había cambiado tan poco en casi cien mil años que ahora todos se sentían incapaces de cambiar, y comportamientos que otrora fueran adaptaciones de conveniencia se habían quedado fijados genéticamente. Tanto hombres como mujeres aceptaban sus papeles sin discutir; eran inflexiblemente incapaces de asumir cualesquiera otros. Eran tan incapaces de tratar de cambiar sus relaciones como de intentar tener un tercer brazo o modificar la forma de su cerebro.

Una vez que los hombres se alejaron, las mujeres se reunieron alrededor de Ebra con la esperanza de que Iza se les uniera, para poder satisfacer su curiosidad; pero Iza estaba agotada y no quería dejar sola a la niña. Se tendió a su lado tan pronto como Creb se alejó y envolvió su cuerpo y el de la niña con su capa de piel. Durante un rato se quedó observando a la niña bajo la luz mortecina del fuego que se apagaba.

«Qué cosita tan peculiar, se decía; en cierto modo, más bien fea. Tiene la cara tan plana; con esa frente abombada y alta, y esa naricilla tan chiquita, y qué protuberancia ósea tan rara debajo de la boca. Me pregunto qué edad tendrá. Más joven de lo que pensé al principio; está tan alta que lleva a engaño. Y tan flaca que siento todos sus huesos. Pobre criatura. ¿Cuánto llevará sin comer, vagando sola por ahí?» Iza rodeó con su brazo protector a la criatura. La mujer, que había ayudado incluso a crías de animales, no podía hacer menos por la flacucha y desnutrida niña. El tierno corazón de la curandera se volcó sobre la vulnerable criatura.

Mog-ur se mantuvo aparte mientras los hombres iban llegando y ocupaban su lugar detrás de las piedras que habían sido ordenadas en un pequeño círculo dentro de un círculo de antorchas más amplio. Estaban en la estepa abierta, lejos del campamento. El mago esperó a que todos los hombres hubieran tomado asiento y un poco más, y entonces avanzó al centro del círculo con una rama de madera aromática ardiendo. Puso la pequeña antorcha en el suelo delante del lugar vacío detrás del cual estaba su báculo.

Se quedó muy erguido sobre su pierna buena en medio del círculo y miró por encima de las cabezas de los hombres sentados, a lo lejos, con una mirada soñadora y desenfocada, como si estuviera viendo con su único ojo un mundo que para los demás era invisible. Envuelto en su gruesa piel de oso cavernario, que disimulaba las formas irregulares de su cuerpo asimétrico, conformaba una presencia imponente aun cuando extrañamente irreal. Un hombre y, sin embargo, con su forma distorsionada, no del todo un hombre; ni más ni menos, sino diferente. Sus mismas deformidades le prestaban una cualidad sobrenatural que nunca era tan aterradora como cuando Mog-ur dirigía una ceremonia.

De repente, con un gesto ceremonioso, presentó una calavera. La sostuvo muy por encima de su cabeza con su fuerte brazo izquierdo y la hizo girar lentamente formando un círculo completo, para que todos y cada uno de los hombres pudieran ver la forma grande, característica, abombada. Los hombres se quedaron mirando la calavera del oso cavernario que brillaba, en su blancura, a la luz vacilante de las antorchas. La puso enfrente de la pequeña antorcha que había en el suelo y se agachó detrás de ella, cerrando el círculo.

Un joven que se encontraba a su lado se puso en pie y cogió un cuenco de madera. Tenía más de once años y la ceremonia de su virilidad se había verificado poco antes del terremoto. Goov había sido escogido como acólito cuando era pequeño, y a menudo había auxiliado a Mog-ur en los preparativos, pero los acólitos no podían tomar parte en una ceremonia real mientras no fueran hombres. La primera vez que Goov desempeñó su nuevo papel fue después de iniciada la búsqueda y todavía estaba nervioso.

Encontrar una cueva tenía para Goov un significado especial. Era su oportunidad para aprender del propio gran Mog-ur los detalles de una ceremonia que se celebraba pocas veces y que era difícil de describir, mediante la cual una caverna se volvía aceptable como residencia. De niño temía al mago, aun cuando comprendía el honor que representaba haber sido elegido. Desde entonces, el joven había aprendido que el inválido no era solamente el más experto mog-ur de todos los clanes, sino que, además, tenía un corazón dulce y amable debajo de su aspecto austero. Goov respetaba a su mentor y lo amaba.

El acólito había comenzado a preparar la bebida que había en el cuenco tan pronto como Brun dio órdenes de detenerse. Comenzó machacando entre dos piedras plantas enteras de datura. La parte difícil consistía en calcular la cantidad y proporción de hojas, tallos y flores que habrían de emplearse. Se echaba agua hirviendo sobre las plantas machacadas y la mezcla se quedaba en maceración hasta la ceremonia.

Goov había vertido la fuerte infusión de datura en el cuenco especial de ceremonias, filtrándola entre sus dedos, justo antes de que Mog-ur ingresara en el círculo, y esperaba ansiosamente que el hombre santo diera su aprobación con un movimiento de la cabeza. Mientras Goov lo sostenía, Mog-ur tomó un sorbo, aprobó con un gesto y después bebió; Goov exhaló un suspiro sordo de alivio. Entonces fue pasando el cuenco a cada uno de los hombres, por orden jerárquico, comenzando por Brun. Él lo sostenía mientras bebían, controlando la parte que cada uno tomaba, y él fue el último en beber.

Mog-ur esperó a que Goov se sentara y entonces hizo una seña. Los hombres empezaron a golpear la tierra rítmicamente con el extremo romo de sus lanzas. El sordo golpeteo de las lanzas pareció intensificarse cada vez más hasta que no se oyó ningún otro sonido. Todos se sintieron contagiados por aquel redoble regular; después se pusieron en pie y comenzaron a moverse siguiendo el compás. El hombre santo contemplaba la calavera y su intensa mirada atrajo la atención de los hombres hacia la reliquia sagrada como si él los obligara. Determinar el momento oportuno era lo fundamental y él era maestro de la oportunidad. Esperó justo lo suficiente para que la tensión alcanzara su cima –un poco más y ese punto de máxima inflexión se habría disipado– y entonces miró a su hermano, el hombre que encabezaba al clan. Brun se puso de cuclillas delante de la calavera.

–Espíritu del Bisonte, tótem de Brun –entonó Mog-ur. En realidad sólo pronunció una palabra: «Brun». Lo demás lo dijo con gestos de su única mano sin vocalizar ninguna palabra más. Todo lo que vino después fueron movimientos formales, el viejo lenguaje mudo empleado para comunicarse con los espíritus y con otros clanes, cuyas pocas palabras guturales y gestos de las manos eran distintos. Con símbolos silenciosos, Mog-ur imploró al Espíritu del Bisonte que les perdonara cualesquiera faltas que hubieran cometido y que le hubieran ofendido, y solicitaba su ayuda.

–Este hombre ha honrado siempre a los Espíritus, Gran Bisonte, siempre ha conservado las tradiciones del clan. Este hombre es un jefe fuerte, un jefe sabio, un jefe justo, un buen cazador, buen proveedor y hombre que se controla, digno del Poderoso Bisonte. No abandones a ese hombre; orienta al jefe hacia un nuevo hogar, un lugar en que el Espíritu del Bisonte se encuentre a gusto. Este clan implora la ayuda del tótem de este hombre –concluyó el hombre santo. Entonces miró al segundo-almando. Mientras retrocedía Brun, Grod se agachó delante de la calavera del oso cavernario.

Ninguna mujer podía ser autorizada a presenciar la ceremonia, a enterarse de que sus hombres, que mandaban con fuerza impertérrita, rogaban y suplicaban a los espíritus invisibles de la misma manera que las mujeres rogaban y suplicaban a los hombres.

–Espíritu del Oso Pardo, tótem de Grod –comenzó una vez más Mog-ur, y procedió a una súplica formal similar dirigida al tótem de Grod. A continuación hizo lo mismo con todos los demás hombres, uno por uno. Cuando terminó, siguió contemplando la calavera mientras los hombres golpeaban la tierra con sus lanzas, dejando nuevamente que la tensión se acumulara.

Todos sabían lo que vendría después, ya que la ceremonia no cambiaba nunca; era la misma, noche tras noche, pero aun así, estaban a la expectativa. Esperaban que Mog-ur apelara al espíritu de Ursus, el gran oso cavernario, su tótem personal y el más reverenciado entre los espíritus.

Ursus era algo más que el tótem de Mog-ur; era el tótem de todos, y más que tótem. Era Ursus el que hacía de ellos clan. Era el espíritu supremo, el protector supremo. La veneración hacia el Oso Cavernario era el factor común que los unía, la fuerza que soldaba a todos los clanes autónomamente organizados en un solo pueblo: el Clan del Oso Cavernario.

Cuando el mago tuerto juzgó el momento oportuno, hizo una seña. Los hombres dejaron de golpear y se sentaron detrás de sus piedras, pero el obsesivo ritmo del golpeteo anterior corría por su sangre y seguía retumbando en sus cabezas.

Mog-ur buscó en una pequeña bolsa y sacó una pulgarada de esporas secas de licopodio. Manteniendo su mano por encima de la antorcha pequeña, se inclinó hacia delante y sopló al tiempo que las dejaba caer sobre la llama. Las esporas se encendieron y cayeron, espectacularmente brillantes, alrededor de la calavera en un fulgor de luz de magnesio, en agudo contraste con la oscuridad de la noche.

La calavera brilló, pareció cobrar vida y en verdad lo hizo para aquellos hombres cuyas percepciones estaban modificadas por los efectos de la datura. Una lechuza ululó en un árbol próximo como si alguien se lo hubiera ordenado, agregando su sonido inquietante al pavoroso esplendor.

–Gran Ursus, protector del clan –dijo el mago con sus gestos formales–, muestra a este clan un nuevo hogar lo mismo que otrora el Oso Cavernario mostró al clan cómo vivir en cuevas y cubrirse con pieles. Protege a tu clan de la Montaña del Hielo, del Espíritu de la Nieve granulada que la creó y del Espíritu de las Ventiscas, su compañero. Este clan quiere suplicar al Gran Oso Cavernario que nada malo le suceda mientras esté sin hogar. A ti, el más venerado de todos los Espíritus, tu clan, tu pueblo pide al Espíritu del Poderoso Ursus que se una a él mientras realiza su viaje hacia el principio.

Y entonces Mog-ur utilizó el poder de su gran cerebro.

Todos esos seres primitivos, carentes casi de lóbulos frontales, con un lenguaje limitado por unos órganos vocales subdesarrollados, pero con cerebros grandes –mayores que los de cualquier raza de hombres entonces existentes o de generaciones todavía por venir–, eran únicos. Era la culminación de una rama de la humanidad cuyo cerebro estaba desarrollado en la parte posterior de la cabeza, en las regiones occipital y parietal, que controlan la visión y las sensaciones corporales y que almacenan memoria.

Y su memoria los hacía extraordinarios. En ellos había evolucionado el conocimiento inconsciente del comportamiento ancestral, llamado instinto. Almacenados en la parte posterior de sus grandes cerebros se encontraban no sólo sus recuerdos, sino los recuerdos de sus antepasados. Podían rememorar conocimientos aprendidos por sus antepasados y, en circunstancias especiales, podían dar un paso más allá. Podían recuperar su memoria racial, su propia evolución. Y cuando llegaban suficientemente lejos en el pasado, podían fusionar esa memoria, que era idéntica para todos, y unir telepáticamente sus mentes.

Pero sólo en el tremendo cerebro del inválido cubierto de cicatrices y deforme estaba plenamente desarrollado ese don. Creb, el amable y tímido Creb, cuyo cerebro enorme provocaba su deformación, había aprendido, como Mog-ur, a utilizar el poder de ese cerebro para fundir en una sola mente las entidades individualizadas sentadas a su alrededor y orientarlas. Podía situarlos en cualquier parte de su herencia racial, para convertirse, en la mente de cualquiera de ellos, en alguno de sus progenitores. Era el Mog-ur. El suyo era un poder auténtico, no condicionado por trucos de iluminación ni por la euforia provocada por las drogas. Esto sólo servía para preparar el escenario y ponerlos en condiciones de aceptar su dirección.

En aquella noche oscura y tranquila iluminada por antiguas estrellas, unos pocos hombres experimentaron visiones imposibles de describir. No las veían; ellos mismos eran las visiones. Experimentaban las sensaciones, veían con los ojos y recordaban los comienzos pavorosos. En las profundidades de sus mentes encontraban los cerebros sin desarrollar de criaturas del mar flotando en su ámbito salino y caliente. Sobrevivieron al dolor de su primera aspiración de aire y se volvieron anfibios, compartiendo ambos elementos.

Porque reverenciaron al oso cavernario, Mog-ur evocó a un mamífero primordial, el antepasado que generó a ambas especies y a muchísimas más, y fusionó la unidad de sus mentes con el principio del oso. Entonces, recorriendo las eras, se convirtieron sucesivamente en cada uno de sus progenitores y vieron a los que divergían hacia otras formas. Eso les hizo conscientes de su relación con toda la vida que hay en la tierra, y la veneración que fomentaba, a su vez, incluso respecto a los animales que mataban y consumían, constituía la base del parentesco espiritual que los relacionaba con su tótem.

Todas sus mentes actuaban como una, y sólo la aproximación al presente hizo que se desdoblaran de sus inmediatos antepasados para, al fin, ser ellos mismos. Parecía que aquello había durado una eternidad. En cierto modo así había sido, pero, en realidad, había transcurrido muy poco tiempo actual. A medida que cada hombre recuperaba de nuevo su identidad, se levantaba silenciosamente y se iba en busca de un sitio donde dormir y de un sueño profundo sin visiones, pues ya había agotado sus visiones.

Mog-ur fue el último. A solas, meditó acerca de la experiencia, y al cabo de un rato sintió una incomodidad habitual. Podían conocer el pasado con una profundidad y una grandeza que exaltaban el alma, pero Creb intuía una limitación que nunca se les ocurría a los demás. No podían ver hacia delante. Ni siquiera podían pensar hacia delante. Él era el único que vislumbraba esa posibilidad.

El clan era incapaz de concebir un futuro distinto del pasado, no podía idear alternativas innovadoras para el mañana. Todo su saber, todo lo que hacían era una repetición de algo hecho anteriormente. Incluso almacenar alimentos para los cambios de estación era el resultado de una experiencia pasada.

Hubo un tiempo, muchísimo antes, en que la innovación era más fácil, cuando una piedra rota, con aristas agudas, inspiró a alguien la idea de romper una piedra con el propósito de obtener una lámina afilada, cuando la punta caliente de un palo que giraba despertó en alguien la ocurrencia de hacerlo girar más tiempo y más fuerte para ver lo caliente que podía ponerse. Pero a medida que los recuerdos se acumulaban, atestando y ensanchando la capacidad de almacenamiento de su cerebro, los cambios se hicieron cada vez más difíciles. No quedaba espacio para nuevas ideas que pudieran añadirse a su banco de memoria, sus cabezas eran ya demasiado grandes. Las mujeres tenían dificultades para dar a luz; no podían permitirse otros conocimientos que ensancharan aún más sus cabezas.

El clan vivía siguiendo una tradición inmutable. Cada faceta de su vida, desde el momento en que venían al mundo hasta que eran llamados al mundo de los espíritus, estaba circunscrita en el pasado. Era un intento de supervivencia, inconsciente y sin planificar, salvo por la naturaleza, en un último esfuerzo por salvar a la raza de la extinción, pero que estaba condenado al fracaso. No podían impedir el cambio y su resistencia a él era autodestructora, opuesta a la supervivencia.

Tardaban en adaptarse. Los inventos eran accidentales y frecuentemente no se aprovechaban. Si algo nuevo les sucedía, podían agregarlo a su acumulación de información, pero el cambio sólo se conseguía a costa de un gran esfuerzo, y cuando se les imponía a la fuerza, se mostraban reacios a seguir el nuevo rumbo. Se les hacía demasiado cuesta arriba alterarlo de nuevo. Pero una raza sin espacio para aprender, sin espacio para desarrollarse, no estaba ya equipada para subsistir en un medio intrínsecamente cambiante, y ellos habían rebasado ya el punto crítico en que podrían haberse desarrollado de distinta manera. Eso quedaba para una forma nueva, un nuevo experimento de la naturaleza.

Mientras Mog-ur estaba sentado, solitario, en la llanura abierta viendo cómo las últimas antorchas chisporroteaban antes de apagarse, pensó en la extraña niña que Iza había recogido y su incomodidad aumentó hasta convertirse en algo físico. Ya había visto anteriormente a gente de su especie, pero hasta ahora no había pensado en sacar conclusiones, además de que no muchos de los encuentros casuales habían sido agradables. De dónde provenían seguía siendo un misterio –aquellas gentes eran unos recién llegados a aquellas tierras–, pero desde que habían llegado las cosas habían estado cambiando. Parecían traer el cambio consigo.

Creb se encogió de hombros como para sacudirse la incomodidad que se había apoderado de él, envolvió cuidadosamente la calavera del oso cavernario en su manto, tendió la mano hacia su báculo y se dirigió cojeando a su cama.

3

La niña se volvió y empezó a agitarse.

–¡Madre! –gimió. Sacudiendo alocadamente sus bracitos, volvió a llamar, más fuerte esta vez–: ¡¡Madre!!

Iza la cogió en sus brazos murmurando suavemente. La cercanía cálida del cuerpo de la mujer y sus sonidos apaciguadores penetraron en el cerebro calenturiento de la niña y la calmaron. Había dormido de un tirón toda la noche, despertando de vez en cuando a la mujer con sus movimientos, sus gemidos y sus murmullos delirantes. Los sonidos eran extraños, diferentes de las palabras que hablaba la gente del clan. Salían con facilidad, con fluidez, un sonido fundiéndose en el siguiente. Iza no podía siquiera empezar a reproducir muchos de ellos; su oído no estaba aún acondicionado para distinguir las variaciones más sutiles. Pero aquella serie particular de sonidos se repitió tantas veces que Iza calculó que se trataría de un nombre que designaba a alguien próximo a la niña, y cuando vio que su presencia la reconfortaba, intuyó quién podía ser ese alguien.

«No puede ser muy mayor, pensaba Iza, ni siquiera sabía cómo encontrar alimentos. Me pregunto cuánto tiempo habrá estado sola. ¿Qué le habrá pasado a su gente? ¿Habrá sido el terremoto? ¿Habrá vagado sola todo ese tiempo? Y ¿cómo consiguió salvarse de un león cavernario con tan sólo unos arañazos?» Iza había cuidado suficientes desgarraduras como para saber que las de la niña habían sido causadas por el enorme felino. «Debe de estar protegida por espíritus poderosos», se dijo.

Era todavía de noche, aunque ya se aproximaba el alba, cuando finalmente la calentura de la niña se resolvió en un sudor abundante. Iza la mecía contra su cuerpo, aportando su calor y asegurándose de que estuviera bien tapada. La niña despertó poco después y se preguntó dónde estaba, pero la oscuridad era

43

demasiado profunda aún. Sintió el cuerpo tranquilizador de la mujer junto al suyo y cerró nuevamente los ojos, cayendo en un sueño más sosegado.

Tan pronto como el cielo se aclaró, recortando la silueta de los árboles contra su pálido resplandor, Iza salió calladamente de debajo de su piel caliente. Atizó el fuego, agregó más leña y después llegó hasta el arroyuelo para llenar su tazón y arrancar la corteza de un sauce. Se detuvo un momento, cogió su amuleto y dio gracias a los espíritus por el sauce. Siempre daba gracias a los espíritus por el sauce, por su presencia ubicua así como por su corteza que calmaba el dolor. No podía recordar cuántas veces habría arrancado corteza de sauce para hacer una infusión con la cual aliviar dolores y sufrimientos. Conocía calmantes más fuertes, pero que también embotaban los sentidos. Las propiedades analgésicas del sauce calmaban el dolor y rebajaban la fiebre.

Algunas otras personas empezaban también a bullir mientras Iza se arrodillaba junto al fuego echando pequeñas piedras calientes al tazón de agua con corteza de sauce. Cuando todo estuvo listo, lo llevó hacia sus pieles de dormir, depositó cuidadosamente el tazón en un pequeño hoyo del suelo y se deslizó a continuación junto a la niña. Iza examinó a la pequeña, observando que su respiración era normal, pero intrigada por su rostro poco común. La insolación había cedido un poco, salvo algunas pieles levantadas a través del puente de su naricilla.

Iza había visto una vez a gente de su especie, pero sólo de lejos. Las mujeres del clan siempre corrían y se escondían. En las Reuniones del Clan se había hecho referencia a encuentros desagradables entre el clan y los Otros, y la gente del clan los evitaba. Se permitían escasos contactos, especialmente a las mujeres. Pero la experiencia de su clan no había sido mala. Iza recordaba haber hablado con Creb del hombre que vino a parar a su cueva mucho tiempo atrás, medio loco de dolor a causa de un brazo roto.

Había aprendido algo de su lenguaje, pero sus modales eran extraños. Le gustaba hablar con las mujeres tanto como con los hombres, y trataba con mucho respeto a la curandera, casi con veneración, lo cual no había impedido que se hiciera acreedor al respeto de los hombres. Iza se preguntaba acerca de los Otros mientras, despierta, observaba a la niña a medida que el cielo iba clareando.

Mientras Iza miraba, un rayo de sol incidió sobre el rostro de la niña desde la brillante bola de llamas que surgía tras el horizonte. Los párpados de la niña temblaron; abrió sus ojos y se quedó mirando un par de grandes ojos oscuros, muy hundidos bajo un arco superciliar protuberante en un rostro que avanzaba como un hocico.

La niña gritó y cerró nuevamente los ojos. Iza la acercó a su cuerpo, sintiendo que su flaco cuerpecillo se sacudía de espanto, y murmuró unos sonidos apaciguadores. Los sonidos le resultaron algo familiares a la niña, pero más familiar aún era el cuerpo caliente y confortable. Poco a poco dejó de temblar convulsivamente. Abrió los ojos un poquito y volvió a mirar a Iza. Esta vez no gritó. Finalmente abrió completamente los ojos y se quedó mirando el rostro espantoso, totalmente desconocido, de la mujer.

Iza también la miraba, sorprendida. Nunca había visto unos ojos del color del cielo anteriormente; durante un instante se preguntó si la niña sería ciega. A veces los ojos de los ancianos del clan se cubrían con una especie de película y a medida que la película nublaba los ojos con una tonalidad más clara, la visión disminuía. Pero las pupilas de la niña se dilataban normalmente, y no cabía la menor duda de que había visto a Iza. «Ese color gris azulado debe de ser normal en ella», pensó Iza.

La niña estaba tendida, absolutamente quieta, temerosa de mover un músculo, con los ojos muy abiertos. Cuando se incorporó con ayuda de Iza, hizo una mueca de dolor y sus recuerdos le volvieron de repente. Recordó al monstruoso león con un estremecimiento, visualizando la garra afilada que rasgaba su pierna. Recordó cómo se esforzó para llegar al río, pues la sed se había sobrepuesto a su temor y al dolor de su pierna, pero no podía recordar nada anterior a aquello. Su mente había bloqueado todo recuerdo de sus penalidades mientras vagó sola, hambrienta y asustada, el horrible terremoto y los seres amados que había perdido.

Iza sostuvo el tazón del líquido junto a la boca de la niña; tenía sed y tomó un sorbo, acompañado de un gesto provocado por el sabor amargo. Pero cuando la mujer acercó nuevamente la taza a sus labios, volvió a beber, demasiado asustada para resistirse. Iza aprobó con un gesto de la cabeza y después se alejó para ayudar a las mujeres a preparar el desayuno. Los ojos de la niña siguieron a Iza, y los abrió más aún cuando vio por vez primera un campamento lleno de personas parecidas a la mujer.

45

El olor de los alimentos que se cocían le provocó punzadas de hambre, y cuando la mujer regresó con una taza de caldo sustancioso, espesado con cereales para convertirlo en papilla, lo engulló con voracidad. La curandera no creía que estuviera aún preparada para ingerir alimentos sólidos. No hizo falta mucho para llenar su estómago contraído; entonces Iza puso lo que sobraba en un pellejo para que la niña bebiera durante el viaje. Cuando la niña hubo terminado, Iza la acostó y le quitó la cataplasma. Las heridas estaban drenando el pus y la hinchazón había disminuido.

–Bien –dijo Iza en voz alta.

La niña dio un brinco al oír el rudo sonido gutural de la palabra, la primera que oía pronunciar a la mujer. Para los oídos de la niña no sonaba como una palabra, sino más bien como un gruñido o un ronquido de algún animal. Pero las acciones de Iza no parecían bestiales, sino muy humanas, muy humanitarias. La curandera tenía preparada otra raíz machacada y, mientras aplicaba el nuevo vendaje, un hombre deforme, torcido, se acercó a ellas cojeando.

Era el hombre más espantosamente repulsivo que hubiera visto la pequeña. Tenía un lado de la cara lleno de cicatrices y un trozo de piel cubría el lugar en que debería haber estado uno de sus ojos. Mas como todas aquellas personas le parecían tan extrañas y feas, la desfiguración horrenda de aquel hombre sólo era cuestión de grado. No sabía quiénes eran ni por qué se encontraba entre ellos, pero sabía que la mujer estaba cuidándola. Le había dado alimentos, el vendaje refrescaba y aliviaba su pierna y, sobre todo, desde lo más profundo de su inconsciente sentía un alivio a la ansiedad que la había inundado de miedos lacerantes. Por extraña que fuera aquella gente, por lo menos entre ellos había dejado de estar sola.

El hombre tullido se sentó y observó a la niña. Ésta le devolvió la mirada con una curiosidad sincera que lo sorprendió; los niños de su clan siempre le tenían algo de miedo. Aprendían muy pronto que incluso sus mayores lo miraban con temor, y sus modales distantes no fomentaban la familiaridad. La brecha se ensanchaba cuando las madres amenazaban con llamar a Mog-ur si se portaban mal. Cuando los niños eran ya casi adultos, la mayoría, sobre todo las niñas, lo temían de verdad. Sólo al alcanzar la madurez de la edad media los miembros del clan equilibraban el temor con el respeto hacia él. El ojo derecho de Creb centelleaba de interés ante la manera en que aquella niña le examinaba sin asomo de temor.

–La niña está mejor, Iza –indicó. Su voz era más baja que la de la mujer, pero los sonidos que emitía le parecían a la niña más gruñidos que palabras. Ella no se había fijado en los gestos que acompañaban a los sonidos. Aquel lenguaje le era totalmente extraño; sólo sabía que el hombre había dicho algo a la mujer.

–Todavía está débil por el hambre –dijo Iza–, pero la herida está mejor. Los cortes son profundos, pero no lo suficiente para poner su pierna en peligro, y la infección empieza a ceder. Ha sido arañada por un león cavernario, Creb. ¿Has sabido de algún león cavernario que se conforme con dar unos cuantos arañazos una vez que decide atacar? La niña debe de tener un espíritu fuerte que la protege. Pero –agregó Iza– ¿qué sé yo de los espíritus?

Desde luego, no correspondía a una mujer, ni siquiera a su hermana, hablarle a Mog-ur de espíritus. Ella hizo un gesto deprecativo que, al mismo tiempo, pedía perdón por su presunción. Él fingió no enterarse –algo con lo que ella ya contaba–, pero miró a la niña con mayor interés después de oír el comentario sobre un fuerte espíritu protector. Había estado pensando él también lo mismo, y aun cuando nunca lo admitiría, la opinión de Iza tenía mucho peso para él y confirmaba sus propias ideas.

Levantaron rápidamente el campamento. Iza, cargada con su cuévano y sus paquetes, se agachó para alzar a la niña hasta su cadera antes de echar a andar detrás de Brun y Grod. Cabalgando sobre la cadera de la mujer, la niña miraba a su alrededor con curiosidad mientras avanzaban, observando todo lo que hacían Iza y las demás mujeres. Se mostraba particularmente interesada cuando se detenían para recoger alimentos. Iza solía darle un bocadito de capullo o un brote tierno, y eso le traía un vago recuerdo de otra mujer que había hecho lo mismo. Pero ahora la niña prestaba mayor atención a las plantas y comenzó a observar sus características identificativas. Sus días de hambre despertaban en la chiquilla un fuerte deseo de aprender a encontrar comida. Señaló una planta y se alegró al ver que la mujer se inclinaba y desenterraba su raíz. También Iza se sintió contenta: «la niña es rápida», pensó. No la conocía anteriormente, pues, en ese caso, habría tenido qué comer.

Se detuvieron para descansar casi a mediodía, mientras Brun buscaba un lugar donde pudiera haber cuevas. Después de dar a la niña lo último que quedaba del caldo, Iza le dio una tira de carne dura para que la masticara. La cueva no se adaptaba a sus necesidades. Más tarde, aquel mismo día, la pierna de la niña comenzó a palpitar en cuanto pasaron los efectos de la corteza de sauce, y empezó a agitarse. Iza la acarició y cambió a una postura más cómoda. La niña se entregó por completo a los cuidados de la mujer: con una confianza absoluta, rodeó con sus brazos flacuchos el cuello de Iza y dejó reposar su cabeza sobre el amplio hombro de la mujer. La curandera, que había vivido tanto tiempo sin hijos, sintió que se despertaba en ella un calor afectuoso hacia la huerfanita, que estaba todavía cansada y enferma; ahora, mecida por el movimiento rítmico de la mujer que caminaba, se quedó dormida.

Al atardecer Iza sentía ya el cansancio producido por la carga adicional que llevaba, y se alegró de poder dejar a la niña en el suelo cuando Brun dio orden de terminar la jornada. La niña tenía calentura, sus mejillas estaban encendidas y ardientes; sus ojos, vidriosos. La mujer fue en busca de leña y al mismo tiempo buscó plantas para volver a administrárselas a la niña. Iza no sabía qué era lo que causaba la infección, pero sí sabía cómo tratarla, y lo mismo le sucedía con otros muchos padecimientos.

Aun cuando el curar era magia y se hacía en nombre de los espíritus, eso no significaba que la medicina de Iza resultara menos eficaz. El antiguo clan había vivido siempre recolectando y cazando, y el uso de plantas silvestres durante generaciones había acumulado, por experiencia o casualidad, un caudal de información al respecto. Los animales eran desollados y descuartizados, y sus órganos se examinaban y comparaban. Las mujeres diseccionaban mientras preparaban las comidas y aplicaban esos conocimientos a sí mismas.

Su madre había mostrado a Iza los diversos órganos internos y explicado las funciones que cumplían como parte de su adiestramiento, pero sólo para recordarle algo que ya sabía. Iza había nacido de un linaje de curanderas altamente respetado y el saber curar era transmitido a las hijas de una curandera por un medio más misterioso que el adiestramiento. Una curandera en ciernes, procedente de un linaje ilustre, gozaba de una posición más alta que una curandera experta de antecesoras mediocres... y con razón.

Al nacer, tenía almacenado en su cerebro el conocimiento adquirido por sus antepasadas, el antiguo linaje de curanderas del que descendía directamente Iza. Podía recordar lo que ellas sabían. No era más diferente que recordar su propia experiencia y, una vez estimulado, el proceso era automático. Para empezar, conocía sus propios recuerdos, porque podía recordar también las circunstancias que los rodeaban –nunca olvidaba nada– y sólo podía recordar los conocimientos de su banco de memoria, nunca cómo fueron adquiridos. Y aun cuando Iza y sus hermanos tenían los mismos padres, ni Creb ni Brun gozaban de sus conocimientos médicos.

Los recuerdos de la gente del clan estaban diferenciados por el sexo. Las mujeres no tenían más necesidad de conocimientos sobre la caza que los hombres la tenían de saber más de lo rudimentario respecto a las plantas. La diferencia en el cerebro del hombre y de la mujer estaba impuesta por la naturaleza y sólo confirmada por la cultura. Era otro de los intentos de la naturaleza por limitar el tamaño de su cerebro, en un esfuerzo por prolongar la raza. Cualquier niño con un saber que correspondiera con todo derecho al sexo opuesto al nacer, lo perdía por falta de estímulos cuando llegaba a la posición de adulto.

Pero el intento de la naturaleza por salvar la raza de la extinción llevaba consigo los elementos para invalidar sus propios objetivos. No sólo eran esenciales ambos sexos para la procreación, sino para la vida cotidiana; uno no podía sobrevivir mucho sin el otro. Y no podía uno aprender las habilidades del otro, pues no tenía la memoria correspondiente.

Pero los ojos y los cerebros de la gente del clan también habían dotado a sus miembros de una visión aguda y perceptiva, aun cuando la usaran de maneras distintas. El terreno había cambiado progresivamente a medida que viajaban, e inconscientemente Iza recordaba cada detalle del paisaje que cruzaba, fijándose especialmente en la vegetación. Podía apreciar variaciones secundarias en la forma de una hoja o la altura de un tallo desde gran distancia, y aun cuando había algunas plantas, unas pocas flores, un eventual árbol o arbusto que no hubiera conocido anteriormente, no le resultaban extraños. De algún lugar recóndito de la parte posterior de su gran cerebro le llegaba el recuerdo de ellos, un recuerdo que no era suyo propio. Pero no obstante la enorme fuente de información de que disponía, había visto recientemente alguna vegetación que le resultaba totalmente desconocida, tan desconocida como el paisaje. Habría querido poder examinarla más de cerca. Todas las mujeres sentían curiosidad respecto a la vida vegetal desconocida; aunque significara adquirir conocimientos nuevos, resultaba esencial para la supervivencia inmediata.

Parte de la herencia de cada una de las mujeres era el conocimiento de cómo probar plantas desconocidas, y, lo mismo que las demás, Iza las experimentaba personalmente. Similitudes con plantas conocidas situaban a las nuevas en categorías emparentadas, pero ella sabía el peligro que implica suponer que a características similares corresponden propiedades similares. El procedimiento de experimentación era simple. Daba un mordisco; si el sabor era desagradable, lo escupía inmediatamente. Si era agradable, conservaba el pequeño fragmento en la boca, observando cuidadosamente cualquier picor o ardor que produjera o cualquier cambio de sabor. Si no los había, lo tragaba y esperaba hasta ver si podía reconocer algunos efectos. Al día siguiente daba un mordisco más grande y seguía el mismo procedimiento. Si no se observaban efectos perniciosos a la tercera prueba, el nuevo alimento se consideraba comestible, al principio en pequeñas porciones.

Pero Iza solía interesarse más cuando se observaban algunos efectos destacables, pues eso apuntaba la posibilidad de un uso medicinal. Las demás mujeres le llevaban cualquier cosa insólita una vez que aplicaban la misma prueba para saber si era o no comestible o cualquier cosa que tuviera características similares a plantas de las que se sabía eran venenosas o tóxicas. Procediendo con cautela, ella experimentaba también con éstas siguiendo sus propios métodos. Pero esa experimentación llevaba tiempo y, mientras viajaban, se limitaba a las plantas que conocía.

Cerca de aquel campamento, Iza encontró varias plantas altas de malvarrosa como varitas y de tallo delgado con grandes flores luminosas. Las raíces de las multicolores plantas en flor podían aplicarse en forma de cataplasma parecida a las de raíz de lirio para acelerar la curación y reducir la hinchazón y la inflamación. Una infusión de aquellas flores inhibiría el dolor de la niña y le produciría sueño, de modo que las recogió junto con la leña.

Después de cenar, la niña se quedó sentada contra una roca, observando las actividades de las personas que la rodeaban. La comida y un vendaje fresco la habían mejorado, y hablaba a Iza sin parar, aun a sabiendas de que ésta no la comprendía. Otros miembros del clan la miraban con expresión de censura, pero la niña no tenía conciencia del significado de aquellas miradas. Sus órganos vocales subdesarrollados imposibilitaban a la gente del clan una articulación precisa. Los pocos sonidos que utilizaban para dar énfasis eran una evolución de los gritos de advertencia o de la necesidad de reclamar atención, y la importancia concedida a la expresión verbal formaba parte de sus tradiciones. Sus medios básicos de comunicación –señas con las manos, gestos, posturas y una intuición derivada del contacto íntimo, las costumbres establecidas y el discernimiento perceptivo de expresiones y posturas–

eran expresivos pero limitados. Objetos específicos vistos por uno de ellos resultaban muy difíciles de describir a los demás, y los conceptos abstractos, todavía más. La volubilidad de la pequeña tenía intrigados a los miembros del clan y les inspiraba desconfianza.

Apreciaban amorosamente a los niños, los criaban con un afecto y una disciplina cariñosos que se iban haciendo gradualmente más severos a medida que crecían. Los bebés eran mimados por hombres y mujeres por igual; los niños eran castigados simplemente mediante la indiferencia. Cuando los niños se percataban de la posición más alta que tenían los chicos mayores y los adultos, emulaban a sus mayores y se oponían a ser mimados, como si ese trato fuera sólo para los bebés. Los jóvenes aprendían muy pronto a comportarse dentro de los estrictos límites de la costumbre establecida, y una de esas costumbres consistía en que los sonidos superfluos eran inapropiados. Debido a su estatura, la niña parecía mayor para su edad real, y el clan la consideraba indisciplinada, malcriada.

Iza, que había estado en un contacto mucho más estrecho con ella, adivinó que era más joven de lo que parecía. Estaba acercándose a un cálculo muy aproximado sobre la verdadera edad de la niña y a su desamparo respondía con mayor indulgencia. También había advertido, por lo que la niña murmuraba cuando estaba delirando, que su estirpe verbalizaba con mayor fluidez y frecuencia. Iza se sentía atraída por la niña cuya vida dependía de ella y que había rodeado su cuello con sus flacos bracitos con una confianza absoluta. «Ya llegará el momento, pensaba Iza, de enseñarle mejores modales.» Ya empezaba a considerar a la niña como suya.

Creb se acercó hasta donde se encontraba Iza vertiendo agua hirviendo sobre las flores de malvarrosa y se sentó junto a la niña. Le interesaba aquella extraña, y puesto que los preparativos para la ceremonia vespertina no se habían terminado aún, fue a ver cómo se iba restableciendo. Se miraron de hito en hito, la niña y el tullido anciano lleno de cicatrices, estudiándose mutuamente con una intensidad similar. Él nunca se había encontrado tan cerca de alguien de su raza y en realidad nunca había visto una criatura de los Otros. Ella ni siquiera sabía de la existencia de la gente del clan hasta que despertó y se encontró entre ellos, pero más que sus características raciales, sentía curiosidad por el cutis rugoso del rostro de él. En su corta experiencia nunca había visto un rostro tan espantosamente cubierto de cicatrices. Impetuosamente, con las reacciones desinhibidas de los niños, tendió la mano hacia su rostro para ver si el tacto de la cicatriz era distinto.

Creb se sintió desconcertado mientras la niña pasaba suavemente la mano por su rostro. Ninguno de los niños del clan le había tocado de aquella manera; y tampoco los adultos lo hacían. Evitaban el contacto con él, como si de algún modo pudieran adquirir su deformidad al tocarlo. Sólo Iza, que lo cuidaba durante las crisis de artritis que le atacaban con mayor gravedad cada invierno que pasaba, no parecía sentir el menor escrúpulo. No sentía repugnancia por su cuerpo deforme y sus feas cicatrices, ni pavor frente a su poder y su posición. El suave contacto de la mano de la niña hizo vibrar una cuerda interior en su viejo corazón solitario. Quiso comunicarse con ella y, por un instante, se preguntó cómo empezar.

–Creb –dijo, señalándose a sí mismo con el dedo. Iza observaba calladamente, esperando que las flores terminaran de hervir. Se alegraba de ver a Creb interesarse por la niña, y no le pasó inadvertido el empleo que hizo de su nombre personal.

–Creb –repitió, golpeándose el pecho.

La niña inclinó la cabeza, tratando de comprender; él quería que ella hiciera algo. Creb repitió su nombre una vez más. De repente a la niña se le iluminó el rostro: se sentó muy derecha y sonrió.

–¿Grub? –respondió, pronunciando la «R» en un intento de imitar el sonido.

El viejo asintió con la cabeza: la pronunciación era aproximada. Entonces la señaló a ella. Ella arrugó levemente el entrecejo, no muy segura de lo que él pretendía ahora. Se golpeó Mogur el pecho, repitió su nombre y después golpeó levemente el pecho de ella. La amplia sonrisa que ella le dirigió se le antojó a él una mueca, y la palabra polisílaba que salió de su boca no sólo era impronunciable, sino también incomprensible. Creb hizo los mismos movimientos y se inclinó hacia ella para oír mejor. La niña dijo su nombre.

–Aay-rr –pronunció el hombre, vacilando, meneó la cabeza y volvió a intentarlo–: ¿Aay-lla, Ay-la? –Era lo más aproximado que pudo lograr; no eran muchos los del clan que hubieran podido decirlo tan bien. Ella sonrió ampliamente y meneó vigorosamente su cabecita de arriba abajo. No era exactamente lo que ella había dicho, pero lo aceptó, dándose cuenta en su joven mente de que él no podría pronunciar mejor la palabra que era su nombre.

–Ayla –repitió Creb, tratando de acostumbrarse al sonido.

–¿Creb? –dijo la niña, sacudiéndole el brazo para lograr su atención, y después señaló a la mujer.

–Iza –dijo Creb–, Iza.

–Iiiz-sa –repitió la niña. Le encantaba el juego de las palabras–. Iza, Iza –repitió, mirando a la mujer.

Iza asintió con un movimiento solemne de la cabeza; los sonidos de los nombres eran importantísimos. Se inclinó hacia delante y golpeó el pecho de la niña del mismo modo que lo había hecho Creb, para que repitiera otra vez la palabra de su nombre. Ésta repitió su nombre completo, pero Iza meneó negativamente la cabeza: no podía comenzar a decir aquella combinación de sonidos que la niña articulaba con tanta facilidad. La chiquilla se sintió desalentada; entonces, mirando a Creb, repitió su propio nombre como él lo había dicho.

–¿Eye-ghha? –intentó la mujer. La niña meneó la cabeza y lo repitió bien dicho–. ¿Eye-ya? –repitió la mujer.

–Aay, aay, no Eye –dijo Creb–. Aaay-llla –pronunció lentamente, para que Iza pudiera distinguir la extraña combinación de sonidos.

–Aay-lla –dijo cuidadosamente la mujer, esforzándose por pronunciar la palabra como la había dicho Creb.

La niña sonrió: no importaba que el nombre no fuera exactamente correcto; Iza se había esforzado tanto por decir el nombre que Creb le había dado, que lo aceptó como propio. Para ellos sería Ayla. Espontáneamente tendió los brazos y estrechó entre ellos a la mujer.

Iza la abrazó cariñosamente y después se retiró. Tendría que enseñar a la niña que las manifestaciones de afecto eran incorrectas en público, aunque, a pesar de todo, se sentía complacida.

Ayla estaba fuera de sí de gozo. Se había sentido tan perdida, tan aislada entre aquella gente extraña. Se había esforzado tanto por comunicarse con la mujer que la estaba atendiendo, y se había sentido tan desilusionada al ver fracasar todos sus intentos... Esto sólo era un comienzo, pero, por lo menos, tenía un nombre para llamar a la mujer y un nombre para que la llamaran a ella. Se volvió hacia el hombre que había iniciado la comunicación; ya no le parecía tan feo. Estaba inundada de gozo, experimentó hacia él un sentimiento cálido y, como lo había hecho muchas otras veces anteriormente con un hombre al que recordaba vagamente, la niña rodeó el cuello del tullido con sus brazos, atrajo su cabeza y apoyó su mejilla en la de él.

Aquel gesto de afecto le trastornó. Dominó el impulso de devolver la caricia. Sería muy impropio que le vieran abrazado a aquella criatura extraña fuera de los límites de un hogar familiar. Pero le permitió que siguiera apretando su mejilla dulce y firme contra su rostro barbudo un momento más, antes de desprender suavemente sus bracitos de su cuello.

Creb cogió su cayado y se agarró a él para incorporarse. Mientras se alejaba cojeando, pensaba en la niña. «Tengo que enseñarle a hablar, ella aprenderá a comunicarse debidamente, se dijo. Al fin y al cabo, no puedo confiar toda su instrucción a una mujer.» Pero bien sabía él que su verdadero deseo era pasar más tiempo con ella. Sin percatarse de ello, estaba pensando en ella como un miembro permanente del clan.

Brun no había considerado las implicaciones que representaba el haber permitido que Iza recogiera a una niña extraña en el camino. No era un fallo suyo como jefe, sino un fallo de su raza. No podía haber previsto la posibilidad de encontrar a una niña herida que no fuera del clan, y tampoco las consecuencias lógicas de su salvamento. Se le había salvado la vida; la única alternativa a no dejarla permanecer con ellos era condenarla a vagar sola de nuevo. No podría sobrevivir: para eso no hacía falta ser adivino, era una realidad. Después de salvarle la vida, exponerla de nuevo a la muerte supondría tener que enfrentarse a Iza, quien, aun cuando no tenía poder personalmente, disponía de una colección formidable de espíritus que estaban de su parte; y ahora Creb, el Mog-ur que tenía la habilidad de llamar a todos y a cada uno de los espíritus. Los espíritus, para Brun, representaban una poderosísima fuerza; no tenía el menor deseo de ponerse a mal con ellos. A decir verdad, era sólo esta eventualidad la que le molestaba al pensar en la niña. No había sido capaz de decírselo a sí mismo, pero el pensamiento le había estado rondando. No lo sabía aún, pero el clan de Brun había aumentado: ahora eran veintiuno.

Cuando la curandera examinó la pierna de Ayla, a la mañana siguiente, pudo comprobar la mejoría. Bajo sus expertos cuidados, la infección había desaparecido casi por completo, y los cuatro arañazos paralelos estaban cerrados y a punto de cicatrizar, aun cuando siempre ostentaría esas cicatrices. Iza decidió que ya no hacía falta ponerle más cataplasmas, pero preparó una infusión ligera de corteza de sauce para la niña. Cuando la sacó de las pieles donde dormían y trató de ponerse en pie, Iza la ayudó y la sostuvo mientras la niña trataba torpemente de descargar su peso sobre la pierna. Dolía, pero después de dar con cautela unos cuantos pasos, se sintió mejor.

De pie y erguida, la niña era todavía más alta de lo que había pensado Iza. Sus piernas eran largas, flacas, con unas rodillas nudosas y rectas; Iza se preguntó si no serían deformes. Las piernas de la gente del clan estaban arqueadas hacia fuera; pero aparte de una leve cojera, la niña no encontraba dificultad alguna en caminar. «También deben de ser cosa normal en ella las piernas rectas, pensó Iza, al igual que los ojos azules.»

La curandera envolvió a la niña en el manto y la levantó sobre su cadera cuando el clan se puso en marcha; su piernecita no estaba todavía lo suficientemente curada como para que pudiera caminar mucho. Durante la marcha del día, Iza la bajaba al suelo de vez en cuando para que anduviera un poco. La niña había estado comiendo vorazmente, compensando su hambre atrasada; Iza creía notar que aumentaba algo de peso. Agradecía el alivio que le proporcionaba dejar a la niña en el suelo, sobre todo porque el viaje se estaba haciendo cada vez más difícil.

El clan dejó atrás la vasta estepa y durante unos cuantos días recorrió colinas ondulantes que poco a poco se hicieron más abruptas. Estaban en las estribaciones de los montes cuyas brillantes cimas heladas se acercaban más cada día. Las colinas estaban frondosamente cubiertas no ya con los árboles perennes de la selva boreal, sino con las ricas hojas verdes y los troncos gruesos y nudosos de árboles deciduos de hoja ancha. La temperatura había subido mucho más rápidamente de lo que solía hacerlo durante la estación, lo cual intrigaba a Brun. Los hombres habían sustituido sus capas por una piel corta, sin pelo, y llevaban el torso desnudo. Las mujeres no adoptaron su ropa de verano, pues resultaba más cómodo llevar sus bultos acomodados en sus mantos, lo cual les evitaba rozaduras.

El terreno perdió toda semejanza con la fría pradera que rodeaba su antigua caverna. Iza tuvo que depender cada vez más de los conocimientos que poseían memorias más antiguas que la suya propia mientras el clan atravesaba estrechos valles sombreados y lomas herbosas de una selva típicamente templada. Las rudas cortezas oscuras del roble, el haya, el nogal, el manzano y el arce alternaban con árboles más flexibles y rectos, de corteza delgada, como el sauce, el abedul, el ojaranzo, el álamo y los altos arbustos del aliso y el avellano. El aire estaba impregnado de un saborcillo que Iza no podía identificar y que parecía llegar con la suave brisa del sur. Todavía colgaban los amentos de los álamos, cubiertos de hojas. Caían delicados pétalos blancos y rosados, flores abiertas de los frutales y nogales, brindando una promesa de abundancia para el otoño.

Cruzaron con dificultad matorrales y plantas trepadoras de la selva densa y escalaron pendientes escarpadas. Mientras subían por los riscos, las faldas de las colinas que los rodeaban resplandecían con verdes de todos los matices. Según iban escalando, reaparecieron los tonos oscuros del pino, así como del abeto. Más arriba aparecían ocasionalmente las píceas. Los colores más oscuros de las coníferas se mezclaban con los verdes primarios de los árboles de hojas anchas y los verdes amarillos y pálidos de las variedades de hoja más corta. Musgos y hierbas agregaban sus matices al mosaico de fresco verdor de la vegetación lujuriante y las pequeñas plantas, desde la acederilla, la acedera del bosque parecida al trébol, hasta las diminutas y suculentas que crecían pegadas a los riscos. Flores silvestres crecían por todo el bosque: trilios blancos, violetas amarillas, espinos rosados, mientras junquillos amarillos y gencianas blancas y azules dominaban algunas praderas más altas. En algunos de los lugares especialmente sombreados, los últimos azafranes amarillos, blancos y púrpura, surgiendo de nuevo, alzaban valerosamente sus cabezas.

El clan se detuvo a descansar tras haber alcanzado la cumbre de una escarpada pendiente. Más abajo, el panorama de colinas boscosas terminaba abruptamente en la estepa que se extendía hasta el horizonte. Desde su privilegiada posición podían divisar varias manadas pastando las altas hierbas que ya ostentaban el dorado estival. Cazadores rápidos, viajando con poco equipo y sin mujeres agobiadas por pesadas cargas, podrían escoger entre las diversas variedades de presas y alcanzar fácilmente la estepa en menos de media mañana. Hacia el este, por encima de la inmensa pradera, el cielo era claro, pero se estaban formando nubes de tormenta impulsadas velozmente desde el sur. De seguir así, la alta sierra del norte haría que las nubes arrojaran su carga de agua sobre el clan.

Brun y los hombres estaban celebrando una reunión fuera del alcance de las mujeres y los niños, pero por las miradas preocupadas y los gestos que hacían con las manos no quedaba la menor duda sobre cuál era el tema de la discusión. Estaban tratando de decidir si debían darse media vuelta. El terreno les era desconocido, pero lo más importante era que se estaban alejando demasiado de las estepas. Aun cuando habían divisado muchos animales en las estribaciones boscosas, no era lo mismo que las enormes manadas alimentadas por el abundante forraje de las praderas que había allá abajo. Era más fácil cazar animales en campo abierto, más fácil ver sin la pantalla del bosque para ocultarlos, pantalla que también cobijaba a sus cazadores de cuatro patas. Los animales del llano eran más sociables, tendían a reunirse en manadas y no a vivir aisladamente o en pequeños grupos familiares como las presas de la selva.

Iza conjeturaba que probablemente darían media vuelta, lo cual significaría que el esfuerzo de escalar las colinas habría sido en vano. Las nubes que se acumulaban y la lluvia amenazadora tendieron un manto de melancolía sobre los viajeros descorazonados. Mientras esperaban, Iza dejó a Ayla en el suelo y se alivió de su pesada carga. La niña, disfrutando de la libertad de movimientos que le permitía su pierna en vías de curación después de haber estado inmovilizada contra la cadera de la mujer, se puso a corretear. Iza la perdió de vista tras un saliente que había más adelante; no quería que la niña se alejara demasiado. La reunión podría interrumpirse en cualquier momento y Brun no miraría con buenos ojos a la niña si se retrasaba la partida por su culpa. Se fue tras ella y, rodeando el saliente, vio a la niña, pero lo que vio más allá de ésta hizo que su corazón palpitara fuertemente.

Regresó a toda prisa, echando rápidas miradas por encima del hombro. No se atrevía a interrumpir a Brun y a los hombres y esperó con impaciencia a que se disolviera la reunión. Brun la vio, y aun cuando no dio señales de que se hubiera percatado de ello, comprendió que algo la preocupaba. Tan pronto como se separaron los hombres, Iza corrió hacia Brun, se sentó delante de él y miró al suelo –posición que significaba su deseo de hablar con él–. Él podía conceder audiencia o no, a su voluntad. Si la ignoraba, Iza no podía decirle lo que estaba pasando.

Brun se preguntaba qué querría; había observado que la niña exploraba más allá –eran pocas las cosas de su clan que le pasaban inadvertidas–, pero tenía problemas más apremiantes. Seguro que era algo sobre esa niña, pensó despectivamente, y estuvo a punto de no atender la solicitud de Iza. No importaba lo que dijera Mog-ur, no le gustaba que la niña viajara con ellos. Lanzando una mirada hacia él, Brun vio que el mago estaba mirándole y trató de adivinar lo que el tuerto estaría pensando, pero le resultó imposible leer en aquel rostro impasible.

El jefe volvió a mirar a la mujer sentada a sus pies; su postura delataba una tensa agitación. «Está realmente alborotada», pensó. Brun no era hombre insensible y tenía en alta estima a su hermana. A pesar de los problemas que había tenido con su compañero, siempre se había portado bien; era un ejemplo para las demás mujeres y pocas veces le molestaba con nimiedades. Tal vez debiera dejarla hablar, lo que no implicaba que tuviera que actuar de acuerdo con su solicitud. Se inclinó y le tocó el hombro.

El aliento de Iza estalló al sentir el contacto: no se había dado cuenta de que estaba aguantando la respiración. ¡La iba a dejar hablar! Había tardado tanto en decidirse que estaba segura de que la ignoraría. Iza se puso en pie y, señalando hacia el saliente, dijo una sola palabra: «Cueva».

4

Brun giró sobre sus talones y se encaminó a grandes zancadas hacia el saliente. Apenas lo rodeó, se detuvo, impresionado por la vista que se extendía más allá; la excitación hirvió en sus venas. ¡Una cueva! ¡Y qué cueva! Desde el instante en que la vio, supo que era la cueva que estaba buscando, pero luchó por controlar sus emociones, por refrenar sus esperanzas incipientes. Con un esfuerzo consciente se centró en los detalles de la cueva y su situación. Era tan intensa su concentración que apenas se fijó en la niña.

Desde su posición favorable, a unos cientos de metros, la boca más o menos triangular, abierta en la roca de un gris moreno de la montaña, parecía suficientemente ancha para brindar en su interior un espacio más que adecuado en el cual alojar a su clan. La abertura daba al sur, expuesta a la luz del sol la mayor parte del día. Como para confirmarlo, un rayo de luz, abriéndose paso entre las nubes, iluminó el suelo rojizo de la ancha terraza que se extendía delante de la cueva. Brun recorrió el área con la mirada, efectuando un rápido examen. Un ancho risco al norte y otro similar al sudeste ofrecían protección contra los vientos. «Había agua cerca», pensó, anotando una característica positiva más en la lista mental que se alargaba, al ver el río que corría al pie de una leve pendiente al oeste de la cueva. Era, con mucho, el lugar más prometedor que había visto. Hizo señas a Grod y a Creb, reprimiendo su entusiasmo mientras esperaba a que se acercaran para examinar más de cerca la cueva.

Los dos hombres se apresuraron a acercarse a su jefe, seguidos por Iza, que iba en busca de Ayla. También ella echó una mirada escrutadora a la cueva y asintió satisfecha con la cabeza antes de regresar con la niña al grupo de gente que se agitaba excitadamente. La emoción reprimida de Brun se estaba comunicando.

Todos sabían que se había encontrado una cueva y sabían que Brun consideraba que tenía buenas posibilidades. Perforando la oscuridad amenazadora del cielo encapotado, brillantes rayos de sol parecían cargar la atmósfera de esperanzas a juego con el humor del clan que aguardaba lleno de ansiedad.

Brun y Grod cogieron sus lanzas mientras los tres hombres se acercaban a la cueva. No vieron señales de presencia humana, pero eso no garantizaba que la cueva no estuviera habitada. Había pájaros entrando y saliendo por la enorme abertura gorjeando y trinando mientras se cernían en el aire y giraban. «Los pájaros son un buen augurio», pensó Mog-ur. A medida que se acercaban caminando con precaución, apartándose de la boca, Brun y Grod examinaban cuidadosamente señales frescas y excrementos. Los más recientes tenían varios días. Los rastros y las anchas señales de dientes marcados en pesados huesos quebrados por potentes mandíbulas contaban su historia: una manada de hienas había utilizado la cueva como refugio provisional. Los devoradores de carroña habían atacado a un viejo ciervo inútil y arrastrado su cadáver hasta la cueva para terminar de comerlo tranquilos y con una seguridad relativa.

Fuera, a un lado, cerca del extremo occidental de la abertura, alojada en una maraña de plantas trepadoras y matorrales, había una poza alimentada por un manantial que desaguaba en un arroyuelo, el cual, a su vez, iba a desembocar en el río. Mientras los demás esperaban, Brun siguió la corriente manantial arriba y vio que salía de la roca, un poco del lado abrupto, áspero y cubierto de vegetación de la cueva. El agua que centelleaba justo fuera de la boca de la cueva era fresca y pura. Brun sumó la poza a las ventajas del emplazamiento y se reunió con los demás. El sitio era bueno, pero la decisión dependía de la cueva misma. Los dos cazadores y el mago tullido se prepararon para entrar por la ancha y oscura abertura.

Volviendo al extremo oriental, los hombres miraron hacia el vértice de la entrada triangular, muy por encima de sus cabezas, al pasar al agujero horadado en la montaña. Con todos los sentidos en estado de alerta, avanzaron cautelosamente por el interior de la cueva pegándose a la pared. Cuando sus ojos se acostumbraron a la oscuridad del interior, miraron asombrados a su alrededor. Un alto techo abovedado dominaba un espacio inmenso suficientemente ancho para dar cobijo a un número de personas superior al de los miembros del clan. Avanzaron paso a paso a lo largo de la áspera roca en busca de orificios que pudieran conducir a profundidades mayores. Cerca del fondo surgía de la pared otro manantial formando una poza pequeña y oscura que se desvanecía en el suelo terroso y seco poco más allá. Pasando la poza, la muralla de la caverna formaba un ángulo hacia la entrada. Siguiendo la muralla oeste de vuelta hacia la entrada, vieron, gracias a la luz que aumentaba progresivamente, una oscura grieta abierta en la muralla gris oscuro. A una señal de Brun, Creb interrumpió su avance arrastrado mientras Grod y el jefe se aproximaban a la fisura y miraban dentro.

–¡Grod! –ordenó Brun, acentuando con un gesto lo que necesitaba.

El segundo-al-mando echó a correr hacia fuera en tanto que Brun y Creb esperaban, tensos. Grod examinó la vegetación que crecía fuera y después se dirigió a un bosquecillo de pinos plateados. Grumos de dura resina, filtrada a través de la corteza, formaban parches brillantes sobre los troncos. Arrancó la corteza y una savia fresca, pegajosa, empezó a manar de la herida del árbol. Rompió algunas ramas secas que seguían colgando por debajo de las vivas, cubiertas de agujas verdes, y sacando un hacha de un pliegue de su capa machacó una rama verde y la desgajó. Envolvió la corteza resinosa y las ramitas secas con hierbas duras y las sujetó al extremo de la rama verde; entonces, sacando con cuidado el carbón vivo del cuerno de uro que llevaba en la cintura, lo acercó a la resina y comenzó a soplar. Pronto pudo regresar a la cueva llevando en la mano una antorcha encendida.

Con Grod sosteniendo la luz muy por encima de su cabeza y Brun yendo por delante con la maza dispuesta, entraron los dos en la negra fisura. Avanzaron lentamente por un enorme corredor angosto que al cabo de unos cuantos pasos trazaba un ángulo abrupto, hacia el fondo de la cueva; justo después del ángulo, se abría una segunda cueva. La pieza, mucho más pequeña que la principal, era casi circular; amontonados contra la muralla del fondo, unos huesos dejaron ver su albura a la luz vacilante de la antorcha. Brun se acercó para ver mejor y sus ojos casi se le salieron de las órbitas; esforzándose por controlar su emoción, hizo una señal a Grod y ambos se retiraron rápidamente.

Mog-ur estaba esperando con ansiedad, apoyado pesadamente en su báculo. Al ver salir a Brun y a Grod de la oscuridad, el mago se sorprendió: no era habitual que Brun se mostrase tan agitado. A un gesto de éste, Mog-ur siguió a los dos hombres por el oscuro corredor; cuando llegaron a la sala pequeña, Grod levantó la antorcha. Los ojos de Mog-ur se entrecerraron al ver el montón de huesos. Avanzó rápidamente y su cayado rebotó ruidosamente en el suelo mientras él se dejaba caer de rodillas. Buscando entre el montón, vio un objeto largo y oblongo; haciendo a un lado los demás huesos, tomó en sus manos una calavera.

No cabía la menor duda. El arco frontal abombado de la calavera hacía juego con la que llevaba Mog-ur en su manto. Se sentó, levantó el enorme cráneo hasta su ojo y miró los oscuros orificios oculares con incredulidad y veneración. Ursus había utilizado aquella cueva. Dada la enorme cantidad de huesos, habían hibernado allí osos cavernarios durante muchos inviernos.

Mog-ur comprendía ahora la excitación de Brun. Era la mejor señal posible. Esta cueva había sido la morada del Gran Oso Cavernario. La esencia de la voluminosa criatura a la que el clan reverenciaba por encima de todas las demás, honraba por encima de todas las demás, impregnaba la roca misma de las murallas de la cueva. La suerte y la buena fortuna estaban garantizadas para el clan que viviera allí. Por la edad de los huesos, resultaba evidente que la caverna había quedado deshabitada durante años, esperando que ellos la encontraran.

Era una cueva perfecta, bien situada, espaciosa, con un anexo para los rituales secretos, que podría ser usado en invierno y en verano: un anexo del que emanaba el misterio sobrenatural de la vida espiritual del clan. Mog-ur estaba ya imaginando las ceremonias. Aquella pequeña cueva sería su dominio. La búsqueda había concluido, el clan tenía un hogar... siempre que la primera cacería fuera afortunada.

Cuando los tres hombres salieron de la cueva, el sol brillaba, las nubes se retiraban rápidamente impulsadas por un aire cortante que venía del este; Brun lo tomó como un buen augurio. No habría importado que las nubes se hubieran abierto dejando caer un diluvio acompañado de rayos y truenos; lo habría considerado como una buena señal. Nada podría haber empañado su exaltación ni anulado su sentimiento de satisfacción. Estaba en pie en la terraza que había delante de la cueva y miraba el paisaje que se divisaba desde allí. Enfrente, por una hendidura abierta entre dos colinas, podía ver una enorme extensión centelleante de agua. No se había percatado de que estuviera cerca, y eso le trajo a la mente un recuerdo que resolvió el enigma de la temperatura que subía rápidamente y de la insólita vegetación.

La cueva se encontraba en los contrafuertes de una cadena de montañas en el extremo sur de una península que avanzaba en medio de un mar interior. La península estaba unida en dos puntos a la tierra firme. El istmo principal era una ancha lengua de tierra hacia el norte, mientras que una faja estrecha de pantanos salados constituía un nexo con las altas tierras montañosas del este. El pantano salado era también un canal de desagüe en plena marisma para un pequeño mar interior situado en el ángulo nordeste de la península.

Las montañas que tenían detrás protegían la franja costera del helado frío invernal y de los terribles vientos procedentes del glaciar continental situado al norte. Los vientos marítimos, moderados por las aguas del mar, que nunca se congelaban, creaban una angosta faja templada en el extremo sur protegido y proporcionaban suficiente humedad y calor para la densa selva de árboles de madera dura y anchas hojas deciduas comunes a las regiones frías templadas.

La cueva tenía una ubicación ideal; disponía de lo mejor de dos mundos. Las temperaturas eran más altas que las que prevalecían en las áreas circundantes y había madera abundante para abastecer de combustible durante los helados meses del invierno. Tenían al alcance de la mano un amplio mar, lleno de peces y mariscos, y las rocas que bordeaban el ribazo albergaban a una colonia de aves marinas y sus huevos en nidos accesibles. La selva templada era un paraíso para quienes fueran en busca de frutas, nueces, bayas, semillas, verduras y hortalizas. Tenían acceso al agua dulce de arroyos y ríos. Y lo que era más importante, estaban cerca de las estepas cuyas extensas praderas sustentaban a las abundantes manadas de grandes animales herbívoros, que no sólo proporcionaban carne, sino también pieles para vestirse y útiles para la vida cotidiana. El pequeño clan de cazadores-merodeadores vivía de la tierra y aquella tierra brindaba una abundancia abrumadora.

Brun apenas sentía la tierra bajo sus pies mientras regresaba junto al clan que le aguardaba. No podía imaginar una cueva más perfecta. «Los espíritus han regresado, pensaba. Quizá nunca nos hayan abandonado, tal vez lo único que deseaban era que nos mudáramos a esta cueva más amplia y más bella. ¡Claro que sí! ¡Tenía que ser eso! Se habían cansado de la vieja cueva, querían un nuevo hogar, de modo que provocaron un terremoto para obligarnos a abandonarla. Quizá la gente que murió era necesaria en el mundo de los espíritus; y en compensación, nos condujeron a esta nueva cueva. Tienen que haber estado sometiéndome a prueba, poniendo a prueba mi liderazgo. Por eso no podía yo decidir si habríamos de volvernos atrás.» Brun estaba satisfecho de ver que sus cualidades como jefe no habían fallado. Si no hubiera sido una falta de decoro, habría echado a correr para contárselo a los demás.

Al aparecer los tres hombres, no fue necesario decirle a nadie que el viaje había terminado. Lo sabían todos. Entre los que esperaban, sólo Iza y Ayla habían visto la cueva, y sólo Iza podía valorarla; desde el principio estuvo segura de que Brun la reclamaría. «Ahora no puede obligar a Ayla a que se vaya, se dijo Iza; de no haber sido por ella, Brun habría dado media vuelta antes de que la encontráramos. Su tótem debe de ser muy poderoso y además afortunado. También a nosotros nos ha traído suerte.» Iza miró a la niña que estaba a su lado, ignorante de la excitación que había causado. «Pero si tiene tanta suerte, ¿por qué perdió a su gente? –Iza meneó la cabeza–: Nunca comprenderé los caminos de los espíritus.»

También Brun estaba mirando a la niña. Tan pronto como vio a la mujer y a la niña, recordó que había sido Iza quien le habló de la cueva, y nunca habría sabido de ella de no haber ido en busca de Ayla. Al jefe le había molestado ver que la niña echaba a andar por su cuenta; había dicho a todos que esperaran. Pero si ella no se hubiera mostrado indisciplinada, la cueva habría pasado inadvertida. ¿Por qué la habrían llevado los espíritus hacia la cueva antes que a nadie? Mog-ur tenía razón, siempre tenía razón: los espíritus no estaban enojados por la compasión de Iza, no estaban molestos por la presencia de Ayla entre ellos. Más bien parecía que la favorecieran.

Brun miró al hombre deforme que debería haber sido jefe en su lugar. «Tenemos suerte de que mi hermano sea nuestro Mogur. Es curioso, observó; no lo he considerado como mi hermano desde hace mucho tiempo... Desde que éramos niños.» Brun solía pensar siempre en Creb como su hermano cuando era joven y luchaba por adquirir el control de sí mismo, esencial para los hombres del clan, en especial para el que habría de ser jefe. Su hermano mayor habría librado su propia batalla contra el dolor y el ridículo porque no podía cazar, y parecía saber cuándo estaba Brun al borde del llanto. La mirada dulce del hombre tullido tenía un efecto calmante ya por aquel entonces, y Brun siempre se sentía mejor cuando Creb estaba sentado a su lado, brindándole el consuelo de su comprensión silenciosa.

Todos los niños nacidos de la misma mujer eran hermanos, pero sólo los hermanos de un mismo sexo se referían unos a otros empleando el término más íntimo de hermano o hermana, y eso sólo de jóvenes o en contadas ocasiones de una especial intimidad. Los varones no tenían hermanas ni las mujeres hermanos; Creb era hermano de Brun; Iza no tenía hermanas y era sólo un familiar de ellos dos.

Hubo un tiempo en que Brun sintió lástima de Creb, pero hacía mucho tiempo que se había olvidado de sus deficiencias en vista de su saber y su poder. Casi había dejado de considerarlo como un hombre, sino como el gran mago cuyos sabios consejos solicitaba con frecuencia. Brun no creía siquiera que su hermano lamentara no ser jefe, pero había veces en que se preguntaba si el tullido no lamentaría no tener una compañera y los hijos de ésta. A veces las mujeres podían ser exasperantes, pero a menudo proporcionaban calor y placer al hogar de un hombre. Creb nunca tuvo compañera, nunca aprendió a cazar, nunca conoció los gozos ni las responsabilidades de los hombres, pero era mog-ur, el Mog-ur.

Nada sabía Brun acerca de la magia y muy poco de los espíritus, pero era jefe y su compañera había dado a luz un hermoso hijo. Él se hinchaba de orgullo al pensar en Broud, el muchacho al que estaba adiestrando para que ocupara su puesto algún día. «Le llevaré a la próxima cacería, decidió repentinamente Brun, la cacería para la fiesta de la cueva; puede ser la cacería de su virilidad. Si cobra su primera pieza, podemos incluir los ritos de su virilidad en la ceremonia de la cueva. Eso sí que enorgullecería a Ebra. Broud es suficientemente adulto y, además, fuerte y valiente. Un poco obstinado a veces, pero está aprendiendo a dominar su genio.» Brun necesitaba un cazador más. Ahora que el clan tenía una cueva, les esperaba mucho trabajo para preparar el invierno siguiente. El muchacho contaba casi doce años, más que suficientemente mayor para la virilidad. «Broud puede compartir los recuerdos por vez primera en la nueva cueva, pensó Brun. Eso sería especialmente bueno; Iza hará la bebida.»

«¡Iza! ¿Qué voy a hacer con Iza? ¿Y esa niña? Iza se ha encariñado ya con ella, por extraña que sea. Debe de ser porque ha vivido tantos años sin tener hijos. Pero pronto tendrá uno propio, y ahora no tiene compañero que la mantenga. Con la niña, serán dos criaturas por quienes preocuparse. Iza ya no es joven, pero está embarazada y tiene su magia y su posición, lo cual honraría a cualquier hombre. Quizá uno de los cazadores la aceptase por segunda esposa de no ser por la extraña niña. La extraña favorecida por los espíritus. Realmente podría provocar su descontento si la

expulsaba ahora; podrían hacer nuevamente temblar la tierra.»
Brun se estremeció.

«Sé que Iza quiere quedarse con ella, y fue ella quien me habló
de la cueva. Merece ser honrada por ello, pero que no parezca demasiado evidente. Si la dejo quedarse con la niña, eso será honrarla, pero la niña no pertenece al clan. ¿La querrán los espíritus
del clan? Ni siquiera tiene un tótem; ¿cómo se le puede permitir
quedarse con nosotros si no tiene tótem? ¡Los espíritus! ¡No entiendo a los espíritus!»

—¡Creb! —llamó Brun. El mago se volvió al oírle, sorprendido
de que Brun le llamara por su nombre personal, y fue cojeando
hacia el jefe cuando éste le hizo señas de que deseaba hablar con
él en privado.

—Esa niña, la que ha recogido Iza, ya sabes que no pertenece al
clan, Mog-ur —comenzó Brun, no muy seguro de cómo empezar.
Creb esperó—. Tú fuiste quien dijo que debería dejar que Ursus
decidiera si ha de vivir. Bueno, parece que lo ha decidido, pero
¿qué hacemos ahora con ella? No pertenece al clan; no tiene tótem. Nuestros tótems no van a permitir siquiera que alguien de
otro clan se encuentre en la ceremonia para preparar una cueva;
sólo está permitido a aquellos cuyos espíritus han de vivir en ella.
Es tan joven que nunca podrá sobrevivir si la dejamos sola, y ya
sabes que Iza desea quedarse con ella, pero ¿qué pasará con la ceremonia de la cueva?

Creb había estado esperando que algo así sucediera, y ya estaba preparado.

—La niña tiene un tótem, Brun, un fuerte tótem. Lo que pasa
es que no sabemos cuál es. Ha sido atacada por un león cavernario; sin embargo, lo único que le ha quedado han sido unos cuantos arañazos.

—¡Un león cavernario! Pocos cazadores saldrían tan bien librados.

—Sí, y además vagó sola mucho tiempo, estuvo a punto de morir de hambre, pero no murió, y fue puesta en nuestro camino
para que Iza la encontrara. Y no lo olvides: tú no lo impediste,
Brun. Es joven para una prueba tan peligrosa —prosiguió Mog-ur—,
pero creo que estaba siendo puesta a prueba por su tótem para
ver si era merecedora. Su tótem no sólo es fuerte, es afortunado.
Todos podríamos compartir su buena fortuna, tal vez la estemos
compartiendo ya.

—¿Te refieres a la cueva?

–Le fue mostrada a ella antes que a nadie. Estábamos preparados para regresar; nos trajiste tan cerca, Brun...

–Los espíritus me guiaron, Mog-ur. Querían un nuevo hogar.

–Sí, desde luego que te guiaron, pero, a pesar de todo, mostraron la cueva primero a la niña. He estado pensando, Brun. Hay dos niños que no saben cuáles son sus tótems. No he tenido tiempo; encontrar una cueva era más importante. Creo que deberíamos incluir una ceremonia de tótem para esos niños cuando santifiquemos la cueva. Les traería suerte y complacería a sus madres.

–¿Qué tiene que ver eso con la niña?

–Cuando yo me concentre para identificar los tótems de los dos bebés, pediré también el de ella. Si su tótem se revela a mí, puede ser incluida en la ceremonia. No sería pedir mucho de ella, y al mismo tiempo podemos aceptarla dentro del clan. No habrá problema, entonces, para que se quede.

–¡Aceptarla dentro del clan! No pertenece al clan, ha nacido de los Otros. ¿Quién ha hablado de aceptarla dentro del clan? Eso no nos será permitido, a Ursus no le gustará. Nunca se ha hecho antes de ahora –protestó Brun–. No estaba pensando en hacerla una de nosotros, sólo me preguntaba si los espíritus le permitirán vivir entre nosotros hasta que sea mayor.

–Iza salvó su vida, Brun, y lleva ahora parte del espíritu de la niña; eso hace que forme parte del clan. Estuvo a punto de pasar al otro mundo, pero ahora vive. Es casi lo mismo que haber nacido de nuevo, nacido en el clan. –Creb podía ver cómo el jefe apretaba las mandíbulas en señal de protesta y prosiguió rápidamente antes de que Brun pudiera decir nada.

–La gente de un clan se une a otros clanes, Brun; eso nada tiene de insólito. Hubo una época en que los jóvenes de varios clanes se reunían para formar nuevos clanes. Acuérdate de la última Reunión del Clan: ¿no decidieron dos pequeños clanes unirse para formar uno solo? Ambos estaban mermados, no nacían suficientes niños, y entre los que nacían no eran suficientes los que pasaban de su primer año. Introducir a alguien en un clan no es ninguna novedad –razonó Creb.

–Es cierto, a veces la gente de un clan se une con otro, pero la niña no pertenece al clan. Ni siquiera sabes si el espíritu de su tótem hablará contigo, Mog-ur; y si lo hace, ¿cómo estarás seguro de que lo comprendes? ¡Yo ni siquiera puedo comprenderla! ¿Crees realmente que podrás hacerlo? ¿Descubrir su tótem?

–Puedo intentarlo al menos. Pediré a Ursus que me ayude. Los espíritus tienen su propio lenguaje, Brun. Si está destinada a unirse a nosotros, el tótem que la protege se hará comprender.

Brun reflexionó un momento.

–Pero aun cuando puedas descubrir su tótem, ¿qué cazador la aceptará? Iza y su bebé serán suficiente carga, y no disponemos de tantos cazadores. Hemos perdido a alguien más que al compañero de Iza en el terremoto. El hijo de la compañera de Grod murió, y era un cazador joven y fuerte. El compañero de Aga ha desaparecido y ella tiene dos hijos, y su madre comparte su fuego. –Una sombra de dolor pasó por los ojos del jefe al pensar en los muertos de su clan.

–Y Oga –prosiguió Brun–. Primero fue corneado el compañero de su madre, y justo después ésta murió en el derrumbe. He dicho a Ebra que nos quedamos con la niña. Oga es casi una mujer; cuando sea suficientemente grande, creo que se la daré a Broud; eso le complacerá. –Brun se quedó pensando, distraído por un momento al pensar en las demás responsabilidades que le incumbían–. Hay suficientes obligaciones para los hombres que quedan, sin agregar a la niña, Mog-ur. Si la acepto en el clan, ¿a quién podré asignar a Iza?

–¿A quién pensabas dársela hasta que la niña fuera suficientemente mayor para dejarnos, Brun? –preguntó el hombre tuerto. Brun se mostró incómodo, pero Creb prosiguió antes de que pudiera responderle–: No es necesario cargar a un cazador con Iza o la niña, Brun. Yo proveeré por ellas.

–¡Tú!

–Y ¿por qué no? Son hembras. No hay varones que adiestrar, por lo menos no los hay de momento. ¿Acaso no tengo derecho a la parte del Mog-ur sobre cada cacería? Nunca la he reclamado completa, no la necesitaba, pero puedo hacerlo. ¿No sería más fácil que todos los cazadores me entregaran la parte completa asignada a Mog-ur para que yo pueda mantener a Iza y a la niña, en vez de cargar a un cazador con ellas dos? De todos modos, había pensado en hablarte de establecer mi propio hogar en cuanto encontráramos una cueva, para sustentar a Iza, a menos que otro hombre la quiera. He compartido un fuego con mi hermana durante muchos años; sería difícil para mí cambiar al cabo de tanto tiempo. Además, Iza alivia mi artritis. Si su hijo es niña, también me quedaré con ella. Si es un niño... bueno, ya nos preocuparemos de eso entonces.

Brun dio vueltas a la idea en su cabeza. «Sí, ¿por qué no? Sería más cómodo para todos. Pero ¿por qué querrá hacerlo Creb? Iza le cuidaría su artritis sin importar qué fuego compartiera. ¿Por qué un hombre de su edad quiere súbitamente preocuparse por niños pequeños? ¿Por qué habría de asumir la responsabilidad de adiestrar y disciplinar a una niña ajena? Tal vez sea eso: que se siente responsable.» A Brun no le seducía la idea de introducir a la niña en su clan; le hubiera gustado que el problema no se hubiera presentado nunca, pero le molestaba más aún la idea de tener viviendo con ellos a una intrusa, y además fuera de su control. Quizá fuera mejor aceptarla y adiestrarla debidamente, como debe hacerse con una mujer. Podría igualmente ser más fácil para el resto del clan. Y si Creb estaba dispuesto a tomarlas, a Brun no se le ocurría razón alguna para no permitirlo.

Brun hizo un ademán de aquiescencia.

—Está bien: si puedes descubrir su tótem, la aceptaremos en el clan, Mog-ur, y puede vivir en tu hogar, por lo menos hasta que Iza dé a luz. —Por primera vez en su vida, Brun estaba abrigando la esperanza de que la criatura que iba a nacer fuera una niña y no un niño.

Una vez tomada la decisión, el jefe experimentó una sensación de alivio. El problema de lo que se podría hacer con Iza había estado preocupándole, pero lo había echado a un lado; tenía problemas más importantes de que ocuparse. La sugerencia de Creb no sólo le brindaba la solución a una decisión compleja que debía tomar como jefe del clan, sino que resolvía también un problema mucho más personal. Por mucho que se esforzaba, desde que el terremoto había matado a su compañera, no se le ocurría otra alternativa que acoger a Iza y a su hijo, y probablemente también a Creb, en su hogar. Ya tenía la responsabilidad de Broud y Ebra, y ahora la de Oga. Más gente provocaría fricciones en el único lugar en donde podía descansar y bajar algo la guardia. Además, también era posible que a su compañera aquello no la hiciera muy feliz.

Ebra se llevaba bastante bien con su hermana, pero ¿juntas en el mismo fuego? Aun cuando nunca se había comentado nada abiertamente, Brun sabía que Ebra envidiaba la posición de Iza. Ebra estaba apareada con el jefe; en la mayoría de los clanes, ella sería la mujer de más alta posición. Pero Iza era una curandera cuya estirpe podía ser rastreada, en línea ininterrumpida, entre las curanderas más respetadas y prestigiosas del clan. Tenía posición por derecho propio, no por su compañero. Cuando Iza recogió a la niña, Brun pensó que tendría que adoptarla también a ella. No se le había ocurrido que Mog-ur pudiera asumir la responsabilidad no sólo de sí mismo, sino de Iza y sus hijos también. Creb no podía cazar, pero Mog-ur contaba con otros recursos.

Una vez resuelto el problema, Brun se acercó rápidamente a su clan, que estaba esperando ansiosamente que su jefe confirmara lo que ya habían adivinado. Él dio la señal:

—No viajaremos más; se ha encontrado una cueva.

—Iza —dijo Creb, mientras la mujer preparaba una infusión de sauce para Ayla—. Esta noche no voy a cenar.

Iza inclinó la cabeza por toda respuesta. Sabía que iba a meditar como preparación para la ceremonia. Nunca comía cuando iba a meditar.

El clan había acampado junto al río al pie de la suave pendiente que subía hasta la cueva. Sólo cuando ésta fuera consagrada por el ritual correspondiente, pasarían a vivir en ella. Aun cuando no sería propicio mostrarse demasiado ansioso, cada uno de los miembros del clan encontró algún pretexto para acercarse lo suficiente y mirar hacia dentro. Las mujeres que recogían leña y hierbas se las arreglaban para ir a buscarlas junto a la abertura, y los hombres seguían a las mujeres, con la evidente intención de vigilarlas. El clan estaba tenso, pero de un ánimo excelente. La ansiedad que habían experimentado desde el terremoto se había desvanecido. Les agradaba el aspecto que presentaba la gran caverna nueva; si bien resultaba difícil ver muy adentro de la cueva oscura y sin alumbrar, podían divisar lo suficiente para entrever que era espaciosa, mucho más amplia que su cueva anterior. Las mujeres señalaban con deleite la poza de agua de manantial justo al lado. No tendrían que ir hasta el río en busca de agua. Estaban deseando que se efectuara la ceremonia de la cueva, uno de los pocos ritos en que tomaban parte las mujeres, y todos anhelaban ir a vivir allí dentro.

Mog-ur se alejó del atareado campamento. Andaba buscando un lugar tranquilo para pensar sin que le molestaran. Mientras seguía el curso del río que corría veloz a reunirse con el mar interior, una suave brisa volvió a soplar desde el sur, agitando su barba. Sólo unas cuantas nubes lejanas empañaban la claridad cristalina del cielo crepuscular. La maleza era densa y lujuriante; Mog-ur tuvo que buscar su camino rodeando los obstáculos, pero apenas se daba cuenta, pues tenía la mente absorta en una profunda concentración. Un ruido procedente del matorral cercano le hizo pararse en seco. Era una región desconocida y su única defensa era el robusto cayado que le ayudaba a caminar, pero en su mano vigorosa podía resultar un arma defensiva formidable. Lo sostuvo preparado para cualquier cosa, mientras escuchaba los gruñidos y ronquidos que venían de la espesa maleza y los ruidos de ramas quebradas procedentes de los arbustos que se movían. De repente, un animal salió disparado de la pantalla de espesa vegetación. Su cuerpo grande y potente estaba sostenido por unas patas cortas y robustas. Unos caninos inferiores agudos y amenazadores salían como colmillos a ambos lados de su hocico. El nombre del animal se le representó aun cuando nunca anteriormente había visto un jabalí. El cerdo salvaje le miró belicosamente, arrastró las pezuñas sin saber qué hacer y acabó por ignorar al hombre; hocicando en la tierra blanda, volvió a penetrar en el matorral. Creb dio un suspiro de alivio y prosiguió su camino río abajo. Se detuvo en una estrecha playa arenosa, tendió su manto, puso encima la calavera del oso cavernario y se sentó frente a ella. Hizo los ademanes ceremoniosos para pedir ayuda a Ursus y después apartó su mente de cualquier pensamiento que no fuera el de los bebés que necesitaban saber cuáles eran sus tótems.

Los niños habían intrigado siempre a Creb. Con frecuencia, mientras estaba sentado en medio del clan, aparentemente perdido en sus pensamientos, observaba a los niños sin que nadie se percatara de ello. Uno de los más jóvenes era un niño robusto y fornido de más o menos medio año, quien había lanzado alaridos belicosos al nacer y muchas veces más después, principalmente cuando quería que lo alimentaran. Desde que nació, Borg empezó a hocicar el suave pecho de su madre, hasta que encontraba el pezón, dando gruñiditos de placer mientras mamaba. Le recordaba, pensó Creb con sentido humorístico, al jabalí que había visto gruñir mientras hocicaba en la tierra blanda. El jabalí era un animal digno de respeto. Era inteligente, sus feroces colmillos podían causar graves daños en cuanto el animal fuera azuzado, y las cortas patas podían moverse con una velocidad pasmosa si decidía lanzarse a la carga. Ningún cazador desdeñaría semejante tótem. «Y será adecuado para el nuevo lugar; su espíritu reposará a gusto en la nueva caverna. Es un jabalí», decidió, convencido de que el tótem del niño se había mostrado para que el mago se acordara de él.

Mog-ur se sintió satisfecho con su elección y volvió su atención hacia el otro bebé. Ona, cuya madre había perdido a su compañero durante el terremoto, había nacido poco antes del cataclismo. Vorn, su hermano de cuatro años de edad, era ahora el único varón junto al fuego. Aga pronto necesitaría otro compañero, meditaba el mago, uno que se encargara también de Aba, su anciana madre. «Pero ése es problema de Brun; en quien debo pensar es en Ona, no en su madre.»

Las niñas necesitaban tótems más amables; no podían ser más fuertes que un tótem de hombre, pues entonces combatirían la esencia fecundadora y la mujer no podría tener hijos. Pensó en Iza; su saiga, el antílope de las estepas, había sido demasiado para que el tótem de su compañero pudiera superarla durante muchos años... ¿Sería realmente eso? A menudo se preguntaba Mog-ur al respecto. Iza conocía mucha más magia de lo que mucha gente creía, y no era feliz con el hombre al que había sido entregada. No era que él la censurara por ello: siempre se había portado debidamente, pero la tensión que había entre ellos era visible. «Bien, ahora ya no está el hombre, pensó Creb, y será Mog-ur su proveedor, ya no precisamente su compañero».

Como hermano suyo, Creb nunca podría aparearse con Iza, eso iría en contra de toda tradición, pero hacía ya tiempo que él había perdido el deseo de tener compañera. Iza era buena compañía, había cocinado para él y le había cuidado durante muchos años, y ahora sería mucho más agradable estar juntos alrededor del fuego sin aquella animosidad latente y continua. Ayla podría hacerlo mucho más agradable aún. Y Creb experimentó una bocanada de agradable calor al recordar los bracitos que se tendieron para abrazarlo. «Más adelante, se dijo: primero Ona.»

Era una criatura tranquila y contenta que a menudo le miraba solemnemente con sus grandes ojos redondos. Ella lo observaba todo con un interés silencioso, sin pasar nada por alto, o por lo menos eso parecía. La imagen de una lechuza le pasó por la mente. «¿Demasiado fuerte? La lechuza es un ave cazadora, pensó, pero sólo caza animales pequeños. Cuando una mujer tiene un tótem fuerte, a su compañero le hace falta otro mucho más fuerte. Ningún hombre cuya protección sea débil puede aparearse con una mujer que tenga una lechuza por tótem, pero quizá ella necesite un hombre con fuerte protección.» Una lechuza, pues, fue su decisión. «Todas las mujeres necesitan compañeros con tótems fuertes. ¿Será por eso por lo que nunca he tomado yo compañera?, pensó Creb. ¿Cuánta protección puede proporcionar un corzo? El tótem natal de Iza es más fuerte.» Hacía muchos años que Creb no recordaba al amable y tímido corzo como su tótem. También el corzo habitaba estas densas selvas, como el jabalí, recordó súbitamente. El mago era de los pocos que tenían dos tótems: el de Creb era el corzo, el de Mog-ur, Ursus.

Ursus Spelaeus, el oso cavernario, el vegetariano corpulento mucho más alto que sus primos omnívoros, con casi el doble de estatura, con un gigantesco volumen velludo de tres veces el peso de aquéllos, el oso más grande que se haya conocido, que difícilmente se enfurecía. Pero una vez una osa nerviosa atacó a un niño indefenso y tullido que vagaba, sumido en sus reflexiones, demasiado cerca de un osezno. Fue la madre del niño quien lo encontró, desgarrado y sangrante, con el ojo arrancado junto con la mitad del rostro, y fue ella quien lo cuidó hasta devolverle la salud. Amputó su brazo inútil, paralizado, por debajo del codo, aplastado por la enorme fuerza de la voluminosa criatura. Poco después, el Mog-ur anterior a él escogió por acólito al niño deformado y cubierto de cicatrices, y dijo al niño que Ursus le había escogido, sometido a prueba y hallado digno, y que le había quitado el ojo como señal de que Creb estaba bajo su protección. Sus cicatrices debería llevarlas con orgullo, le dijeron; eran la señal de su nuevo tótem.

Ursus no permitió nunca que su espíritu fuera tragado por una mujer para producir un niño; el Oso Cavernario sólo brindaba su protección después de haber sometido a una prueba. Pocos eran los escogidos; menos aún los que sobrevivían. Su ojo fue el alto precio que tuvo que pagar, pero Creb no lo lamentaba. Él era el Mog-ur. Ningún mago tuvo nunca un poder como el suyo, y ese poder, Creb estaba convencido de ello, se lo había dado Ursus. Y ahora, Mog-ur estaba pidiendo ayuda a su tótem.

Empuñando su amuleto, imploró al espíritu del Gran Oso para que le diera a conocer el espíritu del tótem que protegía a la niña nacida de los Otros. Era una verdadera prueba para su habilidad, y no estaba muy seguro de que el mensaje pudiera llegar hasta él. Se concentró en la niña y en lo poco que de ella sabía. «Es valiente», pensaba. Se había encariñado abiertamente con él, y no había mostrado temor ante él ni ante el rechazo del clan. Cosa rara en una niña; por lo general, las niñas se escondían detrás de la madre en cuanto él se acercaba. Era curiosa y aprendía deprisa. Una imagen comenzó a formarse en su mente, pero la rechazó. «No, eso no es correcto, es una hembra, eso no es un tótem femenino.» Aclaró su mente y volvió a intentarlo, pero el cuadro volvió a presentársele. Decidió dejar que las cosas siguieran su curso; tal vez eso condujera a algo distinto.

Veía una familia de leones cavernarios calentándose perezosamente al cálido sol estival de las estepas. Había dos cachorros. Uno brincaba gozosamente entre las altas hierbas agostadas, metiendo curiosamente el hocico en las cuevas de los pequeños roedores y gruñendo como si fuera a atacar; era una cachorra; era ella la que se convertiría en una leona, la principal cazadora de la familia, la que habría de llevar el producto de su caza a su compañero. La cachorra brincó hasta un macho de soberbia melena y trató de provocarle para que jugara con ella; sin temor alguno, tendió una zarpa y golpeó el enorme hocico del felino adulto. Era un toque suave, casi una caricia. El enorme león la derribó y apoyó en ella su pesada zarpa, para comenzar a lamer a la cachorrita con su lengua larga y áspera. «Los leones cavernarios crían a sus cachorros con afecto, y con disciplina también», se dijo Creb, preguntándose por qué acudía a su mente aquella escena de familiar felicidad felina.

Mog-ur trató de apartar su mente de la imagen y se esforzó por volver a concentrarse en la niña, pero la escena seguía presente.

–Ursus –preguntó por medio de gestos–, ¿un león cavernario? No puede ser. Una hembra no puede tener un tótem tan poderoso. ¿Con qué hombre podría aparearse?

Ningún hombre de su clan tenía un tótem de León Cavernario, y no había muchos hombres en todos los clanes que lo tuvieran. Visualizó a la alta y flacucha niña, con sus brazos y piernas rectos, su rostro plano con una frente amplia y saliente, pálida y desdibujada; incluso sus ojos eran demasiado claros. «Va a ser una mujer fea, pensó sinceramente Mog-ur. De todos modos, ¿qué hombre la va a querer?» Por su mente cruzó el pensamiento de la repulsión que él mismo inspiraba y la manera en que las mujeres le habían evitado, especialmente cuando era más joven. «Quizá nunca se aparee; si va a tener que vivir su vida sin hombre que la proteja, necesitará la protección de un tótem fuerte. Pero ¿un león cavernario?» Trató de recordar si hubo alguna vez en el clan una mujer que tuviera por tótem al enorme felino.

«No es realmente del clan», recordó, y no cabía duda de que su protección era fuerte, ya que, de lo contrario, no seguiría con vida. La habría matado aquel león cavernario. Aquel pensamiento cuajó en su mente. ¡El león cavernario! La había atacado, pero no la mató... ¿La habría atacado realmente? ¿No la habría sometido a prueba? Entonces otro pensamiento acudió a su mente y un escalofrío de comprensión le recorrió la espalda.

Desaparecieron las dudas; ahora estaba seguro. Ni el propio Brun podría ponerlo en duda, pensó. El león de las cavernas la había marcado con cuatro estrías paralelas en el muslo izquierdo. Las cicatrices las llevaría el resto de sus días. En una ceremonia, cuando Mog-ur grabó la marca del tótem de un joven en su cuerpo, *¡la marca de un león cavernario consistía en cuatro líneas paralelas grabadas en el muslo!*

«En un varón se graban en el muslo derecho; pero ella es hembra, y las marcas son las mismas. ¡Naturalmente! ¿Cómo no me había percatado de ello antes? El león sabía que le resultaría difícil al clan aceptarla, de manera que él mismo la marcó pero tan claramente que nadie pudiera confundirse. Y la marcó con las marcas del tótem del clan. El León Cavernario quería que el clan lo supiera. Quiere que viva con nosotros; se llevó a su gente para que ella tuviera que vivir con nosotros. ¿Por qué?» El mago se sentía agitado por una sensación de incomodidad, la misma incomodidad que experimentó después de la ceremonia de la noche en que la encontraron. Si hubiera sido capaz de elaborar un concepto que lo tradujera, habría dicho que era una premonición, pero matizada con una curiosa esperanza desconcertante.

Mog-ur se sacudió aquella sensación. Nunca hasta entonces se le había presentado tan fuertemente un tótem; eso era lo que le desconcertaba, pensó. «El León Cavernario es su tótem; él la escogió lo mismo que Ursus me escogió a mí.» Mog-ur miró las cuencas oscuras y vacías de los ojos de la calavera que tenía enfrente. Con una aceptación profunda, se maravilló ante los caminos de los espíritus, una vez que se comprendían. Ahora estaba todo perfectamente claro. Se sentía aliviado... y abrumado. ¿Por qué aquella criatura necesitaría una protección tan poderosa?

5

Árboles de hojas negras temblaban y se agitaban con la brisa crepuscular, siluetas danzantes contra un cielo que se oscurecía. El campamento estaba silencioso, preparándose para la noche. Al leve resplandor del carbón encendido, Iza comprobó el contenido de varias bolsas pequeñas ordenadas en hileras sobre su manto, alzando de vez en cuando la mirada en la dirección en que había visto alejarse a Creb. Le preocupaba saber que estaba solo en bosques desconocidos, sin armas para defenderse. La niña dormía ya, y la mujer sintió que su preocupación aumentaba a medida que oscurecía.

Previamente había examinado la vegetación que crecía alrededor de la cueva, para ver con qué plantas podía contar para reponer y enriquecer su farmacopea. Siempre llevaba consigo algunas cosas en la bolsa de piel de nutria, pero para ella los paquetitos de hojas, flores, raíces, semillas y cortezas secas que llevaba en su bolsa de medicinas constituían únicamente primeros auxilios. En la nueva caverna tendría espacio para mayor cantidad y una diversidad más grande. Pero nunca iba muy lejos sin su bolsa de medicinas; era parte de su manto. Más aún: se habría sentido desnuda sin sus medicinas, no sin su manto.

Por fin vio que el viejo mago volvía cojeando; aliviada, se apresuró a calentar la comida que había guardado para él, y puso a hervir el agua para su infusión de hierbas predilecta. Creb llegó arrastrando los pies, se sentó a su lado y vio cómo ponía las bolsas pequeñas dentro de la grande.

–¿Cómo está hoy la niña? –preguntó con un gesto.

–Descansa mejor. Ya casi no le duele. Ha preguntado por ti –respondió Iza.

Creb gruñó, secretamente complacido.

–Haz un amuleto para ella por la mañana, Iza.

La mujer inclinó la cabeza a modo de asentimiento y después se levantó de nuevo para comprobar cómo estaban el agua y la comida. Tenía que moverse. Se sentía tan feliz que no podía quedarse tranquilamente sentada. «Ayla va a quedarse. Creb ha tenido que hablar con su tótem», pensaba Iza, con el corazón palpitante de excitación. Las madres de los dos bebés habían hecho amuletos ese mismo día. Lo habían hecho muy a las claras, para que todos supieran que sus hijos conocerían sus tótems en la ceremonia de la cueva. Vaticinaba buena suerte para ellos y las dos mujeres casi reventaban de orgullo. «¿Habría sido por eso por lo que Creb estuvo ausente tanto tiempo? Tiene que haber sido difícil para él.» Iza se preguntaba cuál sería el tótem de Ayla, pero se contuvo y no preguntó nada: de todos modos, se lo diría y ella se enteraría muy pronto.

Llevó la comida para su hermano y la infusión para ambos. Se quedaron tranquilamente sentados uno junto a otro, aunados por un afecto cálido y confortable entre ellos. Cuando Creb terminó, eran ya los últimos que quedaban despiertos.

—Los cazadores saldrán por la mañana —dijo Creb—. Si se les da bien la caza, la ceremonia será al día siguiente. ¿Estarás preparada?

—He examinado la bolsa, hay suficientes raíces. Estaré preparada. —Iza mostró una bolsa pequeña en su mano: era diferente de las demás. El cuero había sido teñido de un rojo castaño fuerte con ocre rojo finamente pulverizado mezclado con la grasa de oso que se había empleado para curtir la piel de oso cavernario con que estaba hecha. Ninguna otra mujer tenía nada teñido de rojo sagrado, aun cuando todos los del clan llevaban algo de ocre rojo en sus amuletos. Era la reliquia más sagrada que Iza poseía—. Me purificaré por la mañana.

Creb volvió a gruñir. Ese gruñido era el comentario habitual y anodino que empleaban los hombres para responder a una mujer. Venía a significar simplemente que se había comprendido lo que ella había dicho, sin atribuir demasiada importancia a ello. Permanecieron en silencio un rato; finalmente, Creb, después de dejar su taza, miró a su hermana.

—Mog-ur proveerá para ti y la niña, y si tienes una hija, también para ella. Compartiréis mi fuego en la nueva cueva, Iza —dijo, y después tendió la mano hacia su báculo para levantarse y se alejó cojeando hasta su sitio de dormir.

Iza había empezado a incorporarse pero volvió a sentarse, fulminada por el anuncio. Era lo último que hubiera esperado. Con su compañero desaparecido, sabía que algún otro hombre tendría que proveer para ella. Había tratado de no pensar en su sino –poco importaba lo que ella opinara, Brun no habría de consultarla–, pero no podía evitar pensar en ello de vez en cuando. Entre todas las opciones posibles, algunas no le agradaban y las demás las consideraba improbables.

Estaba Droog; desde que murió la madre de Goov en el terremoto, se había quedado solo. Iza respetaba a Droog. Era el mejor tallador de herramientas del clan. Cualquiera podía sacar lascas de un trozo de pedernal para hacer un hacha tosca o un raspador, pero Droog tenía talento para hacerlo. Era capaz de modelar previamente la piedra de tal manera que las láminas que desprendiera tuvieran el tamaño y la forma que deseaba. Sus cuchillos, raspadores, todas sus herramientas, eran altamente valoradas. Si pudiera escoger entre todos los hombres del clan, Iza preferiría a Droog. Había sido bueno con la madre del acólito y en su relación había existido un cariño verdadero.

Sin embargo, era más probable –y bien lo sabía Iza– que se lo asignaran a Aga. Aga era más joven y ya tenía dos hijos. Vorn, su hijo, necesitaría pronto de un cazador que se responsabilizara de su adiestramiento, y la pequeña Ona necesitaba un hombre capaz de proveer para ella hasta que creciera y se apareara. El tallador de herramientas estaría probablemente dispuesto a encargarse también de la madre de Aga, Aba; esta anciana necesitaba un lugar tanto como su hija. Asumir todas esas responsabilidades significaría un gran cambio en la vida del tranquilo y ordenado tallador de herramientas. Aga se mostraba algo insoportable a veces, y no tenía la comprensión que había tenido la madre de Goov, pero Goov pronto establecería su propio fuego y Droog necesitaba una mujer.

Como compañero para ella, Goov estaba fuera de lógica: era demasiado joven, apenas un hombre, y ni siquiera se había apareado por primera vez. Brun no le daría nunca una mujer vieja, además de que Iza le consideraría más como un hijo que como un compañero.

Iza había pensado en la posibilidad de vivir con Grod y Uka y con el hombre que se había apareado con la madre de Grod, Zoug. Grod era un hombre rígido y lacónico, pero nunca cruel, y su lealtad hacia Brun estaba fuera de discusión. No le habría importado vivir con Grod, aunque fuese como segunda esposa. Pero Uka era hermana de Ebra y nunca había perdonado del todo a Iza su posición, por haber usurpado el lugar de su hermana. Y desde la muerte de su hijo, antes de que se fuera a vivir a su propio hogar, Uka estaba triste y retraída. Ni siquiera Ovra, su hija, era capaz de aplacar algo el dolor de la mujer. «Hay demasiada desdicha en ese hogar», había pensado Iza.

Nunca había considerado seriamente el fuego de Crug. Ika, su compañera y madre de Borg, era una mujer joven, sincera y amistosa. Ahí estaba lo malo: ambos eran muy jóvenes, y nunca se había llevado muy bien Iza con Dorv, el anciano que había sido compañero de la madre de Ika y que compartía su fuego.

Quedaba Brun, pero ella no podía ser siquiera segunda mujer en su hogar, puesto que era su hermana. No importaba mucho, pues ella tenía su propia posición. Por lo menos no era como aquella pobre anciana que finalmente encontró el camino del mundo de los espíritus durante el terremoto; procedía de otro clan, su compañero había fallecido hacía tiempo, nunca había tenido hijos y fue pasando de un hogar a otro, siempre como una carga; había sido una mujer sin posición, sin valor alguno.

Pero la posibilidad de compartir un hogar con Creb, de que él proveyera para ella, no se le había pasado siquiera por la cabeza. No había nadie en el clan, ni hombre ni mujer, a quien ella tuviera más afecto. «Si hasta quiere a Ayla, estoy segura. Es un arreglo perfecto, a menos que tenga yo un hijo varón. Un muchacho necesita vivir con un hombre que le pueda adiestrar para convertirle en cazador, y Creb no puede cazar.»

«Podría tomar la medicina que me hiciera perderlo, pensó por un instante. Entonces sí que estaría segura de no tener un varón.» Se palpó el estómago y meneó la cabeza: «No, es demasiado tarde y podría haber problemas». Se dio cuenta de que deseaba tener su bebé, y a pesar de su edad, el embarazo había transcurrido sin dificultad. Había muchas probabilidades de que la criatura fuera normal y saludable, y los niños eran demasiado valiosos para renunciar a ellos a la ligera. «Pediré nuevamente a mi tótem que el bebé sea niña; sabe que siempre he querido tener una niña. He prometido cuidarme para que el bebé sea saludable, con tal de que haga que sea niña.»

Iza sabía que las mujeres de su edad podían tener problemas y tomaba alimentos y medicinas que eran buenos para las mujeres embarazadas. Aun cuando nunca había procreado, la curandera sabía más acerca del embarazo, el parto y la lactancia que la mayoría de las mujeres. Había ayudado a venir al mundo a todos los más jóvenes del clan y compartía sus conocimientos y sus medicamentos liberalmente con las demás mujeres. Pero había cierta magia, transmitida de madres a hijas, tan secreta que Iza preferiría morir antes que revelarla, especialmente a algún hombre. Cualquier hombre que se enterara no permitiría nunca que la usaran.

El secreto se había mantenido sólo porque nadie, hombre ni mujer, preguntó sobre su magia a alguna curandera. La costumbre de no preguntar directamente estaba tan arraigada que se había convertido en tradición, casi en ley. Iza podría compartir sus conocimientos si alguien manifestara interés, pero Iza nunca hablaba de su magia especial, porque si a un hombre se le ocurriera preguntar, ella no podría negarse a contestar –ninguna mujer podía negarse a contestar a un hombre– y a la gente del clan le era imposible mentir. Su manera de comunicación, que dependía del matiz sutil de cambios apenas perceptibles en expresiones, gestos y posturas, permitía que cualquier intento se captara al instante. Ni siquiera tenían un concepto para significar la mentira; su mayor aproximación a la falta de verdad era abstenerse de hablar, y eso, por lo general, se percibía, aun cuando solía tolerarse.

Iza nunca mencionó la magia que había aprendido de su madre, pero la había estado usando. Esa magia impedía la concepción, impedía que el espíritu del tótem de un hombre entrara en la boca de la mujer para dar inicio a un niño. Al hombre que había sido su compañero nunca se le ocurrió preguntarle por qué no había concebido un hijo. Admitía que el tótem de ella era demasiado fuerte para una mujer. A menudo se lo decía y se quejaba ante los demás hombres diciéndoles que ésa era la razón por la que la esencia de su tótem no era capaz de sobreponerse a la del de ella. Iza empleaba las plantas que impiden la concepción porque deseaba avergonzar a su compañero. Quería que el clan y él mismo pensaran que el elemento fecundante del tótem de él era demasiado débil para derribar las defensas del suyo propio, a pesar de que la golpeaba.

Las palizas se las daba, supuestamente, para obligar al tótem de ella a someterse, pero Iza sabía que él disfrutaba dándoselas. Al principio Iza tenía la esperanza de que su compañero la cediera a cualquier otro hombre si no le daba hijos. Odiaba al inflado fanfarrón aun antes de serle entregada, y cuando descubrió quién iba a ser su compañero, no pudo hacer otra cosa que aferrarse desesperadamente a su madre. Ésta sólo podía proporcionarle consuelo; no tenía más voz en el asunto que la hija. Pero el compañero no renunció a ella. Iza era curandera, la mujer de más alto rango en el clan, y dominarla le proporcionaba un sentimiento de virilidad. Cuando quedaron en entredicho la fuerza de su tótem y su virilidad, porque su compañera no tenía prole, el poder físico que ejercía sobre ella le servía de compensación.

Aun cuando las palizas estaban permitidas con la esperanza de que dieran por resultado algún hijo, Iza sospechaba que Brun no las aprobaba. Estaba segura de que si Brun hubiera sido jefe por entonces, no la habría entregado a aquel hombre particular. Brun opinaba que un hombre no demostraba su virilidad dominando a una mujer; las mujeres no tenían más alternativa que someterse. Era indigno de un hombre pelear contra un adversario inferior o permitir que sus emociones fueran provocadas por una mujer. Era deber del hombre mandar en las mujeres, mantener la disciplina, cazar y proveer, controlar sus emociones y no mostrar la menor señal de dolor cuando sufría. Una mujer podía recibir un manotazo si era haragana o irrespetuosa, pero no con ira ni con deleite, sólo como disciplina. Aunque algunos hombres golpeaban a las mujeres con mayor frecuencia que otros, pocos eran los que lo tenían por costumbre. Sólo el compañero de Iza había hecho de las palizas una práctica regular.

Una vez que Creb se unió a su hogar, su compañero se mostró más reacio aún a despedirla. Iza no era sólo curandera, era la mujer que cocinaba para Mog-ur. Si Iza abandonaba su hogar, Mog-ur también lo haría. Su compañero se había imaginado que el resto del clan pensaba que él estaba aprendiendo secretos del gran mago. En realidad, Creb nunca fue nada más que lo debidamente cortés mientras compartieron el mismo hogar, y en muchas ocasiones apenas se dignaba siquiera fijarse en el hombre. Especialmente, Iza estaba segura de ello, cuando Creb observaba una magulladura particularmente subida de tono.

A pesar de todas las palizas, Iza seguía haciendo uso de su magia botánica. Pero al sentirse embarazada, se resignó a su suerte. Algún espíritu había acabado por superar tanto a su tótem como a su magia. Quizá fuera el de él; pero, meditaba Iza, si el principio vital del tótem de su compañero había prevalecido finalmente, ¿por qué le habría abandonado ese espíritu cuando se derrumbó la cueva? Le quedaba una última esperanza. Deseaba tener una hija, una niña que le hiciera perder algo de su estimación recién ganada, una niña que continuara su linaje de curanderas, aun cuando había estado dispuesta a que su estirpe terminara consigo antes de tener un hijo en vida de su compañero. Si daba nacimiento a un hijo, su compañero se vería plenamente vengado; una niña dejaría todavía algo que desear. Ahora, Iza deseaba más que nunca una hija, no tanto para negarle un prestigio póstumo a su compañero, como para poder vivir con Creb.

Iza puso a un lado su bolsa de medicinas y se metió en sus pieles al lado de la niña que dormía apaciblemente. «Ayla debe de ser afortunada, pensó Iza: tenemos la caverna nueva, le va a estar permitido vivir conmigo y vamos a compartir el hogar de Creb. Tal vez su suerte me traiga también una hija.» Iza rodeó a Ayla con su brazo y se pegó a su cuerpecito caliente.

Después del desayuno, a la mañana siguiente, Iza hizo señas a la niña y echó a andar río arriba. Mientras caminaban junto al agua, la curandera buscaba con la mirada ciertas plantas. Al cabo de un rato, Iza vio un calvero al otro lado del río y lo cruzó. Crecían al descubierto varias plantas, de más o menos treinta centímetros de alto, con hojas de un verde mate pegadas a largos tallos que tenían en su extremo espigas de flores verdes, pequeñas y muy apretadas. Iza arrancó la raíz roja de la cenicilla y se dirigió a una zona fangosa junto a aguas estancadas donde encontró equisetáceas con fibras colgando, y más arriba, jaboneras. Ayla la seguía, observándola con interés y deseando poder comunicarse con la mujer: tenía la cabeza llena de preguntas que no podía formular.

Regresaron al campamento; Ayla observó a Iza mientras llenaba de agua una canasta apretadamente tejida y añadía los helechos talludos y las piedras calientes sacadas del fuego. En cuclillas al lado de la mujer, Ayla observó cómo cortaba un trozo circular del manto en que la había llevado a ella, con una aguda lasca de piedra. Aun cuando el cuero era suave y flexible, todavía estaba un poco duro, pero el cuchillo de piedra lo cortó fácilmente. Con otra herramienta de piedra, afilada en punta, Iza practicó varios orificios alrededor del borde del círculo. Entonces, retorció una larga corteza fibrosa de un arbusto, convirtiéndola en cordel, y metió éste por los orificios; después tiró del cordel para formar una bolsa. Con un gesto rápido de su cuchillo, hecho por Droog y altamente apreciado por Iza, cortó un fragmento de la larga correa que mantenía cerrado su manto después de haber medido con él el contorno del cuello de Ayla. Todo el proceso duró sólo unos cuantos minutos.

Cuando empezó a hervir el agua de la canasta, Iza reunió las demás plantas que había recogido junto con el canasto de mimbre a prueba de agua y regresó al río. Ambas caminaron por la orilla hasta llegar a un lugar en que ésta bajaba suavemente hacia el agua. Buscando una piedra redonda que pudiera sostener fácilmente en la mano, Iza golpeó la raíz de la saponina mezclada con agua en una concavidad redonda de una roca plana junto al río. La raíz produjo una rica espuma jabonosa. Tras haber retirado las herramientas de piedra y otros objetos pequeños de entre sus pliegues, Iza se soltó la correa y se quitó el manto. Se sacó el amuleto por la cabeza y lo dejó encima de todo.

Ayla se alegró mucho cuando Iza le tomó la mano y la condujo al río. Le gustaba el agua. Cuando ya estuvo bien remojada, la mujer la tomó en brazos, la sentó en la roca y la enjabonó de pies a cabeza, incluyendo sus cabellos finos y enredados. Después de sumergirla en el agua fría, la mujer hizo un gesto y cerró fuertemente los ojos. Ayla no entendió el gesto, pero cuando imitó a la mujer, Iza asintió: entonces comprendió que la mujer quería que cerrara los ojos. La niña sintió que le echaba la cabeza hacia delante y, después, que el líquido caliente del tazón de helechos se volcaba sobre ella. Sentía picores en la cabeza y la mujer había visto que tenía unos diminutos parásitos. Iza dio un masaje a la cabeza de la niña con el líquido insecticida extraído del helecho. Después de meterla otra vez en el agua fría, Iza aplastó la cenicilla, raíz y hojas, y enjabonó con ella el cabello de la niña. Siguió un enjuague final y entonces Iza realizó las mismas abluciones en su propio cuerpo mientras la niña jugaba en el agua.

Mientras estaban sentadas en la orilla para que el sol las secara, Iza arrancó con los dientes la corteza de una rama y la usó para desenmarañar el cabello de ambas mientras se secaba. Quedó asombrada de la delicada suavidad sedosa del cabello casi blanco de Ayla. «Ciertamente extraño, pensó Iza, pero bastante bonito; indudablemente, es lo mejor que tiene.» Contempló a la niña sin que pareciera demasiado evidente: aunque tenía la piel tostada por el sol, la niña seguía siendo más clara que ella misma, y a Iza le pareció de una fealdad asombrosa aquella niña flaca y pálida, con sus ojos claros. «Gente de aspecto raro; no cabe duda de que son humanos, pero feos. Pobre criatura. ¿Cómo podrá llegar a encontrar algún día un compañero?»

«Y si no se empareja, ¿cómo conseguirá tener posición? Podría sucederle lo que a la anciana que pereció en el terremoto, cavilaba Iza. Si fuera mi verdadera hija, tendría también su propia posición. Me pregunto si yo le podría enseñar algo de magia curativa. Eso le daría cierto valor. Si tengo una hija, podría adiestrar a ambas; y si tengo un hijo, no habrá mujer que continúe mi linaje. El clan necesitará otra curandera algún día. Si Ayla conociera la magia, podrían aceptarla... incluso algún hombre estaría dispuesto a emparejarse con ella. Va a ser aceptada en el clan; ¿por qué no puede ser hija mía?» Iza pensaba ya en la niña como suya y sus reflexiones sembraron el germen de una idea.

Alzó la mirada, vio que el sol estaba muy alto y se dio cuenta de que se estaba haciendo tarde. «Tengo que terminar su amuleto y prepararme a hacer la bebida con la raíz», se dijo Iza, recordando súbitamente sus responsabilidades.

–¡Ayla! –llamó a la niña, que había vuelto al río; regresó corriendo. Al mirarle la pierna, Iza comprobó que el agua había ablandado las costras, pero que estaban cicatrizando bien. Envolviéndose rápidamente en su manto, Iza condujo a la niña hacia la parte alta del ribazo después de detenerse para recoger su palo de cavar y la bolsita que había hecho. Había visto una mancha de tierra roja justo al otro lado, junto al lugar en que se habían detenido anteriormente, antes de que Ayla les mostrara la cueva. Cuando llegaron allá, hurgó con el palo hasta que se desprendieron varios terrones pequeños de ocre rojo. Tomando unos cuantos trozos, se los tendió a Ayla; la niña los miró sin saber lo que se esperaba de ella; entonces, vacilando, tocó uno de ellos. Iza tomó el trocito, lo metió en la bolsita y recogió ésta en un pliegue. Antes de dar la vuelta para regresar, Iza miró el paisaje y divisó unos diminutos personajes que avanzaban por la llanura que había allá abajo. Los cazadores habían salido temprano aquella mañana.

Muchas eras antes, hombres y mujeres mucho más primitivos que Brun y sus cinco cazadores aprendieron a competir con los depredadores de cuatro patas para apoderarse de sus presas, observando sus métodos y copiándolos. Veían, por ejemplo, cómo los lobos, trabajando juntos, podían abatir presas mucho más grandes y poderosas que ellos. Con el tiempo, utilizando herramientas y armas en vez de zarpas y colmillos, los hombres aprendieron que ellos también, si cooperaban, podrían cazar a las enormes bestias que compartían su entorno. Eso les hizo avanzar rápidamente en su viaje por la evolución.

Como el silencio era necesario para no poner en guardia a la presa a la que iban persiguiendo, desarrollaron señales de caza que evolucionaron hacia señales y gestos de la mano más elaborados, empleados para comunicar otras necesidades y deseos. Los gritos de advertencia cambiaron en cuanto a tono y volumen para encerrar un mayor contenido informativo. Aun cuando la rama del árbol genealógico que desembocaba en el clan no comprendía mecanismos vocales suficientemente desarrollados para llegar a constituir un lenguaje plenamente verbal, eso no menguaba su habilidad para cazar.

Los seis hombres partieron al primer resplandor del alba. Desde su punto dominante junto al cerro, observaron cómo el sol enviaba sus rayos como exploradores, trepaba lentamente hacia la cima de la tierra para después hacer gala de toda su gloria en plena posesión del día. Hacia el noroeste, una enorme nube de fino loess[1] velaba una masa ondulante de movimiento oscuro y áspero acentuado por negras púas corvas. Una ancha pista de tierra pisoteada, totalmente desprovista de vegetación, seguía a la lenta manada de bisontes que desfiguraba las llanuras verdes y doradas. Como ya no les detenían mujeres ni niños, los cazadores cubrieron rápidamente la distancia hasta la estepa.

Dejando atrás los contrafuertes montañosos, adoptaron un trote lento que devoraba las distancias, acercándose a la manada a favor del viento. Al acercarse, se agacharon entre las altas hierbas para observar a las enormes bestias. Gigantescos lomos gibosos, que iban estrechándose hacia los flancos, sostenían unas cabezotas lanudas portadoras de enormes cuernos negros que medían casi un metro de envergadura en los ejemplares maduros. El fuerte olor a sudor de la multitud apretada se extendía a lo lejos y atacaba sus narices mientras la tierra vibraba bajo el movimiento de miles de pezuñas.

Brun, con la mano alzada para proteger sus ojos, estudió a cada una de las criaturas que pasaba, esperando hallar al animal conveniente en las circunstancias más propicias. Mirando al hombre, resultaba imposible adivinar la tensión insoportable que el jefe mantenía firmemente bajo control. Sólo sus sienes palpitantes por encima de sus mandíbulas apretadas ponían en evidencia su corazón, que latía nerviosamente, y sus nervios crispados. Era la cacería más importante de su vida. Ni siquiera el primer animal que derribó, elevándose así al rango de hombre, había sido tan importante como esta cacería, que era la condición final para aposentarse en la nueva cueva. Una cacería afortunada no sólo proporcionaría carne para la fiesta que formaría parte de la ceremonia de la cueva, sino que aseguraría al clan que sus tótems aceptaban realmente su nuevo hogar. Si los cazadores volvían con las manos vacías de su primera cacería, el clan tendría que seguir buscando una cueva más aceptable para sus espíritus protectores. Era la

---

[1] Material geológico sedimentario eólico. *(N. del T.)*

manera que tenían sus tótems de advertirles que aquella cueva era nefasta. Cuando Brun vio la enorme manada de bisontes, se sintió animado: era la personificación de su propio tótem.

Brun lanzó una mirada a sus cazadores, que esperaban ansiosamente la señal. Esperar era siempre lo más duro, pero un movimiento precipitado podría tener unos resultados desastrosos, y hasta donde era humanamente posible, Brun quería asegurarse de que no saliera nada mal en la cacería. Vio la expresión preocupada del rostro de Broud y casi lamentó, durante un momento fugaz, haber permitido que el hijo de su compañera participara en aquella cacería. Entonces recordó los brillantes ojos del muchacho, llenos de orgullo, cuando el jefe le dijo que se preparara para la cacería de su virilidad. «Es normal que el muchacho esté nervioso, pensó Brun. No es sólo la cacería de su virilidad, sino que el nuevo hogar del clan puede depender de la fuerza de su brazo derecho.»

Broud observó la mirada de Brun y rápidamente dominó la expresión que revelaba su tensión interior. No se había percatado de lo enorme que era un bisonte vivo –de pie, erguido, la joroba del pesado animal sobresalía treinta centímetros o más por encima de su propia cabeza– ni lo impresionante que podía ser toda una manada. Tendría que lograr por lo menos infligir la primera herida importante para que le acreditaran la matanza. «¿Y si yerro? ¿Si asesto mal el golpe y se escapa?» Las ideas de Broud estaban alborotadas.

Se había esfumado el aire de superioridad de que hacía gala el mozo delante de Oga cuando efectuaba lanzamientos de práctica y ella le contemplaba con adoración. Él fingía no darse cuenta: era sólo una criatura, y además hembra. Pero no tardaría mucho en convertirse en mujer. «Oga pudiera no ser tan mala compañera cuando crezca, pensó Broud. Necesitará un fuerte cazador que la proteja, ahora que ha desaparecido su madre y el compañero de ésta.» A Broud le gustaba la forma en que ella se esforzaba por atenderle desde que vivía con ellos, corriendo anhelosamente para obedecer a sus menores deseos, a pesar de que no era hombre todavía. «Pero ¿qué pensará de mí si no consigo la presa? ¿Y si no puedo hacerme hombre en la ceremonia de la cueva? ¿Qué pensará Brun? ¿Qué pensará todo el clan? ¿Y si tuviéramos que abandonar la hermosa cueva nueva que ya ha sido bendecida por Ursus?» Broud apretó más fuertemente su lanza y tendió la mano hacia su amuleto en un gesto de súplica dirigido al Rinoceronte Lanudo, para que le diera valor y un brazo fuerte.

El animal no tendría muchas oportunidades de escapar si todo dependiera de Brun. Dejó que el joven pensara que el destino de la nueva cueva del clan dependía de él. Si había de ser jefe algún día, sería bueno que conociera, ya desde ahora, el peso de la responsabilidad que el cargo implicaba. Daría su oportunidad al muchacho, pero Brun se mantendría cerca para matar él mismo, si fuera necesario. Por el bien del joven, abrigaba la esperanza de no tener que llegar a eso. El mozo era orgulloso, su humillación sería grande, pero el jefe no tenía la intención de sacrificar la cueva al orgullo de Broud.

Brun se volvió para observar la manada. Pronto vio un toro joven que luchaba por salirse del tropel. El animal estaba casi en la plenitud, pero era aún joven e inexperto. Brun esperó hasta que el bisonte se fue desviando todavía más de los otros, hasta que fue una criatura solitaria alejada de la seguridad de la manada. Entonces dio la señal.

Los hombres se abalanzaron al instante, dispersándose en abanico, con Broud a la cabeza. Brun observó cómo se apartaban a intervalos regulares, manteniendo ansiosamente la vista fija en el joven bisonte descarriado. Hizo otra señal y los hombres brincaron hacia la manada, ladrando, gritando y agitando los brazos. Los animales sorprendidos en la parte de fuera empezaron a correr hacia el centro, cerrando las brechas y empujando con el hocico hacia el centro a los que estaban más cerca. Al mismo tiempo, Brun se abalanzó entre ellos y el joven toro, desviándolo.

Mientras las bestias asustadas de la periferia se metían a la fuerza en el tropel arremolinado, Brun se lanzó hacia el que había escogido. Puso hasta el último adarme de energías en la caza, haciendo correr al toro con toda la prisa a la que podían moverse sus gruesas patas musculosas. La tierra seca de la estepa llenaba el aire de polvo fino y sucio, levantado por la manada de bisontes de duras pezuñas, mientras el movimiento de los flancos se transmitía a toda la manada. Brun entrecerró los ojos y tosió, cegado por el remolino de polvo que se pegaba a los orificios de su nariz y su garganta. Jadeando, casi agotado, vio que Grod seguía la persecución.

El toro cambió de dirección ante el acoso renovado de Grod. Los hombres proseguían su avance, formando un amplio círculo que llevaría a la bestia de nuevo hacia Brun, quien se esforzaba, sin aliento, por cerrar el círculo. Toda la manada estaba en estampida, lanzada a través de la pradera... con un miedo irracional multiplicado por el movimiento mismo. Sólo quedaba el toro joven, huyendo presa del pánico ante una criatura que sólo poseía una fracción de su fuerza, pero suficiente inteligencia y determinación para compensar su desventaja. Grod galopaba tras él, negándose a ceder aunque su corazón palpitaba como si fuera a estallar. El sudor formaba arroyuelos sobre la película de polvo que cubría su cuerpo y daba a su barba un aspecto pardusco. Finalmente se detuvo justo cuando Droog tomaba su relevo.

La resistencia de los cazadores era grande, pero el fuerte bisonte joven seguía adelante con energía incansable. Droog era el hombre más alto del clan y tenía las piernas un poco más largas que los demás. Incitando al animal hacia delante, Droog se lanzó tras él con un nuevo impulso veloz, desviándolo en cuanto intentaba seguir la pista de la manada en fuga. Cuando Crug sustituyó al agotado Droog, el joven animal estaba visiblemente sin resuello. Crug, en cambio, estaba fresco y empujaba a la bestia hacia delante, obligándola a hacer acopio de energía con una punzada de su lanza en los flancos.

Cuando Goov tomó el relevo, la enorme criatura hirsuta empezaba a perder velocidad. El toro corría a ciegas, tercamente, seguido de cerca por Goov, que le pinchaba sin cesar para acabar con la última gota de fuerza que le quedara al joven animal. Broud vio que Brun avanzaba, lanzaba un ladrido y tomaba nuevamente su puesto en la persecución de la enorme bestia. Su carrera fue corta; el bisonte había llegado al límite de su resistencia: fue frenando su carrera, se detuvo en seco y se negó a moverse, con la piel cubierta de sudor, la cabeza baja y la boca chorreante de espumarajos. Lanza en ristre, el joven se acercó al agotado toro.

Con una decisión que era fruto de la experiencia, Brun calculó rápidamente: ¿estaría el joven demasiado nervioso para su primera muerte o exageradamente ansioso? ¿Estaba la bestia agotada por completo? A veces, un bisonte viejo resabiado se detenía antes de estar completamente agotado y una carga en el último minuto podía matar o herir gravemente a un cazador, especialmente si era inexperto. ¿Debería usar sus boleadoras para detener al animal y derribarlo? La cabeza del bruto casi tocaba el suelo, sus flancos jadeantes no dejaban lugar a dudas: el bisonte estaba acabado. Si empleaba sus boleadoras, la primera matanza del muchacho tendría un mérito menor. Brun decidió dejar que Broud se llevara los honores.

Con celeridad, antes de que el bisonte recobrara el aliento, Broud avanzó hacia el enorme animal velludo y levantó su lanza.

Con un pensamiento en el último minuto para su tótem, se echó hacia atrás tomando impulso y se abalanzó: la pesada y larga lanza mordió profundamente el flanco del joven toro, su punta endurecida al fuego perforó el fuerte cuero y le rompió una costilla con una lanzada rápida y fatal. El bisonte mugió de dolor, volviéndose para cornear a su atacante mientras se le doblaban las patas. Brun vio el movimiento, de un salto se puso junto al joven y, con toda la fuerza de sus potentes músculos, golpeó con su garrote la enorme cabeza. Su golpe activó la caída del animal: el bisonte cayó de lado, sus fuertes pezuñas golpearon el aire en los estertores de la muerte y, finalmente, quedó inmóvil.

Broud se quedó asombrado al principio y algo abrumado, pero de repente lanzó un grito agudo que era su explosión de triunfo. ¡Lo logró! ¡Había cobrado su primera pieza! ¡Era un hombre!

Broud estaba rebosante de júbilo. Tendió la mano para arrancar su lanza profundamente incrustada en el costado del animal. Al arrancarla, sintió que su rostro se cubría con la sangre que brotó como un surtidor y saboreó su gusto salado. Brun golpeó a Broud en el hombro, con la mirada llena de orgullo.

«Bien hecho», indicaba elocuentemente el gesto. Brun estaba contento al sumar otro fuerte cazador a sus filas, un fuerte cazador que era su orgullo y su dicha, el hijo de su compañera, el hijo de su corazón.

La cueva era suya. La ceremonia ritual lo confirmaría, pero la matanza de Broud lo había asegurado. Los tótems estaban complacidos. Broud enarboló la punta sangrienta de su lanza mientras los otros cazadores corrían hacia ellos; el gozo animaba sus pasos al ver al animal derribado. Brun tenía el cuchillo en su mano, dispuesto a abrir la barriga y destripar al bisonte antes de llevarlo a la cueva. Retiró el hígado, lo cortó en rebanadas y dio una a cada cazador. Era el bocado selecto, reservado exclusivamente a los hombres, que inyectaba fuerza en los músculos y los ojos, necesarios para cazar. Brun cortó también el corazón de la enorme criatura velluda y lo enterró cerca del animal, ofrenda que había prometido a su tótem.

Broud masticaba el hígado crudo y caliente, su primer bocado de virilidad, y creía que el corazón le iba a estallar de felicidad. Se convertiría en hombre en la ceremonia para santificar la nueva caverna, dirigiría la danza de la cacería, se uniría a los hombres en los ritos secretos que habrían de celebrarse en la pequeña cueva, y habría dado alegremente su vida por ver aquella mirada de orgullo en los ojos de Brun. Era el momento supremo de Broud. Gozaba anticipadamente de la atención que habrían de prestarle después de los ritos de su virilidad en la ceremonia de la cueva. Tendría la admiración de todo el clan, todo su respeto. Sólo hablarían de él y de su gran hazaña de cazador. Sería su noche y los ojos de Oga brillarían con una devoción indecible y una rendida adoración.

Los hombres ataron las cuatro patas del bisonte por encima de las articulaciones de la rodilla. Grod y Droog enlazaron sus lanzas, Crug y Goov hicieron lo mismo con las suyas, formando dos postes reforzados con las cuatro lanzas. Uno fue metido entre las patas delanteras, el otro entre las patas traseras, en sentido horizontal a la enorme bestia. Brun y Broud se pusieron a ambos lados de la cabeza velluda y cogieron un cuerno con una mano, quedando la otra libre para sostener la lanza. Grod y Droog, a su vez, cogieron cada uno un extremo del poste a cada lado de las patas delanteras, mientras Crug iba a la izquierda y Goov a la derecha de las patas traseras. A una señal de su jefe, los seis hombres echaron a andar, medio alzando y medio arrastrando al enorme animal por las llanuras cubiertas de hierba. El viaje de regreso a la cueva llevó mucho más tiempo que el de ida. Los hombres, a pesar de su fuerza, se cansaban bajo el peso mientras cargaban con el bisonte a través de la estepa y contrafuertes arriba.

Oga estaba observando y vio, muy lejos, abajo en el llano, que regresaban los cazadores. Cuando se acercaron a la cresta, el clan les esperaba y se unió a ellos en tropel para acompañarlos durante el último trecho hasta la cueva, caminando junto a ellos en una aclamación silenciosa. La posición de Broud al frente de los hombres victoriosos anunciaba que él había cobrado la pieza. Incluso Ayla, que no podía comprender lo que estaba pasando, se sentía presa de la excitación que impregnaba el aire.

6

—El hijo de tu compañera se ha portado bien, Brun. Ha sido una matanza limpia y buena —dijo Zoug mientras los cazadores depositaban al animal sobre el suelo delante de la cueva—. Tienes un nuevo cazador del que puedes sentirte orgulloso.

—Ha mostrado valentía y un brazo fuerte —expresó Brun por medio de gestos. Puso la mano en el hombro del joven; los ojos le brillaban de orgullo. Broud se esponjaba con aquel cálido halago.

Zoug y Dorv examinaron con admiración al joven y potente toro, sintiendo una punzada de nostalgia por la excitación de la cacería y la emoción del éxito, olvidándose de los peligros y desilusiones que formaban parte de la ardua aventura que constituía la caza mayor. Como ya no podían cazar con los hombres más jóvenes y no querían quedar al margen de todo, los dos viejos habían pasado la mañana explorando las laderas boscosas en busca de presas pequeñas.

—Ya veo que Dorv y tú habéis hecho buen uso de las hondas. He olido la carne asada desde la mitad de la cuesta —prosiguió Brun—. Cuando estemos instalados en la nueva cueva, habrá que buscar un sitio para practicar. El clan se beneficiaría si todos los cazadores tuvieran la misma habilidad que tú con la honda, Zoug. Y no falta mucho para que Vorn necesite entrenamiento.

El jefe tenía conciencia de la contribución que seguían haciendo los ancianos a la subsistencia del clan, y quería que lo supieran. Los cazadores no siempre tenían éxito. Más de una vez la carne fue obtenida gracias a los esfuerzos de los ancianos, y durante las fuertes nevadas del invierno había ocasiones en que se conseguía más fácilmente carne fresca con ayuda de una honda. Proporcionaba un cambio agradable en su dieta invernal de carne seca en conserva, especialmente al final de la temporada, cuando

91

las provisiones congeladas procedentes de las últimas cacerías del otoño llegaban a su fin.

–No hemos conseguido nada comparable a ese joven bisonte, pero sí unos cuantos conejos y un castor muy gordo. La comida está lista, sólo estábamos esperando vuestro regreso –expresó Zoug con un gesto–. He visto cerca de aquí un calvero llano que podría servir como campo de prácticas.

Zoug, que vivía con Grod desde que murió su compañera, había estado perfeccionando su habilidad con la honda desde que abandonó las filas de los cazadores de Brun. La honda y las boleadoras eran las armas que más les costaba dominar a los hombres del clan. Aunque sus brazos musculosos, de fuerte osamenta y ligeramente encorvados, tenían una fuerza tremenda, podían llevar a cabo tareas tan delicadas y precisas como arrancar lascas del pedernal. El desarrollo de sus articulaciones, en especial la manera en que músculos y tendones estaban unidos a los huesos, les proporcionaba una destreza manual precisa unida a una fuerza increíble. Pero había un inconveniente; el desarrollo mismo de las articulaciones condicionaba el movimiento del brazo; no podían formar un arco completo, de oscilación libre, lo cual limitaba su capacidad para lanzar objetos. Lo que debían pagar a cambio de su fuerza no era un buen control, sino el apalancamiento.

Sus lanzas no eran una jabalina para lanzamientos a distancia, sino más bien un venablo que se lanzaba desde cerca con gran fuerza. El entrenamiento con la lanza o la maza era poco más que desarrollar unos músculos poderosos, pero aprender a emplear la honda o las boleadoras llevaba años de práctica y concentración. La honda, una tira de cuero flexible unida en los dos extremos y a la que se hacía girar alrededor de la cabeza para darle impulso antes de soltar el canto redondo alojado en el recipiente abultado del medio, exigía un gran esfuerzo, y Zoug se enorgullecía de su habilidad para lanzar el canto con precisión. También le enorgullecía que Brun contara con él para adiestrar a los jóvenes cazadores en el uso del arma.

Mientras Zoug y Dorv recorrían las laderas cazando con honda, las mujeres estuvieron recogiendo plantas en el mismo terreno, y el persistente aroma de los alimentos que se estaban cocinando hacía agua la boca de los cazadores. Eso les daba a entender que la cacería era un trabajo que abría el apetito. No tuvieron que esperar mucho.

Los hombres descansaron después de la comida, satisfechos y relatando una y otra vez los incidentes de la excitante cacería, tanto para su propio placer como para que se enteraran Zoug y Dorv. Broud, resplandeciente, disfrutando de su nuevo prestigio y de las sinceras felicitaciones de sus nuevos pares, observó que Vorn le miraba con una admiración ostensible. Hasta aquella mañana, Vorn y Broud habían sido iguales, y Vorn había sido su único compañero varón entre los niños del clan desde que Goov se hizo hombre.

Broud recordaba haber merodeado alrededor de los cazadores cuando volvían de la cacería, exactamente como lo hacía Vorn ahora. No tendría nunca más que permanecer fuera del círculo, ignorado por los hombres y escuchando ávidamente sus historias; ya no estaría sometido a las órdenes de su madre ni de las demás mujeres que le mandaban colaborar en las tareas. Ahora era un cazador, un hombre. A su plena condición masculina sólo le faltaba la ceremonia final, que formaría parte de la ceremonia de la cueva, lo cual la haría particularmente memorable y afortunada.

Cuando eso sucediera, sería el varón de menor rango, pero no le importaba mucho. Aquello cambiaría, pues su lugar estaba ya predeterminado. Era el hijo de la compañera del jefe; algún día el manto de la dirección recaería en él. Vorn había sido insoportable a veces, pero ahora Broud podía mostrarse magnánimo. Fue hacia el niño de cuatro años, sin dejar de percatarse de cómo los ojos de Vorn se encendían con un anhelo expectante al ver aproximarse al nuevo cazador.

–Vorn, creo que ya eres bastante grande –expresó Broud con un ademán algo pomposo, tratando de parecer más viril–. Voy a hacerte una lanza. Es hora de que empieces a entrenarte para ser cazador.

Vorn se retorció de gusto, y una adulación pura brillaba en sus ojos al contemplar al joven que tan recientemente había obtenido el codiciado título de cazador.

–Sí –asintió vigorosamente dejando traslucir su acuerdo–. Ya soy bastante grande, Broud –expresó tímidamente el mocito, y señaló la fuerte lanza con la punta manchada de sangre oscura–: ¿Puedo tocarla?

Broud apoyó la punta de su lanza en el suelo frente al niño. Vorn acercó poco a poco su mano y tocó la sangre seca del enorme bisonte que ahora yacía sobre el suelo delante de la cueva.

–¿Tuviste miedo, Broud? –preguntó.

–Brun dice que todos los cazadores se sienten nerviosos en su primera cacería –respondió Broud, reacio a confesar sus temores.

–¡Vorn! ¡Estás ahí! ¡Debí imaginármelo! Se supone que estarías ayudando a Oga a recoger leña –dijo Aga, al ver a su hijo que se había escurrido lejos de las mujeres y niños. Vorn fue caminando detrás de su madre, echando miradas por encima del hombro a su nuevo ídolo. Brun había estado observando al hijo de su compañera con aprobación: es señal de un buen jefe, pensaba, no olvidarse del muchacho sólo porque todavía es un niño. Algún día Vorn será cazador, y cuando Broud sea jefe, recordará un gesto amable que tuvo con él de niño.

Broud observó a Vorn mientras éste seguía a su madre arrastrando los pies. El día anterior mismo Ebra había ido a buscarle a él para que ayudara en las tareas, recordó. Observó a las mujeres que estaban cavando un hoyo y sintió el deseo de alejarse para que su madre no le viera, pero entonces advirtió que Oga estaba mirándole. «Mi madre no puede seguir diciéndome lo que debo hacer; ya no soy un niño, soy un hombre. Ella me tiene que obedecer ahora, pensaba Broud hinchando algo el pecho. Me tiene, ¿no me tiene...?, y Oga está mirando.»

–¡Ebra! ¡Tráeme agua para beber! –ordenó imperiosamente, fanfarroneando delante de las mujeres. Casi esperaba que su madre le mandara a él por leña. Técnicamente no sería hombre hasta después de la ceremonia de su virilidad.

Ebra alzó la mirada hacia él y sus ojos se llenaron de orgullo. Aquél era su pequeño que tan eficazmente había cumplido su misión, su hijo, que había alcanzado la prestigiada posición de hombre. Dio un salto, fue a la poza junto a la cueva y volvió rápidamente trayendo agua, mirando altivamente a las demás mujeres como diciendo: «¡Mirad a mi hijo! ¿No es un hombre hermoso? ¿No es un valiente cazador?»

La presteza de su madre y su mirada orgullosa le hicieron perder su actitud defensiva y le predispusieron en su favor, demostrándoselo con un gruñido de reconocimiento. La respuesta de Ebra le proporcionó casi tanto placer como la cabeza modestamente inclinada de Oga y la mirada de adoración que sorprendió en sus ojos, que le seguían mientras se alejaba.

Oga había sentido una gran tristeza por la muerte de su madre muy poco después de la muerte del compañero de ésta. Por ser hija única de la pareja y a pesar de ser niña, había sido muy amada por ambos. La compañera de Brun fue buena con ella cuando se trasladó para vivir con la familia del jefe, sentándose con ellos y caminando tras Ebra mientras buscaban una cueva. Pero Brun la asustaba. Era más serio que el compañero de su madre; su responsabilidad pesaba duramente sobre sus hombros. La principal preocupación de Ebra era Brun, y nadie disponía de mucho tiempo para dedicárselo a la huérfana mientras viajaban. Pero Broud la había visto sentada sola y contemplando tristemente las llamas una noche. Oga se sintió abrumada de gratitud cuando el orgulloso muchacho, casi un hombre, que raras veces le había prestado atención anteriormente, fue a sentarse a su lado y le rodeó los hombros con su brazo mientras ella desahogaba su pena. Desde aquel momento, Oga vivió con un solo deseo: cuando se convirtiera en mujer, deseaba ser entregada a Broud como su compañera.

El sol del atardecer era cálido en aquel ambiente inmóvil. Ni una leve brisa agitaba una sola hoja. El silencio expectante era perturbado únicamente por el zumbido de las moscas, que se saciaban con los restos de comida, y el ruido de las mujeres que cavaban un foso para asar. Ayla estaba sentada junto a Iza mientras la curandera buscaba la bolsita roja en su bolso de piel de nutria. La niña había andado tras ella el día entero, pero ahora Iza tenía que efectuar con Mog-ur ciertos ritos como preparación para el importante papel que debería desempeñar al día siguiente en la ceremonia de la cueva, ahora que ya estaban seguros de que habría una. Condujo a la niña que la seguía hacia el grupo de mujeres que excavaban un profundo hoyo no lejos de la boca de la cueva. Sería forrado con piedras y se encendería dentro un gran fuego que habría de arder toda la noche. Por la mañana, el bisonte desollado y descuartizado, envuelto en hojas, sería bajado al foso, lo cubrirían con más hojas y una capa de tierra, y se quedaría asándose en el horno de piedras hasta el crepúsculo.

La excavación era un trabajo lento y fastidioso. Usaban palos agudos de cavar para romper la tierra, que era depositada a puñados en un manto de cuero que después se sacaba del foso y se vaciaba. Pero una vez cavado, el foso podría servir muchas veces; lo único que se necesitaría sería quitar las cenizas de vez en cuando. Mientras las mujeres cavaban, Oga y Vorn, bajo la mirada vigilante de Ovra, la hija no emparejada de Uka, recogían leña y traían piedras desde el río.

Al acercarse Iza llevando a la niña de la mano, las mujeres interrumpieron su trabajo.

–Tengo que ver a Mog-ur –explicó Iza con un ademán. Entonces dio un empujoncito a Ayla hacia el grupo. La niña se disponía a seguir a Iza cuando ésta se volvió para alejarse, pero la mujer meneó la cabeza y la empujó de nuevo hacia las mujeres antes de alejarse rápidamente.

Era el primer contacto de Ayla con alguien del clan que no fuera Iza o Creb, y se sintió perdida y asustada lejos de la presencia reconfortante de Iza. Se quedó plantada en el suelo, mirando sus pies con nerviosismo y alzando de vez en cuando una mirada llena de aprensión. Contra todos los principios de cortesía, todo el mundo estaba mirando a la delgada niña de piernas largas con aquella cara plana tan peculiar y aquella frente tan abombada. Todos habían sentido curiosidad por la niña, pero ésta era la primera oportunidad que se les brindaba de verla de cerca.

Finalmente Ebra rompió el hechizo:

—Puede recoger leña —indicó la mujer del jefe con un ademán silencioso hacia Ovra, y después se puso otra vez a cavar.

La joven se dirigió a un grupo de árboles y troncos caídos. Oga y Vorn apenas podían alejarse. Ovra hizo una señal impaciente a los dos niños y después también a Ayla. Ésta creyó comprender el gesto, pero no estaba segura de lo que se esperaba de ella. Ovra repitió las señas y después se volvió para dirigirse a los árboles. Los dos miembros del clan que más se aproximaban a la edad de Ayla siguieron de mala gana a Ovra. La niña les vio alejarse y después dio unos cuantos pasos vacilantes en su dirección.

Cuando llegó a los árboles, Ayla se quedó un rato observando cómo Oga y Vorn recogían ramas secas mientras Ovra daba hachazos a un tronco caído de buenas dimensiones con su hacha de piedra. Oga, que volvía de depositar una carga de leña junto al foso, empezó a arrastrar hacia el montón de la leña una parte del tronco que Ovra había desprendido. Ayla la vio esforzarse y acudió en su ayuda. Se inclinó para levantar el extremo opuesto del tronco y, al tiempo que ambas se enderezaban, miró a los oscuros ojos de Oga. Se detuvieron y se quedaron mirándose un momento.

Las dos niñas eran tan diferentes y, sin embargo, tan llamativamente parecidas... Surgida de la misma semilla antigua, la progenie de su antepasado común tomó caminos alternos, conduciendo cada uno de ellos a una inteligencia ricamente desarrollada, aunque diferente. Ambos Sapiens, ambos dominantes durante algún tiempo, la brecha que los separaba no era grande, pero la sutil diferencia creaba un destino muy diferenciado.

Sosteniendo cada una de ellas un extremo del leño, Ayla y Oga lo llevaron hasta el montón de leña. Cuando regresaban, una junto a la otra, las mujeres detuvieron nuevamente su trabajo y se quedaron mirándolas mientras se alejaban. Las dos niñas tenían casi la misma estatura, aun cuando la más alta doblaba casi la edad de la otra. Una era esbelta, de extremidades rectas y cabellos claros; la otra, regordeta, de piernas arqueadas, más morena. Las mujeres las compararon, pero las niñas, como pasa en todas partes con los niños, olvidaron pronto sus diferencias. Compartir facilita la tarea; antes de terminar el día ya habían encontrado la manera de comunicarse y de incorporar un elemento de juego al trabajo.

Aquella noche se buscaron y se sentaron juntas para cenar, disfrutando el placer de una compañía más en consonancia con su estatura. Iza se alegró de ver que Oga aceptaba a Ayla y esperó hasta que hubo oscurecido para llevarse a la niña a la cama. Se siguieron con la mirada al separarse, después Oga se volvió y fue hasta sus pieles junto a Ebra. Hombres y mujeres seguían durmiendo separados; la prohibición de Mog-ur no se retiraría antes de que se mudaran a la cueva.

Iza abrió los ojos al sentir el primer destello del alba. Se quedó quieta, escuchando la melodiosa cacofonía de los trinos, los gorjeos, gorgoritos y silbidos de las avecillas al saludar al nuevo día. Muy pronto, se decía, abriría los ojos entre murallas de piedra. No le importaba dormir fuera mientras el tiempo fuera clemente, pero anhelaba la seguridad de la cueva. Sus pensamientos la llevaron a recordar todo lo que tendría que hacer aquel día, y pensando en la ceremonia de la cueva con excitación creciente se levantó rápidamente.

Creb estaba ya despierto. Iza se preguntó si habría dormido; seguía sentado en el mismo lugar en que le dejó la noche anterior, contemplando el fuego en un silencio meditativo. Empezó a calentar agua y cuando le llevó su infusión matutina a base de menta, alfalfa y hojas de ortiga, ya estaba Ayla sentada junto al hombre tullido. Iza preparó a la niña un desayuno con restos de la cena de la noche anterior. Los hombres y mujeres no probarían bocado ese día hasta el banquete ritual.

Al terminar la tarde, deliciosos aromas se desprendían de los diversos fuegos en que se guisaban los alimentos e impregnaban el área próxima a la cueva. Ya se habían desempaquetado los utensilios y demás cacharros para cocinar que habían recuperado de su antigua cueva y habían sido transportados en paquetes por las mujeres. Para sacar agua de la poza y como ollas y recipientes para cocer y guardar alimentos se usaban canastos tupidamente trenzados a prueba de agua, hechos con arte, de textura y diseño sutiles, creados mediante leves cambios en el tejido. Los cuencos de madera se empleaban de manera similar. Huesos de costilla servían para revolver, anchos huesos pélvicos cumplían funciones de platos y fuentes, junto con delgadas secciones de troncos. Los huesos de la quijada y de la cabeza servían de cucharas, tazas y tazones. Cortezas de abedul pegadas con goma balsámica, reforzada en algunos puntos con un nudo de tripa estratégicamente colocado, eran dobladas de distintas formas para muchos usos.

En una piel de animal, suspendida de un marco sujeto por correas encima de un fuego, hervía un sabroso caldo. Se vigilaba constantemente para que el líquido no mermara demasiado. Mientras el nivel del caldo estuviera por encima del nivel que alcanzaban las llamas, se mantendría la temperatura de la olla de cuero suficientemente baja para no quemarse. Ayla miraba cómo Uka revolvía trozos de carne y hueso del cuello del bisonte que estaban cociéndose con cebolla silvestre, fárfara salada y otras hierbas. Uka lo probó y después agregó tallos de cardo, hongos, capullos y raíces de lirio, berros, brotes de vencetósigo, pequeños ñames verdes, arándanos traídos de la otra cueva y flores marchitas de los lirios del día anterior, para espesarlo.

Las duras y fibrosas raíces viejas de la espadaña habían sido machacadas para quitarles las fibras. Se añadieron arándanos secos que habían traído consigo y granos resecos y molidos al almidón resultante, que se asentó en el fondo de las canastas de agua fría. Rebanadas de pan oscuro y plano, sin levadura, cocían sobre piedras calientes cerca del fuego. Hojas verdes de cenicilla, quenopodio, clavo fresco y hojas de diente de león sazonadas con fárfara cocían en otra olla, y una salsa de manzanas secas y ácidas mezcladas con pétalos de rosa silvestre y un afortunado hallazgo de miel humeaban junto al otro fuego.

Iza se había sentido particularmente complacida al ver regresar a Zoug de una excursión por la estepa con un manojo de perdices blancas. Esas aves pesadas, que volaban bajo y eran fáciles de cazar a pedradas con la honda del tirador, eran las predilectas de Creb. Rellenas de hierbas aromáticas y de verduras comestibles, que anidaban sus huevos enteros y envueltos en hojas de vid, las sabrosas aves estaban cocinándose en un hoyo más pequeño forrado con piedras. Liebres y gigantescas marmotas, desolladas y atravesadas por brochetas, se asaban sobre carbones ardientes, y rojos montones de diminutas fresas silvestres brillaban al sol.

Era un banquete digno de la ocasión.

Ayla no estaba segura de poder esperar; había estado vagando sin rumbo todo el día alrededor del área de la cocina. Iza y Creb andaban casi todo el tiempo de un lado para otro, y cuando Iza estaba cerca, tenía que hacer. También Oga estaba trabajando afanosamente con las mujeres, preparando el festín, y nadie tenía tiempo ni deseos de preocuparse por la niña. Después de escuchar unas cuantas palabras ásperas y de algunos empujones no muy amables de las atareadas mujeres, procuró mantenerse fuera del ajetreo.

Cuando las largas sombras del sol crepuscular se extendieron sobre la tierra roja delante de la boca de la cueva, una quietud expectante se apoderó del clan. Todos se reunieron alrededor del ancho foso en el que se estaban asando los cuartos traseros del bisonte. Ebra y Uka comenzaron a retirar la tierra caliente que los cubría. Retiraron las hojas reblandecidas y quemadas y dejaron a la vista el animal propiciatorio envuelto en una nube de vapor aromático que les hacía la boca agua. Tan tierna que casi se desprendía de los huesos, la carne fue sacada con precaución. Sobre Ebra, la compañera del jefe, recaía el deber de cortar y servir, y su orgullo resultaba evidente cuando entregó el primer trozo a su hijo.

Broud no mostró falsa modestia al adelantarse para recibir lo que le correspondía. Una vez que todos los hombres estuvieron servidos, las mujeres recibieron su parte, y después los niños. Ayla fue la última, pero había más que suficiente para todos y hasta sobraría. El silencio que imperó a continuación era el resultado de estar todo el clan devorando afanosamente su cena.

Fue un banquete prolongado y unos y otros volvían para servirse un poco más de bisonte o algo de su plato predilecto. Las mujeres habían trabajado mucho, pero su recompensa no era solamente recibir las felicitaciones del clan satisfecho; no iban a tener que guisar durante unos cuantos días. Todos descansaron después de la cena, preparándose para una velada prolongada.

Las sombras seguían alargándose, y cuando se fundieron en la media luz grisácea que anuncia la proximidad de la noche, el ambiente del perezoso atardecer se alteró sutilmente, se cargó de expectativa. Ante una mirada de Brun, las mujeres limpiaron rápidamente los restos del banquete y ocuparon sus lugares alrededor de una hoguera sin encender a la entrada de la cueva. El aspecto informal del grupo era tan sólo aparente. Las mujeres se encontraban situadas, unas respecto a otras, en relación con su posición dentro del clan. Los hombres reunidos al otro lado también ocupaban sus posiciones de acuerdo con su lugar jerárquico dentro del clan, pero Mog-ur no estaba visible.

Brun, más cerca del frente, hizo una seña a Grod, quien avanzó con digna lentitud y de su cuerno de uro sacó un carbón encendido. Era el carbón más importante de todo el linaje de carbones iniciado con el fuego prendido en los escombros de la vieja cueva. Una continuación de aquel fuego simbolizaba la continuación de la vida del clan. Encender ese fuego en la entrada significaba reclamar la cueva para ellos, su elección como lugar de residencia del clan.

El fuego controlado era un artificio creado por el hombre, esencial para la vida en un clima frío. Incluso el humo poseía propiedades benéficas; su mero olor evocaba una sensación de hogar y seguridad. El humo del fuego de la cueva, filtrándose por la caverna hasta el alto techo abovedado, encontraría su camino de salida por grietas y resquicios. Se llevaría consigo cualesquiera fuerzas invisibles que pudieran serles nefastas, purgaría la cueva y la impregnaría con su esencia, la esencia del ser humano.

Encender el fuego era un rito suficiente para purificar la cueva y reclamarla para sí, pero había otros muchos ritos que se celebraban al mismo tiempo y que habían llegado casi a ser considerados como parte de la ceremonia de la cueva. Uno de ellos era familiarizar a los espíritus de sus tótems protectores con su nuevo hogar, cosa que solía llevar a cabo Mog-ur acompañado exclusivamente de miembros varones. A las mujeres se les autorizó para que hicieran su propia celebración, lo cual dio pie para que Iza hiciera una bebida especial para los hombres.

La cacería coronada con éxito demostró por sí sola que sus tótems aprobaban el lugar, y el banquete confirmaba su intención de convertirlo en hogar permanente, aun cuando en ocasiones el clan podría ausentarse durante largos períodos en determinadas épocas. También los espíritus totémicos viajaban, pero mientras los miembros del clan tuvieran sus amuletos, sus tótems podrían seguirles la pista desde la cueva y acudir a donde fueran necesarios.

Puesto que, de todas maneras, los espíritus estarían presentes en la ceremonia de la cueva, se podían incluir otras ceremonias, y a menudo así se hacía. Cualquier ceremonia se veía ensalzada por la asociación con el establecimiento de un nuevo hogar y, a su vez, incrementaba el nexo territorial del clan. Si bien cada clase de ceremonia tenía su propio ritual que no cambiaba nunca, las ocasiones ceremoniales tenían caracteres distintos, según los ritos que se llevaran a cabo.

Mog-ur, generalmente después de haber consultado con Brun, decidía cómo se desarrollarían las diferentes partes para constituir la celebración total, pero era una cuestión orgánica que dependía de cómo se sintieran. Aquella ceremonia comprendería la ceremonia de la virilidad de Broud, además de otra para nombrar los tótems de ciertos niños, puesto que había que hacerlo y todos deseaban complacer a los espíritus. El tiempo no era factor de importancia –tardarían lo que fuera necesario–, pero si se hubieran visto apremiados o en peligro, con encender un fuego habría bastado para que la cueva fuera suya.

Con una gravedad justificada por la importancia de la operación, Grod se arrodilló, puso la brasa ardiente sobre la leña seca y empezó a soplar. Las gentes del clan se inclinaron hacia delante, ansiosamente, y dejaron escapar sus alientos en un suspiro común al ver cómo las lenguas llameantes lamían los palitos secos en su primer contacto fatal. El fuego prendió y, súbitamente, surgiendo de ninguna parte, una espantosa figura se situó junto al fuego; las llamaradas parecieron envolverla en su centro. Tenía el rostro enrojecido y coronado por una espantosa calavera blanca que parecía colgar dentro del fuego mismo, sin que la energía radiante transmitida por las volutas ascendentes la alterara.

Ayla no vio la flameante aparición al principio y se quedó boquiabierta al percatarse de su presencia. Advirtió que la mano de Iza estrechaba la suya para tranquilizarla. La niña sentía las vibraciones del golpetear sordo de los palos de las lanzas sobre el suelo y se echó hacia atrás cuando el nuevo cazador brincó frente a las llamas en el momento en que Dorv redoblaba un contrapunto rítmico y agudo en un instrumento de madera, como un enorme tazón apoyado, con la abertura hacia abajo, contra un leño.

Broud se agazapó y miró a lo lejos, con la mano cubriéndole los ojos ante un sol imaginario, mientras otros cazadores brincaban para unírsele en una representación de la cacería del bisonte. Su habilidad en la pantomima, refinada durante generaciones de comunicarse mediante gestos y señales, era tan evocadora que se recreaba la intensa emoción de la caza. Incluso la extraña de cinco años de edad se sentía cautivada por el impacto del drama. Las mujeres del clan, que percibían los más finos matices, se sintieron transportadas a las calurosas llanuras polvorientas. Percibían el tronar de las pezuñas, que hacían vibrar la tierra;

101

sentían en la boca el polvo sofocante; compartían la excitación gloriosa de la matanza. Era un privilegio poco frecuente para ellas que se les permitiera echar una mirada hacia la sacrosanta vida de los cazadores.

Desde el principio, Broud se encargó de dirigir la danza. Había sido él quien cobrara la pieza y era su noche. Experimentaba las emociones de los demás, sentía cómo las mujeres se estremecían de temor, y él respondía con una actuación más apasionadamente intensa. Broud era un actor consumado y nunca estaba más en su elemento que cuando constituía el centro de la atención. Jugaba con las emociones de su auditorio y el temblor extático que se apoderó de las mujeres cuando repitió su lanzada final encerraba una cualidad erótica. Mog-ur, observando desde el otro lado de la hoguera, no se sintió menos impresionado: a menudo veía cómo los hombres hablaban de la cacería, pero sólo durante estas ceremonias, poco frecuentes, podía compartir la experiencia de algo tan próximo a lo más álgido de su excitación. «El muchacho lo hizo bien», pensó el mago, dando la vuelta alrededor del fuego, «se ha ganado la marca de su tótem. Quizá merezca que se le deje presumir un poco.»

El salto final del joven le situó directamente frente al poderoso hombre de la magia, mientras el ritmo sordamente batido y el contrapunto entrecortado y lleno de tensiones remataban con un floreo. El viejo mago y el joven cazador estaban frente a frente. También Mog-ur sabía desempeñar su papel. Magistral apreciador del momento oportuno, esperaba, dejando que la excitación de la danza de los cazadores fuera colmándose y que se impusiera un sentimiento de expectación. Su figura voluminosa y torcida, cubierta de una piel de oso, se recortaba sobre el fuego llameante. Su rostro, pintado de ocre, estaba sombreado por su propia estructura, haciendo que sus rasgos constituyeran un borrón indefinible con el ojo asimétrico y ominoso de un demonio sobrenatural.

La quietud de la noche sólo era perturbada por el fuego que restallaba, una leve brisa que susurraba entre los árboles y la carcajada aullante de una hiena en la distancia. Broud jadeaba con los ojos brillantes, en parte por el cansancio de la danza y en parte por la tensión y el orgullo, pero más aún por un temor creciente, inquietante.

Sabía lo que vendría después, y cuanto más tardara más tendría que esforzarse por dominar un escalofrío que era como un temblor. Era hora de que Mog-ur le esculpiera la marca de su tótem en la carne. No había querido pensar en ello, pero ahora que había llegado el momento, Broud sentía que su temor era hacia algo más que al dolor; el mago proyectaba un aura que inundaba al joven de un temor mucho más grande.

Estaba caminando por la orilla del mundo de los espíritus: el lugar que albergaba seres muchísimo más aterradores que el gigantesco bisonte. A pesar de su fuerza y su volumen, el bisonte era sólido; al menos, se trataba de una criatura tangible del mundo físico, una criatura con la que el hombre podía vérselas. Pero las fuerzas invisibles, y sin embargo más poderosas, que podrían hacer temblar la tierra, eran algo totalmente distinto. Broud no era el único de los presentes que trataba de disimular un escalofrío cuando el recuerdo del terremoto recientemente sufrido se apoderaba de su mente. Sólo los hombres santos, los mog-ures, se atrevían a adentrarse en ese plano insustancial, y el joven supersticioso deseaba que éste, el más grande entre todos los mogures, se apresurara y terminara pronto su prueba.

Como en respuesta a la silenciosa súplica de Broud, el mago alzó el brazo y fijó la mirada en la luna creciente. Entonces, con movimientos suaves, comenzó una invocación apasionada; pero su auditorio no era el clan hipnotizado que le observaba: su elocuencia se dirigía al mundo etéreo, pero no menos real, de los espíritus; y sus movimientos eran elocuentes. Poniendo a contribución todos los expedientes sutiles de la postura, todos los matices del gesto, el hombre manco había superado sus limitaciones expresivas. Resultaba más expresivo con su único brazo que la mayoría de los hombres con dos. Cuando terminó, los miembros del clan eran conscientes de que se encontraban rodeados por la esencia de sus tótems protectores y un sinnúmero de espíritus desconocidos, y el escalofrío de Broud se convirtió en un tiritar irrefrenable.

Entonces, rápidamente, tan velozmente que unas cuantas gargantas se quedaron sin resuello, el mago hizo surgir de repente un afilado cuchillo de piedra de uno de los pliegues de su manto, y lo sostuvo muy por encima de su cabeza. Bajó raudo el agudo instrumento, hundiéndolo casi en el pecho de Broud: pero en un movimiento perfectamente controlado, Mog-ur se abstuvo de una penetración fatal; en cambio, con rápidos trazos, labró en la carne del joven dos líneas, ambas curvas y en la misma dirección, uniéndolas en un punto que parecía el extremo del cuerno de un rinoceronte.

Broud cerró los ojos pero no se arredró mientras el cuchillo le abría la piel. La sangre surgió y empezó a correr, bajándole por el pecho en rojos chorritos. Goov se acercó al mago, sosteniendo un tazón con bálsamo hecho con la grasa derretida del bisonte y mezclada con cenizas antisépticas de madera de fresno. Mog-ur untó la herida con la grasa negra, cortando la hemorragia y asegurándose de que se formaría una cicatriz negra. La marca anunciaba a cuantos la vieran que Broud era un hombre; un hombre que estaría siempre bajo la protección del Espíritu del formidable, impredecible, Rinoceronte Lanudo.

El joven regresó a su lugar, claramente consciente de la atención que se concentraba en él y disfrutando de ella a fondo, ahora que lo peor había pasado. Estaba seguro de que su valentía y su habilidad en la caza, su interpretación evocativa durante la danza, su aceptación sin vacilaciones de la marca de su tótem, serían tema de animadas comidillas tanto de hombres como de mujeres, y por mucho tiempo. Pensaba que podría convertirse en leyenda, en una historia que se repetiría muchas veces durante los largos inviernos que confinaban al clan a la caverna y se relataría en las Reuniones del Clan. «De no ser por mí, se decía, no tendríamos esta cueva. De no haber matado yo al bisonte, no tendríamos ceremonia, seguiríamos buscando una cueva.» Broud había empezado a creer que la nueva cueva y toda aquella memorable celebración se debían exclusivamente a él.

Ayla observaba el ritual fascinada y llena de temor, incapaz de reprimir un estremecimiento ante el temible y voluminoso hombre que apuñaló a Broud y le sacó sangre. Retrocedió cuando Iza la condujo hacia el mago aterrador y vestido de oso, preguntándose lo que le haría a ella. Aga, con Ona en sus brazos, Ika sosteniendo a Borg, también se acercaron a Mog-ur. Ayla se alegró de que ambas mujeres se alinearan junto a Iza y a ella.

Ahora Goov tenía en sus manos un canasto tupidamente tejido y teñido de rojo por las muchas veces que se había usado para contener el ocre rojo sagrado molido en polvo fino y calentado juntamente con grasa de animal para formar una pasta de subido color. Mog-ur miró, por encima de las cabezas de las mujeres que tenía delante, hacia la media luna allá en el cielo. Gesticuló en el lenguaje oficial sin palabras, pidiendo a los espíritus que se acercaran y observaran a los niños cuyos tótems protectores iban a ser revelados. Entonces, metiendo un dedo en la pasta roja, formó una espiral en la cadera del niño, parecida a la colita rizada del cerdo salvaje. Un murmullo sordo y áspero surgió del clan, mientras todos hacían gestos expresivos de lo apropiado del tótem.

–Espíritu del Jabalí: el niño Borg queda bajo tu protección –expresaron los signos dibujados por la mano del mago mientras pasaba una bolsita colgada de una correa por la cabeza del niño.

Ika inclinó la cabeza asintiendo, en un movimiento que significaba que estaba complacida. Era un espíritu fuerte y respetable, y la mujer sentía la exactitud inherente al tótem para su hijo. Entonces se hizo a un lado.

El mago volvió a invocar a los espíritus, y metiendo la mano en el canasto rojo que sostenía Goov, trazó un círculo sobre el brazo de Ona con la pasta.

–Espíritu de la Lechuza –proclamaron sus ademanes–, la niña Ona está colocada bajo tu protección. –Entonces Mog-ur colgó al cuello de la niña el amuleto hecho por su madre. Una vez más hubo como una corriente subterránea de gruñidos mientras las manos se agitaban comentando el fuerte tótem que protegía a la niña. Aga se sentía feliz. Su hija estaba bien protegida, y además eso quería decir que el hombre con quien se apareara no podría tener un tótem débil. Sólo esperaba que no le dificultara demasiado el tener hijos.

El grupo se inclinó hacia delante con interés al ver que Aga se apartaba y que Iza tomaba a Ayla en brazos. La niña había perdido el miedo. Ahora que estaba más cerca, se daba cuenta de que la imponente figura del rostro rojo no era sino Creb. Y en los ojos de éste había un destello cálido cuando la miró.

Con asombro del clan, los gestos del mago fueron diferentes cuando invocó a los espíritus para que asistieran al ritual. Eran los gestos que hacía cuando daba nombre a un recién nacido a los siete días de su vida. La niña extraña no sólo iba a saber cuál era su tótem: ¡iba a ser adoptada por el clan! Metiendo el dedo en la pasta, Mog-ur trazó una línea desde el medio de la frente, el lugar donde la gente del clan tenía la unión de los arcos superciliares, hasta la punta de su naricilla.

–La niña se llama Ayla –dijo, pronunciando lentamente el nombre, con mucho cuidado, para que el clan y los espíritus lo comprendieran.

Iza se volvió frente a la gente que presenciaba la ceremonia. La adopción de Ayla había resultado una sorpresa tan grande para ella como para el resto del clan, y la niña podía sentir cómo el corazón le palpitaba rápidamente. «Eso tiene que significar que es mi hija, mi primera hija, pensó. Sólo una madre sostiene a la criatura cuando le ponen nombre y la reconocen como miembro del clan. ¿Hace siete días que me la encontré? Tendré que preguntárselo a Creb, pero creo que sí. Tiene que ser mi hija, ¿quién podría ser su madre ahora?»

Todas las personas pasaron, una por una, delante de Iza, que sostenía en brazos a la niña de cinco años, como si fuera un bebé, y cada una de ellas repitió su nombre con diversos grados de exactitud. Entonces Iza se volvió de frente al mago. Éste alzó la mirada y llamó a los espíritus para que se reunieran una vez más. El clan aguardaba, a la expectativa. Mog-ur se percataba de su atención anhelante y la aprovechaba. Con movimientos lentos y deliberados, alargando el momento para que durara el suspenso, tomó un trocito de la pasta roja y aceitosa y pintó una línea directamente sobre uno de los arañazos casi curados que tenía Ayla en la pierna.

«¿Qué significa eso? ¿Qué tótem es ése?» El clan expectante estaba intrigado. El hombre santo volvió a meter el dedo en la canasta roja y pintó una segunda línea en el arañazo siguiente. La niña sintió que Iza empezaba a temblar. Nadie más se movía, no se oía respirar a nadie. Al llegar a la tercera línea, Brun, con un ceño iracundo, intentó cruzar su mirada con la del Mog-ur, pero el mago evadió el encuentro. Cuando trazó la cuarta línea, todo el clan lo sabía, pero no quería creerlo. Al fin y al cabo, no era aquélla la pierna apropiada. Mog-ur volvió la cabeza y miró directamente a Brun al hacer el gesto final.

—Espíritu del León Cavernario, la niña Ayla queda bajo tu protección.

El movimiento oficial de la mano despejó la última duda. Cuando Mog-ur pasó el amuleto por la cabeza de la niña, las manos de los miembros del clan se agitaban expresando una sorpresa escandalizada. ¿Era posible? ¿Podía corresponder a una niña uno de los tótems masculinos más fuertes? ¿El León Cavernario?

La mirada de Creb se hundió en los ojos iracundos de su hermano con firmeza e indiferencia. Por un instante las dos voluntades libraron una silenciosa batalla. Pero Mog-ur sabía que la lógica de un tótem de León Cavernario para la niña era implacable, por ilógico que pareciera para una mujer la protección de un espíritu tan fuerte. Mog-ur sólo había subrayado lo que el propio León Cavernario había hecho. Brun no había puesto nunca anteriormente en tela de juicio las revelaciones de su hermano tullido, pero por alguna razón se sintió engañado por el mago. No le gustaba, pero tenía que admitir que nunca había visto que un tótem estuviera tan evidentemente corroborado. Fue el primero en apartar la mirada, pero no se sentía feliz.

La idea de recibir dentro del clan a la niña extraña le había costado bastante, pero este tótem suyo era demasiado. Era irregular, no se acomodaba a las tradiciones. A Brun no le gustaban las anomalías en su bien organizado clan. Apretó con determinación sus fuertes mandíbulas. «No habría desviaciones. Si la niña iba a ser miembro de su clan, tendría que someterse, con León Cavernario o sin él.»

Iza se había quedado pasmada. Sosteniendo aún en brazos a la niña, inclinó la cabeza en señal de aceptación. Si así lo había decretado Mog-ur, así sería. Sabía que el tótem de Ayla era fuerte... pero ¿un león cavernario? De sólo pensarlo sintió aprensión... ¿Una hembra con el más fuerte de los felinos por tótem? Ahora sí que estaba segura de que Ayla nunca se emparejaría. Eso fortalecía su decisión de enseñar a la pequeña la magia médica, con el fin de que tuviera posición por sí misma. Creb la había nombrado, la había reconocido y había revelado su tótem mientras la curandera la sostenía en sus brazos. Si eso no hacía de la niña una hija suya, ¿qué podría hacerlo? El nacimiento mismo no era garantía de aceptación. Iza recordó repentinamente que si todo seguía bien, ella se encontraría en pie frente al mago antes de nada con un bebé en brazos. Ella, que había carecido de hijos por tanto tiempo, pronto se encontraría con dos.

El clan estaba alborotado y el asombro se revelaba en gestos y rostros. Algo cohibida, Iza retornó a su lugar en medio de las miradas sorprendidas de hombres y mujeres. Todos se esforzaban por no quedarse mirándolas, a ella y a la niña –era una falta de cortesía mirar directamente–, pero había un hombre que hacía algo más que mirar.

La expresión de odio en los ojos de Broud mientras miraba a la niña espantó a Iza. Trató de colocarse entre ambos, de proteger a Ayla de la mirada malévola del orgulloso joven. Broud podía comprobar que no era él el centro de atención; ya nadie hablaba de él. Se había olvidado su valiente hazaña que aseguraba la cueva como hogar aceptable, se había olvidado su maravillosa danza así como su gran valor cuando Mog-ur labró el tótem sobre su pecho. El bálsamo astringente y antiséptico dolía más que el corte –aún le dolía–, pero ¿se fijaba alguien en lo valerosamente que aguantaba el dolor?

Nadie se estaba fijando en él. Los ritos de paso de la condición de muchachos a la de hombres se producían con regularidad ordinaria, incluso para el muchacho que habría de ser jefe. No tenían comparación con el pasmo y lo inesperado de la revelación sin precedentes que hizo Mog-ur acerca de la niña extraña. Estaban diciendo que la niña fea había hallado el nuevo hogar... «¡Y qué que su tótem sea el León Cavernario!, pensaba Broud con petulancia. ¿Fue ella quien mató al bisonte?» Se suponía que esa noche sería de él, que él sería el centro de la atención, se suponía que él sería objeto de la admiración y el pasmo del clan, pero Ayla le había robado su noche.

Miraba a la niña extraña, pero al ver que Iza corría hacia el campamento junto al río, su atención se volvió a Mog-ur. Pronto, muy pronto, le sería permitido tomar parte en los rituales secretos con los hombres. No sabía qué más podía esperar; lo único que le habían dicho era que aprendería, por vez primera, lo que eran realmente los recuerdos. Era el paso final para convertirle en hombre.

Junto al fuego que había cerca del río, Iza se quitó rápidamente el manto y recogió un tazón de madera y una bolsa roja llena de raíces secas que había preparado. Deteniéndose primero para llenar de agua el tazón, regresó a la enorme hoguera cuyas llamas alcanzaban grandes alturas debido a la leña suplementaria que Grod había añadido.

El manto de Iza había ocultado en parte la razón de sus prolongadas ausencias de aquel día. Cuando la curandera se puso nuevamente en pie frente al mago, estaba completamente desnuda; sólo llevaba su amuleto y pintura roja sobre su cuerpo. Un enorme círculo acentuaba su vientre hinchado. También sus dos senos estaban rodeados por un círculo y una línea partía desde cada uno de los hombros y se reunía formando una V en lo más bajo de la espalda. Círculos rojos rodeaban sus dos nalgas. Los símbolos, enigmáticos, cuyo significado sólo el Mog-ur conocía, estaban allí para protegerla a ella y proteger también a los hombres. Era peligroso que una mujer estuviera implicada en rituales religiosos, pero también era necesario para éstos.

Iza estaba de pie junto a Mog-ur, lo suficientemente cerca para ver gotas de sudor sobre su rostro, debido a su posición junto al fuego envuelto en su pesada piel de oso. A una señal imperceptible del mago, Iza alzó el tazón y se volvió hacia el clan. Era un tazón antiguo, conservado durante generaciones para ser usado exclusivamente en estas ocasiones especiales. Alguna curandera ancestral había vaciado cuidadosa y prolijamente el interior y formado el exterior de una sección de tronco de árbol, y después, durante más tiempo y amorosamente, había frotado el tazón con arena y una piedra redonda. Un pulido final con los tallos abrasivos del helecho fibroso lo había dejado suave y brillante como la seda. Una pátina blancuzca cubría el interior del tazón, debido al uso repetido que se hacía de él como recipiente para la bebida ceremonial.

Iza se metió en la boca las raíces secas y las masticó lentamente, con mucho cuidado para no tragar saliva cuando sus anchos dientes y fuertes mandíbulas comenzaron a triturar las rudas fibras. Finalmente escupió la pulpa masticada en el tazón de agua y revolvió el líquido hasta que se volvió de un blanco lechoso. Sólo las curanderas de la estirpe de Iza conocían el secreto de la potente raíz. La planta era relativamente rara aun cuando no desconocida, pero la raíz fresca no producía los efectos de su calidad narcótica. La raíz había sido secada y añejada durante por lo menos dos años; y cuando estaba colgada para secarse, lo estaba con las puntas de la raíz hacia abajo, no hacia arriba como era costumbre para la mayoría de las plantas medicinales. Sólo una curandera podía elaborar la bebida, la tradición establecida por mucho tiempo estipulaba que sólo los hombres podían beberla.

Una antigua leyenda, transmitida de madres a hijas junto con las instrucciones esotéricas para concentrar el componente eficaz de la planta en la raíz, relataba que, en tiempos muy remotos, sólo las mujeres usaban esa potente droga. La ceremonia y los ritos asociados a su uso fueron robados por los hombres, y se prohibió a las mujeres utilizarlos, pero los hombres no pudieron robar el secreto de su preparación. Las curanderas que lo conocían se mostraban tan reacias a compartir el secreto con quien no fuera descendiente de ellas, que el secreto se había perdido para las mujeres que no pudieran acreditar un linaje directo e ininterrumpido desde la más lejana antigüedad. Incluso ahora, la bebida no se daba sin recibir algo a cambio que tuviera el mismo valor y fuera de importancia similar.

Cuando la bebida estuvo preparada, Iza asintió con la cabeza y Goov avanzó con el tazón de infusión de datura preparado de la manera que solía prepararlo para los hombres, aunque ahora estaba destinado a las mujeres. Con una dignidad formal, se intercambiaron los tazones; entonces Mog-ur abrió la marcha mientras los hombres penetraban en la caverna pequeña.

Una vez que se fueron, Iza repartió la infusión de datura entre las mujeres, una por una. Era frecuente que la curandera empleara la misma droga como anestésico, analgésico o soporífero, y tenía una preparación diferente de la planta de datura siempre dispuesta como sedante para los niños. Las mujeres sólo podían descansar tranquilas si sabían que sus hijos no irían a buscarlas y que estaban plenamente seguros. En las pocas ocasiones en que las mujeres se permitían el lujo de una ceremonia, Iza se aseguraba de que los niños estuvieran seguros en brazos del sueño.

Al cabo de un rato, las mujeres comenzaron a acostar a sus hijos adormilados y regresaron junto al fuego. Después de acostar a Ayla en sus pieles, Iza se acercó al tazón boca abajo que Dorv había utilizado durante la danza de la cacería y comenzó a tamborilear un ritmo lento y regular, alterando el tono al golpear la parte superior con el palo, más cerca del borde.

Al principio las mujeres se quedaron inmóviles; estaban demasiado acostumbradas a cuidar de sus movimientos en presencia de los hombres; pero poco a poco, a medida que se dejaban sentir los efectos de la droga, y con la seguridad de que los hombres estaban donde no pudieran verlas, algunas de las mujeres comenzaron a moverse siguiendo el ritmo ceremonial. Ebra fue la primera en saltar. Bailaba con pasos complicados formando un círculo alrededor de Iza, y a medida que la curandera fue acelerando el ritmo, se excitaron los sentidos de las otras mujeres. Pronto se unieron todas a la compañera del jefe.

A medida que el ritmo se volvía más rápido y complejo, las mujeres, normalmente dóciles, se desprendieron de sus mantos y bailaron con movimientos que carecían de toda inhibición y resultaban abiertamente eróticos. No se dieron cuenta de cuándo Iza dejó de tocar y se reunió con ellas; estaban demasiado inmersas en la danza con sus propios ritmos internos. Sus emociones exacerbadas, tan reprimidas en la vida cotidiana, se liberaban al ritmo de aquel movimiento desprovisto de inhibiciones. Las tensiones se drenaban en una catarsis de libertad, una catarsis que les permitía aceptar su cohibida existencia. En un torbellino de frenesí, brincando y pateando, las mujeres bailaron hasta que, poco antes de la aurora, se dejaron caer, agotadas, y se quedaron dormidas en el lugar mismo en que venían a caer en el suelo.

Con la primera luz del nuevo día, los hombres comenzaron a abandonar la cueva. Pasando por encima de los cuerpos de las mujeres tendidas, encontraron sus lugares para dormir y poco después quedaron sumidos en un sopor sin sueños. La catarsis de los hombres provenía de la tensión emocional de la cacería. Su ceremonia tenía una dimensión distinta: más limitada, vuelta hacia dentro, mucho más antigua pero no menos excitante.

Al salir el sol por encima de la sierra este, Creb salió cojeando de la cueva y examinó el escenario cubierto de cuerpos. En una sola ocasión había podido observar la celebración de las mujeres, por pura curiosidad. Con un profundo sentimiento interior, el sabio y viejo mago comprendió que necesitaban relajarse. Sabía que los hombres se preguntaban siempre lo que hacían para quedar después en tal estado de agotamiento, pero Mog-ur nunca se lo dijo. Los hombres se habrían sentido tan escandalizados por el abandono total de las mujeres como éstas lo estarían de haber oído las súplicas fervientes de sus impasibles compañeros dirigidas a los espíritus invisibles que compartían su existencia.

Ocasionalmente Mog-ur se había preguntado si podría dirigir las mentes de las mujeres de regreso a los comienzos. Sus recuerdos eran distintos aunque tenían la misma capacidad para recordar conocimientos antiguos. ¿Tendrían memorias raciales? ¿Podrían reunirse con los hombres en alguna ceremonia? Mog-ur se hacía estas preguntas, pero nunca se arriesgaría a incurrir en la ira de los espíritus intentando descubrirlo. El que una mujer fuera admitida a tomar parte en ceremonias tan sagradas destruiría al clan.

Creb se fue arrastrando los pies hasta el campamento y se dejó caer en sus pieles. Vio unos cabellos rubios enredados entre las pieles de Iza y eso le hizo pensar en los sucesos que habían ocurrido desde que salió trastabillando justo un momento antes de que se derrumbara la vieja cueva. ¿Cómo había sabido la niña extraña abrir tan fácilmente las puertas de su corazón? Estaba perturbado por la corriente subterránea de malos sentimientos que Brun experimentaba hacia ella, y no había pasado por alto las malévolas miradas que Broud la dirigía. La disensión entre el grupo estrechamente unido había enturbiado la ceremonia, dejándole a él un poco incómodo.

«Broud no va a dejar así las cosas, pensaba Creb. El Rinoceronte Lanudo es un tótem adecuado para nuestro futuro jefe. Broud puede ser valiente, pero es empecinado y exageradamente orgulloso. Se muestra tranquilo y racional, incluso dulce y amable; y de repente, por una razón insignificante cualquiera, puede lanzarse furiosamente a la carga presa de una ira ciega. Espero que no se vuelva contra la niña.»

«No seas tonto, se reprendió. El hijo de la compañera de Brun no va a dejarse trastornar por una muchacha. Será jefe, y además, Brun no lo aprobaría. Broud es ahora un hombre; aprenderá a dominar su genio.»

El viejo tullido se tendió y entonces se percató de lo cansado que estaba. La tensión se había apoderado de él durante el terremoto, pero ahora podría descansar. La cueva era suya, sus tótems estaban firmemente establecidos en el nuevo hogar y el clan podría mudarse al interior en cuanto despertara. El cansado mago bostezó, se estiró y, finalmente, cerró el ojo.

7

Una silenciosa sensación reverencial ante la amplitud catedra-licia de la cueva se apoderó del clan cuando penetraron por pri-mera vez en sus nuevos alojamientos, pero muy pronto se acos-tumbraron a ella. Rápidamente dejaron de pensar en la vieja cueva y su anhelante búsqueda, y cuanto más iban descubriendo acerca del entorno de su nuevo hogar, más les complacía éste. Se establecieron en la rutina acostumbrada de los breves y calurosos veranos: cazar, recolectar y almacenar alimentos que les ayuda-ran a sobrevivir en el prolongado frío helado que, por experiencia, sabían que les esperaba. Y había gran diversidad de comestibles entre los cuales escoger.

Truchas plateadas relampagueaban entre las salpicaduras blancas del torrente; se las podía atrapar con la mano y con una paciencia infinita mientras los imprudentes peces reposaban bajo raíces y rocas medio sumergidas en el agua. Esturiones y salmo-nes gigantescos, llenos a veces de caviar negro o huevas de color rosa claro, acechaban cerca de la desembocadura de la corriente, mientras enormes peces gato y bacalaos negros barrían el fondo del mar interior. Redes de arrastre, hechas con los pelos largos de animales, trenzados a mano para formar cuerdas, extraían del agua los enormes pescados que huían velozmente de los vadea-dores que los perseguían empujándolos hacia la barrera de ma-llas anudadas. A menudo caminaban los más de diez kilómetros que los separaban de la costa del mar, y no tardaban en disponer de una reserva de pescado salado, que habían secado sobre ho-gueras humeantes. Recogían moluscos y crustáceos, útiles para hacer cucharones, cucharas, cuencos y tazas, y también por constituir un bocado suculento. Los miembros del clan trepaban por riscos escarpados para recoger huevos en los incontables ni-dos de aves marinas que anidaban en los promontorios rocosos frente al agua, y de vez en cuando una piedra bien lanzada proporcionaba el deleite adicional de un alcatraz, una gaviota o un alca grande.

Recolectaban raíces, hojas y tallos carnosos, calabazas, verduras, bayas, frutas, nueces y granos, cuando era la temporada de cada uno de ellos, a medida que avanzaba el verano. Ponían a secar hojas, flores y hierbas para hacer infusiones y aromatizar, y llevaban a la cueva terrones de sal arenosa, que habían quedado al descubierto cuando el gran glaciar septentrional absorbía la humedad y hacía retroceder las costas, para sazonar las comidas invernales.

Los cazadores salían con frecuencia. Las estepas próximas, ricas en hierbas y forrajes y totalmente descubiertas, con excepción de algunos bosquetes de árboles atrofiados, abundaban en rebaños de animales herbívoros. Gigantescos venados recorrían las llanuras herbosas, con sus enormes cornamentas alzándose hasta tres metros en los ejemplares más grandes, junto a bisontes descomunales, con astas de dimensiones similares. Pocas veces llegaban tan al sur los caballos esteparios, pero asnos y onagros –la raza de burros intermedia entre caballos y asnos– recorrían las llanuras abiertas de la península mientras su robusto y macizo primo, el caballo selvático, vivía aislado o en grupos familiares poco numerosos, más cerca de la cueva. Las estepas alojaban también grupos más pequeños y poco frecuentes de ese pariente de la cabra, que habita las tierras bajas: el antílope saiga.

El terreno llano entre la pradera y los contrafuertes montañosos era el hogar del uro, un animal salvaje, de color oscuro o negro, antepasado de razas domésticas más apacibles. El rinoceronte selvático –emparentado con ulteriores especies tropicales de ramoneadores, pero adaptado a las selvas templadas frías– sólo se adentraba un poco en el territorio de otra variedad de rinocerontes que preferían la hierba del llano. Ambos, con sus cuernos de implantación nasal y más cortos y su cabeza horizontal, diferían del rinoceronte lanudo en que, junto con los mamuts lanudos, eran unos visitantes estacionales. Tenían un largo cuerno anterior plantado en ángulo inclinado hacia delante y llevaban la cabeza hacia abajo, lo cual les facilitaba la tarea de apartar la nieve de los pastizales de invierno. Su gruesa capa de grasa subcutánea y su sobrepelliz de pelos largos de color rojo oscuro, así como su suave capa interior de lana, eran adaptaciones que los confinaban a climas fríos. Su hábitat natural era la estepa septentrional secada por el hielo, la estepa del loess.

Sólo cuando había glaciares sobre la tierra podía haber estepas de loess. La constante alta presión sobre las vastas capas de hielo absorbía la humedad del aire y permitía que cayera muy poca nieve en regiones periglaciares y daba origen a un viento constante. Un fino polvo calcáreo, el loess, era levantado de las rocas pulverizadas en las orillas de los glaciares y depositado a lo largo de cientos de kilómetros de distancia. Una corta primavera mezclaba la escasa nieve con la capa superior del permafrost[2] lo suficiente para que brotaran hierbas y pastos de fácil arraigo. Crecían rápidamente convirtiéndose en heno vivo, miles y miles de hectáreas de forraje para los millones de animales que se habían adaptado al frío helado del continente.

Las estepas continentales de la península sólo atraían a las bestias lanudas durante el otoño. Los veranos eran demasiado cálidos y las pesadas nieves del invierno demasiado profundas para que pudieran apartarlas con facilidad. Otros muchos animales eran atraídos hacia el norte en invierno, hasta los confines del loess más frío pero también más seco. En su mayoría regresaban en verano. Los animales selváticos que podían alimentarse con breñales, cortezas o líquenes permanecían en las pendientes boscosas que brindaban aislamiento y no favorecían la formación de grandes manadas.

Además de los caballos y rinocerontes selváticos, encontraban su hogar en el paisaje arbolado cerdos salvajes y diversas variedades de venados. Venado rojo, que se llamaría más adelante alce en otras tierras, en manadas poco numerosas; individualmente o en grupos reducidos, tímidos corzos de cornamenta simple con tres puntas; los gamos, algo más grandes, moteados en rojizo y blanco; y unos pocos alces, llamados antas por los que llaman alce al venado rojo; todos ellos compartían el entorno boscoso.

A mayor altura se pegaban a salientes y riscos, alimentándose con pastos alpinos, los carneros de anchos cuernos y los muflones; y más arriba aún, la cabra montés salvaje, el íbice y la gamuza brincaban de un precipicio a otro. Aves de vuelo rápido prestaban color y sonido a la selva, aun cuando no mucha comida. Su lugar en el menú se llenaba más satisfactoriamente con la perdiz blanca de vuelo lento y el urogallo blanco y azul de la estepa, que eran abatidos a pedradas, así como las visitas otoñales de gansos y

---

[2] La capa de hielo permanentemente congelado en los niveles superficiales del suelo de las regiones muy frías. (*N. del T.*)

115

patos de flojel atraídos hacia las redes cuando aterrizaban en pozas fangosas de la montaña. Las aves de presa y demás rapaces se cernían perezosamente sobre corrientes de aire caliente, recorriendo con la mirada las llanuras generosas y las tierras boscosas que tenían debajo.

Cantidad de animales pequeños llenaban montañas y estepas cerca de la cueva, proporcionando alimento y pieles: cazadores –visones, nutrias, glotones, armiños, martas y cibelinas, zorros, mapaches, tejones y los pequeños gatos monteses que dieron más adelante nacimiento a las legiones de cazadores domésticos de ratones– y presas –ardillas voladoras, puercoespines, liebres, conejos, topos, ratas almizcleras, coipos, castores, mofetas, ratones, ratas de agua, lemmings, ardillas de tierra, grandes jerbos, marmotas gigantescas, lagomorfos y unos cuantos más que nunca han recibido nombre por haberse extinguido.

Los carnívoros más grandes eran esenciales para reducir las filas de las abundantes presas. Había lobos y sus parientes más feroces, los perros salvajes. Y había felinos: linces, tigres, chitas y leopardos, leopardos de la nieve que habitaban las montañas y, los más grandes de todos, el doble de cualquier otro, los leones cavernarios. Osos pardos omnívoros cazaban junto a la cueva, pero sus descomunales primos, los osos cavernarios vegetarianos, se habían alejado. La ubicua hiena cavernaria completaba la lista de la fauna salvaje.

La tierra era de una riqueza increíble y el hombre sólo una fracción de la vida multiforme que vivía y moría en aquel Edén frío y antiguo. Nacido demasiado desnudo y sin dotes naturales superiores que sirvieran de contrapeso –excepto una, su enorme cerebro–, era el más débil de todos los cazadores. Pero a pesar de su aparente vulnerabilidad, carente de colmillo, garra, pierna rápida o fuerza brincadora, el cazador de dos pies se había ganado el respeto de sus competidores cuadrúpedos. Su olor era suficiente para apartar de una senda escogida a una criatura mucho más poderosa, siempre que los dos vivieran mucho tiempo en próxima vecindad. Los cazadores capaces y experimentados del clan eran tan hábiles para la defensa como para el ataque, y cuando veían amenazadas la seguridad o estabilidad del clan, o si codiciaban un abrigo caliente para el invierno, decorado por la naturaleza, acechaban al confiado perseguidor.

Era un día soleado, caldeado por la plenitud inicial del verano. Los árboles estaban cubiertos de hojas pero todavía de un verde más claro del que adquirirían más adelante. Moscas perezosas zumbaban alrededor de huesos sobrantes de comidas anteriores. Una fresca brisa marina llevaba en sí un indicio de vida, y el follaje que se agitaba suavemente lanzaba sombras sobre la cuesta soleada delante de la cueva.

Una vez superada la tensión por encontrar un nuevo hogar, las tareas de Mog-ur eran llevaderas. Lo único que se le pedía era alguna que otra ceremonia de caza o un rito para apartar los espíritus nefastos, o, si había alguien herido o enfermo, que pidiera ayuda a los espíritus benéficos para respaldar la magia de Iza. Los cazadores habían salido, junto con algunas mujeres; tardarían varios días en regresar. Las mujeres iban con ellos para evitar que se echara a perder la carne de lo que cazaran: era más fácil traerla a casa cuando se había secado previamente para el invierno. El cálido sol y el viento siempre presente en las estepas secaban rápidamente la carne destazada en tiras delgadas. Fuegos humeantes de hierba y bosta secas eran útiles, sobre todo, para apartar los moscones y evitar que pusieran sus huevos en la carne fresca, lo cual la echaba a perder. Las mujeres transportarían, además, la mayor parte de la carga en el viaje de regreso.

Creb había pasado el tiempo con Ayla casi diariamente desde que se trasladaron a la cueva, tratando de enseñarle su idioma. Las palabras rudimentarias –que por lo general constituían la parte más difícil para los niños del clan– las aprendía fácilmente, pero su complicado sistema de gestos y señales se le escapaba. Creb había tratado de hacerle comprender el significado de los gestos, pero ni uno ni otra disponían de una base para sus respectivos métodos de comunicación, y no había tampoco quien pudiera explicar ni interpretar. El viejo se había devanado los sesos, pero no había sido capaz de idear un sistema por el que pudieran transmitirse los significados. Ayla se sentía igualmente frustrada.

Sabía que se le estaba escapando algo y anhelaba poder comunicarse por medio de algo más que las pocas palabras que sabía. Le resultaba evidente que la gente del clan comprendía más que las simples palabras, pero no lograba entender cómo. El problema estaba en que no veía las señales que se hacían con las manos. Para ella eran movimientos al azar, no movimientos con un propósito. Sencillamente, no había podido captar el concepto de hablar con ademanes. Ni siquiera se le había ocurrido que fuera posible; quedaba totalmente fuera del campo de su experiencia.

117

Creb había empezado a presentir su problema, aunque apenas podía creerlo. «Tiene que ser que no sabe que los movimientos encierran un significado», se dijo.

–¡Ayla! –llamó Creb, haciendo una seña a la niña. «Ése debe de ser el problema», pensaba, mientras ambos seguían un sendero junto al río brillante. O eso o que carece de la inteligencia suficiente para comprender un lenguaje.» Pero por lo que había observado, no podía creer que la niña careciera de inteligencia, por más que fuera diferente. «Pero comprende los gestos simples. Estoy pensando que sólo es cuestión de ampliarlos.»

Muchos pies que se dirigían a cazar, recolectar o pescar en aquella dirección habían aplastado la hierba y los matorrales formando un camino en la línea de menor resistencia. Los dos paseantes llegaron a un lugar que agradaba mucho al viejo, un espacio abierto cerca de un enorme roble cubierto de hojas, cuyas raíces salientes brindaban un asiento alto y umbroso en el que podía descansar más fácilmente que agachándose hasta el suelo. Iniciando la lección, señaló al árbol con su cayado:

–Roble –contestó Ayla rápidamente. Creb asintió, aprobando con un movimiento de la cabeza; entonces dirigió su cayado hacia el río.

–Agua –dijo la niña.

El viejo asintió de nuevo, y entonces hizo un ademán con la mano y repitió la palabra. «Agua que corre, río», indicaba el ademán y la palabra combinados.

–¿Agua? –dijo la niña, vacilando, intrigada porque había indicado que su palabra era correcta, pero la había preguntado de nuevo. Empezaba a experimentar una sensación de pánico en el fondo de su estómago. Era igual que siempre: sabía que él deseaba algo más, pero no comprendía qué.

–No –Creb meneó la cabeza. Había practicado ese tipo de ejercicios muchas veces con la niña. Lo intentó de nuevo, señalando sus pies.

–Pies –dijo Ayla.

–Sí –asintió el mago con un movimiento. «De alguna manera tengo que hacerle ver y no sólo oír», pensó. Se puso en pie, la cogió de la mano y avanzó con ella unos cuantos pasos, dejando atrás su cayado. Hizo un gesto y dijo la palabra «pies». «Pies en movimiento, andando», era el sentido que estaba intentando comunicar. Ella trataba de escuchar, esforzándose por oír si algo se le había escapado en el tono de su voz.

–¿Pies? –preguntó la niña con voz trémula, segura de que no era ésa la respuesta que él deseaba.

–¡No, no, no! ¡Andando! ¡Pies moviéndose! –repitió otra vez, mirándola directamente, exagerando el gesto. La hizo avanzar de nuevo, mostrándole sus pies, desesperado de que llegara a aprender algún día.

Ayla sentía que los ojos se le llenaban de lágrimas. ¡Pies! ¡Pies! Sabía que era la palabra correcta, pero ¿por qué meneaba negativamente la cabeza? «Ojalá dejara de mover su mano delante de mi cara de ese modo. ¿Qué estoy haciendo mal?»

El viejo la hizo avanzar de nuevo, señalándole sus pies; hizo el movimiento con la mano y dijo la palabra. La niña se detuvo, observándole. Él hizo nuevamente el gesto, exagerándolo tanto que casi significaba otra cosa, y nuevamente dijo la palabra, justo delante de ella. Gesto, palabra. Gesto, palabra.

«¿Qué querrá? ¿Qué se supone que debo hacer?» Ella quería comprenderlo. Sabía que estaba intentando decirle algo. «¿Por qué sigue moviendo la mano?», pensaba.

Entonces, el levísimo destello de una idea cruzó por su mente: «¡Su mano! Sigue moviendo la mano». Alzó la mano, vacilante.

–¡Sí, sí! ¡Eso es! –El asentimiento vigoroso que hacía Creb con la cabeza era casi un grito–. ¡Haz la señal! ¡Moviéndose! ¡Pies moviéndose! –repetía.

Con un atisbo de comprensión, la niña observó su movimiento y trató de imitarlo. «¡Creb estaba diciendo sí! ¡Eso es lo que quiere! ¡El movimiento, quiere que yo haga el movimiento!»

Volvió a hacer el gesto repitiendo la palabra, sin comprender lo que significaba, pero entendiendo, al menos, que el gesto era lo que él quería que hiciera al decir la palabra. Creb hizo que diera media vuelta y regresó al roble cojeando marcadamente. Señalando nuevamente los pies de la niña que avanzaba, repitió la combinación de palabra y gesto una vez más.

De repente, como una explosión en su cerebro, la niña estableció la relación. «¡Moviendo los pies! ¡Andando! ¡Eso quiere decir! No solamente pies. El movimiento de la mano con la palabra "pies" significa ¡andar!» La mente de la niña se puso a trabajar a toda prisa. Recordaba haber visto siempre que la gente del clan movía las manos. Podía ver con la imaginación a Iza y Creb, en pie, mirándose, moviendo las manos, pronunciando pocas palabras pero moviendo las manos. «¿Estarían hablando? ¿Es así como hablan entre sí? ¿Por eso hablan tan poco? ¿Hablan con sus manos?»

Creb se sentó. Ayla se quedó frente a él, tratando de calmar su excitación.

–Pies –dijo, señalando los suyos.

–Sí –asintió Creb, intrigado.

Ella se dio media vuelta y echó a andar, y al acercarse nuevamente a él, hizo el gesto y dijo la palabra «pies».

–¡Sí, sí! ¡Eso es! ¡Ésa es la idea! –dijo Creb. «¡Ya ha entendido! Creo que comprende.»

La niña se detuvo un instante; entonces se dio media vuelta y echó a correr alejándose de él. Después de regresar corriendo por el pequeño calvero, esperó anhelante frente a él, casi sin aliento.

–Corriendo –señaló él mientras ella le observaba con cuidado. Era un movimiento distinto; como el primero, pero diferente.

–Corriendo –expresó con un movimiento vacilante.

«¡Ya ha entendido!» Creb estaba excitado: el movimiento era torpe, carecía de la fineza que le imprimían incluso los niños pequeños del clan, pero la idea estaba allí. Asintió vigorosamente con la cabeza y por poco se cae de su asiento cuando Ayla se arrojó contra él, abrazándole llena de una comprensión gozosa.

El viejo mago miró a su alrededor; era casi instintivo. Los gestos afectuosos estaban limitados a los confines del fuego hogareño. Pero sabía que estaban solos. El tullido respondió con un abrazo cariñoso y experimentó un sentimiento cálido y satisfactorio que nunca anteriormente había experimentado.

Un mundo de comprensión totalmente nuevo se abría para Ayla. Tenía un instinto teatral innato y el talento de la mímica, y los aprovechó con una seriedad increíble imitando los movimientos de Creb. Pero los gestos de Creb, que sólo tenía un brazo, eran forzosamente adaptaciones de las señas normales de las manos, y a Iza le correspondió enseñarle los detalles más sutiles. Aprendió como lo habría hecho un bebé, comenzando con expresiones de las necesidades más simples, pero aprendió con una rapidez mucho mayor. Habíase sentido tan frustrada durante tanto tiempo en sus intentos de comunicarse que estaba decidida a compensar aquella falta cuanto antes.

Tan pronto como comenzó a entender mejor, la vida del clan adquirió una dimensión nueva. Observaba a la gente que la rodeaba mientras se comunicaban unos con otros, mirando fijamente, con una atención apasionada, tratando de captar lo que se decía. Al principio el clan se mostró tolerante en cuanto a su fijación visual, tratándola como si fuera un bebé. Pero a medida que pasaba el tiempo, ciertas miradas de reprobación evidenciaron que un comportamiento tan incorrecto no seguiría siendo aceptado. Observar así, lo mismo que escuchar furtivamente, era una descortesía; las costumbres dictaban que se apartara la mirada cuando otras personas hablaban en privado. El problema hizo crisis un atardecer de mediados del verano.

El clan se encontraba dentro de la cueva, cada familia reunida alrededor de su fuego después de haber cenado. El sol se había puesto detrás del horizonte y el último resplandor opaco destacaba las siluetas del oscuro follaje que susurraba al movimiento de la suave brisa vespertina. El fuego que había a la entrada de la cueva, prendido para alejar a los malos espíritus, los depredadores curiosos y la humedad del aire nocturno, lanzaba jirones de humo y oleadas trémulas de calor, haciendo ondular los árboles y los matorrales sumidos en sombras oscuras al ritmo silencioso de las llamas parpadeantes. Su luz danzaba con las sombras sobre la piedra áspera de la cueva.

Ayla estaba sentada dentro del círculo de piedras que limitaba el territorio de Creb mirando fijamente hacia el hogar de Brun. Broud estaba de mal humor y lo desahogaba con su madre y con Oga, ejerciendo sus prerrogativas de varón adulto. El día había comenzado mal para Broud y fue empeorando. Después de pasarse horas acechando una zorra roja cuya piel había prometido a Oga, el animal desapareció entre los densos matorrales, advertido por una piedra lanzada con presteza. Las miradas que le lanzaba Oga, llenas de comprensión y perdón, sólo servían para lastimar aún más su orgullo herido: él era quien debería perdonarle a ella sus defectos, no ella a él.

Las mujeres, cansadas de un día ajetreado, estaban intentando terminar sus últimas tareas, y Ebra, exasperada por las constantes interrupciones de su hijo, hizo una leve seña a Brun. El jefe no había dejado de observar el comportamiento imperioso y exigente del joven. Broud estaba en su derecho, pero a Brun le parecía que debería ser más tolerante con ellas. No era necesario hacerlas correr para cualquier cosa, pues ya estaban suficientemente atareadas y cansadas.

–Broud, deja tranquilas a las mujeres. Tienen suficiente que hacer –gesticuló Brun en una silenciosa reprimenda.

El reproche fue demasiado, especialmente delante de Oga y procediendo de Brun. Broud se fue al extremo más apartado del territorio del hogar de Brun, junto a las piedras que marcaban el límite, muy enfurruñado cuando vio que Ayla estaba mirándole

121

fijamente. No importaba que Ayla hubiera percibido sólo vagamente el sutil altercado doméstico que se había desarrollado más allá de los límites que les separaban del hogar colindante; por lo que se refería a Broud, la feúcha intrusa había visto cómo le regañaban como si fuera un chiquillo: fue el golpe final a su sensible ego. «Ni siquiera tiene la corrección de mirar a otro lado, pensó. Bueno, pues ella no es la única que puede ignorar la cortesía más elemental.» Todas las frustraciones de la jornada se desbordaron y, tirando por la borda los convencionalismos, Broud lanzó una mirada malévola más allá de los límites hacia la niña a la que odiaba.

Creb se había percatado de la ligera discusión en el hogar de Brun, pues siempre estaba al tanto de todas las personas que vivían en la cueva. La mayor parte del tiempo, como si se tratara de un ruido de fondo, permanecía fuera de su conciencia, pero cualquier cosa que implicara a Ayla despertaba su atención. Sabía que había sido necesario un esfuerzo deliberado, a la vez que maligno, por parte de Broud para impulsarle a transgredir lo que le había sido inculcado durante toda su vida, para hacerle mirar dentro de los límites del hogar de otro hombre. «Broud siente demasiada animosidad hacia la niña, pensó Creb. Por el bien de ella, es hora de enseñarle buenos modales.»

–¡Ayla! –ordenó severamente. Ella dio un brinco al percatarse del tono de su voz–. ¡No mires a otra gente! –expresó con una seña. La niña se sintió intrigada.

–¿Por qué no mirar? –preguntó.

–No mirar, no observar: a la gente no le gusta –trató de explicar, consciente de que Broud estaba observando con el rabillo del ojo, sin molestarse siquiera en disimular el deleite que le causaba la fuerte regañina que Mog-ur estaba propinando a la niña. «De todos modos, el mago la consiente demasiado, pensaba Broud. Si viviera aquí, ya le iba a enseñar yo cómo se supone que debe comportarse una hembra.»

–Quiero aprender a hablar –señaló Ayla, todavía intrigada y algo dolida.

Creb comprendía perfectamente por qué había estado mirando, pero alguna vez tenía que aprender. Quizá se aplacara un poco el odio que Broud le tenía si veía que la reñían por mirarle.

–Ayla no observar –señaló Creb con una mirada severa–. Está mal. Ayla no responder a hombre cuando éste habla. Malo. Ayla no mirar a la gente dentro de su hogar. Malo. Malo. ¿Comprendes?

Creb se mostró duro; quería ser comprendido. Vio que Broud se ponía en pie y regresaba junto a la lumbre cuando Brun le llamó, y se veía a las claras que su humor había mejorado.

Ayla estaba abrumada: nunca se había mostrado Creb duro con ella. Había creído que se alegraría de que aprendiera su idioma; y ahora le decía que era mala porque miraba a la gente y trataba de aprender más. Confundida y dolida, se le saltaron las lágrimas, le inundaron los ojos y corrieron por sus mejillas.

–¡Iza! –llamó Creb, preocupado–. ¡Ven acá! Ayla tiene algo en los ojos.

Los ojos de la gente del clan sólo se llenaban de lágrimas cuando algo se les metía dentro o si tenían catarro o padecían alguna enfermedad de la vista. Él nunca había visto que de los ojos brotaran lágrimas de infelicidad. Iza llegó corriendo.

–¡Mira eso! Le chorrean los ojos. Quizá le haya entrado una chispa. Será mejor que se los mires –insistió.

También Iza estaba preocupada. Alzando los párpados de Ayla, miró de cerca los ojos de la niña.

–¿Te duele el ojo? –preguntó.

La curandera no podía ver la menor señal de inflamación. No parecía que tuviera nada malo en los ojos: sólo que chorreaban.

–No, no duele –lloriqueó Ayla. No podía comprender su preocupación por ella, aunque Creb dijera que era mala–. ¿Por qué se enfada Creb, Iza? –preguntó sollozando.

–Tienes que aprender, Ayla –explicó Iza, mirando a la niña con expresión seria–. No es correcto mirar fijamente. No es correcto mirar al fuego de otro hombre, ver lo que dicen otras personas junto al fuego. Ayla debe aprender que cuando habla el hombre, la mujer mira hacia abajo, así –demostró Iza–. Cuando el hombre habla, la mujer baja la cabeza; no pregunta. Sólo los chiquitines miran fijamente. Los bebés. Ayla es mayor. Entonces la gente se enoja con Ayla.

–¿Creb enfadado? ¿No le importo? –preguntó, deshaciéndose nuevamente en llanto.

Iza seguía sin comprender que los ojos de la niña se llenaran de agua, pero sí advertía la confusión en que se encontraba.

–A Creb le importa Ayla, también a Iza. Creb enseña a Ayla. Hay que aprender algo más que a hablar. Hay que aprender las costumbres del clan –dijo la mujer, tomando en sus brazos a la niña. La sostuvo cariñosamente mientras Ayla se desahogaba llorando, y después secó los ojos húmedos e hinchados de la niña con una piel suave y volvió a mirárselos para asegurarse de que estaban bien.

–¿Qué pasa con sus ojos? –preguntó Creb–. ¿Está enferma?

–Ha creído que no la quieres. Pensaba que te habías enfurecido contra ella. Sin duda eso la ha puesto enferma. Quizá los ojos tan claros como los que ella tiene sean débiles, pero no puedo encontrarles nada malo y dice que no le duelen. Creo que sus ojos han chorreado de tristeza, Creb –explicó Iza.

–¿Tristeza? ¿Se puso triste porque pensó que yo no la quería, y eso la puso enferma? ¿Hizo chorrear sus ojos?

El sorprendido mago apenas podía creerlo y se sintió dominado por emociones contradictorias. ¿Sería enfermiza? Parecía saludable, pero nadie enfermaba de pensar que no le quisieran. Nadie, excepto Iza, se había preocupado por él de esa manera. La gente le temía, sentía pavor ante él, le respetaba, pero nadie había deseado tanto que él le quisiera como para que le chorrearan los ojos. «Quizá tenga razón Iza, quizá tenga los ojos débiles, pero su vista es buena. De alguna manera tengo que mostrarle que debe aprender a portarse convenientemente, por su propio bien. Si no aprende los modales del clan, Brun la expulsará; puede hacerlo. Pero eso no significa que yo no la quiera. La quiero, admitió para sí; por extraña que sea, la quiero mucho.»

Ayla avanzó lentamente hacia el anciano tullido, mirando con nerviosismo hacia sus pies. Se quedó frente a él y después alzó la mirada, todavía empañada por el llanto.

–Ya no miro fijamente –dijo por señas–. ¿Creb no enfadado?

–No –respondió, también por señas–. No estoy enfadado, Ayla. Pero ahora perteneces al clan, me perteneces a mí. Debes aprender el lenguaje, pero también debes aprender las costumbres del clan. ¿Comprendes?

–¿Yo pertenezco a Creb? ¿Creb se preocupa por mí? –preguntó.

–Sí, yo te quiero, Ayla.

La niña sonrió ampliamente, se acercó a él y le abrazó; después se sentó en el regazo del hombre deforme y desfigurado y se pegó cariñosamente a él.

A Creb siempre le habían interesado los niños. Cuando actuaba como Mog-ur, pocas veces reveló el tótem de un niño sin que la madre lo reconociera inmediatamente como apropiado. El clan atribuía la habilidad de Mog-ur a sus poderes mágicos, pero su verdadera habilidad estaba en sus poderes de observación perceptiva. Se fijaba en los niños desde el día en que nacían, y a menudo veía cómo hombres y mujeres por igual los mimaban y consolaban. Pero el viejo lisiado no había conocido el gozo de mecer a un niño en sus brazos.

Agotada por sus emociones, la niña se había quedado dormida; se sentía segura con el pavoroso mago: había sustituido en su corazón a un hombre al que ya no recordaba como no fuera en algún rincón de su memoria. Mientras Creb contemplaba el rostro apacible y confiado de la niña en su regazo, sintió que un amor profundo se abría paso en su alma hacia ella. No podría amarla más si fuera su propia hija.

–Iza –llamó en voz baja el hombre. La mujer cogió a la niña dormida de los brazos de Creb, pero no antes de que él la mantuviera apretada contra sí un momento.

–Su enfermedad la ha fatigado –dijo, una vez que la mujer la hubo acostado–. Procura que descanse mañana, y será bueno que le vuelvas a examinar los ojos en cuanto amanezca.

–Sí, Creb –asintió; Iza quería a su hermano lisiado; sabía mejor que nadie que un alma buena y amable vivía bajo aquel exterior repulsivo. Se sentía feliz de que hubiera encontrado a alguien a quien querer, alguien que también le amaba a él, y eso fortalecía aún más sus sentimientos hacia la niña.

Iza no recordaba haber sido tan feliz desde que era niña. Sólo su temor de que la criatura que llevaba en su vientre fuera niño empañaba su dicha. Un hijo suyo tendría que ser criado por un cazador. Era hermana de Brun; su madre había sido la compañera del que fue jefe antes que él. Si algo le sucediera a Broud o si la mujer con quien se acoplara no engendrara un vástago varón, la dirección del clan recaería en el hijo de ella, en el caso de que tuviera uno. Brun se vería obligado a entregarla, a ella y al niño, a uno de los cazadores, o a quedarse con ella. Todos los días rogaba a su tótem que hiciera de la criatura que no había nacido aún una hija, pero no podía liberarse de su preocupación.

A medida que avanzaba el verano, con la amable paciencia de Creb y el deseo anhelante de Ayla, la niña comenzó a comprender no sólo el lenguaje, sino también las costumbres de la gente que la había adoptado. Aprender a apartar la mirada, para permitir a la gente del clan la única intimidad posible, era sólo la primera de muchas duras lecciones. Mucho más difícil resultaba aprender a refrenar su curiosidad natural y su entusiasmo impetuoso para aceptar la docilidad habitual de las hembras.

También Iza y Creb estaban aprendiendo. Descubrieron que cuando Ayla hacía cierta mueca, separando los labios y mostrando los dientes, lo que solía ir acompañado de sonidos aspirantes peculiares, eso significaba que se sentía feliz, no hostil. Nunca consiguieron superar del todo su ansiedad ante la extraña debilidad de los ojos de la niña, que se llenaban de agua cuando estaba triste. Iza llegó a la conclusión de que esa debilidad era peculiar de los ojos claros y se preguntaba si sería un rasgo común de los Otros o si sólo ocurría con los ojos de Ayla. Para estar tranquila, Iza se los lavaba con el fluido cristalino de la planta de color azul blancuzco que crecía en lugares muy sombríos. Aquella planta, parecida a un cadáver, sacaba su alimento de la madera y la materia vegetal en putrefacción, y, al tocarla, su superficie cerúlea se volvía negra. Pero Iza no conocía mejor remedio contra el dolor o la inflamación de los ojos que el líquido fresco que manaba de su tallo roto, y aplicaba el tratamiento tan pronto como la niña lloraba.

No lloraba con frecuencia. Si bien las lágrimas servían para llamar la atención, Ayla se esforzaba mucho por dominarlas. No sólo porque resultaban perturbadoras para las dos personas a quienes amaba, sino porque los demás miembros del clan lo consideraban como señal de su diferencia, y ella quería encajar y ser aceptada. El clan estaba aprendiendo a aceptarla, pero todavía se mostraban todos cautelosos y suspicaces en cuanto a sus peculiaridades.

Ayla también estaba aprendiendo a conocer a la gente del clan y a aceptarla. Aunque los hombres sentían curiosidad hacia ella, rebajaban su dignidad mostrando demasiado interés hacia una niña, por insólita que fuera, y ella los ignoraba a ellos tanto como ellos la ignoraban a ella. Brun demostraba mayor interés que los demás, pero la asustaba. Era serio y no se mostraba abierto a las efusiones lo mismo que Creb. Ayla no podía saber que, para la gente del clan, Mog-ur parecía mucho más distante e imponente que Brun y que esa gente estaba pasmada ante la intimidad que se había establecido entre el pavoroso mago y la extraña niñita. El que más le desagradaba de todos era el joven que compartía el hogar de Brun. Broud siempre tenía una expresión mezquina cuando la miraba.

Con las mujeres fue con quienes se familiarizó primero. Pasaba más tiempo con ellas. Excepto cuando se encontraba dentro de los límites de las piedras del hogar de Creb o cuando la curandera se la llevaba en busca de plantas exclusivas para su uso, ella e Iza estaban generalmente con los miembros femeninos del clan.

Al principio Ayla se limitaba a seguir a Iza y observaba cuando las mujeres desollaban animales, curtían pieles, trenzaban canastos, estiraban correas sacadas en espiral de un solo pellejo, recogían alimentos silvestres, preparaban comidas, hacían conservas de carne y plantas para el invierno, y correspondían a los deseos de cualquier hombre que las llamara para prestarle cualquier servicio. Pero cuando vieron su buena voluntad para aprender, no sólo la ayudaron con el idioma, sino que comenzaron a enseñarle aquellas habilidades tan útiles.

Ella no era tan fuerte como las mujeres o los niños del clan –su estructura más delgada no podía aguantar lo mismo que la poderosa musculatura de la gente del clan, de huesos tan pesados–, pero era asombrosamente diestra y flexible. Las tareas pesadas le resultaban difíciles, pero a pesar de ser sólo una niña, era hábil trenzando canastos o cortando correas de un ancho uniforme. Muy pronto estableció una relación cordial con Ika, cuya naturaleza amigable la hacía simpática. La mujer dejó que Ayla llevara en brazos a Borg en cuanto comprobó el interés que Ayla sentía por el bebé. Ovra se mostraba reservada, pero ella y Uka eran especialmente amables con la niña. La pena que sentían por haber perdido al joven en el derrumbamiento de la cueva las sensibilizaba respecto a la niña que había perdido a su familia. Pero Ayla no tenía compañeros de juego.

Su primer intento de amistad con Oga se había enfriado después de la ceremonia. Oga se sentía dividida entre Ayla y Broud. La recién llegada, aunque más joven, era alguien con quien le habría sido posible compartir sus pensamientos infantiles, y se sentía compenetrada con la joven huérfana dado que compartía su mismo sino, pero los sentimientos de Broud hacia ella eran evidentes. Oga decidió, renuentemente, evitar a Ayla, por deferencia hacia el hombre con quien esperaba emparejarse. Menos cuando trabajaban juntas, pocas veces se reunían, y después de que los intentos de Ayla por hacer amistad con ella se vieron rechazados varias veces, la niña se retrajo y dejó de mostrarse sociable.

A Ayla no le gustaba jugar con Vorn. A pesar de que tenía un año menos que ella, su idea del juego consistía generalmente en darle órdenes, en imitación consciente del comportamiento viril adulto hacia las hembras adultas, cosa que todavía le costaba mucho aceptar a Ayla. Cuando ésta se rebelaba, provocaba la ira de hombres y mujeres, especialmente la de Aga, madre de Vorn, quien estaba orgullosa de que su hijo aprendiera a portarse «como un hombre», y no le pasaba desapercibido, al igual que a todos los demás, el resentimiento que Broud le mostraba. Algún día Broud sería jefe, y si su hijo seguía disfrutando de su valimiento, podría ser escogido como segundo-al-mando. Aga aprovechaba cualquier oportunidad para promover a su hijo, hasta el punto de atormentar a Ayla cuando Broud andaba cerca. Si veía juntos a Vorn y a Ayla cuando Broud andaba cerca, apartaba rápidamente a su hijo.

La capacidad de Ayla para comunicarse mejoraba rápidamente, en especial con ayuda de las mujeres. Pero un símbolo en particular lo aprendió por su propia observación. Seguía observando a los demás –no había aprendido todavía a cerrar su mente a los que la rodeaban–, si bien lo hacía de forma menos evidente.

Una tarde estaba viendo a Ika jugar con Borg. Ika hizo una señal a su hijo y la repitió varias veces. Cuando los movimientos que el niño hacía al azar parecieron imitar el gesto, la madre llamó la atención de las otras mujeres y alabó a su hijo. Más tarde vio Ayla que Vorn corría hacia Aga y la saludaba con el mismo gesto. También Ovra hacía aquel gesto al iniciar una conversación con Uka.

Aquella noche se acercó tímidamente a Iza y, cuando la mujer alzó la mirada, Ayla hizo la señal con la mano. Los ojos de Iza expresaron una inmensa sorpresa.

–Creb –dijo–, ¿cuándo le has enseñado a llamarme «madre»?

–No se lo he enseñado yo, Iza –respondió Creb–; lo habrá aprendido sola.

Iza se volvió hacia la niña:

–¿Lo has aprendido tú sola? –preguntó.

–Sí, madre –expresó Ayla con el mismo símbolo. No estaba muy segura de lo que significaba la señal, pero tenía una idea. Sabía que la usaban los niños con las mujeres que les atendían. Aun cuando su memoria había bloqueado el recuerdo de su propia madre, su corazón no lo había olvidado. Iza había sustituido a aquella mujer a la que Ayla amó y perdió.

La mujer que había vivido sin hijos durante tanto tiempo sintió una profunda emoción.

–Mi hija –expresó con uno de sus pocos abrazos espontáneos–. Mi niña. Desde el principio supe que era mi hija, Creb. ¿No te lo dije? Me fue dada; los espíritus querían que fuera mía, estoy segura.

Creb no discutió con ella; tal vez tuviera razón.

Después de aquella noche las pesadillas de la niña disminuyeron, si bien tenía alguna de vez en cuando. Dos sueños se repetían con mayor frecuencia. Uno era que estaba escondiéndose en una cueva muy pequeña, tratando de alejarse de una garra enorme y afilada. El otro era más vago y perturbador. Era una sensación de que se movía la tierra, un profundo retumbar y una infinitamente angustiosa percepción de pérdida. Gritaba en su extraño lenguaje, que usaba menos cada día, cuando se despertaba y se agarraba a Iza. Al principio, cuando se incorporó a ellos, a veces se ponía a hablar en su idioma, sin darse cuenta, pero a medida que aprendió a comunicarse más a la manera del clan, sólo hablaba ya en sueños. Al cabo de algún tiempo, ni siquiera en sueños, pero nunca despertó de la tremenda pesadilla, cuando se movía la tierra, sin una sensación de absoluto abandono.

El corto y cálido verano llegó a su fin y las ligeras heladas matutinas del otoño enfriaban el aire y coloreaban con un destello escarlata y ambarino muy vivo el verdor de la selva. Algunas nevadas prematuras, derretidas por fuertes lluvias de temporada que arrebataban a los árboles sus mantos llenos de colorido, anunciaban el frío que se avecinaba. Más adelante, cuando sólo unas cuantas hojas tenaces se aferraban a las ramas peladas de árboles y arbustos, un breve interludio de brillante sol recordó finalmente el calor estival antes de que los rudos vientos y el frío intenso cerraran la posibilidad de llevar a cabo muchas actividades al aire libre.

El clan estaba fuera, disfrutando del sol. Sobre la ancha terraza que constituía la entrada a la cueva, las mujeres estaban procediendo a beldar los granos cosechados en las estepas herbosas que se extendían más abajo. Un viento cortante parecía andar a puntapiés con infinidad de hojas secas, prestando una apariencia de vida a aquellos vestigios arremolinados de la plenitud estival. Aprovechando el aire agitado, las mujeres aventaban el grano contenido en amplios y profundos canastos, dejando que el viento se llevara la cascarilla para después recuperar los granos.

Iza estaba inclinada detrás de Ayla, con sus manos sobre las de la niña mientras sostenía el canasto, mostrándole cómo debía lanzar muy alto al aire el grano para que no cayera junto con la paja y la broza.

Ayla notaba el estómago duro y abultado de Iza contra su espalda y sintió la fuerte contracción que obligó a la mujer a detenerse súbitamente. Poco después, Iza dejó el grupo y entró en la cueva, seguida por Ebra y Uka. La niña miró con aprensión al grupo de hombres que habían interrumpido la conversación y seguían con la mirada a las mujeres, y esperó que las regañaran por alejarse cuando quedaba aún trabajo por hacer. Pero los hombres se mostraron inexplicablemente permisivos. Ayla decidió arriesgarse y provocar su disgusto siguiendo a las mujeres.

En la cueva, Iza estaba descansando sobre las pieles en que dormía, con Ebra y Uka a ambos lados. «¿Por qué se ha acostado Iza cuando sólo es la mitad del día?, pensaba Ayla. ¿Estará enferma?» Iza advirtió la mirada preocupada de la niña y le hizo una seña para tranquilizarla, pero eso no calmó la inquietud de Ayla, que aumentó al ver la expresión tensa de su madre adoptiva al experimentar la siguiente contracción.

Ebra y Uka charlaban con Iza de cosas corrientes, de los alimentos que estaban almacenados y del cambio de temperatura. Pero Ayla había aprendido lo suficiente para captar su preocupación por la postura y las expresiones de las mujeres. Algo andaba mal, estaba segura de ello. Ayla decidió que nada la apartaría de Iza mientras no supiera lo que estaba pasando, y se sentó junto a sus pieles para esperar.

Al anochecer, Ika se fue con Borg apoyado en su cadera, y entonces Aga trajo a su hija, Ona, y ambas mujeres se quedaron sentadas, de visita, mientras amamantaban a los bebés, brindando su apoyo moral. Ovra y Oga estaban preocupadas y llenas de curiosidad cuando se acercaron a la cama de Iza. Aun cuando la hija de Uka no estaba aún apareada, era una mujer, y Ovra ya sabía que de ahora en adelante podría dar vida. Oga no tardaría en hacerse mujer, y las dos estaban intensamente interesadas en el proceso por el que estaba pasando Iza.

Cuando Vorn vio que Aba se alejaba y se sentaba junto a su hija, quiso saber por qué estaban todas las mujeres junto al fuego de Mog-ur. Se acercó y se subió al regazo de Aga junto a su hermana, para ver lo que estaba ocurriendo, pero Ona estaba mamando aún, de modo que la mujer mayor cogió al niño y lo acomodó sobre su regazo. Como allí no pudo ver nada interesante, sólo a la curandera que descansaba, volvió a alejarse.

Las mujeres no tardaron en ausentarse para comenzar a preparar las cenas. Uka permaneció con Iza, aunque Ebra y Oga siguieron echando miradas discretas mientras cocinaban. Ebra sirvió a Creb así como a Brun, después llevó comida para Uka, Iza y Ayla. Ovra cocinó para el compañero de su madre, pero Oga y ella regresaron rápidamente cuando Grod se acercó al hogar de Brun para reunirse con el jefe y Creb. No querían perderse nada, y se sentaron junto a Ayla, que no se había apartado de su sitio.

Iza sólo bebió un poco de té, y tampoco Ayla tenía mucho apetito. Picó un poco de su comida, incapaz de ingerir nada a causa del apretado nudo que le oprimía el estómago. «¿Qué le pasa a Iza? ¿Por qué no se levanta para preparar la cena a Creb? ¿Por qué no pide Creb a los espíritus que se ponga buena? ¿Por qué se queda con los demás hombres junto al fuego de Brun?»

Iza seguía haciendo esfuerzos. Cada pocos momentos respiraba varias veces rápidamente, y entonces empujaba sujetándose con las manos a las dos mujeres. Todos los miembros del clan se mantuvieron en vela a medida que avanzaba la noche. Los hombres estaban agrupados alrededor del fuego del jefe, visiblemente enfrascados en alguna discusión profunda. Pero las miradas ocasionales que lanzaban subrepticiamente delataban su verdadero interés. Las mujeres hacían visitas periódicas comprobando el proceso de Iza, y a veces se quedaban un rato. Todos estaban esperando, unidos para dar aliento y esperando lo que llegara mientras su curandera sufría los dolores del parto.

Había anochecido desde hacía ya mucho. De repente hubo un revuelo de actividad. Ebra tendió una piel mientras Uka ayudaba a Iza a ponerse en cuclillas. Estaba respirando fuerte, esforzándose mucho, llorando de dolor. Ayla temblaba, sentada entre Ovra y Oga, que gemían y empujaban en solidaridad con Iza. La mujer respiró profundamente y, empujando prolongadamente, rechinando los dientes y tensando los músculos, la corona redonda de la cabeza del bebé apareció entre chorros de agua. Otro tremendo esfuerzo hizo posible que saliera la cabeza; el resto resultó más fácil, mientras Iza traía al mundo el cuerpecito mojado y agitado de un diminuto bebé.

Un empujón final sacó fuera una masa de tejidos sanguinolentos. Iza se volvió a tender, agotada por el esfuerzo, mientras Ebra se apoderaba del bebé, sacaba de su boca una gota de moco con el dedo y tendía al recién nacido sobre el estómago de Iza. Al golpear los pies del bebé, éste abrió la boca y un vagido anunció el primer hálito de vida del primer hijo de Iza. Ebra sujetó un trozo de tendón teñido de rojo alrededor del cordón umbilical y cortó con los dientes la parte que aún permanecía sujeta a la masa placentaria; finalmente, alzó a la criatura para que Iza la viera. Después se puso en pie y regresó a su propio hogar para informar a su compañero del parto feliz de la curandera y del sexo de la criatura. Se sentó frente a Brun, inclinó la cabeza y volvió a alzarla al sentir un golpecito sobre el hombro.

131

8

—Siento mucho informar —dijo Ebra, haciendo el ademán usual para expresar pena— que la criatura de Iza es una niña.

Pero la noticia no fue recibida con pena. Brun se sintió aliviado, aun cuando nunca lo admitiría. El plan propuesto por el mago de que proveería para su hermana, especialmente con la incorporación de Ayla al clan, estaba saliendo bien, y el jefe no tenía ganas de cambiarlo. Mog-ur estaba realizando una excelente labor al adiestrar a la recién llegada mucho mejor de lo que había esperado. Ayla estaba aprendiendo a comunicarse y comportarse de acuerdo con las costumbres del clan. Creb no sólo estaba aliviado: desbordaba de júbilo. A su avanzada edad, y por primera vez en su vida, había logrado disfrutar los placeres de una familia cálida y amante, y el nacimiento de una hija de Iza le aseguraba que así seguiría.

Y por vez primera desde que se habían mudado a la caverna nueva, Iza pudo respirar libre de toda angustia. Estaba contenta de que el parto hubiera sido tan bueno, a pesar de su avanzada edad. Había ayudado a muchas mujeres que habían dado a luz con mayores dificultades que ella. Algunas estuvieron a punto de morir, unas pocas murieron y también más de un niño. Le parecía que las cabezas de los bebés eran demasiado voluminosas para pasar por el orificio del cuerpo de las mujeres. Su desasosiego por este parto no había sido tan grande como su preocupación por el sexo de la criatura. Tanta inseguridad respecto al futuro resultaba casi inaguantable para la gente del clan.

Iza se tendió de nuevo sobre sus pieles para descansar. Uka envolvió a la criatura en un manto de suave piel de conejo y la colocó en los brazos de la madre. Ayla no se había movido. Estaba mirando con una curiosidad anhelante a Iza; la mujer la vio y le hizo señas de que se acercara.

–Ven aquí, Ayla. ¿Te gustaría ver al bebé?

Ayla se acercó tímidamente.

–Sí –asintió con un movimiento de la cabeza. Iza retiró el manto para que la niña pudiera ver al bebé.

La diminuta réplica de Iza tenía una pelusilla suave y morena en la cabeza, y la protuberancia occipital en la parte posterior se veía muy bien sin la espesa mata de pelo que pronto habría de tener. La cabeza de la niña era algo más redonda que la de los adultos, pero aun así, larga, y su frente huía hacia atrás desde su arco superciliar no totalmente desarrollado aún. Ayla tendió la mano para tocar la suave mejilla de la recién nacida, y ésta se volvió instintivamente hacia el contacto, haciendo ruiditos con la boca, como chupando.

–Es preciosa –expresó Ayla con un gesto, llenos sus ojos de una dulce maravilla ante el milagro que había presenciado–. ¿Está tratando de hablar, Iza? –preguntó la niña, al ver que la recién nacida alzaba sus puñitos cerrados.

–Todavía no, pero pronto lo hará, y tendrás que ayudar a enseñarle –replicó Iza.

–¡Oh, lo haré! Lo mismo que me enseñasteis Creb y tú.

–Sé que lo harás, Ayla –dijo la nueva mamá, cubriendo nuevamente a su hijita.

La niña se quedó muy cerca, como protegiendo a Iza mientras ésta descansaba. Ebra había envuelto los tejidos de la placenta en la piel que se había preparado justo antes del parto, y los había escondido en un rincón discreto hasta que Iza pudiera llevárselos fuera y enterrarlos en un lugar que sólo ella conociera. Si el bebé hubiera nacido muerto, habría sido enterrado al mismo tiempo y nadie habría vuelto a mencionar el parto, ni la madre habría exteriorizado su pena; tan sólo se le habría transmitido una sutil y amable simpatía.

De haber nacido la criatura viva pero deforme, o si el jefe del clan hubiera decidido que el recién nacido era inaceptable por cualquier otra razón, la tarea de la madre habría sido más penosa. Entonces se le habría obligado a llevarse al bebé y enterrarlo o dejarlo expuesto a los elementos y los carnívoros. Pocas veces se permitía vivir a un niño deforme; y si era hembra, casi nunca. En el caso de ser varón el bebé, sobre todo de ser el primero, y si el compañero de la mujer deseara a la criatura, podía permitírsele, a discreción del jefe, permanecer con la madre durante los siete primeros días de su vida, como prueba de su capacidad para sobrevivir. Cualquier niño que sobreviviera siete días, por tradición del clan, que tenía fuerza de ley, debía recibir un nombre y ser aceptado en él.

La vida de Creb había estado así pendiente de un hilo los primeros días. Su madre sobrevivió con dificultades al parto; el compañero de ésta era también el jefe, y la decisión de si el recién nacido varón podría seguir viviendo dependía exclusivamente de él. Pero esta decisión fue tomada más en función de la madre que del niño, cuya cabeza deforme y miembros inmóviles indicaban ya el daño que el parto difícil le había causado. Ella estaba demasiado débil, había perdido demasiada sangre y andaba a las puertas de la muerte. Su compañero no podía exigirle que dispusiera del niño: estaba demasiado débil para hacerlo. Si la madre no podía hacerlo o si fallecía, la tarea incumbía a la curandera, pero la madre de Creb era la curandera del clan. De modo que el niño quedó con su madre, aun cuando nadie tenía esperanzas de que sobreviviera.

La leche de su madre tardaba en subir. Cuando el bebé se aferró a la vida, contra todas las probabilidades, otra madre que estaba amamantando se apiadó del pobre bebé y le dio su primer alimento. En tan precarias circunstancias comenzó la vida para Mog-ur, el más santo de los hombres santos, el más hábil y poderoso mago de todo el clan.

Ahora el hombre lisiado y su hermano se acercaron a Iza y a la criatura. Ante una señal perentoria de Brun, Ayla se puso en pie y se apartó, pero sin dejar de observar a distancia con el rabillo del ojo. Iza se incorporó, descubrió a su niña, la sostuvo y se la enseñó a Brun, teniendo buen cuidado de no mirar a ninguno de los dos hombres. Ambos examinaron al bebé que se quejaba al ser apartado del calor de su madre y expuesto al aire frío de la cueva. Los dos tuvieron el mismo cuidado en no mirar a Iza.

–La criatura es normal –anunció gravemente Brun con un gesto–. Puede quedarse con su madre. Si vive hasta el día en que se le imponga un nombre, será aceptada.

Iza no temía realmente que Brun rechazara a su hijita, pero aun así se sintió aliviada ante la declaración oficial del jefe. Sólo seguía en pie una última inquietud: esperaba que su hijita no tuviera mala suerte porque su madre viviera sin compañero.

Al fin y al cabo, él estaba vivo cuando ella adquirió la certeza de que estaba embarazada, razonaba Iza, y Creb era como un compañero, al menos las mantenía. Iza apartó esa idea de su mente.

Durante los siguientes días Iza quedaría aislada, confinada a los límites del hogar de Creb, a excepción de las salidas necesarias para aliviar sus necesidades y enterrar la placenta. Ninguno en el clan reconoció oficialmente la existencia del bebé de Iza mientras ésta se encontró aislada, salvo los que compartían el mismo hogar, pero otras mujeres llevaban comida para que Iza pudiera descansar. Eso permitía una visita breve y una rápida ojeada a la recién nacida. Después de los siete días y hasta que dejara de sangrar, estaría bajo la maldición femenina atenuada. Sus contactos se limitarían a las mujeres, igual que durante su menstruación.

Iza se pasaba el tiempo amamantando a su bebé y cuidándolo, y cuando se sintió recuperada, reorganizó las áreas de los alimentos, de la cocina y de dormir, además del área en que almacenaba sus medicinas, dentro de las piedras limítrofes que definían el hogar de Creb, su territorio dentro de la cueva, compartido ahora con tres hembras.

Debido a la singular posición de Mog-ur en la jerarquía del clan, le correspondía un lugar muy favorable dentro de la cueva: lo suficientemente cerca de la entrada para aprovechar la luz del día y el sol veraniego, pero no tan cerca como para estar sometido a lo peor de los vientos invernales. Su hogar tenía una característica adicional que Iza apreciaba particularmente, pensando en Creb: un saliente de piedra que surgía de la pared lateral proporcionaba una protección más contra los vientos. Incluso con la barrera contra el viento y un fuego constante junto a la entrada, los vientos fríos solían barrer los lugares más expuestos. La artritis y el reuma del viejo siempre empeoraban mucho en invierno, a causa de la fría humedad de la cueva. Iza se había asegurado de que las pieles de Creb, colocadas sobre una suave capa de paja y hierba apelmazada dentro de una trinchera poco profunda, se encontraran en el rincón abrigado.

Una de las pocas tareas que se había exigido de los hombres, además de cazar, era la construcción de la barrera contra el viento: pieles de animales tendidas a través de la entrada, sostenidas por postes enterrados en el suelo. Otra consistía en pavimentar el área alrededor de la entrada con piedras lisas traídas del río, para evitar que las lluvias y la nieve fundida convirtieran la entrada de la cueva en un lodazal. El piso de los hogares individuales era de tierra, con esteras tejidas dispersas alrededor del fuego para sentarse o servir comidas.

Otras dos trincheras poco profundas, llenas de paja y cubiertas de pieles, se encontraban junto a la de Creb, y la piel que las cubría por encima era la que usaba también como manta la persona que allí dormía. Además de la piel de oso de Creb, estaba la piel de saiga de Iza y una nueva piel blanca de un leopardo de las nieves. El animal había estado husmeando cerca de la cueva, muy por debajo de su territorio habitual en las partes más elevadas del monte. Goov acreditó haberlo cazado y regaló la piel a Creb.

Muchos de los miembros del clan llevaban pieles o conservaban un trozo de cuerno o un diente del animal que simbolizaba su tótem protector. Creb consideraba que el leopardo de las nieves era una piel adecuada para Ayla. Aunque no era su tótem, era una criatura similar y bien sabía que era muy poco probable que los cazadores cazaran un león cavernario. El enorme felino pocas veces se alejaba de la estepa y no constituía una amenaza para el clan, dentro de su cueva sobre las faldas boscosas. No estaban dispuestos a cazar al enorme carnívoro sin tener buenas razones para ello. Iza había terminado de curtir la piel y de preparar nuevo calzado para la niña cuando empezó a dar a luz. La pequeña estaba encantada con su piel y aprovechaba cualquier pretexto para salir y poder ponérsela.

Iza estaba preparándose una infusión de santónico para fomentar el flujo de la leche y aliviar las dolorosas contracciones de su útero al recuperar poco a poco su forma normal. Había recogido y secado las largas hojas estrechas y las pequeñas flores verduscas a primeros de año pensando en el nacimiento de su hijo. Miró hacia la entrada de la cueva, buscando a Ayla. La mujer acababa de cambiar la tira de cuero absorbente que llevaba durante sus reglas y desde su alumbramiento y quería salir al bosque circundante para enterrar la que estaba sucia. Buscaba a la niña para que cuidara de la recién nacida, que dormía, durante los pocos momentos en que estuviera ausente.

Pero Ayla no aparecía por ningún lugar cerca de la cueva. Estaba buscando cantos rodados a lo largo del río. Iza había comentado que necesitaba más piedras para cocer, antes de que se congelara el río, y Ayla quería complacerla trayéndole unas cuantas. La niña estaba de rodillas sobre un tramo rocoso cerca de la orilla del agua, buscando piedras del tamaño exacto. Alzó la mirada y observó un montoncito de piel blanca debajo de un matorral. Apartando las hojas, vio un conejo medio adulto tendido de costado: tenía la patita rota y cubierta de sangre seca.

El animalito herido, que se estaba muriendo de sed, no podía moverse. Miraba a la niña con ojos nerviosos cuando ésta tendió la mano y sintió la piel suave y cálida. Un lobezno, que estaba aprendiendo a cazar, había atrapado al conejito, que consiguió liberarse. Antes de que el joven carnívoro pudiera volver a perseguir a su presa, su madre lanzó un aullido para llamarlo, y como el lobezno no tenía mucha hambre, se volvió para responder a la llamada de urgencia. El conejo se había lanzado hacia el matorral donde se quedó inmóvil, esperando no ser visto. Pero cuando se sintió suficientemente seguro para alejarse, no pudo hacerlo y se había quedado tendido junto al agua que corría, muerto de sed. Casi no le quedaba vida.

Ayla levantó al animalito cálido y peludo y lo meció en sus brazos. Había tenido el bebé de Iza, envuelto en suave piel de conejo, y el conejillo le producía la misma sensación. Se sentó en el suelo meciéndolo, y entonces se dio cuenta de la sangre y de la patita doblada en un ángulo insólito. «Pobre bebé, tiene la pata herida, pensó la niña. Tal vez Iza pueda arreglarla, una vez curó la mía.» Olvidándose de buscar piedras para cocer, se puso en pie y se llevó al animalito herido hasta la cueva.

Iza estaba dormitando cuando llegó Ayla, pero al oír sus pasos, se despertó. La niña tendió el conejito a la curandera, mostrándole sus heridas. En ocasiones Iza se había apiadado de pequeños animales y les había prestado los primeros auxilios, pero nunca había llevado uno a la cueva.

—Ayla, la cueva no es para animales —dijo Iza con un gesto.

Las esperanzas de Ayla se derrumbaron, abrazó al conejito, inclinó tristemente la cabeza y se dispuso a salir, con los ojos llenos de lágrimas.

Al darse cuenta de la desilusión de la niña, Iza le dijo:

—Bueno, ya que lo has traído, voy a echarle una mirada.

El semblante de la niña se iluminó al tender a Iza el animalito herido.

—Este animalito está sediento, ve a buscarle un poco de agua —indicó Iza con un gesto. Ayla echó rápidamente agua clara de una amplia bolsa de agua y llevó la taza, llena hasta el borde. Iza estaba cortando un trozo de madera para entablillarle la patita; en el suelo había tiras de cuero recién cortadas para sujetar el entablillado.

—Toma la bolsa de agua y ve por más, Ayla, casi no nos queda. Después calentaremos un poco más; la necesito para limpiar la herida —ordenó la mujer mientras atizaba el fuego y echaba en él varias piedras. Ayla cogió la bolsa y echó a correr hacia la poza.

Cuando volvió Ayla, el agua había revivido al animalito, que estaba mordisqueando semillas y granos que Iza le había dado.

Creb se sorprendió mucho a su regreso, más tarde, viendo que Ayla mecía al conejo mientras Iza daba de mamar a su hijita. Vio el entablillado de la pata y comprendió la mirada que Iza le dirigía como diciendo: «¿Qué otra cosa podía hacer?» Mientras la niña estaba ocupada con su muñeca viviente, Iza y Creb hablaron mediante silenciosas señas.

–¿Por qué ha traído un conejo a la cueva? –preguntó Creb.

–Estaba herido. Me lo trajo para que yo lo curara. No sabía que no traemos animales al hogar. Pero sus sentimientos no estaban equivocados, Creb, creo que tiene instintos de curandera. –Y haciendo una pausa, Iza prosiguió–: Quería hablarte de ella. No es una niña atractiva, ya lo sabes.

Creb echó una mirada hacia Ayla.

–Es conmovedora, pero tienes razón, no es atractiva –admitió–. Pero ¿qué tiene que ver eso con el conejo?

–¿Qué posibilidad va a tener de llegar a aparearse algún día? Ningún hombre que tenga un tótem suficientemente fuerte para ella se avendrá a aceptarla; podrá escoger la mujer que quiera. ¿Qué va a ser de ella cuando se convierta en mujer? Si no se aparea, no tendrá posición.

–Ya he pensado en eso, pero ¿qué se puede hacer?

–Si fuese curandera, tendría su propia posición –sugirió Iza– y para mí es como una hija.

–Pero no es de tu estirpe, Iza. No ha nacido de ti. Tu hija prolongará tu linaje.

–Ya lo sé: ahora tengo una hija, pero ¿por qué no puedo adiestrar a Ayla también? ¿No la pusiste nombre mientras yo la sostenía en mis brazos? ¿Acaso no anunciaste su tótem al mismo tiempo? Eso hace de ella mi hija, ¿no es verdad? Ha sido aceptada, ahora forma parte del clan, ¿no es así? –preguntó Iza con fervor, y luego prosiguió rápidamente por miedo a que Creb pudiera darle una respuesta negativa–: Creo que tiene el talento natural que se requiere, Creb. Muestra interés, siempre está haciéndome preguntas cuando trabajo con la magia curativa.

–Hace más preguntas que nadie que yo haya conocido –interpuso Creb–, y acerca de todo. Tiene que aprender que es de mala educación hacer tantas preguntas –agregó.

–Pero mírala, Creb. Ve un animal herido y quiere curarlo. Ésa es la señal de la curandera, si no me equivoco.

Creb se quedó silencioso, pensativo.

–La aceptación dentro del clan no cambia lo que es, Iza. Ha nacido de los Otros, ¿cómo puede aprender todo lo que tú sabes? No ignoras que carece de los recuerdos.

–Pero aprende rápidamente. Ya lo has visto. Mira lo pronto que ha aprendido a hablar. Te sorprendería saber todo lo que ya ha aprendido. Y tiene buenas manos para ello, el toque suave. Sostenía al conejo mientras yo le entablillaba la pata; parecía que confiaba en ella. –Iza se inclinó hacia delante–. Ya no somos jóvenes ninguno de los dos, Creb. ¿Qué será de ella cuando nos hayamos ido al mundo de los espíritus? ¿Quieres que se la pasen de un hogar a otro, siendo siempre una carga para todos, siempre la mujer de más baja categoría?

Creb ya se había preocupado de ese tema, pero como no había sido capaz de encontrar una solución, lo había descartado de su mente.

–¿Crees realmente que podrás adiestrarla, Iza? –preguntó, aún dubitativo.

–Puedo comenzar con el conejo. Puedo dejar que ella lo cuide y enseñarla a hacerlo. Estoy segura de que puede aprender, Creb, incluso sin los recuerdos. No hay tantas heridas y enfermedades distintas; ella es suficientemente joven para aprendérselas, no hace falta recordarlas.

–Tengo que pensar en ello, Iza –dijo Creb.

La niña estaba meciendo y cantándole al conejo. Vio que Iza y Creb estaban hablando y recordó que había visto a menudo a Creb hacer gestos invocando a los espíritus para que ayudaran al trabajo de magia curativa de Iza. Llevó el animalito peludo al mago.

–Creb, por favor, ¿quieres pedir a los espíritus que sanen al conejo? –expresó por señas después de haberlo puesto a los pies del mago.

Mog-ur miró su rostro ansioso. Nunca había pedido ayuda a los espíritus para curar a un animal, y se sintió un poco desconcertado, pero no tuvo valor para negárselo. Echó una mirada en derredor; después hizo unos cuantos ademanes.

–Ahora es seguro que sanará –señaló Ayla con decisión, y viendo que Iza había terminado de alimentar a su hijita, preguntó–: ¿Puedo coger en brazos a la pequeña, madre? –El conejito era un sustituto cálido y acariciable, pero no cuando podía tener un bebé de veras en brazos.

–Está bien –dijo Iza–. Ten cuidado con ella, como te enseñé.

Ayla meció a la niña y le cantó como lo había hecho con el conejo.

–¿Qué nombre le pondrás, Creb? –preguntó.

También Iza sentía curiosidad, pero jamás le habría preguntado. Vivían en el hogar de Creb, él las mantenía y tenía derecho a poner nombre a los niños que nacieran en su hogar.

–Todavía no lo he decidido. Y debes aprender a no hacer tantas preguntas, Ayla –reprendió Creb, pero estaba complacido al ver la confianza que tenía en su habilidad mágica, aunque fuera con un conejo. Se volvió hacia Iza, agregando–: Supongo que no hará daño a nadie que el animalito siga aquí hasta que se le cure la pata: es una criatura inofensiva.

Iza expresó su conformidad con un gesto y sintió una oleada de satisfacción. Estaba segura de que Creb no se opondría a que empezara a adiestrar a Ayla, aun cuando nunca diera su consentimiento explícito. Lo único que Iza necesitaba saber era que no lo impediría.

–¿Cómo saca ese sonido de su garganta? No me lo explico –preguntó Iza cambiando de tema, al escuchar el tarareo de Ayla–. No es desagradable, pero sí inusitado.

–Es otra diferencia entre el clan y los Otros –indicó Creb con el ademán y la actitud de estar haciendo la exposición de un hecho de gran sabiduría a un estudiante admirado–, como no tener recuerdos o los extraños sonidos que solía hacer. Ya no hace tantos desde que ha aprendido a hablar convenientemente.

Ovra llegó al hogar de Creb con la cena para los tres. Su pasmo al ver al conejo no fue menor que el que había sentido Creb. Aumentó al ver que Iza dejaba a la joven tener en brazos a su bebé y que Ayla sostenía al conejo para arrullarlo como si fuera también un bebé. Ovra echó una mirada de soslayo a Creb para ver su reacción, pero él no parecía haberse dado cuenta. No aguantaba la impaciencia por ir a contárselo a su madre: imagina, cuidar un conejo como si fuera un bebé. Tal vez la niña no estuviera bien de la cabeza. ¿Creería que el animal era humano?

Poco después Brun se acercó para hacer señas a Creb de que deseaba hablar con él. Creb se lo esperaba. Se fueron juntos hacia el fuego de la entrada, lejos de ambos hogares.

–Mog-ur –comenzó a decir el jefe, vacilando.

–¿Sí?

–He estado pensando, Mog-ur. Ha llegado el momento de efectuar una ceremonia de apareamiento. He decidido dar a Ovra a Goov y Droog ha aceptado tomar a Aga y sus niños; permitirá que Aba también viva con él –dijo Brun, sin saber cómo abordar el tema del conejo en el hogar de Creb.

–Me preguntaba cuándo ibas a decidir aparearlos –respondió Creb, sin brindar comentario alguno acerca del tema que, bien lo sabía él, deseaba tratar Brun.

–Quería esperar. No podía permitirme prescindir de dos cazadores mientras la cacería era buena. ¿Cuándo crees que será el mejor momento? –A Brun le costaba mucho no volver la mirada hacia el territorio de Creb, delimitado por piedras, y Creb estaba divirtiéndose bastante con el desconcierto del jefe.

–Pronto voy a ponerle nombre a la hija de Iza; podríamos celebrar las uniones al mismo tiempo –propuso Creb.

–Se lo voy a comunicar –dijo Brun. Se quedó apoyándose primero en un solo pie, luego en el otro, y mirando el alto techo abovedado, el piso, el fondo de la cueva y, después, hacia fuera: cualquier cosa que no fuese directamente a Ayla sosteniendo el conejo. La cortesía exigía que no mirara al hogar de otro hombre pero, para enterarse de lo del conejo, tenía forzosamente que verlo. Estaba tratando de pensar una manera aceptable de abordar el tema. Creb seguía esperando.

–¿Por qué hay un conejo en tu hogar? –indicó rápidamente con un gesto. Se encontraba en desventaja y lo sabía. Creb se volvió deliberadamente y miró a las personas que se encontraban dentro de los límites de sus dominios. Iza sabía perfectamente lo que estaba pasando. Se ocupaba intensamente de su niña con la esperanza de no tener que intervenir. Ayla, causa del problema, estaba ajena a la situación.

–Brun, es un animalito inofensivo –fue la evasiva de Creb.

–Pero ¿por qué hay un animal en el interior de la cueva? –replicó el jefe.

–Ayla lo ha traído. Tiene la pata rota y quería que Iza lo curara –dijo Creb, como si fuera la cosa más natural del mundo.

–Nunca ha traído nadie un animal dentro de la cueva –dijo Brun, contrariado por no poder encontrar una objeción más fuerte.

–Pero ¿dónde está el mal? No se quedará mucho tiempo, justo hasta que se le cure la pata –repuso Creb, razonable y calmado.

A Brun no se le ocurría ninguna buena razón para insistir en que Creb se deshiciera del animal, mientras éste estuviera dispuesto a quedarse con él; estaba dentro de su hogar. No había costumbre que prohibiera la presencia de animales dentro de las cuevas; pero nunca anteriormente los había habido. Aunque no era ésa la verdadera causa de su apuro. Se daba cuenta de que el verdadero problema era Ayla. Desde que Iza recogió a la niña había habido demasiados incidentes insólitos relacionados con ella. Todo lo que la rodeaba carecía de precedentes, y eso que todavía era una niña. ¿A qué tendría él que enfrentarse cuando creciera? Brun no tenía experiencia ni una serie de reglas para tratar con ella. Pero tampoco sabía cómo manifestarle a Creb las dudas que tenía. Creb sentía la incomodidad que experimentaba Brun y trató de darle otra buena razón para que permitiera al conejo permanecer en su hogar.

–Brun, el clan que es anfitrión de la Reunión del Clan tiene un osezno en su cueva –le recordó el mago.

–Pero eso es distinto: se trata de Ursus. Es para el Festival del Oso. Los osos cavernarios han vivido en cuevas incluso antes que la gente, pero los conejos no viven en cuevas.

–Sin embargo, el osezno es un animal que ha sido llevado a una cueva.

Brun no tenía respuesta, y el razonamiento de Creb parecía brindarle algunas orientaciones, pero ¿por qué tenía que llevar la niña un conejo a la cueva? Eso en primer lugar. De no ser por ella, nunca habría surgido el problema. Brun sentía que la firme base de sus objeciones se sumía bajo sus pies como arena movediza y no volvió a tratar el asunto.

La víspera de la ceremonia para la asignación del nombre fue un día frío pero soleado. Se habían producido unas cuantas neviscas y los huesos de Creb le habían estado doliendo últimamente. Estaba seguro de que se avecinaba una tormenta. Quería aprovechar los últimos y escasos días de buen tiempo antes de que las nieves comenzaran en serio y avanzaba caminando por la senda junto al río. Ayla estaba con él, probando su nuevo calzado. Iza se lo había hecho cortando trozos más o menos redondos de cuero de uro, curtido con la suave pelusa interior y frotado con grasa para impermeabilizarlo. Había hecho orificios formando un círculo en el borde como si fuera una bolsa y los había atado alrededor de los tobillos de la niña, con la piel hacia dentro dándole calor.

Ayla estaba encantada con los protectores y alzaba mucho los pies mientras correteaba junto al hombre. Un manto de piel de leopardo de las nieves cubría su prenda interior, y una suave piel peluda de conejo, con el pelo hacia dentro, moldeaba su cabeza, tapándole las orejas y sujeta bajo la barbilla con las partes de piel

142

que habían servido anteriormente para cubrir las patas del animal. Ella echaba a correr por delante, luego volvía atrás y caminaba junto al viejo, moderando su paso exuberante para acompasarlo con el paso arrastrado que era habitual en él. Llevaban agradablemente callados un rato, cada uno sumido en sus pensamientos.

«Me pregunto qué nombre darle a la niña de Iza», pensaba Creb. Amaba a su hermana y quería escoger un nombre que le agradara. No uno de la familia de su compañero. Pensar en el hombre que había sido el compañero de Iza le dejaba mal sabor de boca. Los crueles castigos que había infligido a Iza enfurecían a Creb, pero sus sentimientos iban mucho más atrás en el tiempo. Recordaba cómo le había provocado el hombre cuando era muchacho llamándole mujer porque nunca podría cazar. Creb adivinaba que sólo el temor al poder de Mog-ur hizo que dejara de ridiculizarlo. «Me alegro de que Iza haya tenido una hija, pensó; un hijo le habría proporcionado demasiado honor a aquel hombre.»

Ahora que el hombre había dejado de ser una espina para él, Creb disfrutaba los placeres de su hogar mucho más de lo que habría creído posible. Ser el patriarca de su propia familia, tener la responsabilidad, mantenerla, todo ello le daba una sensación de virilidad que nunca anteriormente había experimentado. Adivinaba una especie diferente de respeto por parte de los demás hombres, y descubrió que ahora se interesaba mucho más por sus cacerías, ahora que una parte le correspondía a él. Antes se había interesado más por las ceremonias de la caza: ahora tenía más bocas que alimentar.

«Estoy seguro de que también Iza se siente más feliz», se dijo, pensando en las atenciones y el afecto que le prodigaba, cocinando para él, cuidándolo, adelantándose a sus necesidades. En todo, menos en una sola cosa, era su compañera, lo más próximo que había estado nunca a tener una. Ayla era una dicha constante. Las diferencias inherentes a su naturaleza que descubría en ella le interesaban; adiestrarla era un reto como el que todo maestro natural siente con un alumno brillante y lleno de buena voluntad pero insólito. La nueva criatura también le intrigaba. Después de las primeras veces, superó el nerviosismo que experimentaba cuando Iza ponía la niña en su regazo y observaba los movimientos desordenados de sus manos y sus ojos sin enfocar con una atención cautivada, contemplando maravillado cómo algo tan pequeño y tan poco desarrollado podría crecer y convertirse en una mujer adulta.

«Asegura la continuación de la estirpe de Iza, pensaba, y es un linaje digno de su posición.» Su madre había sido una de las más renombradas curanderas del clan. Personas de otros clanes habían acudido a ella en ocasiones, trayendo a sus enfermos cuando podían, o llevándose medicinas para ellos. La propia Iza era de una categoría similar y su hija podía contar con todas las probabilidades de alcanzar esa misma posición. Merecía un nombre que estuviera de acuerdo con su antigua y distinguida estirpe.

Creb pensaba en el linaje de Iza y recordaba a la mujer que fue madre de su madre. Siempre había sido buena y amable con él, le cuidó más que su propia madre, después del nacimiento de Brun. También ella fue famosa por su habilidad curadora, incluso había curado a aquel hombre nacido de los Otros, de la misma manera que Iza curó a Ayla. «Es una lástima que Iza no llegara a conocerla», pensaba Creb. Entonces se detuvo.

«¡Eso es! Daré su nombre al bebé», pensó, satisfecho de su inspiración.

Una vez decidido el nombre para la niña, volvió sus pensamientos hacia las ceremonias de apareamiento. Pensó en el joven que era su abnegado acólito. Goov era tranquilo, serio, y Creb le tenía afecto. Su tótem, el Uro, debería ser suficientemente fuerte para el tótem de Ovra, la Nutria. Ovra trabajaba duro y pocas veces merecía que la reprendieran. Sería una buena compañera para él. No hay razón para que no le dé hijos; además, Goov es buen cazador, y no tendrá problemas para sustentarla. Cuando se convierta en Mog-ur, su parte compensará lo que sus deberes no le permitan cazar.

Creb se preguntaba: «¿Llegará a ser un poderoso mog-ur?». Meneó la cabeza. Por mucho que quisiera a su acólito, bien se daba cuenta de que Goov no tendría nunca la habilidad que Creb sabía poseer. El cuerpo tullido que impedía actividades normales como la caza y el apareamiento le había dejado espacio abierto para concentrar todas sus pasmosas dotes mentales y desarrollar su renombrado poder. Por eso era el Mog-ur. Era el que dirigía las mentes de todos los demás mog-ures en la Reunión del Clan, durante la ceremonia que era la más santa entre todas las ceremonias. Aunque conseguía hacer la simbiosis de las mentes con los hombres de su clan, no se podía comparar con la fusión de almas que se producía con las mentes adiestradas de los demás magos. Pensó en la siguiente Reunión del Clan, pese a que faltaban todavía muchos años. Las Reuniones del Clan se celebraban una vez cada siete años, y la última había sido el verano anterior al derrumbamiento de la cueva. «Si vivo hasta la siguiente, será la última para mí», comprendió súbitamente.

Creb volvió de nuevo su atención hacia la ceremonia del apareamiento, que uniría también a Droog con Aga. Droog era un cazador experimentado que había demostrado su habilidad desde hacía mucho. Su pericia para fabricar herramientas era mayor aún. Era tan tranquilo y serio como el hijo de su difunta compañera, y él y Goov compartían el mismo tótem. Se parecía también en muchas otras cosas, y Creb estaba seguro de que era el espíritu del tótem de Droog el que creó a Goov. «Fue una lástima que la compañera de Droog hubiera sido llamada al otro mundo», pensó. Hubo en aquella pareja un afecto que probablemente nunca llegaría a desarrollarse con Aga. Pero ambos necesitaban compañero, y Aga se había revelado ya como más fecunda que la primera compañera de Droog. Era una unión lógica.

Creb y Ayla fueron interrumpidos en sus pensamientos por un conejo que cruzó su camino. Eso recordó a la niña el conejo que tenía en la cueva y volvió sus pensamientos hacia lo que la tenía preocupada todo el tiempo: la pequeña de Iza.

—Creb, ¿cómo entró el bebé dentro del cuerpo de Iza? —preguntó.

—Una mujer traga el espíritu del tótem de un hombre —señaló Creb de manera muy natural, aún perdido en sus pensamientos—. Lucha contra el espíritu del tótem de ella. Si el tótem del hombre vence al de la mujer, deja parte de sí mismo para iniciar una nueva vida.

Ayla miró a su alrededor, preguntándose acerca de la omnipresencia de los espíritus; no podía ver a ninguno, pero si Creb decía que estaban allí, lo creía.

—¿Puede el espíritu de cualquier hombre meterse dentro de la mujer? —Fue su siguiente pregunta.

—Sí, pero sólo un espíritu más fuerte puede derrotar al de ella. A menudo el tótem del compañero de una mujer pide ayuda a otro espíritu. Entonces el otro espíritu puede ser autorizado a dejar su esencia. Por lo general el espíritu del compañero de una mujer es el que más se esfuerza; es el que está más cerca, pero a menudo necesita ayuda. Si un muchacho tiene el mismo tótem que el compañero de su madre, eso significa que tendrá suerte —explicó cuidadosamente Creb.

—¿Sólo las mujeres pueden tener bebés? —preguntó, interesadísima por el tema.

—Sí —asintió Creb.

—¿Tiene que estar apareada una mujer para poder tener un bebé?

—No, a veces traga un espíritu antes de estar apareada. Pero si no tiene compañero cuando nace el bebé, éste podría tener mala suerte.

—¿Puedo yo tener un bebé? —Fue la siguiente pregunta llena de esperanza.

Creb pensó en el poderoso tótem de la niña: su principio vital era demasiado fuerte. Incluso con ayuda de otro espíritu, era poco probable que llegara a ser derrotado. «Pero eso no tardará mucho en saberlo», pensó.

—Eres demasiado joven aún. —Fue su evasiva respuesta.

—¿Cuándo seré suficientemente vieja?

—Cuando seas mujer.

—¿Cuándo voy a ser mujer?

Creb empezaba a pensar que nunca se acabarían sus preguntas.

—La primera vez que el espíritu de tu tótem batalle contra otro espíritu, sangrarás. Es la señal de que ha sido herido. Algo de la esencia del espíritu que combatió contra él quedará, para que tu cuerpo esté dispuesto. Tus senos crecerán, y habrá algunos otros cambios. Después de eso, el espíritu de tu tótem peleará con regularidad contra otros espíritus. Cuando llegue el momento en que debas sangrar y no sangres, significará que el espíritu que te hayas tragado ha derrotado al tuyo y que se ha iniciado una nueva vida.

—Pero ¿cuándo voy a ser mujer?

—Quizá cuando hayas vivido el ciclo de todas las estaciones ocho o nueve veces. Es entonces cuando la mayoría de las niñas se convierten en mujeres, algunas incluso antes, sólo con siete años —respondió.

—Pero ¿cuánto va a tardar eso? —insistió Ayla.

El viejo y paciente mago exhaló un suspiro.

—Ven acá, voy a ver si puedo explicártelo —dijo, tomando un palito y sacando un cuchillo de sílex de su bolsa. Dudaba mucho de que pudiera comprender, pero con eso se acabarían las preguntas.

Los números constituían una difícil abstracción para que los entendiera la gente del clan. La mayoría no podía pensar más allá de tres: tú, yo y otro. No era cuestión de inteligencia; por ejemplo, Brun sabía inmediatamente cuándo faltaba uno de los veintidós miembros de su clan. Sólo tenía que pensar en cada individuo, y lo podía hacer rápidamente sin tener conciencia de ello. Pero trasladar a ese individuo a un concepto llamado «uno» exigía un esfuerzo que muy pocos podían lograr: «¿Cómo puede esa persona ser una y otra vez ser también una esa persona..., acaso son personas distintas?», era la primera pregunta que solían hacer.

La incapacidad del clan para sintetizar y abstraer se extendía a otras áreas de su vida. Tenían un nombre para cada cosa. Conocían el roble, el sauce y el pino, pero no tenían un concepto genérico para todos ellos; no tenían una palabra que significara árbol. Cada clase de suelo, cada clase de roca, incluso las diferentes clases de nieve tenían un nombre. El clan dependía de la abundancia de sus recuerdos y de su capacidad para incrementarlos; casi no se les olvidaba nada. El lenguaje estaba lleno de color y era muy descriptivo, pero casi totalmente desprovisto de abstracciones. Las ideas eran ajenas a su naturaleza, a sus costumbres y a la manera en que se habían desarrollado. Contaban con Mog-ur para que se mantuviera informado de las pocas cosas que debían ser contadas: el tiempo entre las Reuniones del Clan, la edad de los miembros, la duración del aislamiento después de la ceremonia de apareamiento y los siete primeros días de la vida de una criatura. El que pudiera hacerlo era uno de sus poderes mágicos.

Creb se sentó, sostuvo el palito firmemente sujeto entre su pie y una piedra.

–Iza dice que cree que eres un poco mayor que Vorn –comenzó a explicar Creb–. Vorn ha vivido su año de nacer, su año de andar, su año de mamar y su año del destete –dijo, haciendo una muesca en el palo por cada año que indicaba–. Voy a hacer una marca más para ti. Esto es lo vieja que eres ahora. Si pongo mi mano en cada marca, cubriré todos estos años con una mano, ¿ves?

Ayla miró con concentración las muescas, extendiendo los dedos de su mano. De repente, su rostro se iluminó.

–¡Tengo todos estos años! –dijo, mostrándole su mano con todos los dedos extendidos–. Pero ¿cuánto falta para que pueda tener un bebé? –preguntó, mucho más interesada en la reproducción que en los cálculos.

Creb se quedó de una pieza: ¿cómo había podido captar tan rápidamente la idea aquella niña? Ni siquiera había preguntado lo que tenían que ver las muescas con los dedos ni con los años. Para que Goov comprendiera, había hecho falta repetirlo muchas veces. Creb hizo tres muescas más y puso tres dedos encima de ellas. Como sólo tenía una mano, le había resultado especialmente difícil mientras estuvo aprendiendo. Ayla miró su otra mano e inmediatamente alzó tres dedos, encogiendo el índice y el pulgar.

—¿Cuando tenga todos éstos? —preguntó, mostrando sus ocho dedos otra vez. Creb asintió con la cabeza. Lo que hizo después la niña le cogió completamente por sorpresa: era un concepto que a él le había costado años dominar. Ella bajó la primera mano y sostuvo levantados solamente los tres dedos.

—Seré bastante grande para tener un bebé dentro de estos años. —Hizo los ademanes con soltura, absolutamente segura de su deducción. El viejo mago se sintió abrumado: no podía creerse que una criatura, y además hembra, pudiera razonar tan fácilmente hasta llegar a esa conclusión. Estaba casi demasiado abrumado para recordar que debía dar una respuesta.

—Es probablemente el tiempo mínimo; pudiera no ser más, o posiblemente éstos más —dijo, haciendo dos muescas más en el palo—. O tal vez más aún. No hay modo de estar seguro.

Ayla arrugó levemente el entrecejo, alzó su dedo índice y después el pulgar.

—Y ¿cómo puedo saber si son más años? —preguntó.

Creb se quedó mirándola con suspicacia. Estaban llegando a un terreno en el que él mismo encontraba dificultades. Empezaba a lamentar haber comenzado. A Brun no le gustaría si supiera que esta niña era capaz de una magia tan fuerte, magia reservada únicamente a los mog-ures. Pero había picado su curiosidad. ¿Sería capaz de abarcar unos conocimientos tan avanzados?

—Coge tus dos manos y cubre todas las marcas —indicó. Después que ella hubo ajustado cuidadosamente sus dedos en todas las muescas, Creb hizo más y puso su dedo meñique encima—. La siguiente marca está cubierta por el meñique de mi mano. Después de la primera serie, debes pensar en el primer dedo de la mano de otra persona. ¿Comprendes? —preguntó, observándola fijamente.

La niña apenas parpadeó. Miró sus manos, luego la mano de Creb, e hizo después una mueca que Creb ya había identificado como la señal de que estaba contenta. Asintió vigorosamente con la cabeza para indicar que comprendía. Entonces hizo una deducción inmensa, una deducción que llegaba casi más allá de la capacidad de entendimiento de Creb.

—Y después de eso, las manos de otra persona, y las de otra, ¿no es así? —preguntó.

El impacto fue demasiado fuerte. La mente de Creb experimentó un vértigo. Con dificultad podía contar hasta veinte. Los números más allá de 20 se perdían en cierta infinitud indistinta llamada muchos. En pocas oportunidades, después de una profunda meditación, apenas había podido captar una visión vaga del concepto que Ayla entendía con tanta facilidad. Su asentimiento llegó con cierto retraso. Acababa de comprender la distancia entre la mente de esa niña y la suya propia, y la idea le conmocionó. Se esforzó por recobrar la compostura.

–Dime, ¿cómo se llama esto? –preguntó para cambiar de tema, sosteniendo el palito que había estado empleando para las muescas. Ayla se quedó mirándolo, tratando de recordar.

–Sauce –contestó–. Creo.

–Muy bien –añadió Creb. Puso la mano sobre su hombro y la miró a los ojos–. Ayla, es mejor que evites hablar de todo esto con nadie –dijo, tocando las muescas de la ramita.

–Sí, Creb –contestó, dándose cuenta de lo importante que era para él. Había aprendido a comprender sus acciones y sus expresiones mejor que las de nadie, excepto las de Iza.

–Ya es hora de emprender el camino de regreso –dijo. Deseaba estar solo para pensar.

–¿Tenemos que volver ya? –rogó–. Todavía se está bien aquí.

–Sí, tenemos que volver –dijo Creb, poniéndose en pie con ayuda de su cayado–. Y no se debe insistir con un hombre una vez que ha tomado una decisión –regañó dulcemente.

–Sí, Creb –contestó, inclinando la cabeza para asentir, como le habían enseñado. Caminó silenciosamente a su lado mientras regresaban a la cueva, pero pronto su fogosidad juvenil pudo más y echó a correr por delante de nuevo. Volvía hacia atrás llevando ramitas y piedras, diciéndole a Creb sus nombres o preguntándoselos, si se le habían olvidado. Él contestaba pensando en otra cosa, pues le costaba mucho prestar atención debido al tumulto que se había armado en su cabeza.

La primera luz del alba disipó la oscuridad que envolvía la cueva, y el frescor picante del aire olía a nieve próxima. Iza estaba tendida en su cama observando los contornos familiares de la cueva que iba cobrando forma y nitidez con la luz que aumentaba progresivamente. Era el día en que su hija recibiría un nombre y sería aceptada como miembro integral del clan, el día en que sería reconocida como un ser viviente y viable. Anhelaba ver reducido su confinamiento obligatorio, aun cuando su asociación con los demás miembros del clan seguiría limitándose a las mujeres mientras no dejara de sangrar.

Al iniciarse la menarquía, las niñas estaban obligadas a pasar la duración de su primer período apartadas del clan. Si se producía en invierno, la joven permanecía sola en un área delimitada en la parte posterior de la cueva, pero se exigía que pasara sola un período más en primavera. Vivir sola era a la vez peligroso y temible para una joven desarmada, acostumbrada a la protección de la compañía de todo el clan. Era una prueba que marcaba el paso de las niñas al estado de mujeres adultas, similar a la prueba del hombre al cazar por vez primera, pero ninguna ceremonia señalaba su retorno al redil. Y aun cuando la joven mujer dispusiera de fuego para protegerse contra los animales carnívoros, no era insólito que una mujer nunca regresara..., y sus restos solían ser hallados después por algún grupo de cazadores o recolectoras. La madre de la joven pedía permiso para visitarla una vez al día y llevarle alimentos y tranquilizarla; pero si la joven desaparecía o aparecía muerta, se prohibía a su madre mencionarlo hasta que hubiera transcurrido cierto número de días.

Las batallas que libraban los espíritus dentro del cuerpo de las mujeres en la contienda elemental para producir vida constituían profundos misterios para los hombres. Mientras sangraba una mujer, la esencia de su tótem era potente: estaba triunfando de algún principio esencial masculino, derrotándolo, echando fuera su esencia fecundante. Si una mujer miraba a un hombre en esos momentos, el espíritu de él podría ser atraído hacia la batalla perdida. Tal era la razón de que los tótems de las mujeres debieran ser menos potentes que los de los varones, porque incluso un tótem débil cobraba fuerzas de la energía vital que residía en las hembras; las mujeres aprovechaban la energía vital, ellas eran quienes producían nueva vida.

En el mundo físico el hombre era más grande, más fuerte y mucho más potente que una mujer, pero en el pavoroso mundo de las fuerzas invisibles, la mujer estaba dotada de mayor poder potencial. Los hombres creían que la forma física de las mujeres, más pequeña y débil, que les permitía dominarlas, era un equilibrio compensador, y que no se debía permitir a ninguna mujer percatarse de su propio potencial, porque entonces el equilibrio se trastornaría. Era apartada de una plena participación en la vida espiritual del clan para que siguiera ignorando la potencia que la energía vital le otorgaba.

Los hombres jóvenes eran advertidos desde su primera ceremonia de virilidad de las funestas consecuencias que podría tener el que una mujer vislumbrara siquiera los ritos esotéricos de los hombres, y se contaban leyendas de un tiempo en que las mujeres eran quienes controlaban la magia para interceder ante el mundo de los espíritus. Los hombres les habían quitado la magia, pero no su potencial. Muchos jóvenes miraban a las mujeres de una manera distinta tan pronto como se enteraban de tales posibilidades; asumían sus responsabilidades masculinas con gran seriedad. Una mujer debía ser protegida, mantenida y dominada por completo, pues, de lo contrario, el delicado equilibrio entre fuerzas físicas y espirituales se quebrantaría, y la existencia continuada del clan quedaría destruida.

Debido a que sus fuerzas espirituales eran mucho más potentes durante las reglas, la mujer quedaba aislada. Tenía que permanecer con las mujeres, no se le permitía tocar alimentos que pudieran ser consumidos por un hombre y pasaba el tiempo realizando tareas insignificantes, tales como recoger leña o curtir pieles que sólo las mujeres podían ponerse. Los hombres no reconocían su existencia, la ignoraban por completo, ni siquiera la reprendían. Si, por casualidad, la mirada de un hombre se fijaba en ella, era como si fuera invisible: miraba a través de ella.

Parecía un castigo cruel. La maldición de la mujer parecía una maldición mortal, el castigo supremo que era infligido a los miembros del clan que hubieran cometido un delito grave. Sólo el jefe podía ordenar a un mog-ur que invocara a los espíritus malignos y pronunciara una maldición mortal. El mog-ur no podía negarse, aun cuando fuera peligroso para el mago y para el clan. Una vez maldito, el delincuente no volvía a ser visto por ningún miembro del clan, y ninguno de ellos le volvía a hablar. Era ignorado, condenado al ostracismo; había dejado de existir, exactamente como si hubiera muerto. Su compañera y sus parientes lloraban su muerte, no se compartían alimentos con él. Algunos abandonaban el clan y no volvía a vérseles más. La mayoría dejaba simplemente de comer, de beber y cumplían la maldición, en la que también ellos creían.

De vez en cuando se podía imponer una maldición mortal durante un período limitado de tiempo, pero incluso eso resultaba fatal con frecuencia, puesto que un delincuente renunciaba a vivir mientras durara la maldición. Pero si sobrevivía a una maldición temporal de muerte, era admitido de nuevo en el clan como miembro con todos sus derechos y hasta con su posición anterior.

Había pagado su deuda a la sociedad y su delito había sido olvidado. Pero los delitos no eran frecuentes y semejante castigo se imponía raras veces. Aunque la maldición femenina condenaba al ostracismo parcial y temporalmente, la mayoría de las mujeres agradecían el respiro periódico que significaba sustraerse a las exigencias constantes y a las miradas observadoras de los hombres.

Iza esperaba con ansia la posibilidad de tener mayor contacto después de la ceremonia de imposición de nombre. Se aburría dentro de los límites de las piedras del hogar de Creb y anhelaba salir al brillante sol que penetraba por la abertura de la cueva durante los últimos días antes de las nieves invernales. Esperaba ansiosamente la señal de Creb anunciando que estaba dispuesto y el clan reunido. Los nombres se imponían frecuentemente antes del desayuno, poco después de salir el sol, cuando los tótems se encontraban cerca aún después de haber protegido al clan durante la noche. Cuando le hizo la señal, se apresuró a reunirse con ellos y se quedó frente a Mog-ur, mirando hacia el suelo mientras descubría a su hijita. Sostuvo a la pequeña mientras el mago miraba por encima de la cabeza haciendo los gestos que invitaban a los espíritus a asistir a la ceremonia. Entonces, con un conjuro de manos, comenzó.

Mojando el dedo en el tazón que sostenía Goov, trazó con la pasta de ocre rojo una línea desde el punto en que se unían las cejas de la criatura hasta la punta de su nariz.

–Uba, el nombre de la niña es Uba –anunció Mog-ur. La cría desnuda, azotada por el viento frío que traspasaba la soleada fachada de la cueva, emitió un grito saludable que fue apagado por el murmullo aprobatorio del clan.

–Uba –repitió Iza, abrazando a su tiritante hijita. «Es un nombre perfecto», pensó, lamentando no haber conocido a la Uba cuyo nombre llevaba su niña. Los miembros del clan desfilaron frente a ella, repitiendo cada uno el nombre para familiarizarse, ellos y sus tótems, con aquel miembro recién incorporado. Iza mantenía cuidadosamente baja la cabeza, para no mirar inadvertidamente a ninguno de los hombres que avanzaban para reconocer a su hijita. Después envolvió a la niña en pieles calientes de conejo y la metió dentro de su manto, contra su piel. Los gritos de la pequeña se interrumpieron de repente en cuanto empezó a mamar. Iza regresó a su lugar entre las mujeres para dar paso al ritual de apareamiento.

Para esta ceremonia, y sólo ésta, se empleaba ocre amarillo en la sagrada unción. Goov tendió el tazón del ungüento amarillo a

Mog-ur, quien lo sostuvo con firmeza entre el muñón de su brazo y su cintura. Goov no podía servir de acólito en su propio apareamiento. Tomó posición frente al hombre santo y esperó que Grod presentara a la hija de su compañera. Uka miraba con emociones encontradas: orgullo de que su hija hubiera conseguido un buen compañero, y pena porque abandonaba su hogar. Ovra, con un manto nuevo, miraba sus pies mientras caminaba detrás de Grod, pero una radiante expresión iluminaba su rostro modestamente bajo. Era obvio que la elección que habían hecho para ella no le disgustaba. Se sentó con las piernas cruzadas delante de Goov, manteniendo los ojos bajos.

Con gestos ceremoniosos, silenciosos, Mog-ur volvió a dirigirse a los espíritus; entonces mojó su dedo corazón en el recipiente de pasta amarilla algo parda y trazó la señal del tótem de Ovra sobre la cicatriz de la marca del tótem de Goov, simbolizando la unión de los espíritus de ambos. Metiendo nuevamente el dedo en el ungüento, pintó la marca de Goov sobre la de ella siguiendo el trazo de la cicatriz y borrando la marca de ella para significar su dominio sobre la mujer.

–Espíritu del Uro, tótem de Goov, tu signo ha dominado al Espíritu del Castor, tótem de Ovra –expresó Mog-ur con gestos–. Que Ursus permita que así sea siempre. Goov: ¿aceptas a esta mujer?

Goov respondió dando un golpecito sobre el hombro de Ovra y haciéndole señas de que le siguiera dentro de la cueva, al lugar recientemente delimitado con piedras que ahora sería el hogar de Goov. Ovra dio un salto y siguió a su nuevo compañero. No había opinado sobre el asunto, ni le habían preguntado si lo aceptaba. La pareja permanecería aislada, confinada al hogar por espacio de catorce días, durante los cuales dormirían separados. Al final del aislamiento se celebraría en la pequeña cueva una ceremonia sólo para hombres, para consolidar la unión.

En el clan, el apareamiento de dos personas era exclusivamente un asunto espiritual, iniciado con una declaración ante el clan entero pero consumado por el rito secreto que sólo atañía a los hombres. En aquella sociedad primitiva, el sexo era una cosa tan natural y libre como dormir o comer. Los niños aprendían, al igual que otras habilidades y costumbres, observando a los adultos, y jugaban a acoplarse de la misma manera que imitaban otras actividades desde edad temprana. A menudo el joven que había llegado a la pubertad sin haber matado a su primer animal y que moraba en una especie de limbo entre niños y adultos, penetraba en una niña aun antes de que ésta hubiera tenido su primera menstruación. Los hímenes eran rotos desde muy jóvenes, a pesar de que los varones se asustaban un poco cuando manaba sangre y se apresuraban a ignorar a la muchacha cuando eso sucedía.

Cualquier hombre podía tomar a cualquier mujer cuando le apetecía para aliviarse, con excepción, por una tradición muy lejana, de sus hermanas. Por lo general, una vez que se había apareado una pareja, ambos se mantenían más o menos fieles por respeto hacia la propiedad del prójimo, pero se consideraba peor que un hombre se dominara que el que tomara la mujer que tenía más cerca. Y la mujer no tenía empacho en hacer gestos tímidos y sutiles que se interpretaban como una incitación cuando un hombre la atraía invitándole a tomar la iniciativa. Para el clan, una nueva vida se formaba mediante las esencias ubicuas de los tótems, y cualquier relación entre la actividad sexual y el nacimiento estaba fuera de su entendimiento.

Otra ceremonia se celebró para unir a Droog con Aga. Si bien la pareja estaría aislada del clan, salvo para los demás miembros de su hogar, los que ahora compartían el hogar de Droog estaban en libertad de ir y venir como quisieran. Una vez que la segunda pareja entró en la cueva, las mujeres se agruparon alrededor de Iza y de su hijita.

—Iza, es perfecta —expresó Ebra entusiasmada—. Tengo que admitir que me había preocupado un poco al enterarme de que habías quedado embarazada al cabo de tanto tiempo.

—Los espíritus me cuidaban —señaló Iza—. Un fuerte tótem ayuda a que una criatura sea saludable, una vez que ha sucumbido.

—Temía que el tótem de la niña pudiera tener malos efectos. Parece tan diferente y su tótem es tan poderoso, que podría haber deformado al bebé —comentó Aba.

—Ayla tiene suerte y me ha traído suerte —repuso rápidamente Iza, mirando a Ayla para ver si se había enterado. La niña estaba mirando a Oga, que sostenía al bebé, y estaba cerca de Uba, sonriendo como si Uba fuera suya. No se había enterado del comentario de Aba, pero a Iza no le gustaba que esas opiniones fueran abiertamente expresadas—. ¿Acaso no nos ha traído suerte a todos?

—Pero no tuviste suerte suficiente como para que fuera niño —replicó Aba, insistiendo.

—Yo quería una niña —dijo Iza.

–¡Iza! ¡Cómo puedes decir semejante cosa! –Las mujeres estaban escandalizadas. Pocas veces admitían preferir una niña.

–No la censuro –dijo Uka, saliendo en defensa de Iza–. Tienes un hijo, lo cuidas, lo amamantas, lo crías y entonces, tan pronto como es adulto, se va. Si no lo matan cazando lo matan de otra manera. La mitad de los varones se mueren cuando todavía son jóvenes. Por lo menos Ovra puede vivir unos cuantos años más.

Todas sentían pena por la madre que había perdido a su hijo en el derrumbamiento. Todas sabían cuánto había sufrido. Ebra cambió de tema con tacto.

–Estoy pensando en cómo serán los inviernos en la nueva caverna.

–La caza ha sido buena y hemos cosechado tanto y almacenado tanto que hay muchísimos alimentos en la reserva. Los cazadores saldrán hoy, sin duda por última vez. Espero que haya suficiente espacio en la reserva para que podamos congelar todo lo que traigan –dijo Ika–. Y parece que se están impacientando. Será mejor que les preparemos algo de comer.

Las mujeres dejaron de mala gana a Iza y su hijita y se aprestaron a hacer los desayunos. Ayla se sentó junto a Iza y la mujer rodeó a la niña con su brazo, sosteniendo a la pequeña con el otro. Iza se sentía a gusto: contenta de encontrarse fuera en aquel día de principios de invierno, frío, soleado y vigorizante; contenta de la caverna y contenta de que Creb hubiera tomado la decisión de mantenerla; y contenta con la niña rubia, delgada y extraña que estaba junto a ella. Miró a Uba y después a Ayla: «Mis hijas, pensó la mujer, ambas son mis hijas. Todos saben que Uba será curandera, pero también Ayla lo será; me aseguraré de ello. Quién sabe, tal vez algún día llegue a ser una gran curandera.»

9

El Espíritu de la Nieve Seca Ligera tomó por compañero al Espíritu de la Nieve Granular y al cabo de algún tiempo dio nacimiento a una Montaña de Hielo allá lejos, al norte. El Espíritu del Sol odiaba al niño brillante que se extendía por encima de la tierra al crecer, aportando su calor para que no creciera la hierba. El Sol decidió destruir la Montaña de Hielo, pero el Espíritu de la Nube de las Tormentas, hermana de la Nieve Granular, descubrió que el Sol quería matar a su hijo. En verano, cuando el Sol era más poderoso, el Espíritu de la Nube de las Tormentas combatió contra él para salvar la vida de la Montaña de Hielo.

Ayla estaba sentada con Uba en su regazo observando a Dorv mientras contaba la leyenda conocida. Estaba cautivada, aunque se sabía el cuento de memoria. Era su predilecto, nunca se cansaba de oírlo. Pero la inquieta criatura de año y medio que tenía en sus brazos estaba mucho más interesada en los largos cabellos rubios de Ayla, y los agarraba por mechones con sus manos regordetas. Ayla desprendió sus cabellos de los puños apretados de Uba sin apartar la mirada del viejo que estaba en pie junto al fuego, repitiendo el cuento con una teatral pantomima mientras el clan le contemplaba, arrobado.

Algunos días, el Sol ganaba la batalla y derrotaba al hielo duro y frío convirtiéndolo en agua y drenando la vida del Monte de Hielo. Pero muchos días ganaba la Nube de las Tormentas, cubriendo el rostro del Sol, impidiendo que su calor derritiera demasiado al Monte de Hielo. Aun cuando el Monte de Hielo pasaba hambre y se encogía durante el verano, en invierno su madre recibía el alimento que le traía su compañero y cuidaba a su hijo para que estuviera sano. Todos los

156

veranos el Sol luchaba por destruir el Monte de Hielo, pero la Nube de las Tormentas impedía que el Sol derritiera todo lo que la madre había dado a su hijo el invierno anterior. A principios de cada invierno, el Monte de Hielo estaba un poco más grande que el invierno anterior; crecía, se extendía y cubría más tierra de año en año.

Y mientras crecía, un gran frío avanzaba delante de él. Los vientos aullaban, la nieve se arremolinaba y el Monte de Hielo se extendía, acercándose cada vez más al lugar donde vivía la gente. El clan tiritaba, apretujándose contra el fuego mientras la nieve caía sobre él.

El viento que silbaba a través de las ramas deshojadas de los árboles fuera de la cueva incorporaba efectos de sonido al cuento, provocando un estremecimiento compasivo de excitación a lo largo de la columna vertebral de Ayla.

El clan no sabía qué hacer: «¿Por qué no nos protegen ya los espíritus de nuestros tótems? ¿Qué hemos hecho para que estén enfadados con nosotros?». El mog-ur decidió marchar solo para encontrar a los espíritus y hablar con ellos. Estuvo ausente mucho tiempo. Muchas personas se sintieron presas de agitación esperando que regresara el mog-ur, sobre todo los jóvenes.

Pero Durc estaba más impaciente que ninguno.

–El mog-ur nunca volverá –decía–. Nuestros tótems no gustan del frío, se han marchado. Nosotros también deberíamos irnos.

–No podemos abandonar el hogar –decía el jefe–. Es donde el clan ha vivido siempre. Es el hogar de los espíritus de nuestros tótems. No se han ido. Se sienten infelices con nosotros, pero se sentirían más infelices si no tuvieran un lugar, lejos del hogar que conocen. No podemos marcharnos y llevárnoslos. ¿Adónde iríamos?

–Nuestros tótems se han ido ya –alegaba Durc–. Si hallamos un hogar mejor, pueden regresar. Podemos ir al sur, siguiendo a las aves que huyen del frío en otoño, y al este, hacia la tierra del Sol. Podemos ir allí donde el Monte de Hielo no pueda darnos alcance. El Monte de Hielo avanza lentamente; podemos correr como el viento. Nunca nos alcanzará. Si seguimos aquí, nos helaremos.

–No. Debemos esperar a Mog-ur. Volverá y nos dirá lo que tengamos que hacer –recomendaba el jefe. Pero Durc no quería escuchar sus razonables consejos. Insistió y rogó a la gente y unos cuantos se dejaron convencer: decidieron irse con Durc.

–Quedaos –suplicaban los demás–. Quedaos hasta que regrese Mog-ur.

Durc no quiso hacerles caso.

—El mog-ur no encontrará a los espíritus. Nunca regresará. Nosotros nos marchamos ahora. Venid con nosotros para encontrar un lugar donde no pueda vivir el Monte de Hielo.

—No —le contestaron—, esperemos.

Las madres y sus compañeros se preocuparon por los hombres y mujeres jóvenes que se iban, seguros de que estaban condenados. Esperaron al mog-ur, pero, al cabo de muchos días, al ver que el mog-ur no había vuelto aún, empezaron a dudar. Empezaron a preguntarse si no deberían haberse marchado con Durc.

Entonces, un buen día, el clan vio que un extraño animal se aproximaba sin sentir temor ante el fuego. La gente estaba asustada y miraba, pasmada. Nunca anteriormente habían visto semejante animal. Pero al acercarse éste, vieron que no era un animal, ¡era el mog-ur! Estaba cubierto con la piel de un oso cavernario. Finalmente había vuelto. Relató al clan lo que había aprendido de Ursus, el Espíritu del Gran Oso Cavernario.

Ursus enseñó a la gente a vivir en cavernas, a llevar pieles de animales, a cazar y cosechar en verano y guardar alimentos para el invierno. La gente del clan siempre recordó lo que Ursus les había enseñado, y por mucho que lo intentara Monte de Hielo, no pudo sacar a la gente de su hogar. Por mucho frío y hielo que enviara por delante Monte de Hielo, la gente no se movía, no se apartaba de su camino.

Finalmente Monte de Hielo renunció; se enfadó y dejó de combatir con el Sol. Nube de las Tormentas se puso furiosa porque Monte de Hielo no combatía, y se negó a seguir ayudándole. Monte de Hielo abandonó la tierra y regresó a su región del norte, y el gran frío se fue con él. El Sol estaba radiante con su victoria y le empujó por todo el camino hasta su hogar septentrional. No había lugar donde pudiera ocultarse del gran calor, y quedó derrotado. Durante muchos, muchos años, no hubo invierno, sólo largos días de verano.

Pero Nieve Granular se preocupaba por su hijo perdido y la pena la debilitó. La Nieve Seca y Ligera quería que tuviera otro hijo y pidió ayuda al Espíritu de la Nube de las Tormentas. Nube de las Tormentas se apiadó de su hermana y ayudó a Nieve Seca y Ligera a llevarle alimento para que se fortaleciera. Cubrió nuevamente el rostro del Sol mientras Nieve Seca y Ligera andaba por allí cerca, rociando su espíritu para que lo tragara Nieve Granular. Dio nacimiento de nuevo a otro Monte de Hielo, pero la gente recordaba lo que Ursus les había enseñado. Monte de Hielo no volverá a sacar de su hogar al clan.

Y ¿qué pasó con Durc y los que se fueron con él? Algunos dicen que fueron devorados por lobos y leones, y otros, que se ahogaron en las grandes aguas. Otros han dicho que, al llegar a la Tierra del Sol, éste se enfureció porque Durc y su gente quería su tierra. Lanzó una bola de fuego desde el cielo para devorarlos. Desaparecieron y nadie volvió a verlos nunca más.

–Ya ves, Vorn –oyó Ayla que Aga le decía a su hijo, como hacía siempre que se relataba la leyenda de Durc–, siempre debes atender a lo que dicen tu madre y Droog y Brun y Mog-ur. Nunca debes desobedecer ni dejar el clan, porque entonces también tú podrías desaparecer.

–Creb –dijo Ayla al hombre sentado a su lado–, ¿crees que Durc y su gente pueden haber hallado un nuevo lugar donde vivir? Desapareció, pero nadie le vio morir, ¿no es cierto? Podría haber sobrevivido, ¿verdad que sí?

–Nadie le vio desaparecer, Ayla, pero cazar es difícil cuando sólo hay dos o tres hombres. Tal vez durante el verano pudieran matar suficientes animales pequeños, pero las grandes bestias que necesitarían para almacenar carne que los alimentara durante todo el invierno serían mucho más difíciles y peligrosas. Y habrían tenido que pasar muchos inviernos antes de llegar a la Tierra del Sol. Los tótems quieren tener un lugar donde vivir. Probablemente abandonarían a la gente que vagara sin hogar. Tú no querrías que tu tótem te abandonara, ¿verdad?

Inconscientemente, Ayla tocó su amuleto.

–Pero mi tótem no me abandonó, ni siquiera cuando estuve sola y sin hogar.

–Eso fue porque te estaba poniendo a prueba. Te encontró un hogar, ¿no es así? El León Cavernario es un tótem fuerte, Ayla. Te escogió, puede decidir protegerte siempre porque te escogió, pero todos los tótems son más dichosos cuando tienen un hogar. Si le prestas atención, te ayudará. Él te dirá lo que es mejor.

–Y ¿cómo voy a saberlo, Creb? –preguntó Ayla–. Nunca he visto el espíritu de un León Cavernario. ¿Cómo sabes cuándo un tótem te está diciendo algo?

–No puedes ver el espíritu de tu tótem porque es parte de ti, está dentro de ti. Sin embargo, él te lo dirá. Sólo que debes aprender a comprenderlo. Si tienes que tomar una decisión, él te ayudará. Te dará una señal si haces lo correcto.

–¿Qué clase de señal?

159

–Es difícil decirlo. Por lo general será algo especial o insólito. Puede ser una piedra que nunca habías visto antes o una raíz con una forma especial que signifique algo para ti. Debes aprender a comprender con tu mente y tu corazón, no con los ojos y los oídos: entonces lo sabrás. Sólo tú puedes comprender a tu tótem, nadie puede explicarte cómo. Pero cuando llegue el momento y encuentres una señal que te haya dejado tu tótem, métela en tu amuleto. Te traerá suerte.

–¿Tú también tienes señales de tu tótem dentro de tu amuleto, Creb? –preguntó la niña por gestos, mirando la abultada bolsa de cuero que colgaba del cuello del mago. Dejó a la pequeña en el suelo para que se fuera con Iza.

–Sí –asintió el mago–. Una es un diente de oso cavernario que se me entregó cuando fui escogido como ayudante. No estaba incrustado en un maxilar: estaba entre unas piedras, a mis pies. No lo había visto al sentarme. Es un diente perfecto, sin caries ni desgaste. Era una señal de Ursus de que había tomado la decisión correcta.

–¿También mi tótem me dará señales?

–Nadie puede saberlo. Quizá, cuando tengas que tomar decisiones importantes. Lo sabrás cuando llegue el momento, siempre que tengas puesto tu amuleto de manera que tu tótem pueda encontrarte. Cuida mucho de no perder nunca tu amuleto, Ayla. Te fue entregado cuando se reveló tu tótem. En él está la parte de tu espíritu que él reconoce. Sin él, el espíritu de tu tótem no encontrará su camino de regreso cuando viaje. Se perderá y buscará su hogar en el mundo de los espíritus. Si pierdes tu amuleto y no lo encuentras pronto, morirás.

Ayla se estremeció, tocó la bolsita que colgaba de una fuerte tira de cuero alrededor de su cuello, y se preguntó cuándo le daría una señal su tótem.

–¿Crees que el tótem de Durc le dio una señal cuando éste decidió marcharse en busca de la Tierra del Sol?

–Nadie lo sabe, Ayla. No forma parte de la leyenda.

–Yo creo que Durc fue muy valiente al tratar de buscar un nuevo hogar.

–Puede haber sido muy valiente, pero muy imprudente –contestó Creb–. Abandonó el clan y el hogar de sus antepasados y asumió un riesgo muy grande. ¿Para qué? Para encontrar algo diferente. No se conformó con quedarse. Algunos jóvenes piensan que Durc fue valiente, pero cuando envejecen y se vuelven más juiciosos, aprenden.

–Yo creo que me gusta porque era diferente –dijo Ayla–. Es mi leyenda predilecta.

Ayla vio que las mujeres se disponían a preparar la cena y se puso en pie para reunirse con ellas. Creb meneó la cabeza viendo alejarse a la muchacha. Cada vez que pensaba que Ayla estaba realmente aprendiendo a aceptar y comprender las cosas del clan, ella decía o hacía algo que a él le planteaba dudas. No es que hiciera nada malo o incorrecto, simplemente no eran cosas que se hicieran en el clan. Se suponía que la leyenda enseñaba que es una falacia tratar de cambiar las tradiciones, pero Ayla admiraba la temeridad del joven de la historia, que quería algo nuevo. «¿Superará algún día sus ideas no-del-clan?, se preguntó. Sin embargo, ha aprendido deprisa», admitía Creb.

Se esperaba que las jóvenes del clan estuvieran bien preparadas en las habilidades de las mujeres adultas para cuando cumplían siete u ocho años. Muchas llegaban entonces a la pubertad y eran apareadas poco después. En los casi dos años después de que la encontraran –sola, casi muerta de hambre, incapaz de encontrar alimentos por sí sola–, no sólo había aprendido a encontrar alimentos, sino además a cocinarlos y conservarlos. Era capaz también de muchas otras habilidades importantes, y aun cuando no tan experta como las de más edad y mayor experiencia, por lo menos era tan apta como las más jóvenes.

Podía despellejar y curtir una piel y hacer mantos, capas y bolsas para usarlas de diversas maneras. Podía cortar correas de ancho regular partiendo de una espiral en una sola piel. Sus cuerdas, hechas de largos pelos de animal, tripas o cortezas y raíces fibrosas, eran fuertes y pesadas o delgadas y finas, según el uso a que estuvieran destinadas. Sus canastas, esteras y redes, tejidas con hierbas duras, raíces y cortezas, eran excepcionales. Podía hacer un hacha basta con mango partiendo de un nódulo de sílex o sacar una esquirla de una pieza afilada para usarla como cuchillo o raspador, tan bien que el propio Droog quedó impresionado. Podía ahondar tazones en secciones de troncos y suavizarlos dándoles un fino acabado. Podía encender fuego haciendo girar un palo afilado entre las palmas de sus manos contra otro trozo de madera hasta que se formaba un carbón caliente que humeaba y prendía yesca seca; era más fácil cuando dos personas alternaban en la difícil y tediosa tarea de mantener en constante movimiento el palo afilado con una presión firme y constante. Pero lo más asombroso era que estuviera aprendiendo los conocimientos médicos de Iza con algo que parecía ser un instinto natural. «Tenía razón Iza, pensó Creb, está aprendiendo incluso sin los recuerdos.»

Ayla estaba rebañando ñame para echarlo en una olla de piel que hervía sobre un fuego de cocinar. Después de cortar y tirar los trozos que se habían echado a perder, no quedaba mucho. El fondo de la cueva, donde se almacenaban, estaba fresco y seco, pero la verdura empezaba a ablandarse y pudrirse cuando el invierno estaba ya tan avanzado. La niña había empezado a soñar con la estación venidera pocos días antes, al observar un chorrito de agua saliendo del río congelado, una de las primeras señales de que pronto se deshelaría. No aguantaba su impaciencia por ver llegar la primavera con su primer verdor, sus nuevos capullos y la dulce savia de los arces que goteaba y manaba de unas muescas practicadas en la corteza y que se recogía y se ponía a hervir en grandes ollas de cuero hasta convertirse en un jarabe denso y viscoso o cristalizarse en forma de azúcar antes de ser almacenado en recipientes de corteza de abedul. También el abedul tenía savia dulce, pero no tan dulce como la del arce.

No era la única que estaba inquieta y aburrida del largo invierno en el interior de la cueva. Aquel mismo día, temprano, el viento había cambiado, llegando del sur unas cuantas horas y trayendo un aire más cálido del mar. El agua derretida resbalaba por los largos carámbanos que colgaban del vértice de la abertura triangular de la cueva. Volvían a congelarse en cuanto bajaba la temperatura, alargando y espesando las varas brillantes y transparentes que habían estado creciendo durante todo el invierno, cuando el viento cambiaba y traía las ráfagas heladas nuevamente del este. Pero el hálito del aire caliente hacía pensar a todos que el invierno llegaba a su fin.

Las mujeres estaban charlando y trabajando, moviendo las manos con rapidez en gestos vivos, que era su modo de conversar, mientras preparaban los alimentos. Hacia finales del invierno, cuando las reservas de alimento escaseaban, combinaban sus recursos y cocinaban en común, si bien seguían comiendo por separado salvo en ocasiones especiales. Siempre había más banquetes en invierno –porque eso contribuía a romper la monotonía de su confinamiento–, aunque, a medida que avanzaba la estación, sus banquetes solían ser cada vez más frugales. Pero contaban con suficiente comida. Carne fresca de caza menor o algún viejo venado que los cazadores habían conseguido traer entre ventiscas eran bienvenidos aunque no esenciales. Seguían disponiendo de una reserva suficiente de alimentos deshidratados. Las mujeres estaban todavía bajo la impresión de las leyendas que se habían contado y Aba relataba la historia de una mujer.

... Pero el niño era deforme. Su madre se lo llevó fuera como el jefe se lo ordenó, pero no podía soportar la idea de dejarlo morir. Trepó a lo alto de un árbol con él y lo sujetó a la rama más alta, hasta donde ni siquiera los gatos podían trepar. El niño lloró cuando ella se fue y de noche tuvo tanta hambre que aullaba como un lobo. Nadie pudo dormir. Lloró de día y de noche; el jefe estaba furioso contra la madre, pero mientras el niño gritaba y aullaba, la madre sabía que seguía con vida.

El día de ponerle nombre, la madre trepó de nuevo al árbol muy de madrugada. Su hijo no sólo estaba vivo, sino que había perdido su deformidad. Era normal y saludable. El jefe no había querido a su hijo en el clan, pero puesto que seguía con vida, tuvo que darle un nombre y aceptarlo. El muchacho se convirtió en jefe una vez que creció, y siempre estuvo agradecido a su madre por haberlo puesto donde nada pudiera dañarlo. Incluso después de aparearse, siempre le llevaba su parte de todas las cacerías. Nunca la golpeó ni la regañó, siempre la trató con honor y respeto –concluyó Aba.

–¿Qué bebé podría vivir siete días sin alimento? –preguntó Oga mirando a Brac, su saludable hijo, que acababa de quedarse dormido–. ¿Y cómo pudo su hijo convertirse en jefe si su madre no estaba apareada con un jefe ni con un hombre que algún día pudiera convertirse en jefe?

Oga estaba orgullosa de su hijito, y Broud más orgulloso aún de que su compañera hubiera dado a luz un hijo tan pronto después de su apareamiento. Hasta el propio Brun relajaba un poco su gran dignidad junto al bebé y su mirada se suavizaba cuando sostenía a la criatura que habría de asegurar la continuidad en la dirección del clan.

–¿Quién sería el siguiente jefe si no tuvieras a Brac, Oga? –preguntó Ovra–. ¿Si no tuvieras hijos, sólo hijas? Quizá la madre estuviera apareada con el segundo-al-mando y algo le sucediera al jefe. –Envidiaba un poco a la mujer más joven. Ovra no tenía hijos, aun cuando se había hecho mujer y había sido apareada con Goov antes que Oga con Broud.

–Bueno, de todos modos, ¿cómo podía volverse de repente normal y saludable el niño que nació deforme? –replicó Oga.

–Sospecho que ese cuento ha sido inventado por una mujer que tenía un hijo deforme y deseaba que fuera normal –dijo Iza.

–Pero es una leyenda antigua, Iza. Ha sido transmitida desde hace generaciones. Quizá antaño sucedieran cosas que ya no son posibles. ¿Cómo podemos estar seguras? –concluyó Aba, defendiendo su cuento.

–Algunas cosas pueden haber sido diferentes hace mucho tiempo, Aba, pero creo que Oga tiene razón. Un niño que nace deforme no se va a volver normal de repente, y es poco probable que pueda vivir hasta el día en que le den nombre sin que se le haya amamantado. Pero es un viejo cuento. Quién sabe, puede encerrar algo de verdad –reconoció Iza.

Una vez preparada la comida, Iza la llevó al hogar de Creb mientras Ayla cogía en brazos a la robusta pequeña y la seguía. Iza estaba más delgada, no era ya tan fuerte como antes, y era Ayla quien llevaba en brazos a Uba la mayor parte del tiempo. Existía un afecto especial entre ambas; Uba seguía a la muchacha por todas partes y no parecía que Ayla se cansara nunca de la pequeña. Después de comer, Uba fue con su madre para mamar, pero muy pronto empezó a dar guerra. Iza se puso a toser, con lo que la niña se agitó más aún. Finalmente, Iza apartó al bebé inquieto y lloroso y se lo dio a Ayla.

–Llévate a esta niña. A ver si Oga o Aba quieren darle de mamar –señaló Iza, irritada, y fue presa de otro largo acceso de tos.

–¿Te sientes bien, Iza? –preguntó Ayla con expresión preocupada.

–Lo que pasa es que estoy vieja, demasiado vieja para tener una hijita tan pequeña. Mi leche se está secando, eso es todo. Uba tiene hambre; la última vez Aba le ha dado de mamar, pero creo que ya ha alimentado a Ona y tal vez no le quede mucha leche. Oga dice que tiene leche de sobra; llévale la niña esta noche. –Iza se dio cuenta de que Creb la observaba detenidamente y miró hacia otro lado mientras Ayla llevaba el bebé a Oga.

Tenía mucho cuidado con su modo de caminar, manteniendo la cabeza baja al acercarse al hogar de Broud, en la actitud conveniente. Sabía que la menor infracción provocaría la ira del joven. Estaba segura de que andaba buscando razones para regañarla o golpearla, y no quería que le mandara llevarse a Uba por algo que ella hiciera. Oga estaba contenta de alimentar a la hija de Iza, pero cuando Broud estaba mirando, no había medio de conversar. Una vez que Uba estuvo satisfecha, Ayla se la llevó y se sentó, meciéndola, canturreando suavemente hasta que la niña se quedó dormida. Hacía tiempo que Ayla había olvidado la lengua que hablaba cuando se unió al clan, pero seguía canturreando cuando sostenía a la pequeña.

–No soy más que una vieja que se vuelve irritable, Ayla –dijo Iza cuando Ayla acostó a la pequeña–. Era demasiado vieja al dar a luz, mi leche se está secando y Uba no debería ser destetada todavía. Ni siquiera ha cumplido un año de caminar, pero no queda otro remedio. Mañana te enseñaré a hacer comida especial para bebés. No quiero entregar a Uba a otra mujer si puedo evitarlo.

–¡Dar a Uba a otra mujer! ¿Cómo ibas a poder dar a Uba a otra mujer, si es nuestra?

–Ayla, tampoco yo quiero darla, pero debe comer lo suficiente y no lo está consiguiendo conmigo. No podemos estar llevándola de una a otra mujer para que la amamanten cuando no tengo leche suficiente. El bebé de Oga es todavía chiquito, por eso tiene ella tanta leche. Pero a medida que crezca Brac, la leche de ella se ajustará a sus necesidades. Como Aga, no tendrá mucha leche de sobra a menos que tenga otro bebé que amamantar –explicó Iza.

–¡Ojalá pudiera yo darle de mamar!

–Ayla, eres casi tan alta como una mujer, pero todavía no lo eres. Y no das señales de convertirte pronto en una. Sólo las mujeres pueden ser madres y sólo las madres pueden tener leche. Empezaremos a dar alimentos normales a Uba y veremos qué tal le va, pero he querido que sepas lo que puede esperarse. Los alimentos para los bebés deben prepararse de manera especial. Todo tiene que ser suave para ella; sus dientes de leche no pueden masticar muy bien. Los granos deben estar molidos muy finos antes de cocerlos, la carne seca debe ser convertida en una pasta y cocida con un poco de agua, la carne fresca tiene que ser raspada para quitarle las fibras duras, las verduras hechas puré. ¿Quedan algunas bellotas?

–La última vez que miré había un montón, pero los ratones y las ardillas las roban y muchas están podridas –dijo Ayla.

–Encuentra lo que puedas. Quitaremos lo amargo y las moleremos para añadirlas a la carne. Los ñames también serán buenos para ella. ¿Sabes dónde están esas conchas de almeja? Deben de ser suficientemente pequeñas para su boquita, tendrá que aprender a comer con ellas. Me alegro de que el invierno llegue a su fin, la primavera traerá una mayor variedad de alimentos para todos nosotros.

Iza vio la preocupación concentrada en el rostro serio de la niña. Más de una vez, especialmente durante aquel invierno, había agradecido la ayuda prestada por Ayla con tan buena voluntad. Se preguntaba si Ayla le habría sido dada mientras estaba embarazada para que pudiera ser una segunda madre para el bebé que había tenido tan tarde en su vida. Era algo más que la edad lo que agotaba a Iza. Aun cuando procuraba no hacer referencia a su salud quebrantada y nunca hablaba del dolor que tenía en el pecho ni de la sangre que escupía a veces después de una crisis de tos particularmente crítica, sabía que Creb se daba cuenta de que estaba mucho más enferma de lo que quería confesar. «También él está envejeciendo, pensaba Iza. El invierno ha sido duro también para él. Pasa demasiado tiempo sentado en esa cavernita suya con sólo una antorcha para darle calor.»

La enmarañada cabellera del viejo mago estaba mezclada con hilos de plata. Su artritis, además de su pierna inválida, convertía las caminatas en una prueba torturadora. Sus dientes, gastados por haberlos usado durante años para sujetar las cosas en lugar de la mano que le faltaba, habían empezado a dolerle. Pero Creb había aprendido desde hacía mucho tiempo a vivir con dolores y sufrimientos. Su mente era tan potente y perceptiva como siempre y se preocupaba por Iza. Miraba a la mujer y a la niña mientras estudiaban la manera de hacer comida para la pequeña, observando cómo se había encogido el robusto cuerpo de Iza. Tenía el rostro demacrado y sus ojos estaban sumidos en hoyos profundos que hacían resaltar sus cejas salientes. Tenía los brazos flacos, su cabello se estaba volviendo gris, pero lo que más le preocupaba era su tos pertinaz. «Estoy ansioso de que este invierno llegue a su fin, pensó; ella necesita sol y calor.»

Finalmente el invierno relajó su dominio sobre la tierra y los días más cálidos de la primavera trajeron consigo torrentes de lluvia. Témpanos procedentes de las montañas lejanas flotaban río abajo mucho después de que la nieve y el hielo hubieron desaparecido en lo alto de la cueva. El deslizamiento de la acumulación derretida convertía el suelo empapado delante de la cueva en un lodazal chorreante. Sólo las piedras que pavimentaban la entrada mantenían la cueva razonablemente seca mientras el agua subterránea manaba dentro.

Pero el chapoteante cenagal no impedía que el clan saliese de la cueva. Después de su prolongado confinamiento invernal, salieron para saludar a los primeros rayos del sol y las primeras dulces brisas marinas. Antes de que se hubieran derretido por completo las nieves, estaban ya correteando descalzos entre el fango o caminando pesadamente con sus abarcas empapadas que ni siquiera la capa adicional de grasa podía conservar secas. Iza tuvo más faena cuidando catarros en los días, más cálidos ya, de la primavera, que durante todo el invierno helado.

A medida que la temporada avanzaba y el sol fue secando la humedad, el ritmo de la vida del clan se fue acelerando. El invierno tranquilo y lento, que había transcurrido contando cuentos, chismeando, confeccionando herramientas y armas y llevando a cabo otras actividades que ayudaban a pasar el tiempo, dejó paso a la agitación llena de actividad de la primavera. Las mujeres salieron a recoger los primeros brotes verdes y los primeros retoños, y los hombres se dedicaron al ejercicio y a las prácticas, preparándose para la primera importante cacería de la nueva estación.

Uba prosperaba con su nueva dieta y sólo quería mamar por costumbre o por el calor y seguridad que representaba. Iza tosía menos, aun cuando estaba débil y tenía pocas energías para alejarse demasiado, y Creb empezó nuevamente a dar sus paseos lentos con Ayla a lo largo del río. A ella le gustaba la primavera más que las otras estaciones.

Puesto que Iza tenía que permanecer cerca de la cueva la mayor parte del tiempo, Ayla adquirió la costumbre de recorrer las laderas en busca de plantas medicinales para abastecer la farmacopea. A Iza le preocupaba verla salir sola, pero las demás mujeres estaban ocupadas buscando alimentos y las plantas medicinales no siempre crecían en los mismos lugares que las plantas alimenticias. Iza salía a veces con ella, sobre todo para mostrarle nuevas plantas e identificar las conocidas de manera que supiera dónde buscarlas más adelante. Aunque Ayla llevaba a Uba, las pocas excursiones que hacía le resultaban a Iza muy fatigosas. De mala gana estaba dejando que la niña saliera sola cada vez con más frecuencia.

Ayla descubrió que disfrutaba de la soledad al recorrer la zona por su cuenta y riesgo. Le proporcionaba una sensación de libertad hallarse lejos del siempre vigilante clan. A menudo salía también con las mujeres cuando recolectaban; pero siempre que podía, hacía las tareas que se esperaban de ella para tener tiempo de buscar sola por el bosque. Al volver no sólo traía plantas que ya conocía, sino cualquier cosa desconocida, para que Iza pudiera explicarle lo que era.

Brun no puso objeciones abiertamente; comprendía que era necesario tener a alguien buscando plantas para que Iza llevara a cabo su magia curativa. Tampoco había pasado inadvertida para él la enfermedad de Iza. Pero el afán de Ayla por salir sola le perturbaba. A las mujeres del clan no les gustaba estar solas. Siempre que Iza había salido en busca de sus materiales especiales lo había hecho con ciertas reservas y algo de temor, y volvía cuanto antes siempre que iba sola. Ayla nunca rehuía sus deberes, siempre se portaba convenientemente, no había nada, en lo que hacía, que Brun pudiera identificar como indebido. Era más una sensación, una impresión de que su actitud, su enfoque y sus pensamientos no eran incorrectos sino diferentes, lo que tenía a Brun nervioso respecto a ella. Siempre que salía, la muchacha regresaba con los repliegues de su manto y su canasto llenos, y puesto que sus incursiones eran tan necesarias, Brun no podía formular ninguna objeción.

De vez en cuando Ayla traía algo más que plantas. Su idiosincrasia, que tanto había asombrado al clan, se había convertido en hábito. Si bien se habían acostumbrado, los miembros del clan seguían sorprendiéndose un poco cuando regresaba con un animalito enfermo o herido para devolverle la salud. El conejo que había hallado poco después del nacimiento de Uba fue sólo el primero de muchos. Conocía la manera de tratar a los animales; éstos parecían entender que deseaba ayudarles. Y una vez establecido el precedente, Brun no tuvo intenciones de cambiarlo. La única vez que se le negó fue cuando trajo un cachorro de lobo. Se le prohibió llevar animales carnívoros que eran competidores de los cazadores. Más de una vez un animal que había sido perseguido y tal vez herido se encontró finalmente al alcance de un carnívoro más rápido y fue arrebatado a última hora por él. Brun no iba a permitir que Ayla ayudara a un animal que algún día pudiera robar una presa a su propio clan.

Una vez, cuando Ayla se encontraba de rodillas arrancando una raíz, un conejito con una patita trasera ligeramente torcida brincó desde el matorral y fue a olerle los pies. Ella se quedó muy quieta y, sin hacer movimientos bruscos, tendió ligeramente la mano para acariciar al animal. «¿Eres tú mi conejito-Uba?, pensó. Has crecido, te has convertido en un conejo adulto, grande y saludable. ¿Habrás aprendido a ser más circunspecto? Deberías desconfiar también de la gente, ¿sabes? Bien podrías acabar sobre un fuego», siguió diciéndose a sí misma mientras acariciaba la piel suave del conejo. Algo asustó al animal, que dio un brinco, alejándose, y se abalanzó primero en una dirección, después dio media vuelta y regresó por donde había venido.

–Te mueves con tanta rapidez que no sé cómo nadie podría atraparte. ¿Cómo has girado de esa manera? –expresó con gestos; de repente soltó la carcajada y al instante se percató de que era la primera vez que reía en voz alta desde hacía mucho. Pocas veces reía ya cuando estaba en el clan; eso provocaba siempre miradas reprobatorias. Aquel día encontró muchas cosas divertidas.

–Ayla, esta corteza de cerezo silvestre está vieja. Ya no sirve –indicó Iza con gestos una mañana–. Cuando salgas hoy, trata de conseguir otra que esté fresca. Hay un bosquecillo de cerezos cerca de ese calvero, al oeste, del otro lado del río. ¿Sabes dónde digo? Trata de sacar la corteza interior, es mejor en esta época.
–Sí, madre, ya sé dónde están –respondió.

Era una hermosa mañana primaveral. Los últimos azafranes blancos y púrpura se acurrucaban al lado de los graciosos tallos de los primeros junquillos amarillos. Una escasa alfombra de nueva hierba verde, que empezaba a asomar sus diminutas hojas a través del suelo húmedo, pintaba una acuarela fresca de verdor sobre la rica tierra morena de calveros y lomas. Pinceladas de verde moteaban las ramas desnudas de arbustos y árboles con los primeros brotes que se esforzaban por renovar la vida, y los amentos de los sauces cubrían otros con su falsa pelusa. Un sol benévolo brillaba alentadoramente ante el renuevo de la tierra.

Una vez que estuvo fuera del alcance de la vista del clan, el paso cuidadosamente controlado y la compostura modesta de Ayla se convirtieron en un andar airoso. Bajó deslizándose una pendiente y corrió hacia arriba al otro lado, sonriendo inconscientemente ante la libertad de sus movimientos naturales. Examinaba la vegetación por la que pasaba con una indiferencia aparente que desmentía la actividad de su mente, que trabajaba catalogando y almacenando el recuerdo de las plantas que crecían como referencia para el futuro.

«Ya está saliendo la nueva hierba de grana, pensaba al pasar junto a la zona pantanosa donde había recogido sus bayas púrpuras el otoño anterior. Sacaré unas cuantas raíces al regreso. Dice Iza que las raíces son también buenas para el reuma de Creb. Espero que la corteza fresca de cerezo mejore la tos de Iza. Está mejorando, creo yo, pero la veo tan flaca... Uba se está poniendo tan grande y pesada que Iza no debería levantarla. Quizá traiga a Uba conmigo la próxima vez, si puedo. Me alegro tanto de no haber tenido que dársela a Oga. De veras, ya está empezando a hablar. Será divertido cuando crezca un poco más y podamos salir juntas.

Mira esos sauces cubiertos de pelusa. Qué divertido: cuando son así de chiquitos parece piel de verdad, pero luego se ponen verdes. Iza dice que son flores. Qué azul está hoy el cielo. Puedo oler el mar en el viento. Me pregunto cuándo iremos a pescar. El agua no tardará en estar suficientemente caliente como para poder nadar. Me pregunto por qué a los demás no les gusta nadar. El mar sabe a sal, no es como el río, pero me siento tan ligera dentro... Estoy impaciente por ir a pescar. Y me gusta trepar por el risco en busca de huevos. El viento es tan agradable allá arriba, sobre el risco. ¡Ahí va una ardilla! ¡Mírala trepar por el árbol! Ojalá pudiera yo correr así por los árboles.»

Ayla vagó por las pendientes boscosas hasta media mañana. Entonces, al percatarse de lo tarde que se estaba haciendo, se fue directamente al bosquecillo junto al calvero para recoger la corteza que Iza deseaba. Al acercarse, oyó que había actividad y algunas voces, y vislumbró a los hombres en el calvero. Iba a alejarse, pero recordó la corteza de cerezo y se quedó un momento indecisa. «A los hombres no les gustará verme por aquí, pensó. Brun podría enojarse y no dejarme salir sola nunca más, pero Iza necesita la corteza de cerezo. Quizá no sigan ahí mucho rato. Me pregunto qué estarán haciendo.» Silenciosamente, reptó para acercarse más y se ocultó tras un árbol grande, atisbando por entre las hojas del matorral enmarañado.

Los hombres estaban practicando con sus armas, preparándose para una cacería. Recordó que los había visto haciendo lanzas nuevas. Habían recortado árboles jóvenes delgados, flexibles y rectos, les habían quitado las ramas; habían afilado un extremo carbonizándolo en una hoguera y raspando la parte quemada con un rascador fuerte de sílex hasta convertirla en una punta fina. También el calor endurecía la punta para que resistiera al astillado y al desgaste. Todavía se estremecía al recordar la conmoción que había experimentado al tocar una de las lanzas de madera.

Las hembras no tocan las armas, le dijeron, ni siquiera las herramientas que se usan para hacer armas, aunque, a decir verdad, Ayla no podía ver la diferencia entre un cuchillo utilizado para cortar el cuero y hacer una honda y el cuchillo empleado para cortar el cuero y hacer un manto. La lanza recién hecha, manchada por su contacto, había sido quemada, con gran irritación del cazador que la había confeccionado, y tanto Creb como Iza le habían sometido a unos cuantos discursos gestuales en un esfuerzo por infundirle el sentimiento de su abominable acción. Las mujeres estaban horrorizadas de que hubiera pensado siquiera en semejante acción, y la mirada ceñuda de Brun no dejaba el menor lugar a dudas en cuanto a lo que opinaba. Pero más que nada detestó la mirada de placer malicioso reflejado en el rostro de Broud cuando las recriminaciones se abatieron sobre ella. Estaba positivamente gozoso.

La muchacha miraba incómodamente a los hombres en su campo de prácticas desde detrás de la pantalla del matorral. Además de las lanzas, los hombres tenían otras armas. Aparte de una discusión que mantenían en el otro extremo Dorv, Grod y Crug respecto a los méritos relativos de la lanza y el garrote, casi todos los hombres estaban practicando con hondas y boleadoras. Vorn estaba con ellos. Brun había decidido que ya era hora de empezar a enseñarle al muchacho los rudimentos del manejo de la honda y Zoug estaba explicándoselos al jovencito.

Los hombres habían llevado algunas veces con ellos a Vorn al campo de ejercicio desde que cumplió los cinco años, pero la mayor parte del tiempo practicaba con su diminuta lanza, arrojándola contra la tierra blanda o un tocón de árbol podrido, para acostumbrarse a manejar el arma. Siempre le gustaba que le llevaran, pero ésta era la primera vez que se intentaba enseñar al chico el arte más difícil del manejo de la honda. Se había plantado un poste en el suelo y no muy lejos había un montón de piedras, suavemente redondeadas, sacadas de los ríos a lo largo del camino.

Zoug estaba mostrando a Vorn cómo sostener los dos extremos de la tira de cuero y cómo colocar un canto rodado en la ligera combadura que había en el medio de una honda ya muy gastada. Era una honda vieja que Zoug había pensado tirar cuando Brun le pidió que iniciara el entrenamiento del muchacho. El viejo pensó que todavía servía si se la acortaba para ajustarla a la estatura de Vorn.

Ayla observaba y se sintió cautivada por la lección. Se concentró en las explicaciones y demostraciones de Zoug con tanta atención como el muchacho. Al primer intento de Vorn, la honda se enredó y el canto cayó al suelo. Le costaba alcanzar el movimiento giratorio del arma para crear el impulso de fuerza centrífuga necesaria para lanzar la piedra. El canto rodado siguió cayéndose antes de poder adquirir suficiente velocidad para mantenerse en la copa de la tira de cuero.

Broud estaba de pie a un lado, mirando. Vorn era su protegido y Broud seguía siendo objeto de la adoración de Vorn. Fue

Broud quien fabricó la lancita que el chico llevaba a todas partes consigo, incluso a la cama, y fue el joven cazador quien enseñó a Vorn a sostener la lanza, ensayando con él el equilibrio y el lanzamiento, como si el muchacho fuera su igual. Pero ahora Vorn estaba centrando su atención admirada en el viejo cazador y Broud se sintió suplantado. Habría querido ser el único en enseñárselo todo al muchacho y se enfureció cuando Brun dijo a Zoug que le enseñara el uso de la honda. Después de varios intentos infructuosos más por parte de Vorn, Broud interrumpió la lección.

—Vamos, déjame mostrarte cómo se hace, Vorn —señaló Broud, haciendo a un lado al viejo.

Zoug dio unos pasos hacia atrás y lanzó una incisiva mirada al arrogante joven. Todos se detuvieron y se quedaron mirando; Brun estaba ceñudo. No le gustaba que Broud tratara con tan poca consideración al mejor tirador del clan. Le había dicho a Zoug, no a Broud, que entrenara al muchacho. «Una cosa es interesarse por el joven, pensaba Brun, pero está yendo demasiado lejos. Vorn debería aprender que un buen jefe debe aprovechar las habilidades de cada uno. Zoug es el más hábil y tendrá tiempo de enseñar al muchacho cuando los demás estemos cazando. Broud se está volviendo altanero; es demasiado orgulloso. ¿Cómo puedo promocionarle si no se muestra más sensato? Tiene que darse cuenta de que no es tan importante sólo porque llegará a ser jefe, sólo *porque* llegará a ser jefe.»

Broud tomó la honda de manos del muchacho y cogió una piedra. La colocó en la bolsa de la honda y la lanzó hacia el poste: cayó antes de llegar al blanco. Ése era el problema más corriente que solían encontrar los hombres del clan con la honda. Tenían que aprender a compensar la limitación de las articulaciones de su brazo, que impedían formar un arco completo. Broud se puso furioso por haber fallado y se sintió un tanto ridículo. Tendió la mano para recoger otra piedra, la lanzó a toda prisa deseando mostrar que podía hacerlo. Se daba cuenta de que todos le estaban observando. La honda era más corta de lo que él estaba acostumbrado, y la piedra se fue hacia la izquierda, sin llegar al poste.

—¿Estás tratando de enseñarle a Vorn o quieres unas cuantas lecciones para ti, Broud? —sugirió Zoug con sorna—. Puedo acercar el poste.

Broud luchó por dominar su genio; no le gustaba ser objeto de la ironía de Zoug y estaba furioso por haber seguido fallando después de haberle dado tanta importancia a la cosa. Lanzó otra piedra, pero esta vez su compensación fue excesiva y la lanzó mucho más allá del poste.

–Si esperas a que haya concluido la lección del muchacho, tendré sumo gusto en enseñarte a ti –señaló Zoug con un sarcasmo pesado en su actitud–. Parece que te hace buena falta. –El orgulloso anciano se sentía rehabilitado.

–¿Cómo puede aprender Vorn con una honda tan averiada como ésta? –replicó Broud a la defensiva, arrojando la correa al suelo con repugnancia–. Nadie puede lanzar una piedra con este vejestorio. Vorn, yo te haré una honda nueva. No puede esperarse que aprendas con la honda desgastada de un viejo que ni siquiera puede seguir cazando.

Ahora Zoug estaba enojado. Retirarse de las filas de los cazadores activos era siempre un duro golpe contra el orgullo de un hombre, y Zoug había trabajado mucho para perfeccionar su habilidad con el arma difícil para conservar algo de dignidad. Zoug había sido otrora segundo-al-mando como el hijo de su compañera y su orgullo era particularmente sensible.

–Más vale ser un *hombre* viejo que un muchacho que se cree hombre –replicó Zoug, agachándose para recoger la honda que estaba a los pies de Broud.

La indirecta contra su hombría fue algo más de lo que podía soportar Broud, fue la última gota que hizo rebosar el vaso. No pudo seguir dominándose y empujó al viejo. Zoug perdió el equilibrio, pues no esperaba el empujón, y cayó pesadamente al suelo. Se quedó sentado donde había caído, con las piernas estiradas hacia delante, mirando hacia arriba con los ojos sorprendidos y muy abiertos. Era lo último que habría esperado.

Los cazadores del clan nunca se atacaban unos a otros físicamente; ese castigo se reservaba para las mujeres que no eran capaces de comprender los reproches más sutiles. Las energías exuberantes de los jóvenes se desahogaban en contados asaltos de lucha o competencias de corre y lanza, o competiciones de honda y boleadoras que servían también para mejorar las habilidades de los cazadores. La habilidad en la caza y la autodisciplina eran la medida de la hombría en el clan, que dependía de la cooperación para sobrevivir. Broud quedó casi tan sorprendido como Zoug por su propio arrebato, y tan pronto como se percató de lo que había hecho, su rostro enrojeció de confusión.

–¡Broud! –La palabra salió de la boca del jefe en un rugido dominado. Broud alzó la cabeza y se encogió. Nunca había visto tan enojado a Brun. El jefe se acercó a él, pisando fuerte a cada paso, con gestos tensos y controlándose mucho–. Esa exhibición infantil de genio es imperdonable. Si no fueras el cazador de más bajo rango, te rebajaría a él. Para empezar, ¿quién te ha mandado entrometerte en la lección del muchacho? ¿A quién mandé entrenar a Vorn, a Zoug o a ti? –La ira brotaba de los ojos del jefe–. ¿Y te dices cazador? ¡Ni siquiera puedes llamarte hombre! Vorn se controla mejor que tú. Una mujer tiene más autodisciplina. Eres el futuro jefe. ¿Así es como vas a dirigir hombres? ¿Esperas controlar un clan cuando no eres capaz de controlarte a ti mismo? No te sientas tan seguro de tu porvenir, Broud. Zoug tiene razón. Eres un chiquillo que se cree hombre.

Broud se sentía mortificado. Nunca lo habían avergonzado tan severamente, y además delante de los cazadores y de Vorn. Querría haber echado a correr y esconderse, no podría vivir con esa vergüenza. Habría preferido enfrentarse al ataque de un león cavernario que a la ira de Brun, de un Brun que tan pocas veces mostraba su enojo, que tan pocas veces tenía que mostrarlo. Una mirada penetrante del jefe, que mandaba con gran dignidad, un liderazgo capacitado y una disciplina constante, bastaba para que cualquier miembro de su clan, hombre o mujer, corriese para obedecerlo. Broud dejó caer su cabeza en señal de sometimiento.

Brun miró al sol y después dio la señal de partida. Los demás cazadores, testigos incómodos de la severa reprimenda que Brun acababa de dar, se sintieron aliviados al poder alejarse. Echaron a andar detrás del jefe, que se dirigió a la cueva con paso veloz. Broud se quedó detrás de todos, con el rostro enrojecido aún. Ayla estaba inmóvil, agazapada, como si hubiera echado raíces en el sitio, sin atreverse a respirar. Estaba petrificada ante la idea de que pudieran verla. Sabía que había presenciado una escena que ninguna mujer estaba autorizada a ver. Nunca se habría castigado de ese modo a Broud delante de una mujer. Los hombres, fuese cual fuere la provocación, mantenían una solidaridad fraternal cuando había mujeres cerca. Pero el episodio había abierto los ojos de la muchacha a una pauta de los hombres que nunca habría sospechado. No eran los libres agentes, poderosos, que reinaban impunemente como ella había creído. También ellos tenían que obedecer órdenes y también a ellos se les podía regañar. Sólo Brun parecía ser la figura omnipotente que gobernaba con total autoridad. No comprendía que Brun estuviera sujeto a condicionamientos todavía más fuertes que cualquiera de los demás: las tradiciones y costumbres del clan, los espíritus insondables e impredecibles que controlaban las fuerzas de la naturaleza y su propio sentido de la responsabilidad.

Ayla permaneció oculta incluso mucho después de que los hombres hubieran abandonado el campo de entrenamiento, por miedo a que pudieran regresar. Todavía sentía aprensión cuando se atrevió finalmente a salir de detrás del árbol. Aun cuando no captaba totalmente las implicaciones de su nuevo conocimiento acerca de la naturaleza de los hombres del clan, sí comprendía una cosa: había visto a Broud tan sumiso como cualquier mujer, y eso le producía satisfacción. Había aprendido a aborrecer al arrogante joven que la atormentaba despiadadamente, regañándola por la menor infracción, supiera o no ella haberla cometido, y a menudo llevaba las marcas de su mal genio. No podía complacerle en nada, por mucho que se esforzara.

Ayla atravesó el calvero pensando en el incidente. Al acercarse al poste, vio que todavía estaba la honda en el suelo donde la había arrojado Broud con enojo. Nadie se había acordado de recogerla antes de marchar. Se quedó mirándola, sin atreverse a tocarla: era un arma, y el temor a Brun la hacía temblar sólo ante la idea de hacer algo que pudiera enojarle con ella tanto como con Broud. Su mente retrocedió hacia la serie de incidentes que acababa de presenciar, y, al ver el trozo de cuero caído, recordó las instrucciones que Zoug le había dado a Vorn, y las dificultades que éste encontraba. «¿Será realmente tan difícil? Si Zoug me enseñara, ¿sería capaz de hacerlo?»

Se sentía aterrada ante la temeridad de sus pensamientos y echó una mirada en derredor para asegurarse de que estaba sola, por miedo a que se adivinaran sus pensamientos si alguien la veía. Broud no podía hacerlo, recordó. Pensó en Broud cuando intentaba atinarle al poste y en los gestos despectivos de Zoug ante su fracaso, y una sonrisa fugaz pasó por su rostro.

«¿No se enfurecería si fuera yo capaz de hacer algo que él no puede?» Le gustaba la idea de ser mejor que Broud en algo. Miró una vez más a su alrededor, volvió a clavar la vista, llena de aprensión, en la honda; de repente, se agachó y la recogió. Sintió el cuero flexible de la vieja arma e inmediatamente pensó en el castigo que le acarrearía el que alguien la sorprendiera con una honda en la mano. Por poco la suelta, mirando rápidamente hacia otro lado del calvero en dirección al camino que habían tomado los hombres. Su mirada cayó sobre el montoncito de cantos rodados.

«Me pregunto si podría hacerlo. ¡Oh, Brun se pondría tan furioso conmigo que no sé lo que haría! Y Creb diría que soy mala sólo por tocar esta honda. ¿Qué puede tener de malo tocar un trozo de cuero? Sólo porque se haya usado para lanzar piedras. ¿Me pegaría Brun? Broud sí; estaría encantado de que lo hubiera tocado sólo como excusa para pegarme. ¡Y qué furioso se pondría si supiera lo que he visto! Todos estarían furiosos, pero ¿podrían estarlo más si lo intentara? Lo malo es malo, ¿verdad? Me pregunto si podría darle al poste con una piedra.»

La muchacha estaba torturada por el deseo de probar la honda y la conciencia de que le estaba prohibido hacerlo. Estaba mal; ya sabía que estaba mal. Pero quería probar. ¿Qué diferencia había en hacer una cosa mala más? «Nadie lo sabrá, aquí no hay nadie más que yo.» Lanzó una nueva mirada de culpabilidad en derredor y echó a andar hacia las piedras.

Ayla recogió una y trató de recordar las instrucciones de Zoug. Cuidadosamente unió los dos extremos y los agarró con firmeza. El bucle de cuero colgaba blandamente; se sintió torpe, insegura en cuanto a la manera de introducir la piedra en la bolsa desgastada. Varias veces se le cayó la piedra en cuanto empezaba a moverla. Se concentró, tratando de visualizar las demostraciones de Zoug. Volvió a intentarlo, casi consiguió lanzarla, pero la honda se dobló y la piedra cayó nuevamente al suelo.

La vez siguiente trató de tomar algo de impulso y lanzó el canto rodado a unos cuantos pasos de distancia. Encantada, cogió otra piedra. Después de unos cuantos intentos fallidos, logró lanzar una segunda piedra. Los siguientes intentos fallaron también; después, una piedra voló, lejos del blanco pero cerca del poste. Empezaba a cogerle el truco.

Cuando el montón de piedras desapareció, volvió a recogerlas y lo hizo una tercera vez. A la cuarta ronda, ya podía lanzar la mayoría de las piedras sin que se le cayeran muchas veces. Ayla bajó la mirada y vio que quedaban tres piedras en el suelo. Recogió una, la puso en la honda, la hizo girar por encima de su cabeza y lanzó el proyectil. Oyó un «pac» cuando golpeó el poste y rebotó: la niña saltó embriagada por el gozo del éxito.

«¡Lo logré! ¡Atiné al poste!» Fue pura suerte, un golpe casual, pero eso no empañó su alegría. La siguiente piedra voló hacia otro lado pero más allá del poste, y la última cayó al suelo sólo a unos pies de distancia. Pero lo había hecho una vez y estaba segura de poder hacerlo de nuevo.

Empezó a recoger nuevamente las piedras y se dio cuenta de que el sol estaba acercándose hacia el horizonte al oeste del cielo. Súbitamente recordó que había salido en busca de corteza de cerezo silvestre para Iza. ¿Cómo se le había hecho tan tarde?, pensó. «¿Me he pasado aquí toda la tarde? Iza estará preocupada y Creb también.» Rápidamente escondió la honda en un pliegue de su manto, corrió hacia los cerezos, quitó la corteza exterior con su cuchillo de sílex y raspó largas tiras delgadas de la capa interior de cámbium[3]. Entonces echó a correr lo más aprisa que pudo hacia la cueva, deteniéndose sólo al acercarse al río para adoptar la compostura digna que se esperaba en las hembras. Tenía miedo de haberse metido ya en líos por haber vuelto tan tarde; no quería dar a nadie más razones para enfadarse.

–¡Ayla! ¿Dónde has estado? No podía soportar la angustia; pensé que te habría atacado algún animal. Estaba a punto de pedirle a Creb que Brun mandara a alguien en tu busca –rezongó Iza tan pronto como la vio.

–Estuve mirando por ahí a ver si algo comenzaba a crecer y luego fui al calvero –dijo Ayla, sintiéndose culpable–. No me había dado cuenta de lo tarde que era. –Era la verdad, pero no toda la verdad–. Aquí está tu corteza de cerezo. La grana está saliendo donde la vimos crecer el año pasado. ¿No me habías dicho que sus raíces también eran buenas para el reuma de Creb?

–Sí, pero debes macerar la raíz y aplicarla como una ablución para aliviar el dolor. Las bayas sirven para hacer infusiones. El jugo de las bayas aplastadas es bueno para tumores y es también bueno para hinchazones –comenzó a explicar la curandera, respondiendo automáticamente a su pregunta; de repente, se interrumpió–: Ayla, estás tratando de distraerme con preguntas sobre medicina. Ya sabes que no deberías haber pasado tanto tiempo fuera, causándome tanta preocupación –señaló Iza con sus ademanes. Ahora que la niña había vuelto sana y salva, no estaba enojada, pero quería asegurarse de que Ayla no se fuera sola tanto tiempo. Iza estaba preocupada siempre que Ayla salía.

–No volveré a hacerlo sin avisarte, Iza. Se me hizo tarde sin darme cuenta.

Mientras volvían a la cueva, Uba, que había estado buscando a Ayla todo el día, la vio y echó a correr hacia ella con sus piernecitas regordetas y arqueadas; estuvo a punto de caer antes de llegar hasta ella. Pero Ayla cogió al vuelo a la niña y la volteó por el aire.

---

[3] Tejido vegetal meristemático específico de las plantas leñosas, situado entre la corteza y el leño. *(N. del T.)*

–Iza, ¿no podría llevarme de vez en cuando a Uba? No me quedaría fuera mucho tiempo. Y podría empezar a enseñarle algunas cosas.

–Es demasiado joven para comprender todavía. Apenas ha empezado a aprender a hablar –dijo Iza, pero viendo lo felices que eran ambas cuando estaban juntas, agregó–: Supongo que puedes llevártela como compañía alguna vez si no vas muy lejos.

–¡Oh, qué bien! –dijo Ayla abrazando a Iza sin soltar a la niña. La volteó nuevamente por el aire y rio a carcajadas mientras Uba la contemplaba con ojos brillantes y llenos de adoración–. ¿Verdad que será divertido, Uba? –dijo, después de dejar a la niña en el suelo–. Madre va a dejar que vengas conmigo.

«¿Qué le ha pasado a esta muchacha?, pensó Iza. Hacía tiempo que no la veía tan excitada. Tiene que haber espíritus extraños por el aire hoy. Primero vuelven temprano los hombres y en vez de sentarse a charlar como de costumbre, cada uno se va a su hogar y ni siquiera presta atención a las mujeres; creo que no he visto a ninguno regañar a nadie. Incluso Broud ha sido casi amable conmigo. Y luego Ayla pasa fuera todo el día y regresa llena de energías y nos abraza a todos. No lo entiendo.»

10

–¿Sí? ¿Qué quieres? –gesticuló Zoug con impaciencia. Hacía un calor inusitado para ser principios de verano. Zoug tenía sed y se sentía incómodo, sudando bajo el calor del sol, trabajando con un rascador romo un extenso cuero de venado a medida que se iba secando. No estaba de humor para interrupciones, especialmente procedentes de la muchacha fea de cara plana que acababa de sentarse junto a él con la cabeza inclinada, esperando que le prestara atención.

–¿No querría Zoug un poco de agua? –indicó Ayla, alzando prudentemente la mirada al sentir un golpecito en su hombro–. Esta muchacha estuvo en el manantial y vio al cazador trabajando bajo el ardiente sol. La muchacha pensó que el cazador tal vez tuviera sed; no era su intención interrumpir –expresó con la seriedad debida al dirigirse a un cazador. Presentó una taza de corteza de abedul y sostuvo la fresca y chorreante bolsa de agua hecha con el estómago de una cabra montés.

Zoug gruñó asintiendo, disimulando su sorpresa ante la solícita actitud de la muchacha mientras le vertía agua fresca en la taza. No había podido llamar la atención de ninguna mujer para pedirle de beber y no quería dejar el trabajo en ese momento. El cuero estaba casi seco; era importante seguir trabajándolo para que el producto acabado fuera tan flexible como él quería. Su mirada siguió a la muchacha mientras ésta dejaba la bolsa de agua allí cerca, a la sombra, y regresaba con una brazada de hierbas duras y raíces leñosas empapadas en agua, para ponerse a trenzar una canasta.

Aun cuando Uka siempre se mostraba respetuosa y correspondía a sus solicitudes sin vacilar desde que se había mudado con el hijo de su compañera, ella no solía adelantarse a sus necesidades de la manera en que lo había hecho su compañera antes de morir. Las atenciones de Uka estaban dirigidas principalmente a Grod, y Zoug echaba de menos los pequeños detalles de una compañera abnegada. De vez en cuando Zoug dirigía una mirada a la muchacha sentada junto a él. Estaba silenciosa, aplicada a su trabajo. «Mog-ur la ha adiestrado bien», pensó. No se fijó en que ella le estaba observando por el rabillo del ojo mientras él estiraba, tendía y raspaba la piel húmeda.

Aquella tarde, el viejo estaba sentado solo delante de la cueva, mirando a lo lejos. Los cazadores habían salido, Uka y otras dos mujeres les acompañaban: Zoug había comido junto al fuego de Goov con Ovra. El ver a la joven, adulta ya y apareada, cuando hacía tan poco tiempo que era sólo una niña en brazos de Uka, hizo sentir a Zoug cómo el paso del tiempo le había privado de las fuerzas para cazar con los hombres. Había dejado el fuego poco después de comer. Estaba sumido en sus pensamientos cuando observó que la muchacha se acercaba a él con un tazón de mimbre en la mano.

—Esta muchacha ha recogido más frambuesas de las que podemos comer —dijo, una vez que él reconoció su presencia—; ¿podrá el cazador encontrar lugar para comérselas y que no se pierdan?

Zoug aceptó el tazón que le ofrecían con un placer que no consiguió disimular. Ayla se quedó sentada a distancia respetuosa mientras Zoug saboreaba la fruta dulce y jugosa. Cuando hubo terminado, devolvió el tazón y la muchacha se alejó rápidamente. «No sé por qué dice Broud que es irrespetuosa, pensó viéndola alejarse. No le veo nada de malo salvo que es notablemente fea.»

Al día siguiente, Ayla volvió a llevar agua del fresco manantial mientras Zoug trabajaba y extendió allí cerca los materiales para el canasto que estaba haciendo. Más tarde, cuando Zoug estaba terminando de frotar con grasa la suave piel del venado, Mog-ur llegó cojeando donde se encontraba el viejo.

—Es un trabajo duro curtir la piel al sol —dijo con gestos.

—Estoy haciendo hondas nuevas para los hombres, y también a Vorn le he prometido una. El cuero tiene que ser muy flexible para las hondas; hay que trabajarlo sin cesar mientras seca y la grasa debe ser absorbida por completo. Es mejor hacerlo al sol.

—Estoy seguro de que los cazadores se sentirán complacidos —observó Mog-ur—. Todos saben que eres un experto en materia de hondas. Te he observado con Vorn: tiene suerte de que tú le enseñes. Es un arte difícil de dominar. También debe de ser un arte el confeccionarlas.

Zoug rebosó de contento al oír el halago que le hacía el mago.

–Mañana las cortaré. Ya conozco los tamaños para los hombres, pero tengo que ajustar la de Vorn. Una honda debe adaptarse al brazo, así se consigue una mayor fuerza y precisión.

–Iza y Ayla están preparando la perdiz blanca que trajiste el otro día como parte para el Mog-ur. Iza está enseñando a la muchacha a guisarla como a mí me gusta. ¿No te agradaría cenar esta noche en el hogar del Mog-ur? A Ayla le gustaría que te invitara, y tu compañía me sería agradable. A veces, a un hombre le gusta hablar con otro hombre, y yo sólo tengo hembras en mi hogar.

–Zoug cenará con Mog-ur –dijo el viejo, visiblemente complacido.

Aunque los banquetes en común eran frecuentes, y a menudo compartían una comida dos familias, especialmente cuando estaban emparentadas, pocas veces invitaba Mog-ur a otros. Tener un hogar propio era algo nuevo para él y disfrutaba descansando en compañía de sus mujeres. Pero conocía a Zoug desde la infancia, siempre le había querido y respetado. El placer que sorprendió en el rostro del otro hizo pensar a Mog-ur que debía haberlo invitado antes. Se alegró de que Ayla lo mencionara. Al fin y al cabo, había sido Zoug quien les proporcionó la perdiz blanca.

Iza no estaba acostumbrada a tener invitados; se preocupó, se agitó y se superó. Su conocimiento de las hierbas comprendía igualmente los condimentos, no sólo las medicinas. Sabía dar un toque sutil y hacer combinaciones compatibles que mejoraban el sabor de los platos. La comida fue deliciosa; Ayla se mostró especialmente atenta sin exagerar y Mog-ur quedó complacido de ambas. Una vez que los hombres se hubieron hartado, Ayla les sirvió una infusión deliciosa a base de manzanilla y menta; Iza sabía que ayudaba a hacer una buena digestión. Con dos mujeres dispuestas a adelantarse a sus deseos y una niña regordita y contenta que se subía a su regazo y les tiraba de las barbas, haciéndoles sentirse jóvenes de nuevo, los dos viejos descansaron y hablaron de tiempos pasados. Zoug se mostró agradecido y hasta algo envidioso del dichoso hogar que el viejo mago podía llamar suyo, y Mog-ur sentía que su vida no podía ser más dulce.

Al día siguiente, Ayla estuvo observando cuando Zoug medía una tira de cuero con el brazo de Vorn y prestó mucha atención mientras el viejo explicaba por qué los extremos debían ser afilados de aquella forma, por qué no debería ser demasiado larga ni demasiado corta, y vio cómo metía una piedra, que había estado sumida en agua, en medio del bucle para estirar lo suficiente el cuero y formar la bolsa. Estaba recogiendo las tiras después de cortar unas cuantas hondas más, cuando Ayla le llevó una taza de agua.

–¿No necesita Zoug los trozos que han sobrado? ¡El cuero parece tan suave! –dijo con gestos.

Zoug se sintió generoso con la muchacha amable y admirada.

–No necesito esas tiras. ¿Te gustaría quedarte con ellas?

–Esta muchacha quedaría agradecida. Creo que algunos de los trozos son suficientemente grandes para aprovecharlos –gesticuló con la cabeza inclinada.

Al día siguiente, Zoug echó de menos a Ayla, que no fue a su lado a trabajar ni a llevarle agua. Pero había acabado su tarea y las armas estaban terminadas. La vio alejarse hacia el bosque con un nuevo canasto de recolectora colgado de la espalda y su palo de arrancar raíces en la mano. «Sin duda va en busca de más plantas para Iza, pensó. No comprendo a Broud.» A Zoug no le agradaba mucho el joven; no había olvidado cómo le había atacado. «¿Por qué está siempre molestándola? La muchacha es trabajadora, respetuosa, y hace honor a Mog-ur. Éste tiene suerte: Iza y ella.» Zoug recordaba la agradable cena que había tomado con el gran mago, y aun cuando nunca lo dijo, recordaba que Ayla había sido quien insinuó a Mog-ur que le invitara a compartirla. Observó a la alta joven de piernas rectas, mientras se alejaba. «Lástima que sea tan fea, se dijo; podría ser una excelente compañera para algún hombre.»

Una vez que Ayla se confeccionó una honda con los restos de cuero de Zoug para sustituir la vieja, que, finalmente se había gastado, decidió buscar un lugar donde practicar lejos de la cueva. Siempre tenía miedo de que alguien la sorprendiera. Se puso en marcha río arriba a lo largo del curso de agua que corría junto a la cueva y entonces comenzó a subir la montaña siguiendo un riachuelo y abriéndose paso entre espesos matorrales.

La detuvo una roca abrupta por encima de la cual caía el arroyo formando una cascada. Rocas salientes, cuyas siluetas irregulares eran suavizadas por un profundo cojín de precioso musgo verde, separaban el agua, que brincaba de roca en roca formando chorros que, al chocar contra la roca, formaban velos de niebla y seguían cayendo. El agua se aquietaba en una poza espumosa que llenaba un hueco rocoso de escasa profundidad al pie de la cascada, antes de seguir su camino para reunirse con el río más ancho. La muralla constituía una barrera paralela al río, pero cuando Ayla quiso seguir su camino por allí para volver a la cueva, se encontró con que el risco formaba un ángulo abrupto por donde se podía trepar. En la cima, el terreno se nivelaba y Ayla continuó siguiendo el curso superior de la corriente hasta llegar a su fuente.

Líquenes húmedos de un gris verdoso cubrían los pinos y abetos que dominaban en lo alto. Veíanse ardillas correteando por los altos árboles y a través del musgo jaspeado que tapizaba por igual tierra, piedras y troncos caídos con un manto continuo matizado desde un amarillo claro hasta un verde profundo. Más adelante, la muchacha podía ver el sol que se filtraba entre los árboles de hojas perennes. Siguiendo el arroyo, los árboles fueron haciéndose cada vez más escasos, mezclados con algunos otros de hoja caduca y reducidos al tamaño de arbustos; finalmente apareció un claro. La muchacha salió del bosque a un pequeño campo cuyo extremo terminaba en la roca de un color gris moreno del monte, escasamente cubierta con plantas trepadoras a medida que iba ascendiendo.

El arroyo, que serpenteaba a través de uno de los lados del prado, tenía su origen en un enorme manantial que brotaba del costado de la roca cerca de un frondoso avellano que crecía como si saliera de la roca. La sierra estaba minada de grietas subterráneas y saltos de agua que filtraban el hielo derretido del glaciar y que aparecían más abajo en forma de fuentes claras y efervescentes.

Ayla cruzó la pradera montañosa y bebió agua fría, deteniéndose después para examinar los racimos dobles y triples de avellanas, verdes aún y encerradas en sus fundas verdes ribeteadas de púas. Arrancó un racimo, peló la funda y rompió la cáscara blanda con los dientes, dejando al descubierto una avellana blanca a medio crecer. Siempre le gustaban más las avellanas verdes que las maduras que caían al suelo. El sabor le abrió el apetito y comenzó a recoger algunos racimos y a meterlos en su canasto. Al tender la mano observó un espacio oscuro detrás del tupido follaje.

Cautelosamente, apartó las ramas y observó una pequeña cueva oculta por el denso ramaje del avellano. Empujó las ramas, miró cuidadosamente el interior y entró, dejando que las ramas se cerraran tras ella. La luz del sol moteaba una pared con una combinación de luces y sombras iluminando tenuemente el interior. La cueva tendría tres metros y medio de profundidad y casi dos metros de ancho. Si se ponía de puntillas, casi podía tocar con la mano la parte superior de la abertura. El techo se inclinaba suavemente hasta más o menos la mitad de la profundidad, acercándose más rápidamente al suelo de tierra seca hacia el fondo.

Era justo un agujero en la pared montañosa, pero suficientemente amplio para que la muchacha pudiera encontrarse cómoda y moverse. Dentro vio un montoncito de nueces podridas y unos cuantos excrementos de ardilla junto a la entrada y comprendió que la cueva no había sido utilizada por ningún animal mayor. Ayla bailó en círculo, encantada con su hallazgo. La cueva parecía hecha justo a su medida.

Salió de nuevo y miró a través del claro, después trepó un poco por la roca desnuda y avanzó hasta una estrecha repisa que serpenteaba alrededor del promontorio. Muy lejos, entre dos colinas, se divisaba el agua espumosa del mar interior. Más abajo pudo divisar una figura diminuta cerca de la estrecha cinta plateada de un río: se encontraba casi directamente encima de la cueva del clan. Bajando de nuevo, recorrió el perímetro del claro.

«Es perfecto, pensó. Puedo practicar en el campo, hay agua cerca para beber y, si llueve, puedo entrar en la cueva. También puedo esconder mi honda ahí. Entonces no tendré miedo de que la descubran Iza o Creb. Incluso hay avellanas, y más adelante puedo traer algunas más para el invierno. Los hombres no suben casi nunca tan arriba para cazar. Esto va a ser exclusivamente mío.» Corrió por el calvero hasta el arroyo y se puso a buscar cantos rodados para probar su honda nueva.

Ayla subía para practicar en su retiro en cuanto podía. Encontró un camino más directo, aunque más empinado, para llegar a su pequeña pradera del monte, y a menudo sorprendía a gamuzas, ovejas o tímidos venados que allí pacían. Pero los animales que frecuentaban el alto pastizal pronto se acostumbraron a ella y sólo se retiraban al extremo opuesto del prado cuando llegaba.

Cuando atinar al poste con una piedra perdió su encanto, una vez que fue adquiriendo habilidad con la honda, se fijó en blancos más difíciles. Observó cuando Zoug daba explicaciones a Vorn y después aplicaba los consejos y las técnicas al practicar a solas. Para ella era como un juego divertido; y para incrementar su interés, comparaba sus progresos con los de Vorn. La honda no era el arma predilecta de éste, la consideraba como un instrumento de viejo. Le interesaba más la lanza, el arma de los cazadores primitivos, y se las había arreglado para cobrar algo de caza menor, animalillos lentos, como serpientes y puercoespines. No se aplicaba tanto como Ayla y le resultaba más difícil. A ella le daba una

184

sensación de orgullo y superación saber que era mejor que el muchacho, así como un ligero cambio de actitud... un cambio del que Broud se percató.

Se suponía que las hembras debían ser dóciles, serviles, humildes y nada presumidas. El dominante joven consideraba como una afrenta personal que ella no sintiera un poco de miedo cuando él se le acercaba. Eso ponía en entredicho su masculinidad. La observaba, tratando de saber qué había en ella que resultara diferente, y era rápido para darle un manotazo sólo por el placer de sorprender una mirada fugaz de temor en sus ojos o por verla encogerse.

Ayla trataba de responder convenientemente, hacía todo lo que él ordenaba y lo más rápidamente posible. No sabía que en su andar había libertad, una desenvoltura derivada de sus correrías por campos y selvas, orgullo en su porte por estar aprendiendo una habilidad difícil y adquirirla mejor que nadie, y una confianza creciente en su semblante. No sabía por qué la atormentaba más que a nadie. El propio Broud no sabía por qué fastidiaba tanto a la muchacha. Era algo indefinible, y ella no podría cambiar como tampoco podía cambiar el color de sus ojos.

Parte de ello era el recuerdo de la atención que había acaparado el día en que se celebraron los ritos de su virilidad, pero el verdadero problema es que ella no era originaria del clan. No había sido imbuida desde generaciones con el atavismo de la servilidad. Era una de los Otros, una raza nueva, más joven, más vital, más dinámica, que no estaba controlada por tradiciones innatas arraigadas en un cerebro que era casi exclusivamente memoria. El cerebro de ella seguía caminos distintos, su alta y ancha frente alojaba lóbulos frontales capaces de razonar y que le proporcionaban un entendimiento que procedía de una perspectiva diferente. Era capaz de aceptar lo nuevo, de configurarlo según su voluntad, de forjarlo con ideas que el clan jamás soñara, y, según el plan de la naturaleza, su especie estaba destinada a sustituir a la raza antigua que estaba a punto de desaparecer.

En un nivel profundo e inconsciente, Broud intuía los destinos opuestos de ambos. Ayla era algo más que una amenaza contra su masculinidad: era una amenaza contra su existencia. El odio que experimentaba hacia ella era el odio de lo viejo contra lo nuevo, de lo tradicional contra lo innovador, de lo moribundo contra lo que vive. La raza de Broud era demasiado estática, demasiado ajena al cambio. Habían alcanzado la cima de su desarrollo, no les era posible seguir progresando. Ayla formaba parte de un nuevo experimento de la naturaleza, y aun cuando se esforzaba por modelarse a la imagen de las mujeres del clan, era sólo una apariencia, una fachada superficial adoptada para sobrevivir. Ya estaba encontrando vías alternativas en respuesta a una necesidad profunda que buscaba la forma de expresarse. Y aunque trataba por todos los medios de complacer al insoportable joven, comenzaba a rebelarse interiormente.

Una mañana particularmente pesada, Ayla fue a la poza para beber agua. Los hombres estaban reunidos en el lado opuesto de la abertura de la caverna, proyectando la próxima cacería. Ella se alegraba, pues significaba que Broud estaría ausente unos días. Estaba sentada con una taza en la mano junto al agua tranquila, sumida en sus pensamientos. «¿Por qué se porta siempre tan ruinmente conmigo? Trabajo tanto como cualquier otra. Hago todo lo que quiere. ¿De qué me sirve esforzarme tanto? Ninguno de los otros hombres la toma contra mí como él. Sólo quisiera que me dejara en paz.»

–¡Ay! –exclamó sin querer, cuando el golpe de Broud la cogió desprevenida.

Todos interrumpieron lo que estaban haciendo y se quedaron mirándola, apartando la vista después. Una muchacha tan cerca de la edad adulta no debe gritar así sólo porque un hombre le dé un manotazo. Ella se volvió hacia su atormentador, con el rostro encendido de confusión.

–Estabas ahí mirando hacia ninguna parte, sentada sin hacer nada, muchacha perezosa –gesticuló Broud–. Te dije que nos trajeras algo de beber y me has ignorado. ¿Por qué tengo que repetírtelo?

Una sensación de ira la hizo enrojecer aún más. Se sintió humillada por haber gritado, avergonzada delante de todo el clan y furiosa contra Broud por ser el causante. Se puso en pie pero no con la prisa habitual para obedecer sus órdenes. Lenta e insolentemente se puso en pie, dirigió una mirada de odio frío antes de alejarse para ir en busca de la bebida y oyó que todo el clan articulaba un grito sofocado de sorpresa. ¿Cómo se atrevía a portarse con tanto descaro?

Broud estalló de ira. Dio un brinco tras ella, la hizo girar y le dio un puñetazo en la cara. La muchacha cayó al suelo a sus pies y entonces él le propinó otro golpe muy fuerte. Ella se encogió, tratando de protegerse con los brazos mientras la golpeaba una y otra vez. Luchó por no gritar, a pesar de que nadie podía esperar que permaneciera en silencio quien estaba sufriendo semejante maltrato. La furia de Broud aumentaba con su violencia; quería hacerla gritar y hacía llover sobre ella un golpe brutal tras otro en medio de su ira descontrolada. Ella apretaba los dientes, tratando de hacerse fuerte contra el dolor, negándose empecinadamente a proporcionarle la satisfacción que él buscaba. Al cabo de un rato ya ni podía gritar.

Débilmente, a través de una roja y vaga nebulosidad, se dio cuenta de que la paliza había cesado. Sintió que Iza la ayudaba a levantarse y se recostó pesadamente en la mujer mientras se dirigía a la cueva dando traspiés, casi inconsciente. Oleadas de dolor la recorrían mientras oscilaba entre la consciencia y una insensibilidad entumecida. Sólo se daba vagamente cuenta de las cataplasmas frescas y calmantes y de que Iza le sostenía la cabeza para que pudiera beber un brebaje amargo antes de caer en un sueño aletargado.

Al despertar, la luz tenue que precede al amanecer apenas dibujaba la silueta de los objetos familiares de la cueva, débilmente acompañada por el brillo apagado de las brasas de la lumbre. Quiso enderezarse: todos los músculos y los huesos de su cuerpo se rebelaron contra el movimiento; un gemido salió de sus labios y al instante Iza acudió junto a ella. Los ojos de la mujer se expresaban elocuentemente: estaban llenos de dolor y preocupación por la muchacha. Nunca había visto propinar tan brutal paliza; ni siquiera su compañero, en los peores momentos, había golpeado tan rudamente a Iza. Estaba segura de que Broud la habría matado si no le hubieran obligado a detenerse. Había sido una escena que Iza nunca esperaba volver a ver y que no deseaba presenciar de nuevo.

Al volverle el recuerdo del incidente, Ayla se llenó de odio y temor. Sabía que no debería haberse mostrado tan insolente, pero tampoco veía razón para esperar una reacción tan violenta. ¿Por qué le provocaba ella de tal modo para que se abandonara a reacciones tan violentas?

Brun estaba enojadísimo, con esa ira tan calmada y fría que obligaba al clan a andar silenciosamente y a evitarle en lo posible. Había reprobado la insolencia de Ayla, pero la reacción de Broud le sorprendió. Estaba bien castigar a la muchacha, pero Broud había ido demasiado lejos en el castigo. Ni siquiera había atendido la orden del jefe cuando le mandó detenerse; Brun tuvo que apartarle físicamente. Peor aún: había perdido el control con relación a una hembra. Había permitido que una muchacha le provocara haciéndole dar rienda suelta a una furia descontrolada tan poco viril.

Después del arranque de mal genio de Broud en el campo de ejercicios, Brun estaba convencido de que el joven no volvería a permitirse perder nuevamente el control, pero ahora se había dejado llevar por una rabieta que era peor que la de un crío, mucho peor porque Broud tenía el cuerpo fuerte de un adulto. Por vez primera, Brun empezó a poner seriamente en duda la conveniencia de hacer de Broud el nuevo jefe, y esto le dolía al hombre impasible más de lo que estaba dispuesto a reconocer. Broud era algo más que el hijo de su compañera, más que el hijo de su corazón; Brun estaba seguro de que fue su espíritu el que lo creó, y le amaba más que a su propia vida. Sentía el fracaso del joven con una punzada de culpabilidad. La culpa tenía que ser suya; había fallado en algo, no lo había criado debidamente, no lo había entrenado debidamente, le había mostrado demasiada predilección.

Brun esperó unos cuantos días antes de hablar a Broud. Quería darse tiempo para pensarlo todo a fondo y cuidadosamente. Broud pasó esos días en un estado de agitación nerviosa, apartándose apenas de su hogar, y casi dio un suspiro de alivio cuando Brun le hizo finalmente señas de que le siguiera, aun cuando el corazón le palpitaba desordenadamente. No había nada en el mundo que temiera tanto como la ira de Brun, pero fue precisamente la falta de ira de Brun lo que le hizo comprender.

Con ademanes sencillos y matices de voz tranquilos, Brun dijo exactamente a Broud lo que había estado pensando. Se echó la culpa de los fallos de Broud y el joven se sintió más avergonzado que nunca en su vida. Se le hizo comprender el amor de Brun, así como su angustia, de una manera que no había conocido antes. El que estaba allí no era el orgulloso jefe al que Broud había respetado y temido siempre: allí estaba un hombre que le amaba y se sentía profundamente desilusionado por él. Broud se sentía, a su vez, lleno de remordimientos.

Entonces advirtió Broud una expresión de dura resolución en los ojos del jefe. Por poco se le rompe el corazón a Brun, pero los intereses del clan tenían que pasar por encima de todo.

—Un arrebato más, Broud, un indicio más de semejante exhibición y dejarás de ser el hijo de mi compañera. Te corresponde asumir el mando después de mí, pero antes de confiar el clan a un hombre que carezca de autocontrol, te ignoraré y mandaré que te maldigan con la muerte. —El rostro del jefe no expresaba ninguna emoción mientras seguía—: Hasta que no vea alguna señal de que ya no eres un niño, no hay esperanzas de que seas capaz de asumir el mando. Te estaré observando, pero también observaré a los demás cazadores. Tendré que ver algo más que una falta de exhibición de tu temperamento, tendré que convencerme de que eres un hombre, Broud. Si tuviera que escoger a otro como jefe, tu posición quedaría relegada permanentemente a la última fila. ¿He sido claro?

Broud no podía creerlo: ¿ignorado?, ¿maldecido de muerte?, ¿otro escogido para ocupar el puesto de jefe?, ¿siempre el varón de más baja categoría? No podía decirlo en serio. Pero la mandíbula apretada de Brun y su dura mirada de determinación no dejaban lugar a dudas.

–Sí, Brun –asintió Broud; tenía el rostro de color ceniza.

–No hablaremos más de esto con los demás. Un cambio así les resultaría difícil de aceptar y no quiero provocar preocupaciones innecesarias. Pero no pongas en duda que haré lo que he dicho. Un jefe debe poner siempre los intereses del clan por encima de los suyos propios; es lo primero que debes aprender. Por eso es tan esencial que un jefe se controle. La supervivencia del clan es responsabilidad suya. Un jefe disfruta de menos libertad que una mujer, Broud. Tiene que hacer cosas que tal vez no desearía hacer. Si fuera necesario, tendrá incluso que desconocer al hijo de su compañera. ¿Comprendes?

–Comprendo, Brun –respondió Broud, aunque no estaba muy seguro de comprender. ¿Cómo podía tener un jefe menos libertad que una mujer? Un jefe podía hacer cualquier cosa, dar órdenes a todos, hombres y mujeres por igual.

–Ahora vete, Broud. Quiero estar solo.

Pasaron varios días antes de que Ayla pudiera levantarse, y muchos más antes de que las manchas moradas que le cubrían el cuerpo pasaran a un amarillo sucio antes de desaparecer. Al principio estaba tan asustada que no se atrevía a acercarse a donde estaba Broud y daba un respingo al verlo. Pero cuando dejó de tener dolores, comenzó a percatarse del cambio que se había producido en él. Ya no la acosaba ni la fastidiaba: la evitaba positivamente. Una vez que se olvidó del dolor, empezó a considerar que la paliza había valido la pena. Se percató de que, desde entonces, Broud la había dejado completamente en paz.

La vida le resultaba más fácil a Ayla sin tener que aguantar sus vejámenes. No se había dado cuenta de la presión bajo la que vivía hasta que cesó. Por comparación, se sentía libre, a pesar de que su vida seguía siendo tan limitada como la del resto de las mujeres. Caminaba con entusiasmo, echando de repente a correr, o brincaba gozosamente, mantenía erguida la cabeza e incluso soltaba la carcajada. Iza sabía que era feliz, pero su comportamiento no era usual y provocaba miradas de reprobación. Era demasiado exuberante y eso no estaba bien.

Que Broud la evitaba era evidente también para el clan y constituyó un tema de comentarios y de asombro. A partir de casuales conversaciones por gestos, Ayla comenzó a adquirir el convencimiento de que Brun había amenazado a Broud con funestas consecuencias si volvía a pegarla: se lo confirmó el ver que el joven la ignoraba hasta cuando ella le provocaba. Al principio sólo se mostró un poco descuidada, dando a sus tendencias naturales más rienda suelta, pero después inició una campaña deliberada de insolencia sutil. No la falta de respeto descarada que había provocado aquella paliza, sino insignificancias, trucos mezquinos calculados para fastidiarle. Le odiaba, quería vengarse de él y se sentía protegida por Brun.

El clan era pequeño, y por mucho que Broud tratara de evitarla, en las relaciones normales del clan había ocasiones en las que tenía que decirle lo que había que hacer. Ella ponía todo su empeño en ser más lenta en obedecer. Si creía que nadie la observaba, alzaba la mirada y la fijaba en él con la mueca peculiar que sólo ella podía hacer, cuando le veía luchar para controlarse. Tenía cuidado cuando había otras personas cerca, especialmente Brun; no deseaba experimentar la ira del jefe, pero se mostraba irónica frente a la de Broud y puso su voluntad en contra de la de él cada vez más abiertamente a medida que avanzaba el verano.

Sólo cuando sorprendió accidentalmente una mirada de odio venenoso se preguntó si lo que estaba haciendo sería sensato. Su mirada hostil era tan intensamente malévola que la sentía casi como un golpe físico. Broud la responsabilizaba de su situación inaguantable. De no haber sido ella tan insolente, él no se habría enfurecido tanto. De no ser por ella no tendría una maldición de muerte pendiente sobre su cabeza. La exuberancia gozosa de ella le irritaba, por mucho que tratara de controlarse. Era obvio y patente que su comportamiento era de una indecencia escandalosa. ¿Por qué no lo veían los demás? ¿Por qué la dejaban salirse con la suya? La odiaba más profundamente que antes, pero procuraba disimularlo cuando Brun estaba cerca.

La batalla entre ellos se había vuelto solapada, pero se libraba con una intensidad más feroz, y la muchacha no conseguía ser tan sutil como creía. El clan entero tenía conciencia de la tensión que había entre ellos y se preguntaba por qué la permitía Brun. Los hombres, siguiendo la actitud del jefe, evitaban intervenir e incluso permitían una mayor libertad a la joven de la que ellos tendrían en circunstancias normales, pero con todo eso el clan se sentía incómodo, hombres y mujeres por igual.

Brun reprobaba el comportamiento de Ayla; no le había pasado inadvertido lo que ella consideraba como maniobras sutiles, y tampoco le agradaba ver que Broud la dejaba salirse con la suya. La insolencia y la rebelión eran inaceptables, vinieran de quien vinieran, especialmente de las mujeres. Resultaba chocante ver que la muchacha confrontaba su voluntad contra la de un hombre. Ninguna mujer del clan lo tomaría siquiera en consideración. Las mujeres estaban contentas con el lugar que ocupaban, era su estado natural. Comprendían con un instinto profundo la importancia que tenían para la existencia del clan. Los hombres no podían aprender sus habilidades, como tampoco ellas podían aprender a cazar; carecían de los recuerdos necesarios para hacerlo. ¿Por qué iba una mujer a luchar y combatir para cambiar un estado natural? ¿Lucharía para dejar de comer o respirar? Si Brun no hubiera estado seguro de que era mujer, habría pensado por sus acciones que era varón. Y, sin embargo, había aprendido las habilidades femeninas e incluso estaba mostrando aptitudes para la magia de Iza.

Por muy contrariado que se sintiera, Brun se reprimía para no interferir, pues podía ver que Broud luchaba por dominarse. El desafío de Ayla servía de estímulo para que Broud dominara su genio, dominio tan esencial para un futuro jefe. A pesar de haber considerado seriamente la posibilidad de hallar un nuevo sucesor, Brun simpatizaba con todo lo concerniente al hijo de su compañera. Broud era un cazador intrépido y a Brun le enorgullecía su valor. Si pudiera aprender a dominar su único defecto evidente, Brun consideraba que Broud sería un buen jefe.

Ayla no tenía perfecta conciencia de las tensiones que la rodeaban. Aquel verano se sentía más feliz de lo que podía recordar. Aprovechó su mayor libertad para vagabundear más en solitario, recogiendo plantas y practicando con la honda. No esquivaba ninguna tarea que le fuera impuesta –eso no se le permitía–, pero una de sus tareas consistía en llevarle a Iza las hierbas que necesitaba, lo que le proporcionaba una excusa para alejarse del hogar. Iza no recuperó plenamente sus fuerzas, aunque su tos cedió con el calor del verano. Tanto Creb como Iza se preocupaban por Ayla. Iza estaba segura de que las cosas no podían seguir así y decidió salir con la muchacha en busca de vegetales, aprovechando la oportunidad para hablarle.

–Ven aquí, Uba, madre está preparada –dijo Ayla, levantando a la niña y asegurándola contra su cadera con el manto. Bajaron la pendiente y atravesaron el río hacia el oeste, siguiendo a través del bosque una senda de animales que había sido ligeramente ensanchada debido a su uso ocasional como camino. Cuando llegaron a una pradera descubierta, Iza se detuvo y echó una mirada en derredor antes de dirigirse a unas flores amarillas, altas y llamativas, parecidas al aster.

–Éstas son atarragas, Ayla –dijo Iza–. Por lo general crecen en campos y lugares descubiertos. Las hojas son grandes óvalos puntiagudos, de un verde oscuro por arriba y con pelusilla por abajo, ¿ves? –Iza estaba de rodillas sosteniendo una hoja mientras explicaba–. La nervadura del medio es gruesa y carnosa. –Iza la rompió para mostrársela.

–Sí madre, ya veo.

–Lo que se usa es la raíz. La planta nace de la misma raíz todos los años, pero es mejor recogerla en el segundo año, a fines del verano o en otoño, cuando la raíz está suave y sólida. Se corta en trocitos y se pone en la cantidad que cabe en la palma de la mano, y se hace hervir en la taza pequeña de hueso hasta que queda reducida a la mitad. Debe enfriarse antes de beberla, unas dos tazas al día. Elimina las flemas y es especialmente buena para la enfermedad de los pulmones que hace escupir sangre. También ayuda a sudar y orinar. –Iza había usado su palo de cavar para descubrir una raíz, estaba sentada en el suelo y sus manos se movían muy rápidamente mientras explicaba–: La raíz también puede secarse y molerse muy fina. –Arrancó cuidadosamente varias raíces y las metió en su cesto.

Cruzaron una pequeña loma y nuevamente se detuvo Iza. Uba se había quedado dormida, confortablemente pegada al cuerpo de Ayla.

–¿Ves esa plantita de flores amarillentas en forma de embudo, púrpura en el centro? –preguntó Iza, señalando otra planta.

–¿Ésta? –preguntó Ayla tocando una planta de unos treinta centímetros de alto.

–Sí, es el beleño. Muy útil para una curandera, pero no debe comerse nunca; puede ser peligrosamente venenoso si se toma como alimento.

–¿Qué parte se emplea? ¿La raíz?

–Muchas partes: raíces, hojas y semillas. Las hojas son más anchas que las flores y crecen una tras otra alternándose a ambos lados del tallo. Presta mucha atención, Ayla: las hojas son de un verde apagado y pálido, con rebordes espinosos, y ¿ves los pelos que crecen en el medio? –Iza tocó los finos y largos pelos mientras Ayla miraba atentamente. Entonces la curandera arrancó una hoja y la arrugó–. Huele –ordenó; Ayla olisqueó: la hoja tenía un fuerte olor narcótico–. El olor desaparece una vez que se ha secado la hoja. Más tarde nacerán muchas pequeñas semillas morenas. –Iza cavó y extrajo una raíz gruesa, en forma de ñame, corrugada y de piel morena. El color blanco interior quedó a la vista donde se había roto–. Las distintas partes se usan con fines distintos, pero todas ellas son buenas contra el dolor. Se puede hacer una infusión y beberla, es muy fuerte, no hace falta poner mucho, o un enjuague y aplicarlo a la piel. Neutraliza los espasmos musculares, calma y relaja, produce sueño.

Iza cogió varias plantas y echó a andar hacia una mata cercana de malvarrosa brillante y arrancó algunas flores rosadas, púrpura, blancas y amarillas de los altos tallos sencillos.

–La malvarrosa es buena para calmar irritaciones, dolores de garganta, arañazos y raspaduras. Las flores sirven para hacer una bebida que puede calmar el dolor, pero quien la toma se queda adormilado. La raíz es buena para las heridas. Usé malvarrosa en tu pierna, Ayla. –La joven bajó la mano y sintió las cuatro cicatrices paralelas de su muslo y pensó de repente dónde estaría ahora de no haber sido por Iza.

Siguieron andando juntas un rato, disfrutando del cálido sol y del calor de su compañía mutua, sin hablar. Pero la mirada de Iza examinaba constantemente la zona. La hierba del campo abierto, que les llegaba al pecho, estaba dorada y había granado. La mujer miraba hacia el otro lado del campo de gramíneas, con las espigas inclinadas por el peso de las semillas maduras, ondulando suavemente bajo la cálida brisa. Entonces vio algo y se dirigió hacia allí, atravesando el campo para detenerse en un punto en que el centeno presentaba unas semillas de una desvaída coloración violácea oscura.

–Ayla –dijo, señalando uno de los tallos–, el centeno no crece así normalmente; es una enfermedad de las semillas, pero ha sido una suerte haberlo encontrado. Se llama cornezuelo, huélelo.

–¡Huele muy mal! A pescado podrido.

–Pero hay una magia en esas semillas enfermas que resulta especialmente buena para las mujeres embarazadas. Si una mujer tarda mucho en el parto, esto puede contribuir a acelerarlo. Provoca las contracciones; y también puede provocar el alumbramiento. Puede hacer que una mujer pierda pronto al bebé, y eso es importante, especialmente si ya ha tenido problemas anteriores al dar a luz o si está amamantando. Una mujer no debe tener hijos muy seguidos, es perjudicial para ella, y si se queda sin leche, ¿quién alimentará al hijo que ya tiene? Demasiados bebés mueren al nacer o durante el primer año, la madre debe cuidar del que ya vive y tiene una posibilidad de sobrevivir. Hay otras plantas que pueden ayudarla a perder pronto el bebé si es necesario; el cornezuelo de centeno es sólo una de ellas. También es bueno después del parto. Ayuda a expulsar la sangre vieja y a que los órganos vuelvan a la normalidad. Sabe mal, no tan mal como huele, pero resulta útil cuando se emplea con juicio. Si se toma demasiado puede provocar fuertes calambres, vómitos e incluso la muerte.

—Es como el beleño: puede ser bueno o malo —comentó Ayla—. Eso suele ser cierto. Muchas veces las plantas más venenosas sirven para hacer las mejores y más fuertes medicinas, cuando se sabe hacer buen uso de ellas.

Cuando regresaban hacia el riachuelo, Ayla se detuvo señalando una hierba de flores púrpura azuladas, de más o menos unos treinta centímetros de alto.

—Ahí hay algo de hisopo. Su infusión es buena contra la tos y cuando se tiene catarro, ¿no es así?

—Sí, y además proporciona un agradable sabor aromático a cualquier infusión. ¿Por qué no recoges un poco?

Ayla arrancó de raíz unas cuantas plantas y fue cortando las hojas mientras caminaba.

—Ayla —le dijo la mujer—, esas raíces producen plantas nuevas todos los años. Si arrancas las raíces no habrá plantas aquí el próximo verano. Es mejor coger sólo las hojas cuando no vas a hacer uso de las raíces.

—No se me había ocurrido —dijo Ayla, contrita—. No volveré a hacerlo.

—Incluso si aprovechas las raíces, es mejor no arrancarlas todas de un mismo lugar. Deja siempre algunas para que sigan creciendo.

Dieron media vuelta hacia el río y, al llegar a un lugar pantanoso, Iza señaló otra planta.

—Esto es ácoro; se parece un poco al iris pero no es igual. La raíz hervida sirve de ablución para calmar quemaduras, y cuando se mastican las raíces se alivia a veces el dolor de muelas, pero hay que tener cuidado al administrárselas a una mujer encinta. Algunas mujeres han perdido al bebé por beber su jugo, aunque nunca he tenido mucha suerte al dárselo a una mujer con ese propósito. Puede ayudar a un estómago descompuesto, especialmente en caso de estreñimiento. Puedes ver la diferencia en esa planta –señaló Iza–: se llama bulbo y, por otra parte, la planta huele más fuerte.

Se detuvieron y descansaron a la sombra de un arce de hojas grandes que había junto al río. Ayla tomó una hoja, la enrolló como una cornucopia, dobló la base y puso debajo su pulgar antes de coger un poco de agua fresca del río para beber. Se la llevó a Iza en aquel vaso improvisado, antes de tirarlo al suelo.

–Ayla –dijo la mujer después de haber bebido–, deberías hacer lo que dice Broud, ¿sabes? Es un hombre y tiene derecho a darte órdenes.

–Hago todo lo que me manda –respondió, a la defensiva.

–Pero no lo haces como deberías –dijo Iza meneando la cabeza–. Le desafías, le provocas. Ayla, algún día lo lamentarás. Broud será alguna vez jefe. Tienes que hacer lo que mandan los hombres. Eres mujer y no te queda otra alternativa.

–¿Por qué han de tener los hombres el derecho de mandar sobre las mujeres? ¿Es que son mejores? Ni siquiera pueden tener hijos –expresó con gesto de amargura, reflejo de su rebeldía.

–Así son las cosas. Siempre ha sido así en el clan. Ahora tú eres del clan, Ayla; eres mi hija. Tienes que portarte como cualquier muchacha del clan.

Ayla bajó la cabeza sintiéndose culpable. Iza tenía razón, ella estaba provocando a Broud. ¿Qué habría sido de ella si no la hubiera encontrado Iza? ¿Si Brun no le hubiera permitido quedarse? ¿Si Creb no la hubiera hecho del clan? Miró a la mujer, la única madre que recordaba. Iza había envejecido; estaba delgada y demacrada. La carne de sus otrora musculosos brazos colgaba de los huesos y sus cabellos morenos eran casi grises. Creb le había parecido viejo al principio, pero apenas había cambiado. Ahora era Iza quien parecía vieja, más vieja que Creb. Ayla estaba preocupada por Iza, pero en cuanto decía algo, la mujer le hacía callarse.

–Tienes razón Iza –dijo la muchacha–. No me he portado como debía con Broud. Me esforzaré por complacerle.

La pequeña que transportaba Ayla empezó a agitarse. De repente abrió unos ojos como platos:

–Uba hambre –señaló, y se metió su regordete puño en la boca.

–Se está haciendo tarde y Uba tiene hambre –dijo Iza después de examinar el cielo–. Será mejor que emprendamos el camino de regreso.

«Ojalá tuviera fuerzas para salir más frecuentemente conmigo, pensaba Ayla mientras regresaban rápidamente hacia la cueva. Entonces pasaríamos más tiempo juntas; y aprendo siempre mucho más cuando ella está conmigo.»

Aunque Ayla se esforzaba por cumplir su decisión de agradar a Broud, le costaba mucho llevarlo a la práctica. Se había acostumbrado a no hacerle caso, pues sabía que se volvería hacia otra de las mujeres o lo haría él mismo si ella no se apresuraba. Sus sombrías miradas no la asustaban, se sentía a salvo de su ira. Dejó de provocarlo a propósito, pero su impertinencia se había convertido ya en un hábito. Le había sostenido la mirada demasiado tiempo en vez de bajarla inclinando la cabeza, ignorándolo en vez de correr a cumplir sus mandatos; se había convertido en algo automático. Su desdén inconsciente le ofendía más que sus intentos por fastidiarle. Se daba cuenta de que no le respetaba; no es que le hubiera perdido el respeto, le había perdido el miedo.

Pronto se vería obligado el clan a meterse de nuevo en la cueva a causa de los vientos fríos y las fuertes nevadas; Ayla odiaba ver que las hojas empezaban a cambiar de color aunque el brillante espectáculo otoñal siempre la cautivaba, y su rica cosecha de frutas y nueces tenía ocupadas a las mujeres. Poco tiempo le quedaba a Ayla para trepar hasta su retiro secreto durante el último ajetreo por almacenar una reserva de la cosecha del otoño, pero el tiempo pasó tan rápidamente que no se percató hasta que la temporada llegó a su fin.

Finalmente el ritmo se calmó y un buen día se colgó su canasto, tomó su palo de cavar y trepó una vez más a su calvero oculto, pensando recoger avellanas. En el momento en que llegó se quitó el canasto de la espalda y entró en su cueva para buscar la honda. Había amueblado su casita de juguete con unos cuantos objetos que ella misma había confeccionado y una piel para dormir. Tomó una taza de madera de abedul de un trozo plano de madera montado sobre dos piedras grandes que también sostenía unos cuantos platos de concha, un cuchillo de sílex y algunas piedras que solía usar para cascar nueces. Entonces sacó la honda del canasto de mimbre con tapa donde la guardaba; después de haber tomado un trago del manantial, corrió por la orilla del arroyo en busca de cantos rodados.

Hizo unos cuantos tiros de práctica. «Vorn no da en el blanco tan a menudo como yo», se dijo, complacida consigo misma cada vez que las piedras daban donde ella había apuntado. Al cabo de un rato se cansó del deporte, hizo a un lado la honda y las últimas piedrecitas y empezó a recoger las avellanas que había por el suelo junto a los densos arbustos viejos y retorcidos. Estaba pensando en lo maravillosa que era la vida. Uba estaba creciendo y prosperando, y su madre tenía mucho mejor aspecto. Los dolores y achaques de Creb se aliviaban siempre durante los veranos cálidos, y a ella le encantaba vagar con él dando largos paseos junto al río. Jugar con la honda era un deporte que le agradaba y en el que se había vuelto muy hábil. Era casi demasiado fácil dar en las piedras o el poste o las ramas que se fijaba como blancos, pero todavía encontraba cierta excitación en el manejo del arma prohibida. Y más que nada, Broud había dejado de fastidiarla. Pensaba que no había nada que pudiera echar a perder su felicidad mientras llenaba de avellanas su canastillo.

Hojas secas, rojizas y morenas eran atrapadas por los fríos vientos mientras se desprendían de los árboles, arrojadas hacia todos lados y finalmente depositadas suavemente en el suelo. Cubrían las nueces que todavía estaban caídas al pie de los árboles que las habían hecho madurar. Los frutos que no habían sido recogidos para la reserva invernal colgaban, pesados y maduros, de las ramas desprovistas de hojas. Las estepas del este eran un mar dorado de espigas, rizado por el viento del mismo modo que las olas orladas de espuma del agua gris al sur; y los últimos racimos de uvas redondas e hinchadas, reventando de jugo, pedían ser recolectados.

Los hombres estaban, como siempre, reunidos para planificar una de las últimas cacerías de la estación. Habían estado discutiendo el recorrido desde las primeras horas de la mañana, y Broud había sido enviado para que ordenara a una mujer que les llevara agua para beber. Vio a Ayla sentada cerca de la entrada de la cueva con palitos y trozos de cuero a su alrededor: estaba montando armazones de los cuales colgarían racimos de uva para convertirse en pasas.

—¡Ayla! ¡Trae agua! —ordenó Broud con un ademán y se volvió.

La muchacha estaba sujetando un ángulo crítico, sosteniendo el marco sin terminar contra su cuerpo. Si se movía en ese momento, todo se desarmaría y habría que volver a empezar. Vaciló,

197

echó una mirada para ver si otra mujer andaba cerca y finalmente, soltando un suspiro de contrariedad, se levantó lentamente y se fue a buscar una bolsa grande para agua.

El joven luchó para dominar la ira que le provocó repentinamente la renuencia con que le obedecía, y luchando contra su enojo, buscó con la mirada otra mujer que respondiera a su mandato con mayor rapidez. De repente cambió de opinión; miró a Ayla, que se ponía justo en pie y entrecerró los ojos. «¿Qué le daba derecho a mostrarse tan insolente? ¿Acaso no soy un hombre? ¿No es obligación suya obedecerme? Brun nunca me ha ordenado que tolere tal falta de respeto, pensó. No puede mandar que me echen la maldición mortal sólo porque le ordeno cumplir con su obligación. ¿Qué clase de jefe dejaría que una hembra le desafiase?» Algo chasqueó dentro de Broud: «¡Su imprudencia ha durado demasiado! No permitiré que esto continúe: ¡Debe obedecerme!»

Estos pensamientos acudieron a su mente en una fracción de segundo, mientras daba los tres pasos que les separaban. En el momento en que se estaba poniendo en pie, el duro puño de él la cogió por sorpresa y la derribó. Ayla lanzó una mirada de asombro rápidamente sustituida por otra de ira. Miró a su alrededor y vio que Brun los estaba observando, pero en su rostro inexpresivo había algo que le aconsejó no esperar ayuda por ese lado. La ira en los ojos de Broud cambió su propia rabia en temor; había visto su mirada colérica y eso despertó su odio apasionado hacia ella. ¡Cómo osaba desafiarlo!

Rápidamente Ayla soslayó la trayectoria del golpe siguiente. Corrió hacia la cueva en busca de la bolsa para el agua. Broud salió tras ella con los puños apretados, luchando por mantener su furor dentro de los límites aceptables. Echó una mirada hacia los hombres y vio el rostro impasible de Brun. No había en su mirada nada que indicara aprobación, pero tampoco rechazo. Broud observó mientras Ayla corría a la poza para llenar la bolsa y se echaba después la pesada vejiga a la espalda. No había dejado de advertir su rápida respuesta ni su mirada de temor al ver que pensaba volver a golpearla. Eso facilitó un poco que controlara su ira. «He sido demasiado indulgente con ella», se dijo.

Cuando Ayla pasó cerca de Broud, inclinada bajo el peso de la bolsa llena de agua, le dio un empujón que por poco vuelve a derribarla. La ira enrojeció las mejillas de la muchacha; se enderezó, le lanzó una rápida mirada llena de odio y empezó a andar más despacio. Él la siguió de nuevo. Ayla esquivó el golpe, que vino a descargar en su hombro. El clan entero estaba contemplando la escena. La muchacha miró a los hombres: la mirada dura de Brun le hizo correr más que los puños de Broud. Salvó a todo correr la corta distancia, se arrodilló y empezó a echar agua en una taza, manteniendo la cabeza inclinada. Broud la siguió lentamente, temeroso de la reacción de Brun.

–Crug estaba diciendo que ha visto una manada dirigirse hacia el norte, Broud –indicó por gestos Brun mientras Broud se reunía con el grupo.

¡Todo marchaba bien! Brun no estaba enfadado con él. «Claro que no, ¿por qué iba a estarlo? Hice lo correcto. ¿Por qué iba a hacer referencia a un hombre que impone disciplina a la hembra que se lo tiene merecido?» El suspiro de alivio de Broud casi pudo oírse.

Cuando los hombres terminaron de beber, Ayla volvió a la cueva. La mayoría de la gente había reanudado sus ocupaciones, pero Creb seguía en pie a la entrada, mirándola.

–¡Creb! Broud casi vuelve a pegarme –dijo con gestos, corriendo hacia él. Miró al viejo al que amaba, pero la sonrisa de sus labios se apagó al ver en su rostro una mirada que nunca antes había visto.

–Sólo has cobrado tu merecido –señaló Creb con una mirada despectiva. Su mirada era dura. Le dio la espalda y se fue cojeando hasta su hogar. «¿Por qué estará Creb enfadado conmigo?», pensó la muchacha.

Aquella misma tarde Ayla se acercó tímidamente al viejo mago y tendió los brazos para pasárselos alrededor del cuello, gesto que nunca había dejado de enternecerle; pero él no respondió a la caricia, ni siquiera se molestó en sacudírsela. Siguió mirando a lo lejos, frío y distante. Ella retrocedió.

–No me molestes. Encuentra algo que hacer, muchacha. Mog-ur está meditando, no le queda tiempo para hembras insolentes –señaló con un gesto abrupto e impaciente.

Se le llenaron los ojos de lágrimas; se sintió dolida y de repente un poco asustada ante el viejo mago. No era ya el Creb que ella conocía y amaba. Era Mog-ur. Por primera vez, desde que fue a vivir con el clan, comprendió por qué todos se mantenían a distancia y sentían pavor del gran Mog-ur. Se había apartado de ella. Con una mirada y unos pocos gestos mostraba su desaprobación y un rechazo más fuerte del que hubiera sentido jamás la muchacha. Ya no la quería. Le apetecía decirle que le amaba, pero estaba asustada. Llegó hasta Iza, arrastrando los pies.

–¿Por qué está Creb tan enfadado conmigo? –preguntó por señas.

–Ya te lo había dicho, Ayla: tienes que hacer lo que mande Broud. Es hombre y tiene derecho a darte órdenes –dijo amablemente Iza.

–Pero ¡si hago todo lo que dice! Nunca le he desobedecido.

–Le muestras resistencia, Ayla. Le desafías. Tú sabes que eres insolente. No te portas como se porta una muchacha bien criada. Eso repercute sobre Creb... y sobre mí. Creb tiene la impresión de que no te ha criado debidamente, de que te ha concedido demasiada libertad, de que te ha dejado hacer lo que querías, de modo que ahora puedes hacer lo que te viene en gana con todo el mundo. Tampoco Brun está contento contigo, y Creb lo sabe. Corres sin parar; Ayla, los niños corren, no las muchachas que son tan crecidas como mujeres. Haces esos ruidos con tu garganta. No te mueves rápidamente cuando te mandan hacer algo. Todo el mundo te desaprueba, Ayla. Has puesto en evidencia a Creb.

–Yo no sabía que era tan mala, Iza –expresó Ayla por señas–. No quería ser mala, nunca he pensado serlo.

–Pero tienes que pensar en ello. Estás demasiado crecida para portarte como una chiquilla.

–Es que Broud ha sido siempre tan cruel conmigo, y aquella vez me golpeó tan fuerte...

–No hay diferencia alguna en que sea cruel o no, Ayla. Puede ser todo lo cruel que quiera; está en su derecho: es un hombre. Puede pegarte siempre que se le antoje y tan fuerte como quiera. Algún día llegará a ser jefe, Ayla, tienes que obedecerle, debes hacer lo que él diga y cuando lo diga. No te queda otro remedio –explicó Iza. Miró el rostro afligido de la niña. «¿Por qué le resultará tan difícil?», se preguntó. Iza sintió tristeza y simpatía por la muchacha que tropezaba con tanta dificultad para aceptar las cosas de la vida–. Es tarde, Ayla, ve a acostarte.

Ayla fue al lugar donde dormía pero pasó mucho tiempo antes de que pudiera conciliar el sueño. Cuando, por fin, pudo conciliarlo, se revolvió, se agitó y durmió mal. Despertó temprano, cogió su canasto y su palo de cavar y salió antes del desayuno. Quería estar sola para pensar. Trepó a su pradera secreta y cogió la honda, pero no se sentía con ganas de practicar.

«Todo esto es por culpa de Broud, se decía. ¿Por qué está siempre fastidiándome? ¿Qué le he hecho? Nunca le he gustado. ¿Y qué si es hombre? No me importa que llegue a ser jefe, no es tan grande. Ni siquiera es tan bueno con la honda como Zoug. Yo podría ser tan buena como él, soy ya mejor que Vorn. Falla muchas veces más que yo; y probablemente Broud también. Cuando estaba presumiendo delante de Vorn, falló.»

Furiosamente siguió lanzando piedras con la honda. Una de ellas rebotó en un matorral y sacó a un adormilado puercoespín de su agujero. Pocas veces se cazaban animalillos nocturnos. «Todos han hecho gran alharaca porque Vorn mató a un puercoespín, recordó. También yo podría hacerlo si quisiera.» El animalillo trepaba por una colina arenosa cerca del arroyo con las púas erizadas. Ayla metió una piedra en la bolsa de su honda de cuero, apuntó y lanzó la piedra. El lento puercoespín era un blanco fácil: cayó al suelo.

Ayla corrió hacia él complacida consigo misma, pero, al tocarlo, se dio cuenta de que el animalillo no estaba muerto, sólo atontado. Sintió que le latía el corazón y vio la sangre que le corría de una herida en la cabeza; entonces sintió un repentino impulso de llevarse al animalito a la cueva, como había hecho con tantas criaturitas heridas. Ya no estaba contenta, experimentaba mucha pena. «¿Por qué lo he lastimado? No quería hacerle daño, pensó. No puedo llevármelo a la cueva: Iza se percatará inmediatamente de que ha sido golpeado con una piedra; ha visto demasiados animales muertos con una honda».

La muchachita miraba al animal herido. «Ni siquiera puedo cazar, se dijo. Si matara un animal no podría llevármelo a la cueva. ¿De qué sirve practicar con la honda? Si Creb está enojado conmigo ahora, ¿qué haría si se enterara? ¿Qué haría Brun? Se supone que no debo siquiera tocar un arma, no digamos usarla. ¿Me expulsaría Brun?» Ayla estaba abrumada por un sentimiento de culpabilidad y de temor. «¿Adónde iría? No puedo dejar a Iza, a Creb y a Uba. ¿Quién se ocuparía de mí? No quiero irme», pensó, prorrumpiendo en llanto.

«He sido mala. ¡He sido muy mala y Creb está muy enfadado conmigo! Le quiero, no quiero que me odie. Oh, ¿por qué está tan enfadado conmigo?» Las lágrimas corrían por el rostro de la desdichada niña. Se tendió en el suelo sollozando de pena. Cuando, finalmente, se quedó sin lágrimas, se sentó y se limpió la nariz con el dorso de la mano; sus hombros se estremecían de vez en cuando con sollozos renovados. «No voy a volver a ser mala, nunca. ¡Oh, voy a ser muy buena! Haré todo lo que quiera Broud, sea lo que sea, y no volveré a coger una honda.» Y para dar mayor fuerza a su determinación, arrojó la honda debajo de un matorral, fue en busca de su canasta y echó a correr monte abajo hacia la cueva. Iza la había estado buscando y la vio regresar.

–¿Dónde has andado? Has estado fuera toda la mañana y traes vacío el canasto.

–He estado pensando, madre –indicó Ayla por medio de gestos, mirando a Iza con grave seriedad–. Tenías razón: he sido mala. No volveré a ser mala. Haré todo lo que me mande Broud. Y me portaré como es debido, no correré ni nada. ¿Crees que Creb volverá a quererme si soy muy, muy buena?

–Seguro que sí, Ayla –respondió Iza, acariciándola suavemente. «Ha tenido de nuevo esa enfermedad, la que llena los ojos de agua cuando cree que Creb no la quiere, pensó la mujer, viendo el rostro de Ayla lleno de churretes y sus ojos hinchados y rojos. Le dolía el corazón de pena por la muchacha. Le resulta más difícil, su especie es diferente. Pero quizá ahora vayan mejor las cosas.»

11

El cambio de Ayla fue increíble. Se había convertido en una persona distinta. Estaba pesarosa, se mostraba dócil, corría para ejecutar las órdenes de Broud. Los hombres estaban convencidos de que lo había logrado merced a una disciplina más severa. Asentían con la cabeza en un gesto de conformidad. Era la prueba viviente de lo que habían sostenido siempre: si los hombres eran demasiado indulgentes, las mujeres se volvían insolentes y perezosas. Las mujeres necesitaban la firme dirección de una mano fuerte. Eran criaturas débiles y obstinadas, incapaces de controlarse a sí mismas como los hombres. Necesitaban hombres que las mandaran, que las tuvieran bajo control, para poder ser miembros productivos del clan y contribuir a la supervivencia de éste.

No importaba que Ayla fuera sólo una muchacha ni que no fuera realmente del clan. Era casi lo suficientemente mayor para ser mujer, ya era más alta que la mayoría y era hembra. Las mujeres sentían los efectos del cambio lo mismo que los hombres se empeñaban en sostener sus ideas. Los hombres del clan no querían ser culpables de indulgencia.

Pero Broud tomó la filosofía masculina a pecho en plan vengativo. Aun cuando trataba a Oga con dureza, esto no era nada comparado con su animosidad contra Ayla. Si se había mostrado duro con ella anteriormente, era doblemente duro ahora. Estaba tras ella constantemente, la acosaba, la agobiaba, la buscaba para imponerle cualquier tarea insignificante de manera que saltara como un resorte para satisfacer sus exigencias, la abofeteaba a la menor infracción e incluso sin infracción... y él disfrutaba con ello. Había amenazado su virilidad y ahora lo iba a pagar. Había resistido demasiado, le había desafiado, él había tenido que luchar demasiado para no golpearla. Ahora le tocaba a él. La había doblegado a su voluntad y así la iba a mantener.

Ayla hacía todo lo posible por complacerlo; incluso trató de adelantarse a sus deseos, pero le salió el tiro por la culata cuando la reprendió por suponer que podía saber lo que él quería. Tan pronto como Ayla salía de los límites del hogar de Creb, allí estaba Broud preparado, y no podía la muchacha permanecer dentro del cerco de piedras que marcaban el espacio privado del mago sin una buena razón. Era la última y ajetreada etapa de la estación ocupada con los preparativos para el invierno; había demasiadas cosas que hacer para asegurar al clan contra el frío que aumentaba rápidamente. El depósito de medicinas de Iza estaba prácticamente completo, de modo que ya no tenía Ayla excusas para abandonar los alrededores de la cueva. Broud la tenía todo el día atareada, y por la noche caía en su cama agotada.

Iza estaba segura de que el cambio de actitud de Ayla tenía menos que ver con Broud de lo que éste creía. Su amor por Creb era más importante que su temor a Broud. Iza contó al viejo que Ayla había padecido de nuevo su extraña enfermedad cuando creyó que él no la quería.

–Ya sabes que ha ido demasiado lejos, Iza. Yo tenía que hacer algo. Si Broud no hubiera empezado a disciplinarla de nuevo, lo habría hecho Brun. Eso podría haber sido peor. Broud sólo puede hacerla sufrir; Brun puede expulsarla –replicó, pero esto hizo reflexionar al mago sobre el hecho de que el poder del amor tuviera más fuerza que el poder del temor, y este tema ocupó sus meditaciones días enteros. Creb se mostró inmediatamente más blando con ella. Bastante trabajo le había costado mantenerse indiferente desde el principio.

La primera fina nieve que cayó fue barrida por helados aguaceros que se convirtieron en cellisca o lluvia helada con las temperaturas más bajas del atardecer. Por la mañana había charcos cubiertos de ligero hielo quebradizo, que presagiaba un frío más intenso y que se derretía de nuevo al soplar el viento caprichoso desde el sur mientras un sol indeciso se decidía a hacer sentir su autoridad. Durante la titubeante transición entre fines del otoño y comienzos del invierno, Ayla no transgredió ni una sola vez su debida obediencia femenina. Respondía al menor capricho de Broud, saltaba en cuanto él daba una orden, inclinaba sumisamente la cabeza, controlaba su manera de andar, no reía, ni siquiera sonreía, y se mostraba totalmente sumisa... pero no era fácil. Y aun cuando luchaba contra eso, trataba de convencerse a sí misma de que no estaba bien y se obligaba a ser más dócil, empezaba a sublevarse interiormente contra su yugo.

Perdió peso, se volvió inapetente, permanecía tranquila y alicaída incluso en el hogar de Creb. Ni siquiera Uba podía hacerla sonreír, si bien a menudo tomaba en brazos a la pequeña en cuanto regresaba al hogar de noche y estaba con ella hasta que ambas se quedaban dormidas. Iza estaba preocupada por ella, y cuando un día de brillante sol sucedió a otro de lluvia helada, decidió que era el momento de dar un poco de respiro a Ayla antes de que el invierno se cerrara del todo sobre ellos.

—Ayla —dijo Iza con voz fuerte cuando salían de la cueva, antes de que Broud pudiera formular su primera exigencia—, he estado examinando mis medicinas y veo que me faltan tallos de bolitas de nieve para los dolores de estómago. Son fáciles de identificar: es un arbusto cubierto de bayas blancas que se mantienen incluso cuando todas las hojas han caído.

Iza no comentó que disponía de otros muchos remedios contra los dolores de estómago. Broud arrugó el entrecejo al ver que Ayla corría cueva adentro en busca de su canasto, pero sabía que recoger las plantas mágicas de Iza era más importante que conseguirle una taza de agua o de té o un trozo de carne o las pieles que olvidaba a propósito ponerse en las piernas como polainas o su capucha o una manzana o dos piedras del río para cascar nueces, porque no le gustaban las piedras que había cerca de la cueva, o cualquier otra de las tareas intrascendentes que se le podía ocurrir ordenarle. Se apartó al ver que Ayla salía de la cueva con su canasto y su palo de cavar.

Ayla corrió hacia el bosque, agradeciendo a Iza la posibilidad de estar sola. Miraba a su alrededor mientras caminaba, pero no estaba pensando en matas de bolas de nieve. No prestaba la menor atención al rumbo que había tomado y no se dio cuenta de que sus pies estaban llevándola hacia un arroyuelo y, siguiéndolo, hasta una cascada velada de nieblas. Sin pensar, trepó la pronunciada pendiente y se encontró en su prado de la alta montaña por encima de la cueva. No había vuelto por allí desde que hirió al puercoespín.

Se sentó en la orilla junto al arroyo y se puso a tirar piedrecitas sin pensar en lo que hacía. El aire era frío; la lluvia del día anterior había sido nieve a aquella altitud. Un denso manto de nieve cubría el terreno despejado y había manchas entre los árboles empolvados de blanco. El aire inmóvil brillaba con una claridad que hacía juego con la nieve brillante, que reflejaba, con incontables millones de diminutos cristalitos, el sol brillante en un cielo tan azul que casi parecía púrpura. Pero Ayla no podía ver la serena belleza del paisaje de principios del invierno; sólo le recordaba que pronto el frío obligaría al clan a quedarse en la cueva y que no podría alejarse de Broud antes de la primavera. Mientras el sol seguía ascendiendo en el cielo, pelladas de nieve caían repentinamente de las ramas y se aplastaban contra el suelo.

El largo y frío invierno se anunciaba amenazador, con Broud acosándola día tras día. «No consigo contentarle, se decía. No importa lo que haga ni lo que me esfuerce, de nada sirve. ¿Qué más puedo hacer?» Lanzó una mirada casual a un espacio de tierra desnuda y vio una piel parcialmente podrida y unas cuantas púas dispersas, todo lo que quedaba del puercoespín. «Probablemente una hiena dio con él, pensó, o un glotón.» Con una punzada de remordimiento, pensó en el día en que le atinó. «Nunca debería haber aprendido a usar la honda, eso estuvo mal. Creb se enojaría, y Broud..., Broud no se enojaría, estaría encantado si se enterara. Realmente le proporcionaría un buen pretexto para golpearme. ¡Cuánto le gustaría hacerlo! Pues bien, no lo sabe ni lo sabrá.» Le proporcionó una sensación de placer saber que había hecho algo que él no sabía y que le habría dado la oportunidad de hacerla sufrir. Sintió ganas de hacer algo –por ejemplo, lanzar una piedra con la honda– para desfogar su rebeldía frustrada.

Recordó haber arrojado la honda bajo un matojo y la buscó; vio el trozo de cuero debajo de un matorral próximo y lo recogió: estaba húmeda, pero su exposición a la intemperie no la había dañado aún. Pasó entre sus manos la suave y flexible piel de venado, y le gustó su contacto. Recordó la primera vez que había cogido una honda y una sonrisa iluminó su semblante al recordar cómo se había amilanado Broud frente a la ira de Brun, cuando derribó a Zoug. No era ella la única en haber provocado alguna vez el mal genio de Broud.

«Sólo que conmigo se puede dar ese gusto, pensó amargamente Ayla. Sólo porque soy hembra. Brun se enfadó de veras cuando tiró a Zoug, pero a mí me puede golpear siempre que se le antoje y a Brun no le importará. No, eso no es cierto, admitió para sus adentros: Iza me ha dicho que Brun presionó a Broud para que dejara de pegarme, y Broud no me golpea tanto cuando Brun está cerca. No me importaría que me golpeara nada más, con tal de que me dejara en paz de vez en cuando.»

Había estado recogiendo piedrecitas y tirándolas al arroyo, y se dio cuenta de que, sin querer, había metido una en la honda. Sonrió, vio una última hoja seca colgando del extremo de una ramita, hizo puntería y lanzó. Un cálido sentimiento de satisfacción le recorrió al ver que la piedra arrancaba la hoja del árbol. Recogió unos cuantos cantos más, se puso en pie y avanzó hasta el centro del campo, desde donde las lanzó. «Todavía puedo dar en el blanco que quiera, pensó, y después arrugó la frente. ¿De qué sirve? Nunca he intentado darle a nada en movimiento; el puercoespín no cuenta: estaba casi parado. Ni siquiera sé si podría hacerlo, y si aprendiera a cazar, a cazar de verdad, ¿de qué serviría? No podría llevarme nada; lo único que haría sería facilitar las cosas a algún glotón o un lobo o una hiena, y ya nos roban lo suficiente tal como están las cosas.»

La cacería y los animales cobrados eran tan importantes para el clan, que todos debían estar constantemente en guardia contra depredadores rivales. No sólo los felinos grandes y las manadas de lobos o las hienas arrebataban algún animal a los cazadores, sino que las hienas en acecho o los glotones furtivos estaban siempre alrededor de la carne que se estaba secando o trataban de meterse en los depósitos. Ayla rechazó la idea de ayudar a los competidores a sobrevivir.

Brun no había permitido que llevara un lobezno a la cueva cuando estaba herido, y muchas veces los cazadores los mataban aun cuando no tuvieran la necesidad de sus pieles. «Los carnívoros siempre nos están causando problemas.» Ese pensamiento no se le apartaba de la mente. Entonces, otra idea empezó a tomar forma: «Los carnívoros, pensó, los carnívoros pueden ser abatidos con una honda, menos los más grandes. Recuerdo que Zoug se lo dijo a Vorn. Dijo que a veces es mejor emplear la honda, porque no hay que acercarse tanto».

Ayla recordó el día en que Zoug estaba ensalzando las virtudes del arma con la que era más experto. Era cierto que, con una honda, el cazador no tenía que acercarse tanto a los colmillos agudos o las potentes zarpas; pero tampoco dijo que si el cazador erraba el golpe, podía verse atacado por un lobo o un lince si no tenía otra arma con la cual protegerse, aunque sí insistió en que sería imprudente usar la honda con animales grandes.

«¿Y si sólo cazara carnívoros? Nunca los comemos, de manera que no sería un desperdicio, pensó, aunque quede allí para los que se alimentan de carroña. Eso es lo que hacen los cazadores.»

«¿En qué estoy pensando?, Ayla meneó la cabeza para apartar la vergonzosa idea de su mente. Soy hembra, se supone que no debo cazar, ni siquiera debería tocar un arma. Pero ahora sé cómo usar una honda. Aun cuando se supone que no deba hacerlo, pensó desafiante. Sería beneficioso. Si matara un glotón o una zorra o algo por el estilo, ya no nos robaría más carne. Quizá algún día pueda matar una de esas repugnantes hienas. Imagino qué ayuda representaría.» Ayla se imaginaba al acecho de los taimados depredadores.

Había estado practicando con la honda el verano entero, y aunque sólo se trataba de un juego, comprendía y respetaba suficientemente las armas para saber que su verdadera finalidad era la caza, no la práctica con un blanco, sino la caza. Sentía que la excitación que se experimentaba al dar en el blanco contra postes o marcas en piedras o ramas pronto se borraría a falta de un reto más importante. Y si bien eso fuera posible, el reto de la competición sólo por el placer de competir era un concepto que no podría llevarse a la práctica mientras la Tierra no estuviera domesticada por civilizaciones, que ya no necesitaran cazar para sobrevivir. La competición dentro del clan sólo tenía un propósito: agudizar la habilidad para sobrevivir. Aunque no podía definirla de esa manera, parte de su amargura derivaba del hecho de tener que renunciar a una habilidad que había desarrollado y que estaba dispuesta a incrementar. Había disfrutado cultivando su capacidad, adiestrando la coordinación de ojo y mano, y se sentía orgullosa de haber aprendido sola. Estaba preparada para el desafío mayor, el de la caza, pero necesitaba convencerse por medio del razonamiento.

Desde el principio, cuando sólo estaba jugando, se había imaginado cazando y viendo las miradas complacidas y sorprendidas del clan cuando llevara a casa la carne de los animales que hubiera matado. El puercoespín le había hecho comprender la imposibilidad de semejante sueño. Nunca podría llevarse lo que hubiera cobrado y lograr que se reconociera su hazaña. Era hembra y las hembras del clan no cazaban. La idea de matar a los competidores del clan le proporcionaba una vaga sensación de que su habilidad sería apreciada aunque no reconocida. Y también le daba una razón para cazar.

Cuanto más lo pensaba, más se convencía de que cazar carnívoros, aunque fuera en secreto, era la respuesta, si bien todavía no podía superar su sensación de culpabilidad. Luchó con su conciencia. Tanto Creb como Iza le habían dicho que no estaba bien que las mujeres tocaran las armas. «Pero he hecho ya algo más que tocar un arma, pensó. ¿Puede ser mucho peor cazar con ella?» Miró la honda que tenía en la mano y de repente tomó una decisión, combatiendo su sensación de que estaba cometiendo un delito.

–¡Lo haré! ¡Voy a hacerlo! ¡Voy a aprender a cazar! Pero sólo mataré carnívoros.

Lo dijo con énfasis, haciendo los correspondientes gestos para añadir una finalidad a su determinación. Roja de excitación, corrió hacia el arroyo en busca de más cantos rodados.

Mientras buscaba cantos del tamaño exacto, le llamó la atención un objeto peculiar: parecía una piedra pero también parecía la concha de un molusco como las que se encuentran a la orilla del mar. Lo recogió y lo examinó cuidadosamente: era una piedra, una piedra en forma de concha.

«Qué piedra tan extraña, pensó. Nunca he visto una piedra así.» Entonces recordó algo que Creb le había dicho y sintió un destello de intuición tan abrumador que le pareció que se le iba la sangre y una corriente helada le recorrió la espina dorsal. Se le aflojaron las piernas y temblaba de tal manera que tuvo que sentarse. Sosteniendo en sus manos el fósil de gasterópodo, se quedó mirándolo fijamente.

«Creb dijo, recordó, que cuando tienes que tomar una decisión, tu tótem te ayudará. Si la decisión es correcta, te dará una señal. Creb dijo que sería algo insólito y nadie más puede decirte si es una señal. Tienes que aprender a escuchar con el corazón y la mente, y el espíritu de tu tótem, dentro de ti, te lo dirá.»

–Gran León Cavernario, ¿es una señal que me das? –Empleó el lenguaje formal y silencioso para dirigirse a su tótem–. ¿Me estás indicando que he tomado la decisión correcta? ¿Me estás diciendo que está bien que cace aun siendo una muchacha?

Se quedó sentada, muy quieta, contemplando la piedra en forma de concha que tenía en la mano y trató de meditar como había visto hacer a Creb. Sabía que la consideraban extraña porque tenía por tótem al León Cavernario, pero nunca había pensado mucho en ello hasta entonces. Deslizó la mano dentro de su manto y tentó las cicatrices de las cuatro líneas paralelas de su muslo. «Después de todo, ¿por qué me escogería a mí un León Cavernario? Es un tótem poderoso, un tótem masculino, ¿por que habría de escoger a una muchacha? Tiene que haber alguna razón.» Siguió pensando en la honda y en que había aprendido a manejarla. «¿Por qué recogí yo esa vieja honda que Broud había tirado? Ninguna de las mujeres la habría tocado. ¿Qué me impulsó a hacerlo? ¿Querría mi tótem que lo hiciera? ¿Querrá que aprenda a cazar? Sólo los hombres cazan, pero mi tótem es masculino. ¡Está claro! ¡Tiene que ser eso! Tengo un tótem fuerte y quiere que yo cace.»

–¡Oh, Gran León Cavernario! Los caminos de los espíritus me son desconocidos. No sé por qué quieres que yo cace, pero me alegro de que me hayas dado esta señal.

Ayla volvió a dar vueltas en su mano a la piedra, después se quitó el amuleto que llevaba colgado al cuello, aflojó el nudo que mantenía cerrada la bolsita y metió dentro el molde fósil junto al trozo de ocre rojo. Volvió a apretar el nudo, se pasó el amuleto por la cabeza y observó la diferencia de peso. Esto parecía dar más consistencia a la sanción con que el tótem había apoyado su decisión.

Desapareció su sentimiento de culpabilidad. Estaba destinada a cazar; su tótem así lo deseaba. No importaba que fuera hembra. «Soy como Durc, pensó: abandonó su clan a pesar de que todos decían que no debería hacerlo. Creo que halló un lugar mejor donde Monte de Hielo no podía darle alcance. Creo que inició un clan totalmente nuevo. Tuvo que tener un tótem muy fuerte también. Creb dice que es difícil vivir con un tótem fuerte. Dice que te someten a prueba para asegurarse de que vales, antes de darte algo. Dice que estuve a punto de morir antes de que Iza me hallara. Me pregunto si el tótem de Durc le sometió a prueba. ¿Volverá a probarme a mí mi León Cavernario? Pero una prueba puede ser dura. Y ¿si no valgo? ¿Cómo sabré si estoy pasando por una prueba? ¿Qué será la cosa difícil que me imponga mi tótem?» Ayla reflexionó sobre las cosas difíciles de su vida y de repente comprendió:

–¡Broud! ¡Broud es mi prueba! –Se explicó a sí misma por medio de gestos. ¿Podía haber algo peor que vivir todo un invierno con Broud? «Pero si valgo, si lo puedo hacer, mi tótem me dejará cazar.»

Había una diferencia en la manera de andar de Ayla cuando regresó a la cueva; Iza se dio cuenta a pesar de que no podía decir exactamente en qué consistía la diferencia. No era menos comedida, pero parecía más natural, no tan tensa, y había una expresión de aceptación en el rostro de la muchacha cuando vio acercarse a Broud. No era resignación, sino aceptación. Pero fue Creb quien observó que el amuleto abultaba más.

Cuando el invierno se cerró sobre ellos, tanto Creb como Iza se alegraron de ver que estaba volviendo a la normalidad a pesar de las exigencias de Broud. A pesar de que solía estar cansada, cuando jugaba con Uba recuperaba su sonrisa, no su risa. Creb adivinó que había tomado alguna decisión y recibido una señal de su tótem, y su natural aceptación del lugar que le correspondía en el clan le proporcionó una sensación de alivio; él comprendía la lucha interior que libraba la muchacha, pero también sabía que no sólo era necesario someterse a la voluntad de Broud, tenía que dejar de combatirla. Tenía que aprender también ella a dominarse.

Durante el invierno, Ayla, que iniciaba su octavo año de vida, se hizo mujer. No físicamente: su cuerpo seguía teniendo las líneas rectas y subdesarrolladas de una muchacha sin el menor indicio de que fueran a producirse cambios. Pero fue durante aquella prolongada estación cuando Ayla dejó atrás su infancia.

A ratos su vida le resultaba tan insoportable que no estaba segura de desear seguir viviéndola. Algunas mañanas, al abrir los ojos frente a la aspereza familiar de la roca desnuda que tenía sobre su cabeza, anhelaba poder dormirse de nuevo y no despertar nunca más. Pero cuando pensaba que no podría aguantar más, cogía su amuleto y el contacto de la piedra nueva le inyectaba en cierto modo la paciencia necesaria para soportar un día más. Y cada día vivido la acercaba un poco más al momento en que las nieves profundas y las ráfagas heladas se convirtieran en hierba verde y brisas marinas y ella pudiera correr por campos y bosques nuevamente en libertad.

Como el rinoceronte lanudo cuyo espíritu era su tótem, Broud podía ser tan testarudo como imprevisiblemente maligno. Como miembro característico del clan, una vez que había adoptado una determinada línea de acción se apegaba a ella con una aplicación inmutable, y Broud se aplicaba a tener disciplinada a Ayla. El martirio cotidiano, compuesto de bofetadas, maldiciones y agobio constantes, le resultaba evidente al resto del clan. Muchos consideraban que merecía algo de disciplina y castigo, pero pocos aprobaban los extremos a que Broud llegaba.

Brun seguía preocupado de que Broud permitiera que la muchacha le provocara demasiado, pero puesto que el joven controlaba su furor, el jefe consideraba que se había producido una mejoría sustancial. Pero Brun esperaba ver que el hijo de su compañera adoptara por sí mismo una forma más moderada de abordar las cosas y decidió permitir que la situación siguiera su curso. A medida que el invierno avanzaba, empezó a experimentar, aunque renuente, cierto respeto hacia la extraña joven, la misma clase de respeto que había experimentado hacia su hermana cuando soportaba las palizas de su compañero.

Como Iza, Ayla estaba asentando un ejemplo de comportamiento femenino. Aguantaba sin quejarse, como corresponde a una mujer. Cuando se detenía un instante para echar mano de su amuleto, Brun, como muchos otros, lo consideraba como señal de veneración hacia las fuerzas espirituales tan pavorosamente importantes para el clan. Eso aumentaba su dimensión femenina.

El amuleto le daba algo en que creer; reverenciaba a las fuerzas espirituales tal como ella las concebía. Su tótem la estaba sometiendo a prueba. Si demostraba que valía, podría aprender a cazar. Cuanto más la atormentaba Broud, más decidida estaba a comenzar a aprender sola tan pronto como se iniciara la primavera. Iba a ser mejor que Broud, mejor incluso que Zoug. Iba a ser la mejor cazadora con honda del clan, aunque nadie habría de saberlo más que ella. Ésa era la idea a la que se aferraba. Cristalizó en su mente como los largos carámbanos de hielo que se formaban a la entrada de la cueva, donde el calor de las hogueras subía para enfrentarse a las temperaturas heladas del exterior, y creció, como las pesadas y translúcidas cortinas de hielo, durante todo el invierno.

Si bien no intencionadamente, ya estaba entrenándose. A pesar del hecho de que esto la acercaba más a Broud, se sintió interesada y atraída por los hombres cuando estaban sentados en grupo, pasando los largos días rememorando una y otra vez cacerías pasadas o discutiendo estrategias para las futuras. Encontró medios para trabajar cerca de ellos, y le gustaba especialmente escuchar a Zoug o Dorv cuando relataban historias de cacería con honda. Sintió que revivía su interés por Zoug, así como su respuesta femenina a los deseos del viejo cazador. En cierto modo, éste se parecía a Creb: era orgulloso y serio, y se alegraba al recibir un poco de atención y calor aunque sólo fuera de parte de una muchacha fea y extraña.

Zoug no había dejado de fijarse en su interés cuando relataba sus glorias pasadas, de cuando era segundo-al-mando como lo era ahora Grod. Ella era una oyente que, aunque silenciosa, sabía apreciar y se mostraba siempre comedidamente respetuosa. Zoug empezó a llamar a Vorn para explicarle alguna técnica de persecución o alguna tradición cazadora, consciente de que la muchacha se las arreglaría para sentarse junto a ellos si podía, aun cuando fingiera no enterarse. Si ella disfrutaba con sus relatos, ¿qué tenía eso de malo?

«Si fuera más joven, pensaba Zoug, y todavía capaz de sostener un hogar, podría tomarla como compañera cuando se convirtiera en mujer. Necesitará un compañero más adelante, y con lo fea que es, le va a costar encontrar uno. Pero es joven y fuerte y respetuosa. Tengo parientes en otros clanes; si estoy lo suficientemente fuerte para asistir a la próxima Reunión del Clan, hablaré en su favor. Puede no querer seguir aquí cuando Broud se convierta en jefe, sin que importe nada lo que quiera o no, pero yo no la censuraría. Espero haberme ido al otro mundo antes de que eso suceda.» Zoug no había olvidado el ataque de Broud contra él y no experimentaba la menor simpatía por el hijo de la compañera de Brun. Consideraba que el futuro jefe era irracionalmente duro con la muchacha a quien había cobrado afecto. Merecía que la disciplinaran, pero eso tenía sus límites y Broud los había traspasado. Ella nunca se mostraba irrespetuosa con él; para saber manejar a las mujeres había que ser más viejo y más sabio. «Sí, hablaré en su favor. Si no puedo ir, enviaré un mensaje. Si no fuera tan fea...», meditaba.

Por difícil que fuera para Ayla, no todo era malo. Las actividades seguían a un ritmo más lento y había menos cosas que hacer. El mismo Broud sólo podía encontrar un número limitado de tareas, eso en el supuesto de que hubiera alguna. Con el paso del tiempo se empezó a aburrir: ella ya no peleaba y la intensidad de su acoso se redujo. Y había otra razón por la cual Ayla empezó a encontrar más soportable el invierno.

Al principio, en un esfuerzo por hallar razones válidas para retenerla dentro de los límites del hogar de Creb, Iza había decidido adiestrarla en la preparación y aplicación de hierbas y plantas que Ayla había estado recogiendo. Ayla se sentía fascinada por el arte de curar. El ávido interés de la muchacha fue causa de que Iza se encontrara inmersa en un quehacer rutinario y de que la curandera comprendiera que debería haber comenzado antes, pues logró entender de qué manera tan diferente funcionaba la mente de su hija adoptiva.

De haber sido Ayla su hija verdadera, Iza sólo habría tenido que recordarle lo que ya estaba almacenado en su cerebro, para que se acostumbrara a utilizarlo. Pero Ayla luchaba por memorizar los conocimientos con que Uba había nacido, y la memoria consciente de la muchacha no era tan buena. Iza tenía que repetir, repasar muchas veces las mismas cosas y examinarlas constantemente para asegurarse de que lo había asimilado. Iza sacaba información de sus recuerdos así como de su experiencia y ella misma se sorprendía ante el caudal de saber de que disponía. Nunca había tenido que pensar en ello anteriormente; estaba allí siempre que lo necesitaba, sin más. A veces Iza desesperaba de llegar a enseñar a Ayla todo lo que ella sabía o siquiera lo suficiente para hacer de Ayla una curandera adecuada. Pero el interés de Ayla nunca flaqueaba e Iza estaba decidida a asegurar a su hija adoptiva una posición segura dentro del clan. Las lecciones seguían adelante, día tras día.

—¿Con qué se alivian las quemaduras, Ayla?

—Déjame pensar. Flores de hisopo mezcladas con flores de vara de oro y flores cono, secas y pulverizadas a la vez a partes iguales. Se humedecen y se prepara con ellas una cataplasma que se cubre con una venda. Cuando esté seca, se remoja nuevamente con agua fría vertida sobre la venda. —Terminaba rápidamente y después se detenía a pensar—: Y las flores y hojas secas de mastranzo silvestre son buenas para las quemaduras con agua hirviendo; se humedecen en la mano y se colocan sobre la quemadura. Las raíces de ácoro hervidas sirven para lavar quemaduras.

—Bien. ¿Algo más?

La muchacha buscaba en su memoria.

—También el hisopo gigante. Se mastican las hojas frescas y el tallo para hacer una cataplasma, o se mojan las hojas secas. Y..., ¡ah, sí!, púas amarillas de flores de cardo hervidas! Se lava la quemadura cuando el líquido está ya frío.

—Eso también es bueno para irritaciones en la piel, Ayla. Y no te olvides de las cenizas de helechos de cola de caballo que, mezcladas con grasa, hacen un buen ungüento para las quemaduras.

Ayla comenzó también a guisar un poco más bajo la dirección de Iza. Pronto se encargó de preparar la mayoría de las comidas de Creb, pero eso no era para ella una tarea. Se esforzaba por moler muy finamente los granos antes de cocerlos, para facilitarle la masticación con sus dientes gastados. También las nueces las picaba finamente antes de servírselas al viejo. Iza le enseñó a preparar las bebidas analgésicas y las cataplasmas que aliviaban su reumatismo, y Ayla se convirtió en especialista de los remedios para ese padecimento de los miembros más viejos del clan, cuyos sufrimientos siempre se agravaban en cuanto quedaban confinados a la fría cueva de piedra. Aquel invierno fue la primera vez que Ayla ayudó a la curandera; y su primer paciente fue Creb.

Estaban a mediados del invierno; las fuertes nevadas habían bloqueado hasta muchos centímetros de altura la entrada de la cueva. La capa de nieve hacía de aislante y contribuía a mantener el calor de los hogares dentro de la inmensa caverna, pero el viento seguía silbando a través de la vasta abertura por encima de la nieve. Creb estaba generalmente de mal humor, pasando del silencio al refunfuño y de ahí a un arrepentimiento lleno de disculpas y nuevamente al silencio. Su comportamiento desconcertaba a Ayla, pero Iza adivinó la causa: a Creb le dolían las muelas de una manera particularmente aguda.

–Creb, ¿no quieres que te vea la muela? –rogó Iza.

–No es nada. Sólo un dolor de muelas. Sólo un pequeño dolor. ¿No te parece que puedo aguantar algo de dolor? ¿No te parece que he sufrido dolores antes de ahora, mujer? ¿Qué es un dolorcillo de muelas? –replicó Creb.

–Sí, Creb –respondió Iza cabizbaja. Al instante su hermano se arrepintió.

–Iza, ya sé que sólo tratas de ayudar.

–Si me dejaras mirar, podría darte algo. ¿Cómo puedo saber qué darte si no me dejas mirar?

–¿Qué hay que ver? –respondió con gestos–. Una muela podrida es igual que otra. Hazme una infusión de corteza de sauce –gruñó Creb, y fue a sentarse en su piel de dormir mirando a lo lejos.

Iza meneó la cabeza y empezó a preparar la infusión.

–¡Mujer! –gritó Creb poco después–. ¿Dónde está esa corteza de sauce? ¿Por qué tardas tanto? ¿Cómo voy a poder meditar? No me puedo concentrar –expresó con gestos de impaciencia.

Iza se apresuró a llevarle una taza de hueso e indicó a Ayla que la siguiera.

–Precisamente venía a traértela, pero no creo que la corteza de sauce te sirva de mucho, Creb. Por favor, deja que mire.

–Está bien, está bien, Iza. Mira. –Abrió la boca y señaló la muela que le dolía.

–Mira qué profundo es el orificio negro, Ayla. La encía está hinchándose, está podrida hasta dentro. Me temo que habrá que sacarla, Creb.

–¡Sacarla! Me decías que querías mirar para ver qué me podías dar. No habías dicho nada de sacarla. Bueno, dame algo, mujer.

–Sí, Creb –dijo Iza–. Ahí tienes tu infusión de corteza de sauce. –Ayla asistía a la conversación totalmente asustada.

–Me pareció que habías dicho que la infusión no serviría de mucho.

–Nada servirá de mucho. Puedes masticar un trozo de raíz de ácoro, puede que te sirva de algo, pero lo dudo.

—¡Qué curandera! Ni siquiera puede curar un dolor de muelas —rezongó Creb.

—Puedo tratar de cauterizar el punto dolorido —señaló calmadamente Iza.

—Mascaré el ácoro —dijo Creb, tras un escalofrío.

A la mañana siguiente, la cara de Creb estaba hinchada, lo cual contribuía a que su rostro, lleno de cicatrices y con un solo ojo, pareciera más espantoso. Tenía los párpados colorados de no dormir.

—Iza —gimió—, ¿puedes hacer algo contra este dolor de muelas?

—Si me hubieras dejado sacártela anoche, el dolor habría desaparecido ya —señaló Iza, y se fue a revolver un espeso tazón de cereales molidos, mientras observaba las enormes burbujas que reventaban haciendo «ploc», «ploc», «ploc».

—¡Mujer! ¿No tienes corazón? ¡No he pegado ojo en toda la noche!

—Ya lo sé; no me has dejado dormir.

—¡Bueno, haz algo! —estalló.

—Sí, Creb —dijo Iza—. Pero no puedo sacarla ahora; hay que esperar a que desaparezca la hinchazón.

—¿Es lo único que se te ocurre? ¿Sacarla?

—Puedo intentar hacer otra cosa, Creb, pero no creo que salve esta muela —expresó con un ademán compasivo—. Ayla, tráeme ese paquete con las astillas de madera chamuscada del árbol que fue abatido por el rayo el verano pasado. Tendremos que abrir la encía para reducir la hinchazón antes de poder sacar la muela. Será mejor ver si podemos cauterizar el punto dolorido.

Creb se estremeció al oír las instrucciones que la curandera daba a la muchacha y después se encogió de hombros. «No puede ser mucho peor que el dolor de muelas», se dijo.

Iza revolvió el paquete de astillas y escogió dos.

—Ayla, quiero que pongas al rojo vivo la punta de ésta. La punta debe estar como el carbón, pero suficientemente fuerte para no quebrarse. Saca un carbón del fuego y pon encima la punta de la astilla hasta que humee. Pero antes quiero que me veas abrir la encía. Mantén los labios separados.

Ayla hizo lo que le ordenaban y miró la enorme boca abierta de Creb y las dos hileras de anchos dientes gastados.

—Pinchamos la encía con una astilla dura y afilada por debajo de la muela, hasta que corra la sangre —explicó Iza con gestos y después hizo la demostración. Creb tenía la mano cerrada en un puño apretado, pero no chistó.

–Ahora, mientras se drena esto, calienta otra astilla. –Ayla corrió hacia el fuego y no tardó en volver con una brasa humeante en el extremo de la astilla carbonizada. Iza la cogió, la miró detenidamente, asintió para expresar su aprobación y, con un gesto, ordenó a Ayla que sostuviera abierta la boca del mago. Metió la punta ardiendo en la cavidad; Ayla sintió el sobresalto de Creb y oyó el siseo, viendo cómo un fino haz de humo salía del enorme agujero de la boca de Creb.

–Bueno, ya está. Ahora esperaremos a ver si con esto desaparece el dolor. Si no, habrá que sacar la muela –dijo Iza después de aplicar a la muela de Creb una mezcla de polvo de geranio y raíz de picanardo con la yema del dedo.

–Qué pena no tener ninguno de esos hongos que son tan buenos para el dolor de muelas. A veces matan el nervio, otras veces lo secan. Entonces no habría que extraer la muela. Es mejor emplearlos cuando están frescos, pero también los secos sirven, y deben recogerse a fines de verano. Si encuentro algunos el año que viene te los enseñaré, Ayla.

–¿Sigue doliéndote la muela? –preguntó Iza al día siguiente.

–Está mejor, Iza –contestó Creb lleno de esperanza.

–¿Pero te sigue doliendo? Si no se ha quitado el dolor del todo volverá a hincharse, Creb –insistió Iza.

–Bueno... Sí, todavía duele –admitió–. Pero no tanto; de veras: no tanto. ¿Por qué no esperar un día más? He hecho un poderoso hechizo. He pedido a Ursus que destruya el mal espíritu que está provocando el dolor.

–¿No le has pedido ya muchas veces a Ursus que te quite ese dolor? Creo que Ursus desea que sacrifiques esa muela antes de quitarte el dolor, Mog-ur –dijo Iza.

–¿Qué sabes tú del Gran Ursus, mujer? –preguntó Creb, irritado.

–Esta mujer ha sido presuntuosa. Esta mujer no sabe nada de los caminos de los espíritus –replicó Iza bajando la cabeza; después, mirando a su hermano–, pero una curandera sabe de dolores de muelas. El dolor no terminará mientras no se saque la muela –señaló firmemente con ademanes.

Creb le dio la espalda y se fue cojeando. Se sentó en la piel de dormir con el ojo cerrado.

–¿Iza? –llamó al cabo de un rato.

–¿Sí, Creb?

–Tienes razón. Ursus quiere que renuncie a la muela. Adelante. Terminemos con esto.

Iza se acercó a él.

–Toma, Creb, bebe esto. Te aliviará el dolor. Ayla, hay una estaquilla junto al paquete de astillas y un trozo largo de tendón. Tráemelos.

–¿Cómo sabías que debías tener preparada la bebida?

–Conozco a Mog-ur. Es difícil renunciar a una muela, pero si Ursus lo ordena, Mog-ur renunciará. No es el sacrificio más duro que haya hecho por Ursus. Es difícil vivir con el tótem poderoso, pero Ursus no te habría escogido si no fueras merecedor.

Creb asintió y se tomó la bebida. «Es de la misma planta que yo uso para ayudar a los hombres con los recuerdos, pensó. Pero me parece haber visto que Iza lo pone a hervir; ella hace un cocimiento en vez de una infusión. Es más fuerte que en infusión. Tiene muchos usos. La datura debe de ser un don de Ursus.» Ya empezaba a sentir los efectos del narcótico.

Iza mandó a Ayla que sostuviera abierta la boca del viejo mago, mientras colocaba cuidadosamente la estaquilla en la base de la muela afectada. Creb dio un brinco, pero no le dolió tanto como se temía. Entonces Iza amarró el hilo de tendón alrededor de la muela floja y mandó que Ayla sostuviera el otro extremo alrededor de uno de los postes, plantados sólidamente en el suelo, que formaban parte de la estructura de la que colgaban las hierbas que estaban secándose.

–Ahora, mueve su cabeza hasta que la cuerda esté tensa, Ayla –dijo a la muchacha. Con un impulso rápido Iza tiró del tendón–. Aquí está –dijo, y levantó la cuerda con el pesado molar colgando de un extremo. Espolvoreó con raíz seca de geranio el orificio sangrante y metió un trocito de piel de conejo absorbente en una solución antiséptica de corteza de goma balsámica y unas pocas hojas secas, y le cubrió la mandíbula con el cuero mojado.

–Toma tu muela, Mog-ur –dijo Iza poniendo la pieza cariada en la mano del mago todavía medio atontado–. Todo ha terminado.

Mog-ur cerró la mano sobre la muela; después la soltó al tiempo que se tendía en la cama.

–Tengo que dársela a Ursus –musitó medio dormido.

El clan observó cómo se recobraba Creb después de que Ayla ayudara a la curandera en su cirugía dental. Cuando vieron que la boca sanaba rápidamente sin complicaciones, se sintieron más seguros de que la presencia de la muchacha no alejaba a los espíritus. Se mostraron más conformes con que Ayla ayudara a Iza cuando ésta les cuidaba. A medida que avanzaba el invierno, Ayla iba aprendiendo a curar quemaduras, cortes, contusiones, catarros, dolores de garganta, de estómago, de oídos y muchas de las heridas y dolencias menores que sobrevenían durante el transcurso normal de la vida.

Con el tiempo, los miembros del clan acudieron con la misma naturalidad a Ayla que a Iza para el tratamiento de problemas menores. Sabían que Ayla había estado recogiendo hierbas para Iza y veían que la curandera estaba adiestrándola. Sabían también que Iza envejecía y que no se sentía bien y Uba era demasiado joven. El clan estaba acostumbrándose a la muchacha extraña que vivía entre ellos y comenzaba a aceptar la idea de que una niña nacida de los Otros pudiera ser algún día la curandera de su clan.

Durante el período más frío del año, después del solsticio de invierno y antes de que se anunciara la primavera, Ovra empezó a sentir los dolores del parto.

—Es demasiado pronto —dijo Iza a Ayla—. No debería dar a luz antes de la primavera y últimamente no ha sentido movimientos. Me temo que el nacimiento no se produzca debidamente. Creo que su hijito nacerá muerto.

—Ay, Iza, Ovra ha deseado tanto ese bebé... ¡Se sintió tan feliz cuando se dio cuenta de que estaba embarazada! ¿No puedes hacer algo? —preguntó Ayla.

—Haremos lo que podamos, pero hay cosas que están más allá de lo posible, Ayla —respondió la curandera.

Todo el clan estaba preocupado por el parto prematuro de la compañera de Goov. Las mujeres trataban de brindar apoyo moral mientras los hombres esperaban ansiosamente cerca. Habían perdido a varios de sus miembros durante el terremoto y esperaban que aumentara su número. Los nuevos bebés representaban más bocas que alimentar para los cazadores de Brun y las mujeres recolectoras, pero, con el tiempo, esos bebés crecerían y les abastecerían cuando se hicieran viejos. La continuación y supervivencia del clan era esencial para la supervivencia de los individuos. Se necesitaban unos a otros, y les entristecía que probablemente Ovra no diera a luz a un niño vivo.

Goov estaba más preocupado por su compañera que por la criatura y habría querido hacer algo. No le gustaba ver sufrir a Ovra, especialmente cuando el resultado prometía todo menos felicidad. Ella deseaba al bebé, se había sentido incómoda por ser la única mujer del clan que no tenía hijos. Incluso la curandera había dado a luz, con lo vieja que era. Ovra se había sentido gozosa al saberse por fin embarazada, y ahora Goov estaba tratando de encontrar algo que le hiciera sentir menos duramente su pérdida.

Droog parecía comprender al joven mejor que nadie. Había tenido la oportunidad de experimentar sentimientos similares respecto a la madre de Goov, aun cuando se alegraba de que hubiera tenido a Goov, y Droog tenía que admitir que estaba disfrutando de la nueva familia, ahora que ya se había acostumbrado. Incluso tenía esperanza de que Vorn se interesara por hacer herramientas, y Ona era una delicia, especialmente ahora que la habían destetado y que comenzaba a imitar a las mujeres a su manera infantil. Droog nunca había tenido una niña en su hogar anteriormente y ésta era tan pequeña, cuando se unió con Aga, que le parecía como si Ona hubiera nacido en su hogar.

Ebra y Uka estaban sentadas junto a Ovra, brindándole su afecto mientras Iza preparaba las medicinas. Uka había estado anhelando que su hija diera a luz, y tenía a Ovra de la mano cuando ésta hacía fuerza. Oga había ido a preparar la cena para Brun y Grod, además de Broud, y había invitado también a Goov. Ika se brindó para prestar ayuda, pero al ver que Goov declinaba la invitación, Oga dijo que no necesitaba ayuda. Goov no tenía muchas ganas de comer y se fue a visitar el hogar de Droog donde Aba consiguió hacerle comer unos bocados.

Oga estaba distraída, preocupada por Ovra, y empezaba a lamentar haber rechazado la ayuda de Ika. No supo cómo pasó pero, mientras estaba sirviéndoles tazones de sopa caliente a los hombres, tropezó: la sopa hirviendo que llevaba cayo sobre el hombro y el brazo de Brun.

−¡Aaayyy! −gritó Brun cuando el líquido abrasador chorreó sobre él. Se puso a dar saltos apretando los dientes de dolor. Todas las cabezas se volvieron y todos aguantaron la respiración. El silencio fue roto por Broud:

−¡Oga! ¡Tú, mujer estúpida y torpe! −gesticuló para disimular su confusión por el hecho de que hubiera sido su compañera la culpable de tal torpeza.

−Ayla, ve a ayudarle, ahora no puedo yo −señaló Iza. Broud avanzó hasta su compañera con los puños preparados, dispuesto a castigarla.

−No, Broud −señaló Brun, avanzando la mano para detener al joven. La grasa caliente de la sopa estaba pegada a su piel, y el hombre se esforzaba por no exteriorizar cuánto le dolía–. No fue culpa suya. Castigarla no servirá de nada. –Oga estaba encogida a los pies de Broud, temblando de humillación y miedo.

Ayla estaba recelosa. Nunca había tratado al jefe del clan y le miraba con un temor excesivo. Corrió hacia el hogar de Creb, cogió un tazón de madera y se dirigió rápidamente a la boca de la cueva. Recogió un montón de nieve y se dirigió al hogar del jefe, dejándose caer al suelo delante de él.

–Iza me envía, ahora no puede dejar a Ovra. ¿Permitirá el jefe que esta muchacha le ayude? –preguntó cuando Brun le dio permiso.

Brun asintió. Abrigaba muchas dudas en cuanto a que Ayla se convirtiera en curandera del clan, pero en aquellas circunstancias no le quedaba más remedio que permitirle que le tratara. Muy nerviosa, Ayla aplicó nieve refrescante sobre la fuerte quemadura roja y sintió que los duros músculos de Brun se aflojaban cuando la nieve comenzó a calmar el dolor. Se fue corriendo, encontró la hierbabuena seca y añadió agua caliente a las hojas; cuando estuvieron blandas, echó nieve en el tazón para que se enfriaran rápidamente y volvió junto a su paciente. Con la mano aplicó la medicina calmante, y sintió que seguía disminuyendo la tensión del cuerpo del jefe, musculoso y duro como la piedra, a medida que ella actuaba. Brun empezó a respirar mejor. La quemadura seguía doliendo, pero era mucho más soportable. Asintió en señal de aprobación y la muchacha se sintió menos nerviosa.

«Parece estar aprendiendo la magia de Iza, pensaba Brun. Y está aprendiendo a portarse bien, como corresponde a una mujer; quizá lo que le faltaba era un poco de madurez. Si algo le ocurre a Iza antes de que Uba sea mayor, nos quedaríamos sin curandera. Tal vez Iza muestre buen juicio al enseñarle.»

Poco después llegó Ebra y dijo a su compañero que el hijo de Ovra había nacido muerto. Brun asintió y miró hacia ella, meneando la cabeza. «¡Y además era varón!, pensó. Debe de estar destrozada, todos sabíamos cuánto deseaba ese bebé. Espero que le vaya mejor cuando vuelva a quedar embarazada. ¿Quién habría pensado que un tótem de Castor pudiera luchar tanto?» Pese a que el jefe sentía mucha lástima de la joven mujer, no dijo nada, pues nadie debía mencionar la tragedia. Pero Ovra comprendió la razón por la que Brun se acercó al hogar de Goov pocos días después para decirle que podía tomarse todo el tiempo que quisiera para reponerse de su «enfermedad». Aunque los hombres solían reunirse alrededor del fuego de Brun, el jefe visitaba pocas veces los hogares de los demás, y era raro que hablara a las mujeres cuando lo hacía. Ovra agradeció sus atenciones, pero no había nada que aliviara su pesar.

Iza insistió en que Ayla siguiera cuidando a Brun, y cuando la quemadura se curó, el clan la aceptó mejor aún. Ayla se sintió más tranquila, después, cuando se encontraba cerca del jefe. Al fin y al cabo, sólo era humano.

12

Cuando el largo invierno llegó a su fin, el ritmo de la vida del clan se aceleró para ajustarse al ritmo de la vida que también se aceleraba dentro de la rica tierra. La estación fría obligaba no a una verdadera hibernación, sino a una alteración de las tasas metabólicas, inducida por la reducción de las actividades. En invierno todos eran más lentos, dormían más, comían más, lo que daba origen a que se formara una capa aislante de grasa subcutánea que actuaba como protección contra el frío. Al subir la temperatura, se invertía esa tendencia, lo cual desasosegaba al clan y lo incitaba a salir y a moverse.

Este proceso era apoyado por el tónico primaveral de Iza, compuesto de raíces de un cereal recogido a principios de la primavera y perteneciente a una gramínea parecida al centeno, hojas secas de asperilla y polvo amarillo rico en hierro, de raíz de viburno, que administraba a todos: desde los pequeños hasta los viejos. Con un vigor nuevo, el clan salió de la cueva preparado para iniciar un nuevo ciclo de estaciones.

El tercer invierno en la cueva no les había resultado demasiado duro. La única muerte había sido la del bebé de Ovra, y eso no contaba porque no había sido nombrado y aceptado. Iza, que ya no se veía agotada por la necesidad de amamantar a una criatura hambrienta, lo había pasado bien. Creb no había sufrido más que de costumbre. Tanto Aga como Oga estaban nuevamente encinta, y puesto que ambas mujeres habían dado a luz anteriormente sin problemas, el clan contaba esperanzadamente con un aumento del número de miembros. Se recogieron las primeras verduras, brotes y retoños y se proyectó una cacería temprana con el fin de obtener carne fresca para un banquete primaveral en honor a los espíritus que despertaban a la vida nueva y para dar las gracias a los espíritus de los tótems protectores del clan por haberles ayudado a pasar un invierno más.

Ayla sentía que tenía razones especiales para dar gracias a su tótem. El invierno había sido a la vez agotador y excitante. Llegó a odiar a Broud con mayor intensidad aún, pero se dio cuenta de que podía arreglárselas con él. La había tratado lo peor posible, y ella había aprendido a aguantarlo. Había un límite que ni siquiera Broud podía traspasar. Aprender más de la magia curativa de Iza le sirvió de mucho; le gustó. Cuanto más aprendía, más deseaba aprender. Descubrió que estaba tan ansiosa de salir en busca de plantas medicinales por su propia utilidad, ahora que las conocía mejor, como de recolectar plantas como un medio de escape. Mientras soplaron los vientos fríos y las tormentas heladas, esperó pacientemente. Pero en cuanto se percibieron los primeros indicios del cambio, se apoderó de ella una inquietud anticipada. Estaba deseando que llegara esta primavera más que ninguna otra que pudiera recordar. Era tiempo ya de aprender a cazar.

En cuanto lo permitió la temperatura, Ayla salió al bosque y al campo. Dejó de esconder su honda en la cueva, junto a la pradera de prácticas. La guardaba consigo, metida en un pliegue de su manto o bajo una capa de hojas dentro de su canastillo. Aprender sola a cazar no era fácil. Los animales eran rápidos y esquivos, y los blancos movedizos resultaban mucho más difíciles de alcanzar que los inmóviles. Las mujeres hacían siempre tanto ruido cuando salían a recolectar que se alejaban los animales en acecho y aquél era un hábito difícil de perder. Muchas veces se enojó consigo misma por haber advertido de su proximidad a algún animal, al ver cómo se escondía a toda prisa, pero estaba decidida y con la práctica iba aprendiendo.

A fuerza de pruebas y errores, comenzó a aprender a seguir el rastro y a comprender y aplicar los fragmentos de tradición que había oído comentar a los cazadores. Ya tenía adiestrado el ojo para descubrir pequeños detalles que diferenciaban unas plantas de otras, y sólo hacía falta aplicar ese adiestramiento un poco más para aprender a definir el significado de los excrementos de un animal, de una leve huella en el polvo, de una hoja de hierba doblada o de una ramita rota. Aprendió a distinguir el rastro de diferentes animales, se familiarizó con sus hábitos y su hábitat. Aunque no pasaba por alto a las especies herbívoras, se concentraba en los carnívoros como su presa de elección.

Se fijó en el camino que tomaban los hombres cuando salían de caza. Pero no eran Brun y sus cazadores quienes le preocupaban más. Casi siempre escogían la estepa como escenario de caza y ella no se atrevía a cazar en llanura abierta sin árboles. Los que más le preocupaban eran los dos viejos; había visto en ocasiones a Zoug y Dorv cuando tiempo atrás iba en busca de plantas para Iza. Eran los que más fácilmente podría encontrarse cazando en el mismo terreno que ella. Tenía que mantenerse constantemente en guardia para evitarlos. Ni siquiera tomar la dirección contraria a la de ellos era garantía de que no volvieran sobre sus pasos y la descubrieran con una honda en la mano.

Pero a medida que aprendió a moverse silenciosamente, los siguió en ocasiones para observar y aprender. Entonces se mostraba especialmente cautelosa. Era más peligroso para ella rastrear a los rastreadores que a los objetos de su persecución. Pero era un buen entrenamiento. Aprendió a moverse sin hacer ruido, tanto para seguir a los hombres como para perseguir a un animal, y podía fundirse con una sombra si uno de ellos volvía la mirada por casualidad.

A medida que Ayla fue adquiriendo habilidad en rastrear, aprendió a moverse furtivamente, entrenando sus ojos para distinguir una forma dentro de su abrigo oculto; hubo veces en que estaba segura de que habría podido atinarle a un animalillo. Aun cuando sentía la tentación, si no era carnívoro pasaba cerca de él sin intentarlo. Había tomado la decisión de cazar sólo depredadores y su tótem sólo aprobaba esto. Los brotes primaverales se convirtieron en flores y los árboles echaron hojas, cayeron las flores y los frutos salieron de ellas, colgando medio maduros y medio verdes, y todavía Ayla no había matado su primer animal.

–¡Largo de aquí! ¡Fuera! ¡Zape!

Ayla salió corriendo de la cueva para averiguar la causa de tanto revuelo. Varias mujeres estaban agitando los brazos y corriendo tras un animalillo melenudo, robusto y pequeño. El glotón se dirigía a la cueva, pero giró de lado con un gruñido al ver a Ayla. Se escurrió entre las piernas de las mujeres y se fue corriendo con un trozo de carne entre los dientes.

–Hipócrita tragón. Acababa de poner a secar esa carne –gesticulaba Oga, frustrada y enfurecida–. Apenas volví la espalda. Ha estado merodeando por aquí todo el verano, envalentonándose un poco más de día en día. ¡Ojalá Zoug lo alcanzase! Ha sido una suerte que hayas salido en este momento, Ayla; estuvo a punto de meterse en la cueva. ¡Piensa el hedor que nos habría dejado si llega a verse acorralado ahí!

–Creo que es hembra, Oga, y sin duda tendrá su guarida por aquí cerca. Apostaría que tiene varios cachorros hambrientos que deben estar bastante desarrollados ya.

–¡Lo que nos faltaba! Toda una manada. –Palabras iracundas acentuaban sus gestos–. Zoug y Dorv se han llevado a Vorn temprano por la mañana. Ojalá hubieran ido a cazar a esa glotona en vez de marmotas y perdices blancas, por ahí abajo. Los glotones no sirven para nada.

–Sirven para algo, Oga: su piel no se hiela bajo tu aliento en invierno. Sus pieles sirven para hacer buenos sombreros y capuchas.

–¡Ya me gustaría que ése fuera piel!

Ayla regresó junto al fuego. En realidad, no tenía nada que hacer por el momento, pero Iza había dicho que le faltaban unas cuantas cosas. Ayla decidió salir en busca de la guarida de glotones. Sonrió para sus adentros y aceleró la marcha; poco después abandonaba la cueva con su canasto, dirigiéndose bosque adentro en la dirección que había tomado el animal.

Examinando el suelo, vio la huella de una garra con uñas largas y agudas en el polvo; poco más allá, un tallo doblado. Ayla se puso a rastrear al animal. Al cabo de unos instantes oyó ruidos precipitados, extrañamente cerca de la cueva. Avanzó cautelosamente, sin rozar siquiera una hoja, y vio a la glotona con cuatro crías casi adultas, gruñendo y peleando por el trozo de carne robada. Cuidadosamente sacó la honda de su mano y ajustó una piedra en la cavidad del cuero.

Esperó a que se presentara la oportunidad de disparar bien. Un casual cambio del aire hizo llegar un olor extraño al taimado glotón, que miró hacia arriba olisqueando, alerta ante un peligro posible. Era el momento que había estado esperando Ayla. Rápidamente, justo cuando el animal captaba el movimiento, lanzó la piedra. La glotona cayó en tierra mientras los cuatro pequeños se alejaban brincando, asustados por la piedra.

Ayla se detuvo fuera de la maleza que la había ocultado y se agachó para examinar al bicho. La glotona, con aspecto de oso, tenía unos noventa centímetros de largo desde la nariz hasta la punta de la cola, y una piel áspera, larga y de un moreno oscuro. Los glotones eran ladrones intrépidos y belicosos, suficientemente feroces para apartar de lo que hubieran matado a depredadores mayores que ellos, suficientemente arrojados para robar carne que se estuviera secando o cualquier otra cosa movible que pudieran llevar, y taimados hasta el punto de irrumpir en los escondrijos de las reservas. Tenían unas glándulas odoríferas que dejaban tras ellos un olor como de mofeta, y eran para el clan una peste peor aún que la hiena, que era depredador y al mismo tiempo aficionado a la carroña y que no dependía de la habilidad ajena para sobrevivir.

La piedra de la honda de Ayla había dado encima del ojo, precisamente donde ella había apuntado. «Ese glotón nunca volverá a robarnos, pensó Ayla, llena de satisfacción que lindaba con el alborozo. Era el primer animal que había matado. Creo que le daré la piel a Oga, pensó, tendiendo la mano para sacar el cuchillo y despellejar al animal. Lo que se alegrará al saber que no volverá a fastidiarnos.» La muchacha se detuvo.

«¿En qué estoy pensando? No puedo darle esta piel a Oga, no se la puedo dar a nadie, ni siquiera la puedo conservar. Se supone que yo no cazo. Si alguien descubriera que he matado a este glotón, no sé qué harían.» Ayla se sentó junto al glotón muerto, pasándole los dedos por su piel de pelaje áspero. Su alborozo se había esfumado.

Había matado por vez primera. No era un gran bisonte derribado con una lanza pesada y afilada, pero era más que el puercoespín de Vorn. No habría fiesta para celebrar su ingreso entre las filas de los cazadores ni banquete en honor suyo, ni siquiera miradas de halago y felicitación, que Vorn había recibido cuando exhibió orgulloso su pequeña presa. Si regresaba a la cueva con el glotón, lo único que podía esperar era que la miraran con expresión escandalizada y que la castigaran severamente. Poco importaría que su intención hubiera sido ayudar al clan o que fuera capaz de cazar y diera muestras de que lo hacía bien. Las mujeres no cazaban, las mujeres no mataban animales. Era cosa de hombres.

Exhaló un tremendo suspiro. «Lo sabía, lo he sabido siempre», se dijo. Aun antes de comenzar a cazar, antes de recoger esa honda, sabía que no debía hacerlo. El más valiente de los jóvenes glotones salió de su escondite, olisqueando al animal muerto. «Esos pequeños van a darnos tantas preocupaciones como su madre, pensó Ayla. Están ya suficientemente desarrollados para que un par de ellos sobreviva; mejor será que me deshaga de este cadáver; si lo alejo, es probable que los pequeños sigan el olor.» Ayla se enderezó y empezó a arrastrar a la glotona muerta por la cola, llevándola bosque adentro. Después se puso a buscar las plantas que necesitaba.

La glotona fue sólo el primero de los pequeños depredadores y aficionados a carne muerta que cayeron bajo su honda. Martas, visones, hurones, nutrias, mofetas, tejones, armiños, zorros y los pequeños gatos monteses, de rayas grises y negras, se convirtieron en presa fácil para sus rápidas pedradas. No se daba cuenta de ello, pero la decisión que había tomado de cazar depredadores había tenido un importante efecto: aceleró el proceso de aprendizaje de Ayla y afinó su habilidad mucho más que si hubiera cazado a los más amables herbívoros. Los carnívoros eran más rápidos, más astutos, más inteligentes y más peligrosos.

Pronto superó a Vorn con el arma de su elección. No era sólo que el muchacho tendiera a mirar la honda como arma de viejo y careciera del empeño necesario para dominarla; es que le resultaba más difícil. No tenía la estructura física de Ayla, con un movimiento de brazo mejor adaptado al lanzamiento. El apalancamiento pleno y la coordinación lograda entre la mano y el ojo prestaban a la muchacha velocidad, fuerza y precisión. Ya no se comparaba con Vorn: en su imaginación, era la habilidad de Zoug la que desafiaba, y la muchacha se aproximaba rápidamente a la pericia del viejo cazador. Demasiado aprisa. Se estaba volviendo demasiado confiada.

El verano llegaba poco a poco a su fin, con todo su estallido de color y una cosecha abundante de tormentas acompañadas de rayos y truenos. Aquel día era caluroso, insoportablemente caluroso. Ni una pizca de brisa agitaba el aire quieto. La tormenta de la noche anterior, con su exhibición fantástica de destellos que iluminaban las cimas montañosas y su granizo del tamaño de guijarros, había obligado al clan a refugiarse en la cueva. El húmedo bosque, normalmente fresco bajo la sombra de los árboles, estaba empapado y asfixiante. Moscas y mosquitos zumbaban interminablemente alrededor del regato fangoso del agua mansa del arroyo casi seco, atrapada por niveles inferiores de agua en pozas estancadas y charcos llenos de algas.

Ayla seguía el rastro de un zorro rojo, moviéndose silenciosamente por entre el bosque, en los márgenes de un pequeño claro cubierto de hierba. Tenía calor y estaba sudorosa; no le interesaba mucho el zorro y estaba pensando renunciar y regresar a la cueva para ir a nadar un poco en el río. Caminando a través del lecho rocoso, que pocas veces podía cruzarse en seco, se detuvo para beber en un punto en donde el arroyo todavía corría libremente entre dos enormes rocas que convertían el regato sinuoso en una poza poco profunda.

Se enderezó y, al mirar frente a ella, contuvo la respiración. Ayla observaba con aprensión la cabeza característica y las orejas peludas de un lince, agazapado sobre la roca delante de ella. La estaba mirando cautelosamente, meneando su corta cola de un lado para otro.

Más pequeño que la mayoría de los grandes felinos, el lince pardina, de cuerpo largo y patas cortas, como su primo septentrional de años ulteriores, era capaz de dar brincos de casi cinco metros. Se alimentaba principalmente de liebres, conejos, ardillas grandes y otros roedores, pero también podía derribar un venado pequeño si se lo proponía; y una niña de ocho años podía entrar en esa categoría. Pero hacía calor y los humanos no eran su presa habitual; probablemente habría dejado que la niña siguiera su camino.

El primer estremecimiento de miedo fue sustituido por un escalofrío de excitación, mientras observaba al gato inmóvil que la vigilaba. ¿No le había dicho Zoug a Vorn que se podía matar un lince con la honda? No habló de probar con algo más grande, pero dijo que una piedra lanzada con honda podía matar un lobo, una hiena o un lince. «Recuerdo que dijo lince», pensó. No había cazado depredadores de tamaño medio, pero quería ser la mejor cazadora con honda del clan. Si Zoug podía matar un lince, también ella podía matar un lince, y allí, delante de ella, tenía un blanco perfecto. Obedeciendo a un impulso, decidió que había llegado el momento de probar con caza mayor.

Tendió lentamente la mano hacia el repliegue del corto manto de verano, sin apartar los ojos del gato, y tanteó hasta encontrar la piedra más grande. Le sudaban las palmas de las manos, pero aferró los dos extremos de la tira de cuero más fuertemente mientras colocaba la piedra en la bolsita. Entonces, rápidamente, antes de que se le fuera el valor, apuntó a un lugar justo entre los dos ojos y lanzó la piedra. Pero el lince advirtió el movimiento cuando ella levantó el brazo y volvió la cabeza en el momento en que Ayla disparaba. La piedra rozó el lado de su cabeza causándole un dolor agudo, debido a la proximidad, pero nada más.

Antes de que Ayla pudiera pensar en coger otra piedra, vio cómo se tensaban los músculos del felino. Por puro reflejo se hizo a un lado mientras el lince, furioso, saltaba contra su atacante. Cayó en el lodo junto al arroyo y su mano tropezó con una fuerte rama de madera flotante, pelada de ramitas y hojas en su viaje río abajo, empapada en agua y pesada. Ayla se agarró a ella y giró sobre sí misma justo cuando el furioso lince, con los colmillos al descubierto, se abalanzaba de nuevo. Blandiendo salvajemente la rama, con toda la fuerza que el temor le infundía, dio un fuerte golpe en la cabeza del animal; aturdido, éste rodó de lado, se agazapó un momento sacudiendo la cabeza y después se dirigió silenciosamente hacia el interior del bosque. Ya le habían golpeado suficientemente en la cabeza.

Ayla temblaba convulsivamente cuando se sentó, respirando fuerte. Tenía las rodillas como líquidas cuando fue a recuperar su honda y tuvo que sentarse otra vez. Zoug no habría imaginado nunca que alguien intentara cazar a un depredador peligroso con sólo una honda, sin otro cazador ni otra arma siquiera como respaldo. Pero Ayla raras veces había fallado en sus blancos, se había vuelto demasiado confiada en su habilidad, no había pensado en lo que pudiera suceder si fallaba. Estaba en un estado tal de conmoción que, al volver a la cueva, estuvo a punto de olvidar recoger su canasto del lugar donde lo había escondido antes de echar a andar detrás del zorro.

–¡Ayla! ¿Qué te ha sucedido? ¡Estás cubierta de lodo! –señaló Iza con gestos al verla llegar. La muchacha tenía el rostro de color ceniza; algo tenía que haberla asustado.

Ayla no respondió, sólo meneó la cabeza y entró en la cueva. Iza sabía que había algo que la muchacha no quería contarle. Pensó en apremiarla, pero cambió de opinión con la esperanza de que se lo contara voluntariamente. Pero Iza no estaba muy segura de querer enterarse.

A Iza le fastidiaba que Ayla se fuera sola por ahí, pero hacía falta que alguien recogiera sus plantas medicinales, eran necesarias. Ella no podía ir, Uba era demasiado joven, y ninguna de las mujeres sabía qué buscar ni tenía ganas de aprender. Tenía que dejar que fuera Ayla, pero si la muchacha le contaba algún incidente peligroso, se preocuparía más aún. Lo único que deseaba era que Ayla no permaneciera tanto tiempo fuera.

Ayla estuvo muy callada aquella noche y se acostó temprano, pero no pudo dormir. Permaneció despierta recordando el incidente con el lince, y en su imaginación se le hizo más espantoso aún. Casi amanecía cuando se quedó dormida.

¡Despertó gritando!

–¡Ayla! ¡Ayla! –oyó que Iza la llamaba, sacudiéndola suavemente para devolverla a la realidad–. ¿Qué sucede?

–He soñado que estaba en una cueva y que un león cavernario me acosaba. Ahora estoy bien, Iza.

–Hacía mucho tiempo que no tenías pesadillas, Ayla. ¿Por qué ahora? ¿Te has asustado hoy por algo?

Ayla asintió con un ademán y agachó la cabeza, pero no explicó nada. La oscuridad de la cueva, iluminada solamente por el vago resplandor de las brasas, disimuló su expresión de culpabilidad. No se había sentido culpable por cazar desde que encontró la señal de su tótem. Ahora se preguntaba si había sido realmente una señal, o quizá ella creyó que lo era. Después de todo, tal vez no debiera cazar. Especialmente animales tan peligrosos. ¿Qué le habría hecho creer que una muchacha debería intentar cazar linces?

–Nunca me ha gustado que salgas sola, Ayla. Siempre pasas tanto tiempo fuera... Ya sé que a veces te gusta ir sola, pero eso me preocupa. No es natural que las muchachas quieran pasar tanto tiempo solas. El bosque puede ser peligroso.

–Tienes razón, Iza, el bosque puede ser peligroso –señaló Ayla por medio de gestos–. Tal vez cuando vuelva me lleve a Uba, o quizá le gustaría ir a Ika.

Iza se alegró de que Ayla siguiera su consejo. Se quedaba cerca de la cueva y, cuando salía en busca de plantas medicinales, volvía pronto. Cuando no podía lograr que alguien la acompañara, estaba nerviosa: seguía esperando que un animal agazapado se aprestara a saltar sobre ella. Empezó a comprender por qué a las mujeres del clan no les gustaba ir solas a recoger alimentos y por qué su deseo de salir sola les había sorprendido siempre. Cuando era más joven no tenía la menor idea de los peligros. Pero bastó un ataque –y la mayoría de las mujeres se habían sentido amenazadas por lo menos una vez– para hacerle considerar su entorno con mayor respeto. Incluso un animal no depredador podía ser peligroso: jabalíes con agudos colmillos, caballos con duros cascos, ciervos con pesada cornamenta, cabras y cabras monteses con cuernos letales, todos ellos podían causar graves daños si se excitaban. Ayla se sorprendía de que se le hubiese ocurrido antes pensar en cazar. Le daba miedo volver.

No había nadie a quien Ayla pudiera contárselo, nadie para decirle que un poco de miedo agudizaba sus sentidos, especialmente al rastrear la caza peligrosa, nadie para alentarla a que saliera antes de que el miedo la acobardara del todo. Los hombres comprendían el miedo. No hablaban de él, pero cada uno de ellos lo había conocido muchas veces en su vida, empezando con su primera caza mayor que los elevaba a la categoría de hombres.

Los animales pequeños eran para practicar, para adquirir habilidad en el manejo de las armas, pero la posición de hombre adulto no se alcanzaba mientras no hubieran conocido y superado el miedo.

Para una mujer, los días que pasaba lejos de la seguridad del clan no eran una menor prueba de valor, aunque más sutil. En cierto modo, hacía falta más valor para enfrentarse a esos días y noches a solas, sabiendo que, pasara lo que pasara, estaba sola y abandonada a sus propios recursos. Desde su nacimiento, una muchacha había tenido siempre gente a su alrededor, protegiéndola. Pero no disponía de armas para defenderse ni de un varón protector armado que la salvara durante los ritos del paso a la edad adulta. Las muchachas, así como los muchachos, no se convertían en adultos mientras no hubieran conocido y superado el miedo.

Los primeros días Ayla no sintió el deseo de alejarse mucho de la cueva, pero pasado algún tiempo empezó a sentirse inquieta. En invierno no le quedaba más remedio y aceptaba su confinamiento en la cueva con los demás, pero se había acostumbrado a vagabundear libremente cuando hacía calor. Una ambivalencia la torturaba. Cuando estaba sola en el bosque, lejos de la seguridad del clan, se sentía incómoda y llena de aprensión; y cuando estaba cerca de la cueva con el clan, echaba de menos la libertad y la intimidad de que gozaba en el bosque.

Una incursión en busca de plantas, cuando estaba sola, la llevó cerca de su retiro privado y recorrió todo el camino hasta llegar a la alta pradera. El lugar tenía un efecto calmante en ella, era su mundo privado, su cueva, su pradera, incluso se sentía posesiva respecto a la pequeña manada de corzos que allí solía pacer. Se habían vuelto tan mansos que podía acercárseles hasta casi tocarlos, antes de que se alejaran de un brinco. El campo abierto le producía una sensación de seguridad, de la que ahora carecía en los peligrosos bosques donde se ocultaban bestias en acecho. No había visitado el lugar en toda la temporada y los recuerdos se agolparon en su memoria. Allí fue donde aprendió por primera vez a usar la honda, donde le dio al puercoespín y donde había hallado la señal de su tótem.

Llevaba consigo la honda –no se atrevía a dejarla en la cueva, por miedo a que Iza la encontrara– y al cabo de un rato recogió unos cuantos cantos y realizó unos cuantos lanzamientos. Pero era un deporte demasiado tranquilo para que ahora le interesara mucho; su mente regresaba al incidente con el lince.

«Si hubiera tenido otra piedra en la honda, pensaba, si hubiera podido golpearle inmediatamente después de la piedra que falló, podría haberle derribado sin darle la oportunidad de brincar.» Tenía dos piedras en la mano y las miró: si hubiera una manera de lanzar una tras otra... ¿habría dicho Zoug algo así a Vorn? Se esforzó por recordar. «De haberlo dicho, decidió, tuvo que ser cuando yo estaba ausente.» Ponderó la idea: si pudiera meter una segunda piedra en la bolsa al volver la honda tras el primer lanzamiento, sin parar, podría lanzar en el siguiente impulso. «Me pregunto si será posible.»

Empezó a intentarlo y se sintió tan torpe como la primera vez que usó la honda. Entonces empezó a idear una cadencia: lanzar la primera piedra, agarrar la honda a su regreso con la segunda piedra lista, meter ésta en la bolsa mientras aún esté en movimiento y lanzar la segunda piedra. Las piedrecillas se caían frecuentemente, e incluso cuando conseguía lanzarlas su precisión en ambos tiros no era tan buena. Pero se convenció de que podía hacerse; después volvió a practicar diariamente. Seguía sintiéndose incómoda en cuanto a cazar, pero el reto de crear una nueva técnica renovó su interés por el arma.

Para cuando las laderas boscosas se colorearon de tonos rojizos con el cambio de estación, era tan precisa con dos piedras como lo había sido con una. Plantada en medio del campo lanzando piedras contra un nuevo poste que había fijado en el suelo, sentía una profunda sensación de éxito cuando dos tac-tac le indicaban que ambas piedras habían dado en el blanco. Nadie le había dicho que fuera imposible lanzar rápidamente dos piedras, una tras otra, con una honda, porque nunca se había hecho anteriormente, y puesto que nadie le dijo que ella no lo podía hacer, aprendió a hacerlo por sí misma.

Un cálido día de otoño, temprano, casi un año después de haber tomado la decisión de cazar, Ayla decidió recoger las avellanas maduras que habían caído en tierra. Al acercarse a la cima oyó el chillido, resoplido y parloteo de una hiena; y al llegar a la pradera vio a uno de los odiosos bichos que estaba medio sumido en las entrañas sangrientas de un viejo venado.

Se enfureció. ¿Cómo se atrevía aquella apestosa criatura a profanar su pradera, a atacar a su venado? Echó a correr hacia la hiena para espantarla, pero lo pensó mejor: también las hienas eran depredadores, con quijadas suficientemente fuertes para quebrar los grandes huesos de las patas de los grandes herbívoros, y no era fácil apartarlas de su presa. Rápidamente se deshizo de su canasto, que llevaba colgado, y sacó del fondo la honda. Miró hacia el suelo en busca de piedras mientras se dirigía a un saliente cerca de la muralla rocosa. El viejo venado estaba semidevorado, pero el movimiento de la muchacha llamó la atención del animal medio pelado, cubierto de manchas y casi tan grande como el lince. La hiena alzó la cabeza, detectó el olor humano y se volvió hacia la muchacha.

Estaba preparada. Saliendo de detrás de la roca, lanzó un proyectil inmediatamente seguido de un segundo. No sabía que el segundo era innecesario –el primero había cumplido su misión–, pero era una garantía. Ayla había aprendido la lección. Tenía una tercera piedra en la honda y una cuarta en la mano, preparada para una segunda serie en caso de ser necesario. La hiena cavernaria había caído hecha un ovillo y no se movió. Ayla miró en derredor para asegurarse de que no había ninguna más cerca y, cautelosamente, avanzó hacia la bestia con la honda preparada. En el camino recogió un hueso de pata que todavía tenía unas cuantas hebras de carne roja pegadas y que no estaba roto. Con un golpe capaz de romperle la cabeza, Ayla se aseguró de que la hiena no volvería a levantarse.

Miró al animal muerto a sus pies y dejó caer el garrote de hueso. Lentamente se fue percatando de las implicaciones de su hazaña. «He matado una hiena, se dijo mientras tomaba conciencia de ello, he matado una hiena con mi honda. No un animalito: una hiena, un animal que pudiera haberme matado. ¿Significa esto que me he convertido en un cazador? ¿Un verdadero cazador?» No era alborozo lo que sentía, ni la excitación de haber cobrado su primera pieza, ni siquiera la satisfacción de haber vencido a una bestia poderosa. Era saber que se había superado a sí misma. Fue como una revelación espiritual, una percepción mística; y con una veneración profundamente sentida, habló al espíritu de su tótem con el antiguo lenguaje formal del clan:

–Sólo soy una muchacha, Gran León Cavernario, y los caminos de los espíritus me son desconocidos. Pero ahora comprendo un poco mejor. El lince fue una prueba, todavía más que Broud. Creb ha dicho siempre que no es fácil vivir con los tótems poderosos, pero nunca me dijo que los dones más grandes que otorgan están dentro. Nunca me dijo cómo se siente uno cuando comprende por fin. La prueba no es simplemente hacer algo difícil, la prueba es saber que uno lo puede hacer. Te agradezco que me hayas escogido, Gran León Cavernario. Espero llegar a ser siempre digna de ti.

Cuando la brillante policromía del otoño perdió su esplendor y las ramas esqueléticas dejaron caer sus hojas secas, Ayla regresó al bosque. Rastreó y estudió los hábitos de los animales que había decidido cazar, pero los trataba con mayor respeto, a la vez como criaturas y como adversarios peligrosos. Muchas veces, aun cuando se acercaba lo suficientemente para lanzar un canto, se contenía, limitándose a observar. Se daba cuenta de que era un despilfarro matar un animal que no amenazaba al clan y cuya piel no podía emplear. Pero seguía decidida a convertirse en la mejor cazadora con honda del clan; no se daba cuenta de que ya lo era. La única manera en que podía seguir mejorando su habilidad consistía en cazar. Y cazaba.

Los resultados comenzaron a ser detectados, y los hombres se sentían incómodos.

–He encontrado otro glotón, o lo que quedaba de él, cerca del campo de prácticas –señaló Crug.

–Y había trozos de piel, que parecían de lobo, sobre la cresta, a medio camino de la colina –agregó Goov.

–Siempre son carnívoros, los animales más fuertes, no tótems femeninos –dijo Broud–. Grod cree que deberíamos hablar a Mog-ur.

–De tamaño mediano y pequeño, pero no los grandes felinos. Venados y caballos, carneros y cabras monteses, incluso jabalíes, son siempre cazados por los grandes felinos y los lobos y hienas, pero ¿qué es lo que está cazando a los cazadores más pequeños? Nunca he visto tantos de ellos muertos –observó Crug.

–Eso es lo que me gustaría saber: ¿qué es lo que los está matando? No es que me importe que haya unas cuantas hienas o unos cuantos lobos menos por ahí, pero si no los matamos nosotros... ¿Le hablará Grod a Mog-ur? ¿Creéis que sea un espíritu? –El joven reprimió un escalofrío.

–Y si es un espíritu, ¿es un espíritu bueno que nos ayuda o uno malo que está furioso contra nuestros tótems? –preguntó Goov.

–Tenías que ser tú, Goov, quien saliera con una pregunta de ésas. Tú eres el acólito de Mog-ur; ¿qué crees? –replicó Crug.

–Creo que será menester meditar y consultar profundamente con los espíritus para responder a esa pregunta.

–Ya hablas como un Mog-ur, Goov. Nunca das una respuesta directa –ironizó Broud.

—Bueno, Broud, ¿cuál es tu respuesta? –repuso el acólito–. ¿Puedes darme una respuesta que sea más directa? ¿Qué es lo que está matando a esos animales?

—Yo no soy un mog-ur, ni siquiera estoy aprendiendo a serlo. No me preguntes.

Ayla estaba trabajando cerca y se aguantó las ganas de sonreír. «Así que ahora soy un espíritu, pero no pueden decidir si uno bueno o uno malo.»

Mog-ur se acercó sin que nadie se diera cuenta, pero había presenciado la discusión.

—Todavía no tengo respuesta, Broud –señaló el mago–. Habrá que meditar. Pero sí voy a decir esto: no es ése el comportamiento normal de los espíritus.

«Los espíritus, se decía Mog-ur, pueden hacer que haga mucho calor o mucho frío, o provocar mucha lluvia o mucha nieve, o alejar las manadas, o provocar enfermedades, o desencadenar truenos, rayos y terremotos, pero por lo general no provocan la muerte de animales aislados. Este misterio tiene la marca de una mano humana.» Ayla se puso en pie y fue hasta la cueva; el mago la siguió con la vista. «Hay algo diferente en ella, ha cambiado», se decía Creb. Observó que también Broud la seguía con la mirada, una mirada henchida de malignidad frustrada. «También Broud ha observado la diferencia. Tal vez sea porque no es realmente del clan y camina de manera diferente, está creciendo.» Había algo que hurgaba en el fondo de la mente de Creb y que le sugería que no era ésa la respuesta.

Ayla había cambiado. A medida que fue mejorando su habilidad para cazar, se fue desarrollando en ella una seguridad y una gracia vigorosa desconocidas entre las mujeres del clan. Tenía el andar silencioso del cazador experimentado, un rígido control de los músculos de su cuerpo joven, confianza en sus propios reflejos y una mirada lejana en sus ojos que se ensombrecía imperceptiblemente siempre que Broud comenzaba a agobiarla, como si no le viera realmente. Saltaba igual de pronto al oír sus órdenes, pero su respuesta carecía de toda apariencia de miedo, por mucho que la abofeteara.

Su compostura, su confianza, eran algo mucho más intangible, pero no menos evidente para Broud que la rebelión casi abierta de tiempos anteriores. Era como si le hiciera el favor de obedecerle, como si supiera algo que él ignoraba. La observaba, tratando de descubrir el cambio sutil, tratando de encontrar algo por lo que castigarla, pero no lo conseguía.

Broud no sabía cómo lo hacía, pero cada vez que trataba de imponer su superioridad, le hacía sentir que era inferior a ella, que estaba muy por debajo de ella. Eso le frustraba, le enfurecía, pero cuanto más la hostigaba, menos control sentía que tenía sobre ella y la odiaba por ello. Gradualmente se dio cuenta él mismo de que la presionaba menos, llegando incluso a alejarse de ella. Sólo ocasionalmente se preocupaba de hacer demostración de sus prerrogativas. Al terminar la estación, su odio se volvió más intenso. Algún día la doblegaría, se prometió a sí mismo. Algún día le haría pagar las heridas que infligía a su propia estimación. ¡Oh, claro que sí, algún día lo lamentaría!

13

Llegó el invierno y, con él, la actividad reducida que compartían todas las cosas vivientes que seguían el ciclo de las estaciones. La vida seguía palpitando, pero a un ritmo más lento. Por primera vez Ayla anhelaba que llegara la estación fría. Las estaciones activas y apresuradas en las que hacía calor no dejaban mucho tiempo a Iza para seguir adiestrándola. Con las primeras nieves, la curandera reanudó sus lecciones. El patrón de la vida del clan se repetía con apenas ligeras variantes, y el invierno llegó también a su fin.

La primavera llegó tarde y húmeda. La fusión de las nieves que bajaban desde las tierras altas, incrementada por fuertes lluvias, hinchó el río provocando una turbulencia enorme que desbordó sus riberas y barrió árboles y arbustos en su fuga atropellada hasta el mar. Una obstrucción de troncos provocó que cambiara su curso, llevándose parte del camino que había abierto el clan. Un breve respiro de tiempo cálido, lo suficientemente prolongado para que los árboles frutales desplegaran sus flores, fue contrarrestado por granizadas de fines de primavera, que asolaron sus delicadas flores, ahogando las esperanzas de la prometida cosecha. Entonces, como si la naturaleza hubiera cambiado de opinión y quisiera compensar por no haber cumplido la promesa de las frutas, la cosecha de principios de verano produjo verduras, raíces, calabazas y legumbres en abundante profusión.

El clan echaba de menos su visita primaveral a la costa, en busca de salmón, y todo el mundo se alegró al oír anunciar a Brun que harían el viaje en busca de bacalao y esturión. Si bien había miembros del clan que recorrían a menudo los doce kilómetros hasta el mar interior para recoger moluscos y huevos de las incontables aves que anidaban en los riscos, pescar los enormes peces

238

era una de las pocas actividades del clan que constituía un esfuerzo común por parte de hombres y mujeres.

Droog tenía una buena razón para querer ir. Las fuertes avenidas primaverales habían arrancado nuevos nódulos de sílex de los depósitos calcáreos de las partes más altas y los habían depositado en la llanura aluvial. Había visitado ya la costa y había comprobado que había varios depósitos aluviales. La excursión pesquera sería una buena oportunidad para reabastecer su reserva de herramientas, sustituyéndolas por otras hechas con piedras de alta calidad. Era más fácil trocear el sílex en el lugar mismo que transportar las pesadas piedras hasta la cueva. Hacía ya tiempo que Droog no fabricaba herramientas para el clan. Habían tenido que arreglárselas con instrumentos más toscos cuando se rompía la frágil piedra de sus preferidos. Todos podían confeccionar herramientas útiles, pero muy pocas podían compararse con las que hacía Droog.

Un ambiente alegre acompañaba los preparativos. No era frecuente que todo el clan abandonara la cueva al mismo tiempo, y la novedad de acampar en la playa resultaba excitante para los niños. Brun había dispuesto que uno o dos hombres regresaran diariamente a la cueva para asegurarse de que no había sucedido nada malo en su ausencia. Incluso a Creb le alegraba la idea de cambiar de escenario; pocas veces se alejaba mucho de la cueva.

Las mujeres trabajaban en la red, reparando los cabos más debilitados y formando una nueva sección con cuerdas procedentes de lianas fibrosas, cortezas filamentosas, hierbas duras y largos pelos de animales, para alargarla, y aunque la tripa era un material fuerte y sólido, no se empleaba para eso; pasaba como con el cuero: el agua lo endurecía, lo atiesaba y no absorbía bien la grasa con que lo ablandaban.

El enorme esturión, que a menudo alcanzaba los casi cuatro metros de largo y pesaba más de una tonelada, emigraba del mar, donde vivía la mayor parte del año, y remontaba los ríos para desovar a principios del verano. Los apéndices carnosos que tenía debajo de su boca desdentada prestaban al pez antiguo, parecido al tiburón, un aspecto temible, pero su dieta estaba compuesta de invertebrados y peces pequeños que atrapaba merodeando por el fondo. El bacalao, más pequeño, no solía pesar más de doce kilos y medio, pero podía alcanzar hasta cien y más, y en verano se dirigía hacia el norte, a aguas menos profundas. Se alimentaba casi siempre en el fondo, pero a veces nadaba cerca de la superficie o en desembocaduras de agua dulce si migraba o perseguía alguna presa.

Durante los catorce días en que desovaban los esturiones en verano, las desembocaduras de los ríos estaban llenas de ellos. Aun cuando el pez que escogía los ríos más pequeños no alcanzaba el volumen de los gigantes que subían por los grandes ríos, los esturiones que llegaban a la red del clan serían más que suficientemente grandes para que ellos pudieran arrastrarlos hacia la playa. Al acercarse la época de la migración, Brun enviaba a alguien diariamente hasta la costa. Apenas había hecho acto de presencia el primero de los potentes esturiones blancos en el río cuando dio la orden: todos partirían a la mañana siguiente.

Ayla despertó excitadísima: tenía su piel para dormir recogida en un lío, alimentos y recipientes de cocina metidos en un canasto, y la gran pieza de cuero que serviría de techo dispuesta encima de todo aun antes del desayuno. Iza nunca abandonaba la cueva sin su bolsa de medicinas, y todavía estaba recogiéndola cuando Ayla salió corriendo de la cueva para ver si los demás estaban dispuestos para marchar.

—¡Date prisa, Iza! —la apremió, volviendo a la cueva—. Ya estamos casi listos para partir.

—Cálmate, chiquilla. El mar no se irá a ninguna parte —contestó Iza después de haber apretado bien la correa de su bolsa.

Ayla se echó el canasto a la espalda y cogió en brazos a Uba. Iza la siguió, pero se volvió para mirar hacia atrás como si quisiera cerciorarse de que no olvidaba nada: siempre le parecía estar olvidándose de algo cuando dejaba la cueva. «Bueno, en todo caso, Ayla puede volver a buscarlo, si es algo importante», pensó. Casi todo el clan estaba fuera y en cuanto Iza ocupó su lugar, Brun dio la señal de partida. Apenas se habían puesto en marcha cuando Uba empezó a revolverse para que la dejaran en el suelo.

—¡Uba no es un bebé! Quiero caminar sola —gesticuló con dignidad infantil. A los tres años y medio, Uba había comenzado a copiar a los adultos y a los niños mayores y a rechazar los mimos que se prodigaban a los más pequeños. Estaba creciendo. Poco más o menos dentro de otros cuatro años sería probablemente una mujer. Tenía mucho que aprender en esos cuatro años escasos y, mediante un sentido interno de su rápida maduración, estaba empezando a prepararse para las responsabilidades mayores que pronto tendría que asumir.

—Está bien, Uba —dijo Ayla por medio de gestos dejándola caminar—. Pero quédate muy cerca detrás de mí.

Siguieron el río por el flanco de la montaña, bordeando su alterado curso siguiendo el nuevo sendero que ya se había trazado cerca del estancamiento de troncos. Era una marcha fácil –aunque el viaje de regreso costaría más– y no era aún mediodía cuando llegaron a un ancho tramo de playa. Establecieron refugios temporales lejos de donde llegaban las mareas, empleando madera flotante y arbustos como pilotes. Comenzarían a pescar a la mañana siguiente. Ayla se encaminó hacia el mar.

–Me voy al agua, madre –indicó.

–Ayla, ¿por qué siempre quieres meterte en el agua? Es peligroso, y siempre te alejas mucho.

–Es maravilloso, Iza. Tendré cuidado.

Siempre pasaba lo mismo cuando Ayla iba a nadar: Iza se preocupaba. Ayla era la única a quien le gustaba nadar; era la única que podía hacerlo. Los huesos grandes y pesados de los miembros del clan les dificultaban la natación. No flotaban fácilmente y temían al agua profunda. Vadeaban por el agua para pescar, pero no les gustaba ir más allá del nivel de la cintura; les daba miedo. La predilección por la natación que Ayla mostraba era considerada como una de sus peculiaridades; y no era la única.

Cuando Ayla cumplió nueve años era ya más alta que cualquiera de las mujeres y tanto como algunos de los hombres, pero seguía sin dar muestras de estar próxima a la pubertad. Iza se preguntaba a veces si dejaría de crecer algún día. Su estatura y su retraso para madurar hacían pensar a algunos si su fuerte tótem masculino no le impediría desarrollarse como mujer. Se preguntaban si se pasaría la vida entera como una especie de hembra neutra, ni hombre ni realmente mujer.

Creb se acercó cojeando a Iza mientras ésta miraba a Ayla acercarse al agua. Su cuerpo duro y esbelto, sus músculos planos y nervudos y sus largas piernas como de potrillo la hacían parecer torpe y desmañada, pero la flexibilidad de sus movimientos desmentía su aparente desmañada torpeza. Aunque se esforzaba por imitar el porte sumiso de las mujeres del clan, no tenía sus piernas cortas y arqueadas. Por mucho que tratara de dar pasos cortos, sus piernas, más largas, daban trancos más largos, casi masculinos.

Pero no eran sólo sus piernas largas lo que la hacía diferente. Ayla irradiaba una confianza en sí misma que ninguna mujer del clan sentía nunca. Era cazadora. Ningún hombre del clan era mejor que ella con su arma, y ahora ella lo sabía. No podía fingir sumisión a la gran superioridad masculina puesto que no la sentía. Carecía del compromiso del convencimiento genuino que formaba parte del atractivo de una mujer del clan. Ante los ojos de los hombres, su cuerpo alto y esbelto, carente de todos los atributos femeninos, y su actitud inconsciente de seguridad, le quitaban cualquier mérito a su harto dudosa belleza; Ayla no era sólo fea, carecía además de femineidad.

—Creb —expresó por señas Iza—, Aga y Aba dicen que nunca se convertirá en mujer. Dicen que su tótem es demasiado fuerte.

—¡Claro que se convertirá en mujer, Iza! ¿No irás a creer que los Otros no tienen hijos? Sólo porque haya sido aceptada en el clan no cambiará lo que es. Probablemente es normal en sus mujeres madurar más tarde. Incluso algunas muchachas del clan no se convierten en mujeres antes de los diez años. Cabría esperar que la gente le concediera siquiera hasta entonces antes de ponerse a imaginar que se da en ella alguna anormalidad. ¡Es ridículo! —resopló fastidiado.

Iza se sintió más tranquila, pero seguía deseando que su hija adoptiva comenzara a dar señales de femineidad. Vio que Ayla se adentraba en el agua hasta la cintura y, de repente, de un brinco, se ponía a nadar a largas brazadas pausadas hacia el mar.

A la muchacha le encantaba la libertad y la flotabilidad del agua salada. No recordaba haber aprendido a nadar, era como si lo hubiera sabido siempre. El banco de arena submarino de la costa bajaba bruscamente al cabo de unos cuantos metros; Ayla notó que traspasaba ese punto en que el agua intensificaba su color y estaba más fría. Se tendió de espaldas y flotó perezosamente un rato, mecida por el vaivén de las olas. Escupiendo agua salada que le había dado en la cara, se volvió nuevamente y se dirigió nadando a la playa. La marea estaba bajando, y ella se había desviado hacia el agua que desembocaba del río. La fuerza de las corrientes combinadas dificultaba el regreso a nado. Hizo un esfuerzo y no tardó en poner nuevamente pie en la arena para volver andando a la playa. Se enjuagaba en el agua dulce del río, podía sentir la rápida corriente golpearle las piernas y el inestable suelo arenoso escurrirse bajo sus pies. Se dejó caer junto a la hoguera que ardía cerca de su refugio, cansada pero también fresca.

Después de cenar, Ayla se quedó mirando lánguidamente a lo lejos, preguntándose qué habría más allá del agua. Aves marinas chillaban, graznaban y giraban antes de zambullirse encima de las olas que mugían. Blancos y momificados esqueletos, que fueron otrora árboles vivos, se erguían en la arena lisa adoptando formas sinuosas, esculpidas frente a la inmensa superficie de agua de un gris azulado que centelleaba bajo los últimos rayos del sol poniente. La escena tenía un aspecto impreciso, surrealista, como de otro mundo; la madera arrojada a la playa se convertía en siluetas grotescas antes de sumirse en la oscuridad de la noche sin luna.

Iza llevó a Uba a la cama bajo el refugio y regresó al lado de Creb y Ayla, junto a la pequeña hoguera que lanzaba jirones de humo hacia el cielo tachonado de estrellas.

–¿Qué son, Creb? –señaló Ayla calladamente hacia arriba.

–Hogueras en el cielo. Cada una es el espíritu de alguien en el otro mundo.

–¿Existe tanta gente?

–Son las hogueras de todas las personas que han ido al mundo de los espíritus y de todos los que no han nacido aún. Son las hogueras, también, de los espíritus de los tótems, pero la mayoría de los tótems tienen más de una. ¿Ves allí? –preguntó Creb, señalando con la mano–. Es el hogar del Gran Ursus en persona. ¿Y aquéllos? –señalando en la otra dirección–. Son los fuegos de tu tótem, Ayla, del León Cavernario.

–Me gusta dormir donde se pueden ver los pequeños fuegos del cielo –dijo Ayla.

–Pero no es tan agradable cuando sopla el viento y cae la nieve –intervino Iza.

–También a Uba le gustan los fuegos –señaló la niña, surgiendo de la oscuridad al círculo de luz de la hoguera.

–Creí que estabas dormida, Uba –comentó Creb.

–No. Uba mira los pequeños fuegos como Ayla y Creb.

–Es hora de que nos acostemos todos –señaló Iza–. Mañana va a ser un día muy duro.

A primera hora de la mañana, el clan tendió su red a través del río. Vejigas natatorias de capturas anteriores de esturión, cuidadosamente lavadas y secadas hasta convertirse en globos duros y claros de colapez, servían de flotadores para la red, y piedras atadas a la parte inferior, de pesas. Brun y Droog tomaron un extremo y se fueron a la ribera más alejada; entonces el jefe hizo una seña: adultos y niños mayores comenzaron a vadear por el río. Uba les siguió.

–No, Uba –señaló Iza–, tú te quedas, no eres lo bastante mayor.

–Pero Ona sí está ayudando –protestó la niña.

–Ona es mayor que tú, Uba. Podrás ayudar después, una vez que hayamos varado la pesca. Es demasiado peligroso para ti. El propio Creb también se queda en la orilla. Quédate ahí.

–Sí, madre –respondió Uba con un gesto, sin disimular su desilusión.

Avanzaban lentamente, provocando la menor perturbación posible al irse separando en abanico para formar un amplio semicírculo; después se quedaban quietos hasta que la arena removida por su movimiento hubiera vuelto a asentarse. Ayla se quedó con los pies separados, luchando contra la fuerte corriente que le empujaba las piernas, la mirada fija en Brun, esperando su señal. Estaba en medio del canal, a la misma distancia de ambas riberas y más cerca del mar. Observó cómo una forma oscura y muy grande se deslizaba a poco más de un metro de distancia. Los esturiones estaban en camino.

Brun alzó el brazo y todos contuvieron el aliento. De repente, tan pronto como bajó el brazo, el clan comenzó a dar gritos y a agitar el agua, levantando salpicaduras de espuma. Lo que parecía un caos desordenado de ruido y chapoteos se reveló muy pronto como una maniobra intencionada. El clan estaba empujando los peces hacia la red, estrechando su círculo. Brun y Droog se acercaron desde la ribera más lejana llevando consigo la red, mientras la agitación provocada por el clan impedía que los peces regresaran al mar. La red se iba cerrando, apresando a la masa plateada de peces que luchaban dentro de un espacio que se encogía poco a poco. Unos cuantos de aquellos monstruos se lanzaron contra las cuerdas anudadas, en un intento de salirse por allí. Nuevas manos aferraron la red, llevándola a rastras hacia el ribazo al mismo tiempo que los que allí estaban tiraban de ella, mientras todo el clan se esforzaba por varar a la horda que agitaba convulsivamente sus aletas.

Ayla alzó la mirada y vio a Uba metida hasta las rodillas entre los peces que luchaban, tratando de acercarse a ella desde el otro lado de la red.

–¡Uba! ¡Vuelve a la playa! –le indicó de lejos.

–¡Ayla! ¡Ayla! –gritó la niña, y entonces señaló un punto en el mar–. ¡Ona! –gritó.

Ayla se volvió para mirar y apenas si pudo divisar una cabeza morena que salía del agua antes de desaparecer. La niña, que tenía apenas un año más que Uba, había perdido pie y estaba siendo arrastrada hacia el mar. En la confusión creada al arrastrar la red, nadie se había fijado en ella. Sólo Uba, que miraba a su compañera de juegos con admiración desde la orilla, había advertido el apuro en que se encontraba Ona y trataba frenéticamente de llamar la atención de alguien para decírselo.

Ayla se lanzó a la corriente fangosa y agitada y avanzó laboriosamente hacia el mar. Nadaba más rápidamente que nunca; la corriente rápida la empujaba, pero esa misma corriente estaba arrastrando a la niña hacia el desnivel con la misma fuerza. Ayla vio que su cabeza surgía una vez más y se precipitó. Ganaba terreno pero temía que no fuera suficiente. Si Ona llegaba al declive antes de que Ayla le diera alcance, sería atraída hacia las aguas profundas por la fuerte corriente submarina.

El agua se estaba volviendo salada, Ayla lo sentía en sus labios. La cabecita oscura surgió una vez más a unos cuantos centímetros de distancia y volvió a hundirse. Ayla sintió que bajaba la temperatura del agua al lanzarse desesperadamente hacia delante, sumergiéndose bajo el agua para tratar de agarrar la cabeza desaparecida. Sintió unos pelos y apretó el puño alrededor de la larga cabellera flotante de la niña.

Ayla pensó que le iban a estallar los pulmones –no había tenido tiempo para respirar profundamente antes de sumergirse– y un ligero aturdimiento se estaba apoderando de ella justo cuando salió a la superficie llevando consigo su preciosa carga. Sacó a Ona del agua, pero la niña estaba inconsciente. Ayla no había intentado nunca nadar sosteniendo a otra persona, pero tenía que llevar a Ona a la orilla cuanto antes, manteniéndole la cabeza fuera del agua. Ayla se puso a nadar con un solo brazo y halló la brazada correcta, sosteniendo a la niña con el otro.

Cuando puso pie en la arena, vio que todo el clan se había metido en el agua para ir a su encuentro. Ayla sacó el cuerpo inerte de Ona y se lo entregó a Droog; sólo entonces se percató de lo agotada que se sentía. Creb estaba a su lado, y alzó la mirada sorprendida al ver que Brun estaba del otro lado, ayudándola a salir del agua. Droog avanzaba y cuando Ayla cayó sobre la arena, Iza tenía a la niña tendida y le estaba sacando el agua de los pulmones.

No era la primera vez que un miembro del clan estaba a punto de morir ahogado; Iza sabía lo que se tenía que hacer. Unas cuantas personas se habían perdido ya en las frías profundidades, pero esta vez el mar se vio privado de su víctima. Ona empezó a toser y escupir mientras el agua salía de su boca, y parpadeó.

–¡Mi niña! ¡Mi niña! –gritó Aga, tirándose al suelo. La madre cogió enloquecida a su hija en brazos y la estrechó–. Creí que había muerto. Estaba segura de que la perdía: ¡Oh, mi nenita, mi única hija!

Droog tomó a la niña del regazo de su madre y, apretándola contra su cuerpo, la llevó de regreso al campamento. En contra de la costumbre, Aga caminaba a su lado, acariciando a la hija que creyó haber perdido.

Los demás miraban, fijamente y sin recato, a Ayla cuando pasaba cerca de ellos. Nadie había sido salvado anteriormente cuando las olas lo arrastraban. Era un milagro que Ona hubiera sido rescatada. Nunca más volvería un miembro del clan de Brun a mirarla con gestos irónicos cuando se abandonara a su particular idiosincrasia. «Es su suerte, decían. Siempre ha tenido suerte. ¿No encontró ella la cueva?»

Los peces seguían agitándose espasmódicamente sobre la arena. Algunos de ellos habían logrado regresar al río mientras los del clan, que se habían dado cuenta de lo sucedido, corrían a reunirse con Ayla, que volvía trayendo a la niña medio ahogada, pero la mayor parte de los peces estaban todavía enredados en la red. Los del clan regresaron a la tarea de arrastrarlos playa adentro, los golpearon hasta dejarlos inmóviles y las mujeres comenzaron a limpiarlos.

—¡Una hembra! —gritó Ebra al abrir de un tajo la barriga de un enorme esturión blanco. Todos echaron a correr hacia el enorme pescado.

—¡Mirad cuánto hay! —señaló Vorn, y tendió la mano para coger un puñado de huevecillos negros.

El caviar fresco era un manjar que todos apreciaban. Por lo general, todos cogían puñados de la primera hembra de esturión que se pescaba y se hartaban. Las demás huevas serían saladas y conservadas para consumirlas más adelante, pero nunca resultaban tan buenas como recién sacadas del mar. Ebra detuvo al muchacho y señaló con la mano a Ayla.

—Ayla, tú te sirves primero —expresó.

La muchacha miró a su alrededor, confusa al verse convertida en el centro de atención.

—Sí, Ayla, tú primero —dijeron otros a coro.

La muchacha miró a Brun, que asintió con un gesto. Entonces avanzó tímidamente y tomó un puñado de caviar negro y brillante, después se enderezó y lo probó. Ebra hizo entonces una seña y todos se abalanzaron para coger su parte, rodeando gozosamente al pescado. Se había evitado una tragedia y su sensación de alivio les hacía sentirse como en día de fiesta.

Ayla se dirigió despacio a su refugio. Sabía que había sido objeto de honores. A pequeños bocados saboreó el sabroso caviar y saboreó el cálido interés con que estaba siendo aceptada. Era un sentimiento que nunca olvidaría.

Una vez varado y muerto el pescado, los hombres se alejaron formando su inevitable corrillo, dejando el trabajo de limpieza y conservación a las mujeres. Además de los agudos cuchillos de sílex que se empleaban para abrir los peces y filetear los más grandes, tenían una herramienta especial para quitar las escamas. Era un cuchillo que no sólo tenía el lomo romo para poder cogerlo cómodamente, sino que además en el extremo afilado se había hecho una muesca en la que se colocaba el dedo índice para controlar la presión, de modo que las escamas fueran retiradas sin que se arrancara la piel del pescado.

La red del clan recogió algo más que esturiones: bacalaos, carpas de río, unas cuantas truchas grandes e incluso algunos crustáceos. Las aves atraídas por la pesca se hartaron con las entrañas, sustrayendo también algunos filetes cuando podían acercarse lo suficiente. Una vez que se puso a secar la pesca al aire o sobre hogueras humeantes, se tendió la red por encima. Eso permitía secarla y ver dónde había que efectuar remiendos, además de mantener a raya a las aves que intentaban apoderarse de aquello que tanto esfuerzo le había costado al clan.

Antes de terminar las faenas de pesca, todos estarían hartos del sabor y del olor a pescado, pero la primera noche era un verdadero festín y lo celebraban siempre juntos. Los peces reservados para la celebración, sobre todo bacalao, cuya carne blanca y delicada era especialmente apreciada cuando estaba fresca, los envolvían en una capa de hierba fresca y de hojas anchas y los colocaban sobre las brasas. Aun cuando no se dijo nada explícitamente, Ayla sabía que aquel banquete era en su honor. Fue beneficiaria de muchos bocados selectos que le llevaron las mujeres y de un buen filete preparado con un cuidado especial por Aga.

El sol se había puesto por el oeste y casi todos habían vuelto ya a sus correspondientes refugios. Iza y Aba se habían quedado charlando a un lado de la enorme hoguera que estaba quedándose ya convertida en brasas, mientras Ayla y Aga miraban silenciosamente a Ona y Uba, que jugaban juntas. Groob, hijo de Aga, que ya tenía un año, estaba durmiendo apaciblemente en el regazo de su madre, satisfecho y ahíto de leche caliente.

—Ayla —comenzó a decir la mujer, vacilando un poco—, quiero que sepas algo. No siempre he sido amable contigo.

—Aga, siempre has sido cortés —interrumpió Ayla.

—No es lo mismo que amable –dijo Aga–. He hablado con Droog. Se ha encariñado mucho con mi hija, a pesar de que ha nacido en el hogar de mi primer compañero. Nunca anteriormente había tenido una niña en su hogar. Droog dice que siempre llevarás contigo una parte del espíritu de Ona. Yo no comprendo realmente los caminos de los espíritus, pero Droog dice que cuando un cazador salva la vida de otro cazador, se queda con parte del espíritu del hombre al que ha salvado. Se vuelven algo así como hermanos. Me alegro de que compartas el espíritu de Ona, Ayla. Me alegro de que esté todavía aquí para compartirlo contigo. Si tengo la suerte de volver a ser madre y si es una niña, Droog ha prometido llamarla Ayla.

Ayla se quedó asombradísima; no sabía qué contestar.

—Aga, ése es un honor demasiado grande. Ayla no es nombre del clan.

—Ahora lo es –señaló Aga con un ademán.

La mujer se puso en pie, haciendo una seña a Ona, y echó a andar hacia su refugio. Se volvió un instante:

—Ahora me voy –dijo.

Era el gesto más parecido que tenía el clan para decir «hasta luego». En general lo omitían; la gente se iba, simplemente. El clan tampoco tenía palabra para «gracias». Comprendían la gratitud, pero tenía una connotación distinta, por lo general un sentido de obligación, habitualmente procedente de una persona de posición inferior. Se ayudaban los unos a los otros porque tal era su modo de vida, su deber, necesario para sobrevivir, y no se daban ni se esperaban las gracias. Los obsequios o favores especiales llevaban consigo la obligación de devolverlos por medio de algo que tuviera un valor análogo; así se entendía y no había por qué dar las gracias. Mientras viviera Ona, a menos que surgiera una ocasión en que ella o, mientras no fuera adulta, su madre pudiera devolver el favor y asegurarse así un trozo del espíritu de Ayla, estaría en deuda con ésta. El ofrecimiento de Aga no era una obligación, era algo más: era su manera de dar las gracias.

Aba se levantó para marcharse poco después que su hija.

—Iza ha dicho siempre que tienes suerte –señaló la mujer al pasar junto a la muchacha–. Ahora creo que es cierto.

Ayla se levantó y fue a sentarse junto a Iza cuando Aba se hubo alejado.

—Iza, Aga me ha dicho que siempre tendré el espíritu de Ona conmigo, pero yo sólo la traje, fuiste tú quien le devolvió la respiración. Salvaste su vida tanto como yo. ¿No llevas tú también una parte de su espíritu? –preguntó la muchacha–. Tienes que llevar partes de muchos espíritus... has salvado muchas vidas.

–¿Por qué crees que una curandera tiene su posición propia, Ayla? Es porque lleva parte de los espíritus de todos los de su clan, tanto hombres como mujeres. De todo el clan, en realidad, a través del suyo propio. Ayuda a traerlos al mundo y se ocupa de ellos mientras viven. Cuando una mujer se convierte en curandera, recibe esa parte del espíritu de cada uno de ellos, incluso de aquellos cuya vida no ha salvado, porque nunca se sabe cuándo lo hará.

–Cuando una persona muere y pasa al mundo de los espíritus –prosiguió Iza–, la curandera pierde parte de su espíritu. Algunos creen que por eso se esfuerza tanto la curandera, pero, en realidad, casi todas se esforzarían. No cualquier mujer puede ser curandera, ni siquiera la hija de una. Tiene que llevar dentro algo que la incite a ayudar a la gente. Tú lo tienes, Ayla, por eso te he estado adiestrando. Lo vi desde el principio, cuando quisiste ayudar al conejo después del nacimiento de Uba. Y no te detuviste a pensar en el peligro cuando te lanzaste en busca de Ona, sólo querías salvarle la vida. Las curanderas de mi estirpe tienen la posición más elevada. Cuando te conviertas en curandera, Ayla, tú serás de mi estirpe.

–Pero, Iza, no soy tu verdadera hija. Tú eres la única madre que recuerdo, pero no nací de ti. ¿Cómo puedo ser de tu estirpe? No tengo tus recuerdos. Realmente, no entiendo lo que son los recuerdos.

–Mi estirpe tiene la posición más alta porque siempre hemos sido los mejores. Mi madre, y su madre, y la de ésta antes, hasta donde alcanza mi memoria, siempre han sido las mejores. Cada una transmitió lo que sabía y aprendía. Eres del clan, Ayla, hija mía educada por mí. Tendrás todo el saber que pueda darte. Puede no ser todo lo que yo sé, ni yo misma sé cuánto sé, pero será suficiente porque hay algo más. Tienes un don, Ayla, y creo que tú procedes de tu propio linaje de curanderas. Vas a ser muy buena algún día. No tienes los recuerdos, criatura, pero tienes una manera de pensar, una manera de comprender lo que le duele a alguien. Si sabes lo que duele, puedes ayudar, y tienes una forma de saber cómo ayudar. Nunca te había dicho que pusieras nieve en el brazo de Brun cuando le quemó Oga. Podría haber hecho yo lo mismo, pero nunca te lo enseñé. Tu don, tu talento, puede ser tan bueno como los recuerdos, tal vez mejor, no sé. Pero una buena curandera es una buena curandera. Eso es lo importante. Serás de mi estirpe porque vas a ser una buena curandera, Ayla. Serás digna de mi posición, serás una de las mejores.

El clan volvió a su rutina: sólo pescaban una vez al día, pero con eso bastaba para tener ocupadas a las mujeres hasta avanzada la tarde. No hubo más incidentes, pero Ona no volvió a ayudar a los que acosaban a los peces dentro de la red. Droog decidió que era todavía demasiado joven; al año siguiente ya estaría capacitada. Al terminar el desove de los esturiones, la pesca se hizo menos abundante y las mujeres dispusieron de tiempo para descansar por la tarde. ¡Qué bien! El pescado tardaba unos cuantos días en secarse y la hilera de tendederos que se extendía a lo largo de la playa crecía de día en día.

Droog había recorrido la llanura aluvial del río en busca de los nódulos de sílex que habían bajado del monte con las aguas y se llevó a rastras unos cuantos hasta el campamento. Varias tardes se le pudo ver elaborando herramientas nuevas. Una tarde, poco antes del día en que se había previsto volver a la cueva, Ayla vio que Droog sacaba de su refugio un bulto y lo llevaba hasta un tronco seco que estaba cerca y en el que solía trabajar sus herramientas. Le gustaba verlo trabajar el sílex, le siguió y se sentó frente a él con la cabeza baja.

—Esta muchacha querría mirar, si el hombre que hace las herramientas no se opone —señaló una vez que Droog le dio su autorización.

—Ejem... —asintió con la cabeza.

La muchacha se sentó en el mismo tronco para observar calladamente. Ya le había observado en otras ocasiones. Droog sabía que se interesaba sinceramente y que no interferiría en su concentración. «¡Ah!, pensaba, si Vorn mostrara ese mismo interés.» Ninguno de los muchachos del clan había mostrado una verdadera aptitud para hacer herramientas, y como todo técnico realmente experto, deseaba compartir sus conocimientos y transmitirlos.

«Tal vez Groob se interese», pensó. Estaba contento de que su nueva compañera hubiera dado a luz un muchacho tan pronto después de que Ona fue destetada. Droog no había tenido nunca tan lleno su hogar, pero se alegraba de haber aceptado a Aga con sus dos hijos. Incluso no venía mal tener a la vieja cerca: Aba se ocupaba a menudo de sus necesidades cuando Aga estaba dedicada al bebé. Aga no tenía la comprensión tranquila y profunda de la madre de Goov, y Droog tuvo que esforzarse mucho al principio para hacerle comprender cuál era su lugar. Pero era joven y saludable y le había dado un hijo, un muchacho en quien Droog colocaba sus esperanzas de adiestrarlo para convertirle en un buen hacedor de herramientas. Había aprendido el arte de elaborar la piedra con el compañero de la madre de su madre y ahora comprendía el deleite del anciano cuando, siendo él un niño pequeño, había comenzado a interesarse por adquirir la habilidad.

Pero Ayla le había observado frecuentemente desde que llegó al clan, y él había visto las herramientas que hacía ella. Era hábil con sus manos, aplicaba bien las técnicas. Las mujeres podían hacer herramientas con tal de que no confeccionaran instrumentos cuyo propósito final fuera un arma ni elaboraran armas. No era muy valioso entrenar a una muchacha y ésta nunca llegaría a ser realmente una experta; pero tenía cierta habilidad, hacía herramientas muy útiles, y una aprendiza era mejor que nada. Ya anteriormente le había explicado algo de su pericia artesanal.

El tallador de herramientas deshizo el bulto y extendió el cuero en el que estaban envueltas las herramientas de su oficio. Miró a Ayla y decidió enriquecerla con algunos conocimientos útiles sobre la piedra. Cogió un trozo que había desechado el día anterior. Al cabo de muchos años de tanteos, los antepasados de Droog habían aprendido que el sílex poseía las características necesarias para hacer las mejores herramientas.

Ayla le observaba atentamente mientras él explicaba. En primer lugar, la piedra debía tener la dureza suficiente para raspar, cortar o hendir una serie de materiales, tanto de origen animal como vegetal. Muchos de los minerales silíceos de la familia del cuarzo tenían la dureza necesaria, pero el sílex poseía una cualidad que no tenía la mayoría de los demás, incluso muchas rocas de minerales más blandos. El sílex era quebradizo; se rompía por efecto de la presión o percusión. Ayla dio un salto atrás cuando Droog se lo demostró golpeando un trozo de la piedra defectuosa contra otro, rompiéndola en dos y señalando un material de naturaleza diferente en el corazón del sílex brillante, de un gris oscuro.

Droog no sabía muy bien cómo explicar la tercera cualidad, aun cuando la comprendía visceralmente por el hecho de haber trabajado tanto tiempo la piedra. La cualidad que hacía posible su oficio era la manera en que se quebraba la piedra, y la homogeneidad del sílex constituía la diferencia.

La mayoría de los minerales se quiebran a lo largo de superficies planas paralelas a su estructura cristalina, lo cual significa que sólo pueden fracturar en ciertas direcciones, y el que trabaja con el sílex no puede darles forma para usos específicos. Cuando podía encontrarla, Droog utilizaba a veces la obsidiana, el vidrio negro de las erupciones volcánicas, si bien era bastante más blanda que muchos minerales. No tenía una estructura cristalina bien definida y la podía quebrar fácilmente en cualquier dirección homogéneamente.

La estructura cristalina del sílex, aunque bien definida, era tan ligera que también resultaba homogénea; su única limitación para adquirir forma era la habilidad del tallador: y ahí radicaba el talento especial de Droog. Sin embargo, el sílex era suficientemente duro para cortar gruesos cueros o plantas de fibras duras, y suficientemente quebradizo para romperse dejando un filo tan agudo como un vidrio roto. Para demostrárselo, Droog tomó uno de los trozos de la piedra defectuosa y la afiló. Ayla no necesitó tocarla para saber lo afilada que estaba; muchas veces había empleado cuchillos igualmente afilados.

Droog pensó en sus años de experiencia, a lo largo de los cuales había refinado los conocimientos que le habían transmitido, al dejar caer el trozo roto y extender el cuero sobre sus rodillas. La habilidad de un buen tallador comenzaba por seleccionar el material. Hacía falta un ojo clínico para reconocer las más mínimas variaciones de color en la capa exterior gredosa que indicaba una buena calidad, un sílex de textura fina. Hacía falta tiempo para desarrollar la percepción de que los nódulos de un sector eran mejores, más frescos, menos propensos a contener materiales extraños, que las piedras de otro sector. Tal vez algún día tendría un verdadero aprendiz que supiera apreciar como él esos detalles tan finos.

Ayla pensaba que se había olvidado de ella mientras colocaba sus herramientas, examinaba cuidadosamente las piedras y, después, se quedaba con los ojos cerrados sujetando calladamente su amuleto. Se sorprendió cuando comenzó a hablar mediante gestos silenciosos.

–Las herramientas que voy a hacer son muy importantes. Brun ha decidido que tenemos que cazar mamuts. En otoño, cuando las hojas hayan cambiado de color, viajaremos muy al norte para buscar al mamut. Habremos de tener mucha suerte para que la cacería tenga éxito; los espíritus deben favorecerla. Los cuchillos que voy a hacer serán utilizados como armas y los demás instrumentos para hacer armas especiales para la caza. Mog-ur hará un encantamiento poderoso para que resulte afortunada, pero antes que nada hay que hacer las herramientas. Si salen bien, será una buena señal.

Ayla no estaba muy segura de si Droog se dirigía a ella o sólo exponía los hechos para tenerlos claros en su mente antes de comenzar. Eso la incitó a permanecer muy callada y no hacer nada que pudiera perturbar a Droog mientras trabajaba. Casi estaba esperando oírle decir que se fuera de allí, ahora que sabía la importancia de las herramientas que estaba a punto de comenzar.

Lo que ella no sabía era que, desde el momento en que mostró la cueva a Brun, Droog estaba convencido de que llevaba la suerte consigo, y el que salvara la vida de Ona le había afirmado en su convencimiento. Pensaba en la extraña muchacha como en una insólita piedra o muela que uno recibiera de su tótem y llevara en su amuleto para darle suerte. No estaba seguro de que ella tuviera suerte, sino únicamente de que la traía, y el que ella pidiera permiso para observarle en ese momento particular le pareció propicio. Con el rabillo del ojo observó que ella tocaba su amuleto en el momento en que él tomaba en la mano el primer nódulo. Aunque no se lo definía a sí mismo precisamente de esa manera, tuvo la impresión de que ella aportaba la suerte de su poderoso tótem a su tentativa, y lo aceptó complacido.

Droog estaba sentado en el suelo, con una piel curtida sobre su regazo, y tenía un nódulo de sílex en su mano izquierda. Tendió la mano hacia una piedra ovalada y la amasó hasta sentirla cómodamente en su mano. Había buscado durante mucho tiempo una piedra-martillo que tuviera el tacto y la resistencia exactos, y ésta había sido suya durante muchos años; las muchas mellas que ostentaba atestiguaban su largo servicio. Con la piedra-martillo quebró la cubierta exterior gris de caliza dejando a la vista el sílex de un gris oscuro; se detuvo para examinarlo con ojos críticos: la textura era correcta, el color conveniente, y no contenía otros materiales. Empezó a trazar toscamente el perfil del hacha con su mano. Las gruesas lascas que caían tenían aristas agudas; muchas serían utilizadas como instrumentos para cortar, tal como se habían desprendido de la piedra. La parte de cada lasca donde el martillo había golpeado el sílex presentaba un abultamiento que se iba afilando hacia un corte más delgado en el extremo opuesto, y cada pieza que se desprendía dejaba una cicatriz profunda y ondulada en el corazón del sílex.

Droog dejó su martillo y cogió un fragmento de hueso. Apuntando cuidadosamente, golpeó el corazón del sílex muy cerca de la arista aguda y ondulada. El martillo de hueso, más suave y elástico, hizo saltar copos más largos y más delgados, con un bulbo de percusión más plano y aristas más rectas que se desprendían del corazón del sílex, y no rompía la arista delgada y aguda como lo habría hecho el martillo de piedra, más duro.

Al cabo de unos momentos, Droog tenía en la mano el producto acabado. La herramienta vendría a tener unos diez centímetros de largo, una punta en un extremo con aristas rectas y cortantes, una sección transversal relativamente gruesa y unas caras suaves, con sólo unas facetas poco profundas allí donde los copos se habían desprendido. Podía sostenerse en la mano y servir para cortar madera, como un hacha, o para ahondar un tazón de madera en un trozo de tronco, como una azuela, o para desprender un trozo de marfil de mamut o para romper los huesos de animales al destazar su carne o para cualquiera de los muchos usos que tiene un instrumento cortante con el que se pueda golpear.

Era una herramienta antigua; los antepasados de Droog llevaban milenios produciendo hachas de mano similares. Una forma más simple era una de las primeras herramientas que se hubieran ideado, y todavía resultaba útil. Revolvió el montón de lascas, recogiendo algunas para utilizarlas como hendedores, útiles para destazar y para cortar cueros duros. El hacha de mano era sólo un ejercicio de calentamiento. Droog volvió su atención hacia otro nódulo de sílex, uno que había escogido por su textura particularmente fina. Aplicaría a éste su técnica más avanzada, más difícil.

El tallador de herramientas estaba ya más calmado, menos tenso, y dispuesto para la tarea siguiente. Puso entre sus piernas el hueso de pata de mamut, para usarlo como yunque, cogió el nódulo, lo colocó sobre la plataforma, asiéndolo firmemente. Entonces empuñó su martillo de piedra. Esta vez, al desprender la cubierta exterior gredosa, dio cuidadosamente forma a la piedra para que el núcleo de sílex que quedaba tomara más o menos una forma aplastada de huevo. La puso de costado y, tomando el martillo de hueso, desprendió esquirlas empezando desde arriba y trabajando desde la arista hacia el centro todo alrededor. Cuando hubo terminado, la piedra ovoide tenía una parte superior ovalada y plana.

Entonces Droog se detuvo, puso sus dos manos alrededor de su amuleto y cerró los ojos. Se necesitaba una dosis de suerte, además de habilidad, para los siguientes pasos decisivos. Estiró los brazos, flexionó los dedos y cogió el martillo de hueso. Ayla contuvo la respiración. Él quería obtener una plataforma de golpeo para desprender una esquirla de un extremo de la parte superior ovalada y plana, que dejara una mella cuya superficie fuera perpendicular a la lasca que deseaba desprender. La plataforma de golpeo era necesaria para que la lasca se desprendiera limpiamente, con aristas afiladas. Examinó ambos extremos de la superficie ovalada, escogió uno, apuntó con esmero, dio un fuerte golpe y suspiró al ver caer el trocito. Droog sostuvo el núcleo discoidal firmemente sobre el yunque y, calculando la distancia y el punto de impacto con exactitud, golpeó con el martillo de hueso la pequeña muesca que había hecho. Una lasca perfecta cayó, desprendiéndose del núcleo previamente liberado. Tenía una forma ovalada larga, aristas agudas, estaba más o menos aplanada por fuera, con una cara interior en forma de bulbo, y era ligeramente más gruesa en el extremo que había sido golpeado, afinándose hasta una sección delgada en el otro.

Droog volvió a mirar el núcleo, le dio la vuelta y desprendió de un golpe otra esquirla para formar una plataforma, opuesta al extremo de la anterior plataforma de golpeo, y después desgajó otra lámina preformada. Al cabo de breves instantes, Droog había hendido seis lascas y descartado el extremo más ancho del núcleo de sílex. Todas tenían una forma ovalada y larga y tendían a afilarse en el extremo más fino formando una punta. Observó cuidadosamente las lascas y las puso en hilera, preparándolas para darles los toques finales que habrían de hacer de ellas los instrumentos que él quería. De una piedra que casi tenía las mismas dimensiones que la primera, con la que había hecho sólo un hacha, había sacado seis veces el filo de cortar merced a la nueva técnica, un filo cortante que podría convertirse en diversas herramientas útiles.

Con una piedrecita redonda, ligeramente aplanada, Droog partió suavemente el corte afilado de un lado de la primera esquirla para definir la punta, pero sobre todo para matar el lomo de manera que el cuchillo pudiera ser empleado sin cortar la mano del usuario; la retocó, no para afilar la arista, fina ya de por sí, sino para embotar el lomo y que se pudiera manejar sin producir dolor. Miró el cuchillo evaluándolo con mirada crítica, quitó unas cuantas laminillas más y entonces, satisfecho, lo dejó para ocuparse de la lasca siguiente. Siguiendo el mismo procedimiento, Droog confeccionó un segundo cuchillo.

La siguiente lasca que cogió Droog era más grande, pues provenía del centro del núcleo ovoide. Una de las aristas era casi recta. Sosteniéndola contra el yunque, Droog aplicó presión con un huesecillo y desprendió un trocito de la arista de la hoja, luego unos cuantos más, dejando una serie de muescas en forma de V. Mató el lomo de la herramienta denticulada y volvió a mirar la sierra de dientes cortos que acababa de hacer; entonces asintió con un ademán y la dejó en el suelo.

Empleando el mismo trozo de hueso, el tallador de herramientas retocó todo el filo de una esquirla más pequeña y redonda, dándole una forma convexa y creando así una herramienta robusta, de arista roma, que no se rompería fácilmente bajo la presión aplicada para rascar madera o cuero de animal y que no desgarraría las pieles. A otra esquirla le hizo una profunda muesca en forma de V en la arista cortante, especialmente útil para afilar las puntas de las lanzas de madera, y a la última –que salió con una punta aguda en el extremo delgado pero que tenía aristas algo onduladas en la hoja– le mató ambos lados, dejando la punta. La herramienta podía usarse como punzón para abrir orificios en cuero o como perforador para hacer agujeros en hueso o madera. Todas las herramientas que hacía Droog eran para usarlas con la mano.

Droog miró una vez más la serie de herramientas que acababa de fabricar y después hizo una seña a Ayla, que había estado observando con una atención extasiada. Le tendió el rascador y una de las lascas anchas y afiladas que se habían desprendido mientras hacía el hacha.

–Puedes quedarte con éstas. Las encontrarás útiles si vienes con nosotros a la cacería del mamut –indicó por medio de gestos.

Los ojos de Ayla brillaban. Manejó las herramientas como si fueran el obsequio más valioso. Y lo eran. «¿Será posible que me escojan para acompañar a los cazadores en la cacería del mamut?», se preguntaba. Ayla no era mujer aún y, generalmente, sólo las mujeres y los bebés que estuvieran criando acompañaban a los cazadores. Pero tenía la estatura de una mujer y ya había tomado parte en algunas pequeñas cacerías aquel verano. «Tal vez me escojan, ojalá; de veras, ojalá que sí», pensó.

–Esta muchacha guardará las herramientas hasta la cacería del mamut. Si la escogen para acompañar a los cazadores, las usará por primera vez para el mamut que maten los cazadores –le dijo.

Droog gruñó, después sacudió el cuero que tenía sobre las rodillas para quitar las laminillas y esquirlas de la piedra, colocó el yunque de pata de mamut, el martillo de piedra y el de hueso, y los retocadores de piedra y de hueso en medio, y los envolvió antes de asegurarlo todo con una cuerda. Entonces recogió los nuevos instrumentos y se dirigió al refugio que compartía con los demás miembros de su hogar. Ya había terminado su tarea del día, aunque no estaba muy avanzada la tarde. En muy poco tiempo había fabricado unas cuantas herramientas bien hechas y no quería abusar de su buena suerte.

–¡Iza, Iza! ¡Mira! Droog me las ha dado. Y me ha dejado mirar mientras las hacía –señaló Ayla con los símbolos que hacía Creb con una sola mano, sosteniendo cuidadosamente las herramientas en la otra, mientras se dirigía corriendo hacia la curandera–. Ha dicho que los cazadores iban a cazar el mamut en otoño, y que estaba fabricando las herramientas para que los hombres hicieran nuevas armas para ello. Y dijo que podían serme útiles si voy con ellos. ¿Crees que podría lograr ir con ellos?

–Pudiera ser, Ayla. Pero no sé por qué te entusiasmas tanto: será un trabajo muy duro. Hay que derretir toda la grasa, secar casi toda la carne, y no te imaginas cuánta carne y cuánta grasa hay en un mamut. Tendrás que viajar lejos y traerlo todo a cuestas.

–¡Oh!, no me importa que sea un trabajo duro. Nunca he visto un mamut, excepto una vez a distancia, desde la sierra. Quiero ir. ¡Oh!, Iza, espero poder ir.

–Es poco frecuente que el mamut venga tan al sur. Le gusta el frío, y aquí los veranos son demasiado calurosos. Pero no he comido carne de mamut desde hace tiempo. No hay nada mejor que un mamut bueno y tierno, ¡y tienen tanta grasa que se puede usar para tantas cosas!

–¿Crees que me llevarán, madre? –gesticuló Ayla presa de excitación.

–Brun no me pone al tanto de sus proyectos, Ayla. Ni siquiera estaba enterada de que fueran a ir; sabes más de eso que yo –dijo Iza–. Pero no creo que Droog hubiera dicho nada si no existiera la posibilidad. Creo que te agradece que hayas salvado a Ona de ahogarse, y las herramientas y las noticias de la cacería son su manera de expresártelo. Droog es un hombre excelente, Ayla. Tienes suerte de que te considere merecedora de sus regalos.

–Voy a guardarlas hasta la cacería del mamut. Le he dicho que si voy, las usaré entonces por primera vez.

–Es una buena idea, Ayla, y era precisamente lo que tenías que decir.

14

La cacería del mamut, proyectada para principios del otoño, cuando las enormes bestias lanudas emigraban hacia el sur, era, en el mejor de los casos, una empresa arriesgada y tenía alborotado a todo el clan. Todas las personas fuertes y sanas estarían incluidas en la expedición hasta el extremo septentrional de la península, cerca de donde se unía a la tierra firme. Durante los días necesarios para viajar, destazar y conservar la carne, fundir la grasa y regresar a la cueva, se suspenderían las demás actividades cinegéticas. No había seguridad alguna de encontrar mamuts una vez que llegaran allí, y si los había, de que los cazadores tuvieran suerte. Sólo el hecho de que, si tenían éxito, una bestia gigante bastaría para sustentar al clan durante muchos meses, así como para proporcionarles una amplia reserva de grasa que tan esencial era para su existencia, hacía que mereciera la pena intentarlo.

Los cazadores salieron de cacería muchas veces más de lo habitual a principios del verano, para almacenar carne suficiente con vistas al próximo invierno, si se mostraban prudentes. No podían permitirse el lujo de jugársela contando con un mamut sin haber recogido provisiones para la siguiente estación fría. Pero la próxima Reunión del Clan se celebraría dentro de dos años y durante aquel verano casi no se cazaría. Toda la temporada transcurriría con el viaje a la cueva del clan que era anfitrión de tan importante suceso, con la participación en el gran festival y con el regreso. La larga historia de tales reuniones había hecho comprender a Brun que el clan tenía que comenzar a hacer reservas de alimentos y provisiones con mucha anticipación para poder soportar el invierno siguiente a la Reunión. Por esa razón había decidido salir a cazar el mamut. Con unas reservas adecuadas para el invierno venidero, además de una buena cacería de mamut, tendrían mucho adelantado. Carne seca, verduras, frutas y granos durarían fácilmente dos años una vez que hubieran sido convenientemente almacenados.

No sólo existía una atmósfera de excitación debido a la próxima cacería, sino que se palpaba una corriente subterránea de superstición. El éxito de la cacería dependía tanto de la suerte, que se veían presagios en los incidentes más insignificantes. Todos tenían cuidado con la menor de sus acciones y se mostraban especialmente circunspectos con todo lo que se relacionara, aun remotamente, con los espíritus. Nadie quería ser causa de que un espíritu se enfureciera y trajera mala suerte. Las mujeres tenían todavía más cuidado al cocinar: una comida quemada podía ser un mal presagio.

Los hombres celebraban ritos para cada fase de la planificación, haciendo súplicas fervientes para conciliarse con las fuerzas invisibles que los rodeaban, y Mog-ur estaba atareado produciendo encantamientos para la buena suerte y elaborando amuletos, generalmente con los huesos de la cueva pequeña. Todo lo que salía bien era considerado como un indicio favorable, y cada tropiezo constituía un motivo de preocupación. Todo el clan tenía los nervios a flor de piel, y Brun casi no descansó bien una sola noche desde el día en que tomó la decisión de cazar el mamut; había momentos en que casi lamentaba que se le hubiera ocurrido.

Brun convocó una reunión con los hombres para estudiar quién iría y quién se quedaría en casa. Proteger el hogar era una cuestión importante.

–He estado pensando en dejar en casa a uno de los cazadores –comenzó a decir el jefe–. Estaremos ausentes casi toda una luna, tal vez dos. Es mucho tiempo para dejar la cueva sin protección.

Los cazadores evitaron la mirada de Brun; ninguno quería ser excluido de la cacería. Cada uno de ellos tenía miedo de que, si el jefe cruzaba la mirada con él, lo escogiera para quedarse.

–Brun, vas a necesitar a todos tus cazadores –indicó Zoug–. Tal vez mis piernas no sean suficientemente rápidas para cazar el mamut, pero mi brazo es todavía lo suficientemente fuerte para empuñar la lanza. La honda no es la única arma que puedo usar. La vista de Dorv no es buena, pero sus músculos no son débiles y no está ciego. Todavía puede usar un garrote o una lanza, por lo menos lo suficiente para proteger la cueva. Mientras tengamos encendido el fuego, ningún animal se acercará. No tienes que preocuparte por la cueva: podemos protegerla; ya tendrás bastante en qué pensar con la caza del mamut. Claro está, a mí no me toca decidir, pero creo que deberías llevarte a todos los cazadores.

–Estoy de acuerdo, Brun –agregó Dorv inclinándose hacia delante y entornando los ojos–. Zoug y yo podemos proteger la cueva mientras estéis fuera.

Brun miró a Zoug, a Dorv y otra vez a Zoug. No le seducía la idea de dejar en casa a ninguno de los cazadores. No quería hacer nada que pudiera reducir las posibilidades de éxito.

–Tienes razón, Zoug –dijo finalmente Brun con gestos–. Sólo porque Dorv y tú no podáis cazar el mamut, no significa que no seáis lo suficientemente fuertes para proteger la cueva. Este clan tiene suerte de que ambos seáis todavía tan fuertes, y yo la tengo porque el que fue segundo-al-mando del jefe-antes-que-yo, todavía está con nosotros para permitirme disfrutar de su sabiduría, Zoug. –No hacía daño a nadie mostrando al viejo cuánto se le apreciaba.

Los demás cazadores se tranquilizaron: ninguno de ellos quedaría excluido. Sentían lástima por los viejos que no podían participar en la gran cacería, pero agradecían que ellos se quedaran para cuidar la cueva. También se daba por sentado que Mog-ur no haría el viaje; no era cazador. Pero, en ocasiones, Brun había visto al viejo lisiado blandir su robusto cayado con bastante fuerza, para protegerse, y mentalmente agregó al mago a la custodia de la cueva. Desde luego, los tres juntos lo harían tan bien como un solo cazador.

–Y ahora, ¿qué mujeres nos llevaremos? –preguntó Brun–. Ebra vendrá.

–También Uka –agregó Grod–. Es fuerte y experta, y no tiene hijos pequeños.

–Sí, Uka está muy bien –aprobó Brun–, y Ovra –dijo mirando a Goov. El ayudante asintió.

–¿Y Oga? –preguntó Broud–. Brac camina ya y pronto será destetado; no le quita mucho tiempo a su madre.

–No veo por qué no –dijo finalmente Brun, después de reflexionar un momento–. Las demás mujeres pueden ayudar a cuidarlo, y Oga trabaja bien. Podrá sernos útil.

Broud se vio complacido; le gustaba saber que el jefe tenía buena opinión de su compañera; era un reconocimiento de lo bien que él la había adiestrado.

–Algunas mujeres tendrán que quedarse con los niños –señaló Brun–. ¿Qué hacemos con Ika y Aga? Igra y Groob son todavía pequeños para viajar tan lejos.

–Iza y Aba pueden vigilarlos –propuso Crug–. Igra no molesta ya mucho a Ika. –La mayoría de los hombres prefería llevar a sus compañeras cuando se trataba de una larga cacería; así no tenían que depender de la compañera de otro hombre para atenderlos.

–Ika, no sé –comentó Droog–, pero creo que Aga preferiría quedarse esta vez. Tres de los niños son suyos, y aunque se lleve a Groob, sé que Ona la echaría de menos. A Vorn le gustaría venir con nosotros.

–Creo que Iza y Aga deben quedarse –decidió Brun–, y también Vorn. No tendrá nada que hacer, no es suficientemente mayor para cazar y no le gustaría ayudar a las mujeres, especialmente si no está su madre para obligarlo. Habrá otras cacerías de mamut para él.

Mog-ur no había tomado la palabra aún, pero le pareció el momento de hacerlo.

–Iza está demasiado débil para ir y tiene que quedarse para cuidar a Uba, pero no hay razón para que no vaya Ayla.

–Ni siquiera es mujer –objetó Broud–, y además tal vez no les guste a los espíritus que venga la extraña con nosotros.

–Es más alta que una mujer y tan fuerte como cualquiera de ellas –repuso Droog–. Trabajadora, hábil con las manos, y los espíritus la favorecen. ¿Te olvidas de la cueva? ¿Y de Ona? Yo creo que nos traería suerte.

–Droog tiene razón. Trabaja rápidamente y es tan fuerte como una mujer. No tiene niños de quienes preocuparse y ha tenido algún adiestramiento como curandera. Eso podría ser útil, aunque si Iza estuviera más fuerte preferiría llevármela a ella. Ayla vendrá con nosotros –expresó Brun con un gesto de decisión.

Ayla estaba tan emocionada cuando se enteró de que iba a la cacería del mamut que no podía estarse quieta. Atosigaba a Iza con preguntas acerca de lo que debería llevar consigo, y preparó una y otra vez su canasto en los días anteriores a la salida.

–No debes llevar demasiadas cosas, Ayla. Tu carga será muchísimo más pesada cuando vuelvas, si la caza es buena. Pero tengo para ti algo que quiero que te lleves. Acabo de hacerlo.

Lágrimas de felicidad brotaron de los ojos de Ayla al ver la bolsa que le tendía Iza. Estaba hecha con la piel entera de una nutria, curtida con la piel, cabeza, cola y pies, todo ello intacto. Iza le había pedido una a Zoug, y la había tenido escondida en el hogar de Droog; Aga y Aba eran partícipes de la sorpresa.

–¡Iza! ¡Mi propia bolsa de medicinas! –exclamó Ayla, y abrazó a la mujer.

Inmediatamente se sentó y sacó todas las bolsitas y los paquetes como lo había visto hacer a Iza tantas veces, poniéndolos en hileras. Abrió cada uno de ellos y olisqueó su contenido; después volvió a atarlos con los mismos lazos con que habían estado anudados originalmente.

Era difícil distinguir entre muchas hierbas y raíces sólo por el olor, aunque las que eran particularmente peligrosas estaban a menudo mezcladas con una hierba inocua pero de fuerte olor, para evitar que fueran usadas indebidamente por accidente. El sistema real de clasificación consistía en el tipo de cuerda o correa que cerraba las bolsas y una combinación intrincada de nudos. Ciertas clases de remedios vegetales iban amarradas con cuerdas hechas con crin de caballo, otras con pelo de bisonte o de cualquier otro animal cuya pelambre tuviera una textura o un olor distintivo, otras iban atadas con tripas o cuerdas trenzadas con lianas o cortezas fibrosas, y algunas con correas de cuero. La memorización de los usos de una planta en particular radicaba, en parte, en saber qué tipo de cuerda y qué sistema de nudos se utilizaban para cerrar la bolsita en que se guardaba.

Ayla colocó nuevamente los paquetitos en su bolsa de medicinas y se la colgó de la cintura, con expresión admirativa. Se la quitó y la puso cerca del canasto, junto con las grandes bolsas que se emplearían para traer la carne del mamut que esperaban conseguir. Todo estaba dispuesto. El único problema que preocupaba a Ayla era qué iba a hacer con su honda. No podría usarla, pero tenía miedo de dejarla en la cueva y que la encontrara Iza o Creb. Pensó en esconderla en el bosque, pero algún animal podría desenterrarla y su exposición a la intemperie la arruinaría. Finalmente decidió llevársela, pero la tendría muy escondida en un pliegue de su manto.

Era todavía noche cerrada cuando el clan se levantó el día de la marcha de los cazadores. Las hojas multicolores estaban empezando a mostrar sus verdaderos colores según se iba iluminando el cielo mientras se ponían en marcha. Pero al trasponer la sierra al este de la cueva, el brillo radiante del sol naciente bañó el horizonte, iluminando la vasta llanura de pastos verdes que había al pie con un intenso resplandor dorado. Bajaron en tropel las laderas boscosas de los contrafuertes y llegaron a la estepa cuando el sol estaba todavía bajo. Brun impuso un paso rápido, casi tanto como cuando los hombres salían solos. Las mujeres llevaban cargas ligeras, pero como no estaban acostumbradas a viajar aprisa, tenían que esforzarse para no quedarse atrás.

Caminaron de sol a sol, cubriendo una distancia mucho mayor en un solo día que cuando todo el clan andaba en busca de una nueva caverna. No cocinaban, sólo hervían agua para hacer las infusiones, y no se exigía mucho de las mujeres. No se cazaba durante el viaje; todos comían los alimentos que solían llevar los hombres cuando salían a cazar: carne seca molida para formar un tosco alimento, mezclada con grasa derretida y limpia, y fruta en forma de pastelillos. El alimento de viaje, altamente concentrado, satisfacía ampliamente sus necesidades alimentarias.

Hacía frío en la pradera descubierta barrida por los vientos, y el frío fue aumentando rápidamente a medida que avanzaban hacia el norte. Aun así, al poco de ponerse en marcha por las mañanas, se quitaban algo de ropa. Su paso les hacía entrar rápidamente en calor, y sólo cuando se detenían brevemente para descansar se daban cuenta de la temperatura inclemente. Los dolores musculares de los primeros días, especialmente los de las mujeres, pronto desaparecieron a medida que sus piernas fueron adquiriendo ritmo y fortaleciéndose al caminar.

El terreno de la parte septentrional de la península era más áspero. Las mesetas anchas y planas desaparecieron repentinamente para dejar lugar a barrancas escarpadas o abruptos riscos que las cerraban: resultado de estruendosos cataclismos en la violenta tierra de épocas pasadas que se sacudía las presiones de piedra caliza. Estrechos cañones estaban encerrados entre paredes rocosas hendidas, algunos de los cuales terminaban donde se unían las murallas; otros estaban cubiertos con los restos de rocas enormes, desprendidas de los baluartes circundantes. Otros canalizaban ríos ocasionales, desde arroyos estacionales hasta torrentes. Sólo cerca de los ríos crecían pinos retorcidos, alerces y abetos, rodeados muy de cerca por abedules y sauces encanijados, poco más que arbustos, que venían a romper la monotonía de la estepa herbosa. En los pocos casos en que una barranca se abría hacia un valle irrigado, protegido contra el incesante y fuerte viento, y con humedad suficiente, las coníferas y los árboles deciduos de hoja pequeña se acercaban más a sus verdaderas proporciones.

El viaje se realizó sin contratiempos. Viajaron con paso rápido y regular durante diez días antes de que Brun empezara a enviar exploradores que recorrieran la región circundante, lo cual entorpeció su avance durante los días siguientes. Estaban cerca del ancho istmo; si habían de encontrar mamuts, tendrían que empezar a verlos muy pronto.

La partida de cazadores se detuvo junto a un pequeño río. Brun envió a Broud y Goov a primera hora de la tarde; estaba a corta distancia de los demás, mirando hacia donde se habían ido. Tendría que tomar pronto una decisión en cuanto a acampar junto al río o proseguir, antes de detenerse a pasar la noche. Las sombras del atardecer estaban alargándose y, si los dos jóvenes no volvían pronto, la decisión se tomaría automáticamente. Entornó los ojos de cara al viento del este que azotaba su largo manto de piel alrededor de sus piernas y le pegaba la enmarañada barba al rostro.

A lo lejos le pareció ver movimientos; mientras esperaba, las siluetas de dos hombres que corrían se hicieron cada vez más claras. Sintió una súbita punzada de excitación. Quizá fuera intuición o tal vez una percepción sensitiva por la manera que tenían de correr. Al ver la silueta solitaria, apretaron más aún su paso, agitando los brazos. Brun lo sabía mucho antes de oír sus voces.

—¡Mamuts! ¡Mamuts! —gritaban los dos, sin aliento, mientras corrían hacia el grupo. Todos rodearon atropelladamente a los entusiasmados exploradores.

—Una manada grande, hacia el este —gesticuló Broud, excitadísimo.

—¿A qué distancia? —preguntó Brun.

Goov señaló hacia arriba y después giró su brazo trazando un corto arco: «a unas cuantas horas» era lo que significaba la señal.

—Indicad el camino —ordenó Brun con un gesto, y después hizo señas a los demás de que le siguieran. Quedaban suficientes horas de luz para acercarse más a la manada.

El sol bajaba rápidamente al encuentro del horizonte cuando la partida de caza divisó la oscura mancha en movimiento a lo lejos. «Es una gran manada», pensó Brun, y ordenó que hicieran alto. Tendrían que arreglárselas con el agua que traían de la parada anterior; era demasiado tarde para buscar un río. Por la mañana podrían encontrar un lugar mejor donde acampar. Lo importante era que habían encontrado mamuts; ahora, todo dependía de los cazadores.

Después de que el grupo se trasladó a un nuevo campamento junto a un arroyo sinuoso definido por una doble hilera de maleza enmarañada a lo largo de cada orilla, Brun se llevó a sus cazadores para estudiar las posibilidades. No se podía perseguir a un mamut igual que a un bisonte; había que idear una táctica distinta para cazar a los lanudos paquidermos. Brun y sus hombres exploraron las barrancas y cañones próximos. Estaba buscando una formación particular, un cañón cerrado que se fuera estrechando hacia un angosto desfiladero a cuyos lados se amontonaran rocas hasta cerrar uno de los extremos, no demasiado lejos de la manada que se desplazaba con lentitud.

Al comienzo del segundo día, Oga se sentó muy nerviosa enfrente de Brun, con la cabeza inclinada, mientras Ovra y Ayla esperaban ansiosas detrás de ella.

–¿Qué quieres, Oga? –señaló Brun después de tocarle el hombro.

–Esta mujer quisiera pedir algo –comenzó, vacilando.

–¿Sí?

–Esta mujer nunca ha visto un mamut. Tampoco Ovra ni Ayla. ¿Nos permitiría el jefe acercarnos para verlos mejor?

–¿Y Ebra y Uka? ¿No quieren también ver un mamut?

–Dicen que para cuando hayamos terminado estarán hartas de ver mamuts. No desean ir –respondió Oga.

–Son mujeres juiciosas, pero es que, además, ya han visto anteriormente mamuts. Estamos a favor del viento; no alertará a la manada si no os acercáis demasiado, y no tratéis de rodearla.

–No nos acercaremos –prometió Oga.

–No, creo que cuando los veáis no querréis acercaros. Sí, podéis ir –decidió el jefe.

«No perjudicará nada que las jóvenes hagan una pequeña excursión, se dijo. Ahora tienen poco que hacer y estarán más que atareadas después…, si los espíritus nos favorecen.»

Las tres se sentían excitadísimas ante la idea de su aventura. Había sido Ayla la que convenció finalmente a Oga para que lo solicitara, aunque todas habían tratado el asunto. La cacería las había aproximado más que cuando estaban en la cueva y les daba la oportunidad de conocerse mejor unas a otras. Ovra, que era callada y reservada por naturaleza, había considerado siempre a Ayla como una niña y nunca había buscado su compañía. Oga no propiciaba precisamente las relaciones sociales, pues sabía lo que Broud pensaba de ella, y ninguna de las jóvenes encontraba mucho en común con Ayla. Eran mujeres apareadas, adultas, dueñas de los hogares de sus hombres; Ayla era todavía una niña y no tenía las mismas responsabilidades.

Sólo aquel verano, cuando Ayla adquirió casi posición de adulta y comenzó a acompañar a las partidas de caza, comenzaron las mujeres a considerarla como algo más que una chiquilla, y especialmente durante la expedición para ir a cazar el mamut. Ayla era más alta que cualquiera, lo cual le daba aspecto de adulta, y en la mayoría de los casos era tratada por los cazadores como si fuera ya mujer. Crug y Droog, en particular, recurrían a ella; sus compañeras se habían quedado en la cueva y Ayla no estaba apareada. No tenían que solicitar nada por intermedio de otro hombre ni con permiso de nadie, por mucha confianza que hubiera en pedir o en conceder. Debido al interés común de la caza, se estableció entre las tres hembras más jóvenes una relación más amistosa. Las relaciones más estrechas de Ayla habían sido anteriormente con Iza, Uba y Creb, y ahora disfrutaba el calor recién descubierto de la amistad con las mujeres.

Poco después de que salieran los hombres por la mañana, Oga dejó a Brac con Ebra y Uka, y las tres jóvenes echaron a andar. Fue un paseo agradable. Pronto se pusieron a conversar animadamente con rápidos movimientos de manos y palabras enfáticas. Al acercarse a los animales, la conversación decayó y finalmente cesó por completo. Las tres se detuvieron contemplando, boquiabiertas, a las enormes criaturas.

Los mamuts lanudos estaban bien adaptados al rudo clima periglacial de su frío entorno. Sus gruesas pieles estaban protegidas por un forro denso de pelos suaves y una cubierta de pelos ásperos, largos, de un moreno rojizo, de hasta cincuenta centímetros de largo. Además, estaban aislados por una capa de grasa subcutánea de unos ocho centímetros. El frío había provocado también modificaciones en su estructura física. Eran compactos en relación con los demás de su especie y medían un promedio de tres metros de alzada a la cruz. Sus enormes cabezas, grandes en proporción con su estatura general y casi la mitad de largas que el tronco, se erguían por encima de los hombros en forma de cúpula puntiaguda. Sus orejas eran pequeñas, sus rabos cortos y sus trompas relativamente cortas, con sus dedos al final, uno arriba y otro abajo. De perfil presentaban una profunda depresión en la cerviz, entre la cabeza puntiaguda y una alta joroba de grasa acumulada en la cruz. Sus lomos se inclinaban abruptamente hasta la pelvis y las patas traseras, algo más cortas. Pero lo más impresionante eran sus largos colmillos arqueados.

—¡Mira ése! —señaló Oga, llamando la atención sobre un viejo macho. Sus colmillos de marfil, nacidos uno junto a otro, se encorvaban fuertemente hacia abajo, ondeaban hacia fuera, hacia arriba y después hacia dentro, cruzándose por delante y prolongándose hasta unos cinco metros en total.

El mamut estaba arrancando matas de hierba, plantas y juncias con su trompa e introduciendo el forraje duro y seco en la boca, donde lo desmenuzaba con unos molares tan eficaces como limas. Un animal más joven, cuyos colmillos no eran tan largos pero igualmente útiles, arrancó un alerce y comenzó a despojarlo de ramas y corteza.

–¡Qué grandes son! –indicó Ovra con un escalofrío–. No creí que un animal pudiera ser tan grande. ¿Cómo es posible que puedan matar a uno de ellos? Ni siquiera pueden darle alcance con la lanza.

–No lo sé –respondió Oga igualmente impresionada.

–Casi preferiría no haber venido –dijo Ovra–. Será una cacería peligrosa. Alguien puede resultar herido. ¿Qué haría yo si le pasara algo a Goov?

–Brun debe tener un plan –manifestó Ayla–. No creo que pensase siquiera en cazarlos de no estar seguro de que los hombres pudiesen hacerlo. Ojalá pudiera yo mirar –concluyó melancólicamente.

–Pues yo no –dijo Oga–. No quiero ni estar cerca. Me alegraré cuando todo haya concluido.

Oga recordaba que el compañero de su madre había sido muerto en un accidente de caza, justo antes del terremoto que mató a su madre. Era consciente de los peligros que corrían, por muy bueno que fuera el plan.

–Creo que deberíamos regresar ahora –dijo Ovra–. Brun no quería que nos acercáramos demasiado. Me parece que estamos demasiado cerca.

Las tres jóvenes dieron media vuelta; Ayla se volvió varias veces mientras se alejaban a toda prisa. Iban más calladas al regresar, cada una de ellas sumida en sus reflexiones y sin muchos ánimos para seguir charlando.

Cuando regresaron los hombres, Brun ordenó que, tan pronto como los hombres salieran a la mañana siguiente, las mujeres levantaran el campamento y se apartaran. Había encontrado el lugar adecuado, cazarían por la mañana, y quería que las mujeres estuvieran lejos. Había visto el cañón la víspera, muy temprano. Era el punto ideal, pero demasiado alejado de la manada. Consideró como un presagio particularmente bueno que la manada, que ahora avanzaba lentamente hacia el sudoeste, hubiera vagado, al terminar el segundo día, suficientemente cerca como para que el lugar pudiera ser aprovechado.

Una nieve ligera, seca y pulverizada, impelida por ráfagas de viento del este, saludó a la partida de caza mientras cada cual se desprendía de sus pieles de dormir y sacaba la nariz de las tiendas bajas. El triste cielo gris, ocultando al brillante sol que iluminaba el planeta, no logró abatir el entusiasmo. Ese día iban a cazar mamuts. Las mujeres se apresuraron a preparar el té; como atletas finamente entrenados para el deporte, los cazadores no iban a ingerir nada más. Batían sus pies en el suelo, lanzando al aire sus lanzas en disparos de ensayo, para estirar y aflojar los músculos tensos. La tensión que proyectaban llenaba de excitación el aire.

Grod sacó un carbón ardiendo y lo guardó en el cuerno de uro que llevaba sujeto a la cintura. Goov cogió otro. Se envolvieron en pieles. No los mantos pesados que solían llevar por encima, sino prendas más ligeras que no les coartaran los movimientos. Ninguno de ellos sentía el frío: estaban demasiado excitados. Brun repasó rápidamente el plan por última vez.

Los hombres cerraron los ojos y agarraron sus amuletos; recogieron una antorcha apagada que habían preparado la noche anterior y se pusieron en marcha. Ayla los vio alejarse, luchando por atreverse a seguirlos. Después se reunió con las mujeres, que habían empezado a recoger hierba seca, bosta, broza y leña para el fuego antes de levantar el campamento.

Los hombres dieron rápidamente alcance a la manada. Los mamuts habían comenzado ya a ponerse en marcha, después de haber descansado de noche. Los cazadores se agazaparon entre las altas hierbas en espera de que Brun examinara a los animales que desfilaban delante de ellos. Vio al viejo macho con los enormes colmillos retorcidos; sería magnífico, se dijo, pero lo descartó: tendrían que recorrer una larga distancia hasta la cueva, y los enormes colmillos pesarían demasiado, retrasándoles innecesariamente. Los colmillos de un animal más joven serían más fáciles de transportar y, además, su carne estaría más tierna. Eso era más importante que la gloria de ostentar enormes defensas.

Sin embargo, los machos jóvenes eran más peligrosos. Sus cortos colmillos no eran sólo útiles para arrancar árboles, sino que constituían armas muy efectivas. Brun esperó calmadamente. No había hecho tantos preparativos y un viaje tan largo para apresurarse ahora. Sabía lo que estaba buscando y prefería tener que regresar al día siguiente antes que poner en peligro sus posibilidades de éxito. Los demás cazadores también esperaban, aunque no todos con igual paciencia.

El sol naciente había calentado el sombrío cielo encapotado y dispersado las nubes. Dejó de nevar y los rayos brillantes aparecieron entre los espacios abiertos.

–¿Cuándo pensará dar la señal? –preguntó por señas silenciosas Broud a Goov–. Mira qué alto está ya el sol. ¿Por qué salir tan temprano si vamos a quedarnos aquí parados? ¿Qué está esperando?

Grod sorprendió los gestos de Broud.

–Brun espera el momento preciso. ¿Qué prefieres: volver con las manos vacías o esperar un poco? Ten paciencia, Broud, y aprende. Algún día te tocará a ti decidir cuándo habrá llegado el momento. Brun es un buen jefe y un buen cazador. Hace falta algo más que arrojo para ser jefe.

A Broud no le hizo mucha gracia el sermón de Grod. «No será mi segundo-al-mando cuando yo sea jefe, pensó. De todos modos, se está haciendo viejo.» El joven cambió de postura, se estremeció un poco bajo una fuerte ráfaga de viento y se dispuso a esperar.

Ya estaba alto el sol cuando Brun, con un ademán, dio la señal de que se prepararan. Cada uno de los cazadores sintió una punzada aguda de excitación. Una hembra, preñada, se encontraba cerca de la periferia de la manada, alejándose aún más. Era bastante joven, pero dado el largo de sus defensas, su embarazo no era seguramente el primero: estaba ya bastante avanzado, lo que la hacía más lenta. No sería tan rápida o ágil y la carne del feto sería un bocado suculento.

La hembra vio una mata de hierba que el resto no había visto aún y avanzó; por un instante permaneció sola, un animal solitario alejado de la protección de la manada. Era el momento que había estado esperando Brun: dio la señal.

Grod tenía preparada la brasa y una antorcha. En el momento en que Brun dio la señal, acercó la antorcha a la brasa y sopló hasta que se encendió lanzando llamas. Droog encendió otras dos con la primera y tendió una a Brun. Los tres cazadores más jóvenes se habían abalanzado hacia el cañón en cuanto vieron la señal. Su papel comenzaría después. Tan pronto como estuvieron encendidas las antorchas, Brun y Grod echaron a correr detrás de la hembra y prendieron fuego a la hierba seca de la pradera.

Los mamuts adultos no tienen enemigos naturales; sólo los muy jóvenes y los muy viejos podían ser presas de cualquier depredador... excepto del hombre. Pero temían al fuego. A veces, los incendios de la pradera debidos a causas naturales ardían furiosamente durante días enteros, destruyéndolo todo a su paso; un incendio provocado por el hombre no era menos devastador. Tan pronto como sintió el peligro, la manada cerró filas instintivamente. El fuego tenía que prender rápidamente para impedir que la hembra se reuniera con los demás, y Brun y Grod se encontraban entre ella y la manada, de manera que podrían ser barridos por una carga de cualquiera de los dos lados o atrapados en una estampida de las bestias gigantescas.

El olor del humo convirtió a los animales que pacían apaciblemente en un tumulto de ruidosa confusión. La hembra se volvió hacia la manada, pero era ya demasiado tarde: una muralla de fuego se había interpuesto. Barritó pidiendo ayuda, pero las llamas, atizadas por el enérgico viento del este, habían convergido hacia los animales, que giraban sobre sí mismos presas del desconcierto; ya empezaban a correr hacia el oeste, esforzándose por alejarse de las llamaradas que ganaban terreno velozmente. El incendio de la pradera estaba fuera de control, pero eso no preocupaba mucho a los hombres; el viento llevaría la destrucción lejos del lugar al que pensaban dirigirse.

La hembra, gritando de espanto, se abalanzó, presa del pánico, hacia el este. Droog esperó hasta ver que las llamas habían prendido, y entonces se apartó corriendo. Al ver que la hembra iniciaba su carga, se abalanzó hacia la bestia confundida y espantada, dando gritos y blandiendo su antorcha, desviándola hacia el sudeste.

Crug, Broud y Goov, los más jóvenes y rápidos cazadores, estaban corriendo delante de ella todo lo aprisa que podían. Tenían miedo de que la frenética hembra pudiera adelantárseles a pesar de la ventaja que llevaban. Brun, Grod y Droog corrían tras ella, tratando de seguir su paso con la esperanza de que no cambiara de rumbo. Pero una vez que se lanzó, la bestia colosal cargó ciegamente hacia delante.

Los tres jóvenes cazadores alcanzaron el cañón cerrado; Crug se dio media vuelta. Broud y Goov se detuvieron en la muralla meridional. Nervioso y sin aliento, Goov sacó el cuerno de uro rogando silenciosamente a su tótem que la brasa no estuviera apagada. No lo estaba, pero a ninguno de ellos le quedaba suficiente resuello para soplar y encender la antorcha; el fuerte viento vino en su ayuda. Cada uno de ellos encendió dos antorchas, sosteniendo una en cada mano, y se apartaron de la muralla tratando de adivinar por dónde se acercaría la hembra de mamut.

No esperaron mucho: con una oración silenciosa a sus tótems mientras el gigantesco animal, aterrorizado y barritando, se precipitaba hacia ellos, los valientes jóvenes corrieron frente a él blandiendo por delante antorchas humeantes. A ellos correspondía la tarea difícil y peligrosa de hacer entrar en el cañón al animal petrificado por el pánico.

El atemorizado paquidermo, que ya corría para alejarse del fuego y se encontraba ahora por delante con el olor a humo, buscó una salida. Virando bruscamente, galopó cañón adentro con Broud y Goov tras sus pisadas. La bestia bramaba al avanzar a galope a través del cañón, llegar al angosto desfiladero y encontrar su paso cerrado. Incapaz de avanzar o de virar en el estrecho tramo, barritó su frustración.

Broud y Goov seguían corriendo sin aliento. Broud llevaba un cuchillo en la mano, un cuchillo que Droog había elaborado cuidadosamente y que Mog-ur había encantado. Brincando rápida y temerariamente, Broud se abalanzó contra su pata trasera izquierda y le cortó los tendones con la afilada hoja; un grito estridente de dolor cortó el aire. La bestia no podía avanzar y ahora tampoco podía retroceder. Goov siguió a Broud e hizo lo mismo en la pata derecha. La bestia colosal cayó de rodillas.

Entonces Crug saltó desde detrás de la roca frente al mamut vacilante que barritaba su agonía y hundió su lanza larga y afilada en la boca abierta. Instintivamente, el animal intentó atacar y cubrió de sangre al hombre desarmado; pero no siguió desarmado mucho tiempo. Había otras lanzas almacenadas detrás de las rocas. Mientras Crug se volvía en busca de otra lanza, Brun, Grod y Droog llegaban al cañón y corrían hacia su extremo cerrado, brincando sobre las rocas a ambos lados de la enorme hembra preñada. Hundieron sus lanzas en la bestia herida casi a un mismo tiempo. La de Brun penetró en uno de sus ojos, bañándole de rojo caliente. El animal se tambaleó. Con su último soplo de vida, el mamut lanzó un grito desafiante y cayó derribado.

Lentamente los hombres agotados empezaron a hacerse cargo de la situación; en el silencio repentino, se miraron unos a otros. Sus corazones palpitaban más fuerte con una nueva clase de excitación. Un anhelo primitivo, impreciso, que tenían dentro salió haciendo explosión en sus bocas con un grito de victoria. ¡Lo habían logrado! ¡Habían matado al poderoso mamut!

Seis hombres, inmensamente débiles en comparación, haciendo uso de su habilidad, inteligencia, cooperación y osadía, habían matado a la gigantesca criatura a la que ningún otro depredador podía vencer. Por muy rápido o fuerte o astuto que fuera, ningún cazador cuadrúpedo podía igualar su hazaña. Broud brincó sobre la roca junto a Brun y se dejó caer sobre el animal derribado. Al instante estaba Brun a su lado, dándole golpes afectuosos en el hombro; después sacó su lanza del ojo del mamut y la alzó. Los otros cuatro se reunieron rápidamente con ellos y, moviéndose al ritmo de los latidos de sus corazones, brincaron y bailaron de gozo sobre el lomo de la enorme bestia.

Entonces Brun saltó a tierra y rodeó al animal, que casi llenaba el angosto espacio. «Ninguno de los hombres ha sido herido», pensó. «Ninguno de ellos tiene siquiera un arañazo. Ha sido una cacería muy afortunada. Nuestros tótems deden estar contentos con nosotros.»

–Debemos hacer saber a los espíritus que estamos agradecidos –anunció a los hombres–. Cuando regresemos, Mog-ur celebrará una ceremonia muy especial. Por ahora nos llevaremos el hígado; cada uno tendrá su parte, y llevaremos un trozo también para Zoug, Dorv y Mog-ur. El resto será para el Espíritu del Mamut, es lo que me ha dicho Mog-ur que debemos hacer. Lo enterraremos donde cayó, junto con el hígado del pequeño mamut que lleva dentro. Y Mog-ur dijo que no debemos tocar la sesera, que debe quedarse donde está para que el Espíritu la guarde. ¿Quién asestó el primer golpe, Broud o Goov?

–Lo dio Broud –respondió Goov.

–Entonces Broud tendrá el primer trozo de hígado, pero la muerte es obra de todos.

Broud y Goov fueron enviados en busca de las mujeres. En un derroche repentino de energías, los hombres habían terminado con su tarea. Ahora les tocaba el turno a las mujeres. A ellas les correspondía el tedioso trabajo de destazar y conservar. Los hombres que se habían quedado allí esperándolas destriparon a la enorme hembra y sacaron el feto, que casi había llegado a término. Al llegar las mujeres, los hombres ayudaron a despellejar al animal. Era tan grande que fue necesario el esfuerzo de todos. Las partes predilectas fueron escogidas, cortadas y guardadas en escondites de piedra para que se congelaran. Se prendieron hogueras alrededor del resto, en parte para evitar que se helaran y en parte para mantener a raya a los inevitables animales que se alimentaban de carroña, atraídos por el olor a sangre y carne cruda.

La partida de caza, cansada pero feliz, se dejó caer en sus lechos de pieles calientes, después de su primera comida de carne fresca desde el principio del viaje. Por la mañana, mientras los hombres se reunían para vivir una vez más la cacería excitante y admirar mutuamente su valor, las mujeres se pusieron manos a la obra. Había un río cerca, pero bastante lejos del cañón, lo que constituía un inconveniente. Una vez que hubieron dividido toda la carne en trozos grandes, se trasladaron más cerca del río, dejando la mayor parte de los huesos, con algunos trozos de carne pegados, para las aves rapaces y los carnívoros merodeadores, pero no mucho más.

El clan aprovechaba prácticamente todas las partes del animal. El rudo cuero del mamut podía servir para calzar los pies –era más fuerte y duradero que la piel de otros animales–, hacer cortavientos para la entrada de la cueva, ollas, correas fuertes para las ataduras y refugios al aire libre. La capa de pelos suaves podía curtirse y convertirse, una vez macerada a golpes, en una especie de fieltro, empleado para rellenar almohadas o colchones, incluso como absorbente para pañales de los niños. Los pelos largos eran retorcidos para formar cuerdas sólidas, así como los tendones y las tripas para hacer cordeles resistentes; la vejiga, el estómago y los intestinos servirían como recipientes para agua, ollas para sopa, almacenamiento de alimentos y también para prendas impermeables. Se desaprovechaba muy poco.

No sólo se aprovechaba la carne y otras partes, sino que la grasa era particularmente esencial. Aportaba las calorías necesarias para satisfacer sus necesidades energéticas, lo cual comprendía el calor metabólico en invierno así como una vigorosa actividad durante las estaciones más calurosas; se empleaba como apresto para curtir cueros, puesto que muchos de los animales que mataban –venados, caballos, uros, que se apacentaban en la sierra, y bisontes, conejos y aves– eran esencialmente magros; proporcionaba combustible para las lámparas de piedra, que aportaban un elemento de calor a la vez que luminoso; se empleaba para impermeabilizar y como excipiente para ungüentos, bálsamos y emolientes; también podía servir como combustible para guisar cuando no había otra cosa. Tenía muchísimos usos la grasa.

Diariamente, mientras las mujeres trabajaban, observaban el cielo. Si el tiempo se mantenía despejado, la carne se secaría más o menos en siete días con ayuda de los vientos que soplaban sin cesar. No era necesario hacer fuegos que humearan –hacía demasiado frío para que las moscas azules echaran a perder la carne–, lo cual era mucho mejor. El combustible escaseaba mucho más en la estepa que en las laderas boscosas de su cueva o incluso en las estepas más cálidas del sur, que tenían más árboles. Con nublados intermitentes, cielo encapotado o precipitación pluvial, podría necesitarse tres veces más tiempo para secar las delgadas tiras de carne. La nieve ligera y pulverizada que impelían los vientos tempestuosos no constituía mucho problema; sólo si la temperatura se elevaba anormalmente y se cargaba de humedad habría que interrumpir el trabajo. Esperaban que el tiempo se mantuviera seco, claro y frío. La única manera en que se podían trasladar a la cueva las montañas de carne era secándolas antes de emprender la marcha.

La piel pesada y velluda, con su gruesa capa de grasa y de vasos sanguíneos conjuntivos, nervios y folículas, fue raspada hasta quedar limpia. Gruesos trozos de grasa endurecida por congelación fueron colocados en una olla grande de piel, puesta sobre una hoguera, y la grasa derretida vertida en trozos de intestino limpio, atados previamente como si fueran gruesas salchichas de grasa. El cuero, con sus pelos, fue cortado en fragmentos más manejables y enrollado muy apretado, antes de que se congelara, para facilitar su transporte. Más adelante, en invierno, en la cueva, sería pelado y curtido. Las defensas fueron quebradas y orgullosamente exhibidas en el campamento. También se las llevarían.

Durante los días en que las mujeres trabajaban, los hombres cazaban presas pequeñas o vigilaban con desgana. Acercarse al río había permitido evitar un inconveniente, pero había otro que no podía remediarse: los carnívoros que se alimentaban con carroña se sentían atraídos por el olor de la matanza y seguían a los hombres a su nuevo campamento. Las tiras de carne colgadas en tendederos de cuerda y correa tenían que ser vigiladas constantemente. Una enorme hiena moteada era algo más que perseverante; la habían perseguido muchas veces, pero seguía acechando en las proximidades del campamento, eludiendo los poco animados esfuerzos de los hombres por matarla. La criatura de mirada feroz era suficientemente hábil para apoderarse de un bocado de carne de mamut varias veces al día. Era un fastidio.

Ebra y Oga estaban cortando a toda prisa el último de los enormes trozos de carne en finas tiras para ponerlas a secar. Uka y Ovra vertían grasa en una sección del intestino, y Ayla estaba lavando en el río otra sección. Una capa de hielo se había formado en las orillas, pero el agua aún corría. Los hombres estaban junto a las defensas, decidiendo si iban a cazar jerbos con las hondas.

Brac había estado sentado junto a su madre y Ebra estaba jugando con guijarros. Se aburrió de los guijarros y se levantó para ir en busca de algo más interesante. Las mujeres, concentradas en su tarea, no se percataron de que el niño se alejaba hacia la llanura, pero había otro par de ojos que lo vigilaban.

Todas las cabezas se volvieron al oír el sonido de su agudo grito de espanto.

–¡Mi niño! –gritó Oga–. ¡La hiena se lleva a mi niño!

El odioso animal, que también era depredador y estaba siempre dispuesto a atacar al joven imprudente o al viejo debilitado, había atenazado al niño por el brazo con sus poderosas mandíbulas y se alejaba rápidamente llevándoselo consigo.

–¡Brac! ¡Brac! –gritaba Broud corriendo tras ellos, seguido por los demás hombres. Cogió su honda, pues estaba demasiado lejos para usar la lanza, y se agachó para recoger una piedra, corriendo para que el animal no se alejara fuera de su alcance.

–¡No! ¡Oh, no! –gritó desesperadamente al ver que su piedra no llegaba al blanco y que la hiena seguía huyendo–. ¡Brac! ¡Braaac!

De repente, desde otra dirección, llegó el tac-tac de dos piedras disparadas una tras otra. Dieron firmemente en la cabeza del animal y la hiena cayó fulminada.

Broud se quedó boquiabierto de espanto, que se convirtió en estupor al ver a Ayla correr hacia el niño que lloraba, con su honda en la mano y dos piedras más a punto. La hiena era su presa. Había estudiado a esos animales, conocía sus hábitos y sus puntos débiles, se había adiestrado tanto para cazarlas que se había convertido en una segunda naturaleza. Al oír el grito de Brac, no pensó en las consecuencias: tendió la mano hacia la honda, cogió rápidamente dos piedras y las lanzó. Lo único en que pensaba era en detener a la hiena que se llevaba a Brac.

Sólo cuando se encontró junto al niño, lo sacó de las quijadas de la hiena y volvió la cara hacia los ojos fijos de los demás tuvo conciencia de las consecuencias de su acción. Su secreto había quedado al descubierto. Se había delatado ella sola. Ellos sabían ahora que podía cazar; una oleada de frío temor la recorrió. «¿Qué me harán?», se preguntaba.

Ayla abrazó al niño, evitando las miradas incrédulas mientras volvía al campamento. Oga fue la primera en salir de su pasmo. Corrió hacia ellos tendiendo los brazos y recibió con agradecimiento a su hijito de manos de la muchacha que le había salvado la vida. Tan pronto como llegaron al campamento, Ayla se puso a examinar al niño, tanto para no tener que mirar a nadie como para determinar la gravedad de sus heridas. El hombro y el brazo de Brac estaban lacerados y el hueso del brazo roto, pero parecía una fractura limpia.

Nunca había reducido una fractura, pero había visto cómo lo hacía Iza, y la curandera le había explicado qué hacer en caso de emergencia. La preocupación de Iza era por los cazadores; no se le había ocurrido que pudiera sucederle algo al niño. Ayla atizó el fuego, puso agua a hervir y echó mano de su bolsa de medicinas.

Los hombres estaban silenciosos, atónitos aún, sin poder –o sin querer– aceptar lo que acababan de presenciar. Por primera vez en su vida, Broud experimentó gratitud hacia Ayla. Sus pensamientos no iban mucho más allá del alivio de ver que el hijo de su compañera se hubiera salvado de una muerte segura y horrible. Pero los de Brun sí.

El jefe captó al instante las implicaciones, y se percató de que se encontraba repentinamente ante una decisión imposible. Por tradición del clan, en realidad por la ley del clan, el castigo contra toda mujer que empleara un arma era nada menos que la muerte. Estaba perfectamente claro. No había eximentes en cuanto a circunstancias insólitas. La costumbre era tan antigua y estaba tan bien asumida que nunca se había invocado siquiera durante generaciones y generaciones. Las leyendas que la rodeaban estaban estrechamente vinculadas con las leyendas acerca de una época en que las mujeres controlaban el acceso al mundo de los espíritus, antes de que los hombres se hicieran cargo de ello.

Esa costumbre era una de las fuerzas que había provocado la diferenciación tan marcada entre los hombres del clan y las mujeres del clan, puesto que ninguna mujer que abrigara el deseo tan poco femenino de cazar tenía derecho a sobrevivir. Durante eras sin número, sólo las que tenían las actitudes y acciones propiamente femeninas se quedaban. Como resultado, la adaptabilidad a la raza –la característica misma de la que dependía la supervivencia– se encontraba limitada. Tal era el comportamiento del clan, la ley del clan, aun cuando no había mujeres del clan que se apartaran de la línea. Pero Ayla no había nacido en el clan.

Brun amaba al hijo de la compañera de Broud. Sólo con Brac se suavizaba la impertérrita reserva del jefe. El bebé podía hacerle cualquier cosa: tirarle de las barbas, meterle sus dedos curiosos en los ojos, escupirle, no importaba. Brun no era nunca tan amable, tan flexible, como cuando el niño caía dormido con la seguridad apacible de estar protegido entre los brazos firmes y orgullosos del jefe. No dudaba de que Brac habría perdido la vida si Ayla no hubiera matado a la hiena. ¿Cómo podía condenar a muerte a la muchacha que había salvado la vida a Brac? Le había salvado con el arma cuyo uso le costaría la muerte.

«¿Cómo lo había conseguido?», se preguntaba. La bestia estaba fuera de su alcance, y ella estaba más lejos aún que los hombres. Brun se fue hasta donde la hiena muerta había quedado tendida y tocó la sangre coagulada que todavía manaba de las heridas mortales. ¿Heridas? ¿Dos heridas? Sus ojos no le habían engañado: creía haber visto dos piedras. ¿Cómo podía haber aprendido la muchacha a emplear la honda con tanta habilidad? Ni Zoug ni nadie, que él supiera, podía lanzar dos piedras con una honda tan velozmente, con tanta precisión y tanta fuerza. Fuerza suficiente para matar una hiena a esa distancia.

En todo caso, nadie empleaba una honda para matar una hiena. Desde el principio estuvo seguro de que el intento de Broud sería un gesto inútil. Zoug siempre había dicho que podía hacerse, pero Brun lo dudaba. Nunca había llevado la contraria al hombre; Zoug era todavía demasiado valioso para el clan, no había razón para hacerle de menos. Pues bien, había quedado demostrado que Zoug tenía razón. ¿Podría servir una honda también para matar un lince o un lobo, como lo sostenía tan firmemente Zoug? Brun reflexionaba. De repente abrió mucho los ojos y los entrecerró después: ¿Un lobo o un lince? ¡O un glotón, un hurón, un gato montés, un tejón o una hiena! Brun pensaba a toda prisa. ¿O todos los demás depredadores que habían encontrado muertos últimamente?

«¡Naturalmente!», y el gesto de Brun subrayó su pensamiento. «¡Ella lo había hecho! Ayla llevaba mucho tiempo cazando; de otro modo, ¿cómo podría haber adquirido una habilidad tan grande? Pero es hembra, y ha aprendido fácilmente las habilidades femeninas. ¿Cómo pudo aprender a cazar? ¿Y por qué depredadores? ¿Y por qué animales tan peligrosos? Pero ¿por qué?

»Si fuera hombre sería la envidia de todos los cazadores. Pero no es hombre. Ayla es hembra y ha empleado un arma y tendrá que morir por ello, pues, de lo contrario, los espíritus se enfurecerían. ¿Enfurecerse? Lleva mucho tiempo cazando, ¿por qué no están furiosos? A fe que no están furiosos. Acabamos de matar un mamut en una cacería tan afortunada que ni un sólo hombre ha resultado herido. Los espíritus están complacidos con nosotros, no furiosos.»

El confundido jefe meneó la cabeza. «¡Espíritus! No comprendo a los espíritus. Ojalá estuviera aquí el Mog-ur. Droog dice que la muchacha trae suerte, estoy a punto de creerlo yo también, las cosas nunca habían salido tan bien como desde que está con nosotros. Si la favorecen tanto, ¿no se sentirán desdichados si la ven muerta? Pero así es en el clan, pensaba torturado. ¿Por qué tuvo que hallarla mi clan? Puede tener suerte, pero me ha causado más dolores de cabeza de lo que yo creía posible. No puedo tomar una decisión sin hablar primero con Mog-ur. Habrá que esperar hasta que hayamos vuelto a la cueva.»

Brun regresó apresuradamente al campamento. Ayla había dado al niño una medicina calmante con la que se durmió; después limpió las heridas con una solución antiséptica, redujo la fractura y la inmovilizó con corteza de abedul humedecida. Se pondría tiesa y dura y mantendría los huesos en su sitio. Pero tendría que vigilarlo por si se hinchaba demasiado. Vio que Brun regresaba después de examinar a la hiena y se echó a temblar al sentir que se acercaba. Pero pasó junto a ella sin mirarla, ignorándola por completo, y ella se dio cuenta de que no sabría cuál iba a ser su sino hasta que no estuvieran de regreso en la cueva.

15

Las estaciones se invirtieron a medida que la partida de caza regresaba hacia el sur: de invierno a otoño. Nubes amenazadoras y el olor a nieve apresuró su partida; no tenían la intención de dejarse atrapar por la primera verdadera tempestad de nieve del invierno del norte de la península. La temperatura más benigna en el extremo sur daba una falsa impresión de primavera, con un cambio desconcertante. En vez de nuevos brotes y flores silvestres en capullo, las hierbas altas ondulaban en olas doradas por la estepa, y la floración de los árboles templados en el extremo protegido tenía matices carmesí y ambarinos mezclados con tonalidades verdes. Pero, a distancia, la vista resultaba decepcionante. La mayor parte de los árboles deciduos se habían quedado sin hojas y la violenta embestida del invierno estaba muy próxima ya.

Tardaron más en el regreso que en la ida hasta el punto donde se encontraba la manada de mamuts. Resultaba imposible mantener el paso rápido que tragaba las distancias con aquellas pesadas cargas. Pero Ayla llevaba a cuestas algo más que carne de mamut; la culpabilidad, la ansiedad y la depresión constituían cargas mucho más pesadas. Nadie hablaba del incidente, pero no lo habían olvidado. A menudo, su mirada se cruzaba casualmente con la mirada fija de alguien, que la desviaba inmediatamente, y pocos le hablaban como no fuera absolutamente necesario. Se sentía aislada, solitaria y más que un poco asustada. Por mínima que fuera la conversación, bastaba para tomar conciencia del castigo que su delito llevaba aparejado.

Los que se habían quedado en la cueva habían estado vigilando el retorno de los cazadores. Desde el día en que se esperaba su llegada, alguien había quedado apostado en la sierra, desde donde había una excelente vista de la estepa; casi siempre era uno de los niños.

Cuando Vorn ocupó su lugar, temprano por la mañana, estuvo mirando concienzudamente el panorama distante, pero acabó aburriéndose. No le gustaba quedarse solo sin tener siquiera a Borg para jugar. Ideaba cacerías imaginarias y clavaba su lanza, todavía pequeña, en la tierra tan a menudo que la punta terminó por achatarse a pesar de haber sido endurecida al fuego. Sólo por pura casualidad echó una mirada colina abajo cuando la partida de caza llegó al alcance de su vista.

–¡Colmillos! ¡Colmillos! –gritó Vorn, corriendo hacia la cueva.

–¿Colmillos? –preguntó Aga–. ¿Qué quieres decir: colmillos?

–¡Están de regreso! –gesticulaba Vorn, presa de excitación–. Brun y Droog y los demás, y he visto que traían colmillos.

Todos echaron a correr hacia la estepa para saludar a los cazadores triunfantes. Pero cuando se reunieron con ellos, se veía a las claras que algo andaba mal. La cacería fue un éxito, y los cazadores deberían haberse mostrado jubilosos. En cambio, su paso era lento y su actitud deprimida. Brun estaba sombrío; a Iza le bastó echar una mirada a Ayla para comprender que algo terrible había sucedido y que en ello estaba implicada su hija.

Mientras la partida de caza traspasaba parte de su carga a los que habían ido a su encuentro, se fue imponiendo la razón de aquel sombrío silencio. Ayla subió la cuesta con la cabeza baja, sin hacer caso de las miradas subrepticias que se lanzaban en su dirección. Iza estaba atónita. Si alguna vez se había preocupado por las acciones poco ortodoxas de su hija adoptiva, aquello no era nada comparado con la fría punzada de temor que ahora sentía.

Una vez que llegaron a la cueva, Oga y Ebra llevaron al niño a Iza; ésta cortó el molde de corteza de abedul y lo examinó.

–Su brazo estará tan bien como antes dentro de poco –declaró–. Le quedarán cicatrices, pero las heridas están sanando y el brazo está bien soldado. De todas formas, será mejor que le ponga otro molde.

Las mujeres respiraron con alivio. Sabían que Ayla tenía poca experiencia y aun cuando no les había quedado más remedio que dejar a la joven cuidar a Brac, habían estado preocupadas. Un cazador necesitaba dos brazos fuertes. Si Brac hubiera perdido el uso de uno, nunca habría podido convertirse en jefe como se esperaba de él. De no haber podido cazar, ni siquiera se habría hecho hombre, sino que habría permanecido en ese limbo ambiguo de los muchachos que, después de haber alcanzado la madurez física, no habían logrado cobrar su primera pieza.

También Brun y Broud se sintieron tranquilizados. Pero, por lo menos, Brun recibió la noticia con emociones contradictorias. Eso le dificultaba aún más su decisión. Ayla no sólo había salvado la vida de Brac, había asegurado su existencia útil. El asunto se había aplazado más de lo suficiente. Hizo señas a Mog-ur y ambos se alejaron juntos.

La historia, tal como la contó Brun, perturbó profundamente a Creb. La responsabilidad de criar y educar a Ayla había sido suya, y era evidente que había fracasado. Pero otra cosa le perturbaba más aún. Cuando se enteró de los animales muertos que solían encontrar los hombres, tuvo la impresión de que nada tenían que ver con los espíritus. Incluso se preguntó si Zoug o alguno de los otros no les estarían gastando una broma. No parecía probable, pero su intuición le indicaba que las muertes estaban causadas por un agente humano. También se había percatado de los cambios producidos en Ayla, cambios que debería haber reconocido ahora que lo pensaba: las mujeres no caminaban con el paso ligero del cazador; hacían ruido, y con harta razón. Más de una vez Ayla le había sorprendido al acercarse a él tan silenciosamente que no la había oído llegar. También había otras cosas, menudencias que deberían haber despertado sus sospechas.

Pero le había cegado el amor que sentía hacia ella. No se había permitido pensar siquiera que pudiera estar cazando, sabía demasiado bien cuáles serían las consecuencias. Eso incitaba al viejo mago a poner en tela de juicio su propia integridad, su capacidad para llevar a cabo su ministerio. Había permitido que sus sentimientos hacia la muchacha pasaran antes que la salvaguardia espiritual del clan. ¿Seguiría mereciendo la confianza que habían depositado en él? ¿Sería aún digno de Ursus? ¿Podría justificarse que siguiera siendo Mog-ur? Creb se echaba la culpa de las acciones de Ayla. Debería haberla interrogado, no debería haberle permitido vagar tan libremente; debería haberla disciplinado con mayor severidad. Pero toda la angustia que le causaba lo que debería haber hecho no cambiaba en nada lo que le quedaba por hacer. La decisión correspondía a Brun, pero era competencia suya llevarla a efecto, era su deber matar a la criatura a la que amaba.

—Sólo existe la sospecha de que ha sido ella quien ha matado a los animales —dijo Brun—. Tendremos que interrogarla; pero sí mató a la hiena y tenía una honda. Ha tenido que practicar con algo, pero es posible que haya adquirido tanta pericia de otra manera. Es mejor que Zoug con el arma, Mog-ur, ¡y es hembra!

¿Cómo ha podido aprender? Me he preguntado en otras ocasiones si no habría en ella algo viril, y no soy el único. Es tan alta como un hombre y ni siquiera es todavía mujer. ¿Crees que haya algo de cierto en la idea de que nunca lo será?

–Ayla es una niña, Brun, y algún día se convertirá en mujer al igual que otra muchacha... o debería haberse convertido ya. Es una hembra que ha empleado un arma. –La mandíbula del mago estaba apretada; no quería dejarse llevar por falsas ilusiones.

–Bueno, pues sigo queriendo saber desde cuándo ha estado cazando. Pero eso puede esperar hasta mañana. Ahora todos estamos cansados; ha sido un viaje largo. Di a Ayla que la interrogaremos mañana.

Creb regresó cojeando a la cueva, pero se detuvo en su hogar sólo lo suficiente para indicar a Iza que dijera a la muchacha que la interrogarían por la mañana, y siguió hasta su pequeño anexo. No volvió a su hogar en toda la noche.

Las mujeres se quedaron mirando silenciosamente a los hombres que se dirigían al bosque con Ayla a la zaga. No sabían qué pensar, y estaban llenas de emociones contradictorias. La propia Ayla estaba confundida. Siempre había sabido que era malo cazar, aunque ignoraba cuán grave era su delito. «Me pregunto si habría habido alguna diferencia de haberlo sabido, se dijo. No. Yo quería cazar y habría cazado de todos modos. Pero no quiero que los malos me persigan hasta el mundo de los espíritus.» Y se estremeció al pensarlo.

La muchacha temía a las entidades invisibles y malignas tanto como creía en el poder de los tótems protectores. Ni siquiera el Espíritu del León Cavernario podía protegerla contra ellos, ¿o sí? «Debo de haberme equivocado. Mi tótem no me habría dado una señal para permitirme cazar a sabiendas de que moriría por ello. Probablemente me abandonó la primera vez que toqué la honda.» Pero no le agradaba pensar en ello.

Los hombres llegaron a un claro del bosque y se acomodaron en troncos caídos y rocas a ambos lados de Brun, mientras Ayla se dejaba caer en el suelo a sus pies. Brun le tocó el hombro para permitirle que le mirara y comenzó sin más preliminares.

–¿Has sido tú la que mataba los carnívoros que encontraban por ahí los cazadores, Ayla?

–Sí –reconoció asintiendo con un ademán. De nada serviría tratar de ocultar ya nada. Su secreto había sido descubierto y ellos podrían darse cuenta de que intentaba evadir sus preguntas. Era incapaz de mentir, lo mismo que cualquier otro miembro del clan.

–¿Cómo aprendiste a usar la honda?

–Aprendí de Zoug –respondió.

–¡Zoug! –repitió Brun. Todas las cabezas se volvieron como una acusación colectiva hacia el viejo.

–Nunca he enseñado a la muchacha a usar la honda –reaccionó con gestos defensivos.

–Zoug no sabía que estaba aprendiendo de él –señaló rápidamente Ayla, defendiendo prontamente al viejo cazador-con-honda–. Yo lo observaba mientras instruía a Vorn.

–¿Cuánto tiempo llevas cazando? –Fue la siguiente pregunta de Brun.

–Ahora hace dos veranos. Y el verano anterior sólo practiqué, pero sin cazar.

–Es lo que lleva aprendiendo Vorn –comentó Zoug.

–Ya lo sé –dijo Ayla–. Comencé el mismo día que él.

–¿Cómo sabes con exactitud el día en que Vorn empezó, Ayla? –preguntó Brun, intrigado por lo segura que se había manifestado.

–Yo estaba allí, y lo vi.

–¿Qué quieres decir con eso de que estabas allí? ¿Dónde?

–En el campo de prácticas. Iza me envió en busca de un poco de corteza de cerezo, pero al llegar allí todos estaban reunidos –explicó–. Iza necesitaba la corteza de cerezo y no sabía cuánto tiempo más iban a quedarse allí, de manera que esperé y miré. Zoug estaba impartiendo su primera lección a Vorn.

–¿Viste cómo Zoug daba a Vorn su primera lección? –cortó bruscamente Broud–. ¿Estás segura de que era la primera? –Broud recordaba ese día demasiado bien: todavía enrojecía de vergüenza al recordarlo.

–Sí, Broud, estoy segura.

–¿Qué más viste? –Los ojos de Broud estaban entrecerrados y sus gestos eran bruscos. También Brun recordó repentinamente lo que había sucedido en el terreno de prácticas el día en que Zoug comenzó el entrenamiento de Vorn, y no le hacía mucha gracia que una hembra hubiera presenciado el incidente.

Ayla vaciló.

–También vi practicar a los demás hombres –respondió evitando una respuesta directa, pero vio que la mirada de Brun se volvía severa–. Y vi que Broud empujaba a Zoug, y tú te enojaste mucho con él, Brun.

–¡Viste eso! ¿Lo viste todo? –interrogó Broud con vehemencia. Estaba lívido de ira y confusión. De todos los miembros del clan, ¿por qué tuvo que ser ella quien lo viera? Cuanto más lo pensaba, más se mortificaba y más furioso se ponía. Ella había presenciado la más ruda reprimenda que le había echado Brun. Broud recordó lo mal que disparó, y súbitamente recordó que tampoco le había atinado a la hiena... la hiena que ella mató. Una hembra, aquella hembra le había puesto en evidencia.

Todo pensamiento amable, toda brizna de la gratitud que había sentido recientemente hacia ella desapareció. «Me alegraré cuando esté muerta, pensó. Se lo merece.» No podía soportar la idea de que ella siguiera viviendo, conociendo como conocía el momento de vergüenza que él había vivido.

Brun observaba al hijo de su compañera y casi podía leer los pensamientos que pasaban por su mente al ver las expresiones de su rostro. «Mala suerte, pensaba, justo cuando había una posibilidad de que terminara la enemistad entre ellos; claro, que nada de eso importa ya.» Y prosiguió el interrogatorio:

–Dices que comenzaste a practicar el mismo día que Vorn; cuéntame cómo fue.

–Cuando todos se alejaron, crucé el campo y vi la honda que Broud había tirado al suelo. A todos se les había olvidado cuando te enfureciste contra Broud. No sé por qué, pero se me ocurrió que tal vez yo pudiera hacerlo. Recordaba la lección de Zoug y probé. No era fácil, pero seguí tirando toda la tarde, se me olvidó que se hacía tarde. Le di una vez al poste; creo que fue por accidente, pero eso me hizo pensar que podría lograrlo de nuevo si seguía intentándolo, de modo que me quedé con la honda.

–Supongo que también aprenderías de Zoug a hacer una.

–Sí.

–¿Y practicaste aquel verano?

–Sí.

–Y entonces decidiste cazar con ella; pero ¿por qué cazabas carnívoros? Son más difíciles y también más peligrosos. Hemos encontrado lobos muertos, y también linces muertos. Zoug decía siempre que se les podía matar con la honda; has demostrado que tenía razón, pero ¿por qué esos animales?

–Bien sabía yo que no podría llevar nada al clan, sabía que no debía tocar un arma, pero quería cazar, por lo menos quería intentarlo. Los carnívoros siempre nos están robando alimentos; pensé que si los mataba, estaría ayudando. Y no sería tanto desperdicio puesto que no los comemos. De modo que decidí cazarlos.

Eso satisfizo la curiosidad de Brun en cuanto a la razón por la cual siempre mataba depredadores, pero en realidad no aclaraba por qué había querido cazar. Era hembra; ninguna mujer había querido cazar nunca.

—Sabías que era peligroso disparar a la hiena desde tan lejos; podías haber golpeado a Brac. —Brun estaba sometiéndola a prueba. Él mismo había estado a punto de lanzar sus boleadoras, aunque la posibilidad de matar al muchacho con una de las grandes piedras era indudable. Pero morir instantáneamente con el cráneo fracturado era mejor que sufrir la muerte que esperaba al niño, y por lo menos habrían tenido el cuerpo que enterrar para poder enviarlo al mundo de los espíritus con el ritual apropiado. Si la hiena se hubiera salido con la suya, sólo les habrían quedado huesecillos dispersos, y eso en el mejor de los casos.

—Sabía que podía atinarle —respondió Ayla con sencillez.

—¿Cómo podías estar tan segura? La hiena estaba fuera de alcance.

—No fuera de mi alcance. He atinado a animales a esa distancia; no fallo muchas veces.

—Me pareció ver el impacto de dos piedras —señaló Brun.

—Lancé dos piedras —confirmó Ayla—. Aprendí a hacerlo después de que el lince me atacara.

—¿Te atacó un lince? —apremió Brun.

—Sí —asintió Ayla moviendo la cabeza, y contó el apuro del que había conseguido librarse.

—¿Cuál es tu alcance? —preguntó Brun—. No, no me lo digas: muéstramelo. ¿Traes tu honda?

Ayla asintió y se puso de pie. Todos se dirigieron al extremo más lejano del calvero, donde un arroyuelo corría sobre un lecho rocoso. Ayla escogió unos cuantos guijarros de forma y tamaño apropiados. Los cantos rodados eran los mejores en cuanto a precisión y distancia, pero podrían servir piedras quebradas y melladas, con aristas agudas.

—La roca blanca pequeña junto a la grande, en el otro extremo —señaló ella.

Brun asintió. Era como una mitad más de lo que cualquiera de ellos pudiera lanzar una piedra. Apuntó cuidadosamente, metió una piedra en la honda y al instante siguiente tenía otra metida en la honda y en el aire. Zoug fue corriendo para comprobar su precisión.

–Hay dos mellas recientes en la piedra blanca. Ha dado en el blanco dos veces –anunció al volver, con un tono de asombro y un leve indicio de orgullo.

Era hembra y nunca debió tocar la honda, la tradición del clan era muy clara al respecto, pero lo hacía bien. Y le acreditaba a él haberle enseñado, a sabiendas o no. «Esa técnica de las dos piedras, se decía, es un truco que me gustaría aprender.» El orgullo de Zoug era el de un verdadero maestro respecto a un alumno brillante; un estudiante que prestaba atención, aprendía bien y mejoraba a su maestro. Y había demostrado que él tenía razón.

Brun percibió un movimiento en el claro.

–¡Ayla! –gritó–. Ese conejo. ¡Dale!

Ella miró en la dirección que él señalaba, vio al animalito brincar a campo traviesa y lo derribó. No era necesario ir a comprobar su precisión. Brun miró a la joven con aprecio. «Es rápida», pensó. La idea de una mujer cazando ofendía el sentido de las conveniencias, pero para Brun el clan estaba por encima de todo; su seguridad, su prosperidad era lo primero. En un rinconcito de su mente sabía las ventajas que la muchacha representaba para el clan. «No, es imposible, se dijo. Va en contra de las tradiciones; no es la manera de ser del clan.»

Creb no apreciaba su habilidad de la misma manera. Si le hubiera quedado alguna duda, su exhibición le habría convencido. Ayla había estado cazando.

–Y para empezar, ¿por qué recogiste la honda? –preguntó el Mog-ur con una mirada triste, sombría.

–No lo sé –contestó Ayla meneando la cabeza y mirando al suelo. Lo que más odiaba era la idea de que el mago estuviera disgustado.

–Hiciste algo más que tocarla. Cazaste con ella, mataste con ella aun cuando sabías que estaba mal.

–Mi tótem me dio la señal, Creb. Por lo menos, yo creí que era una señal. –Y desató los nudos de su amuleto–. Cuando decidí cazar, encontré esto. –Y tendió el molde del fósil a Mog-ur.

¿Una señal? ¿Su tótem le dio una señal? Los hombres quedaron consternados. La revelación de Ayla daba un nuevo giro a la situación, pero ¿por qué se decidió a cazar?

El mago lo examinó de cerca. Era una piedra muy poco común, con la forma de un animal marino, pero, a fin de cuentas, una piedra. Podía haber sido una señal, pero eso no probaba nada: las señales se daban entre la persona y su tótem; nadie podía comprender las señales de otra persona. Mog-ur se la devolvió a la muchacha.

–Creb –rogó la joven–, creí que mi tótem estaba poniéndome a prueba. Pensé que la manera en que Broud me trataba era mi prueba. Pensé que si podía aprender a aceptarlo, mi tótem me dejaría cazar. –Unas miradas enigmáticas se concentraron en el joven para ver su reacción. ¿Pensaría realmente Ayla que su tótem estaba usando a Broud para probarla? Broud se sentía incómodo–. Cuando me atacó el lince pensé que también era una prueba. Casi dejé de cazar por entonces: estaba muy asustada. Entonces se me ocurrió probar con dos piedras de manera que podría intentarlo de nuevo si erraba la primera vez. Incluso pensé que mi tótem me había inspirado esa idea.

–Ya veo –dijo el hombre santo–. Necesito algún tiempo para meditar acerca de todo esto, Brun.

–Quizá todos deberíamos pensar en ello. Nos reuniremos nuevamente mañana temprano –anunció–, sin la muchacha.

–¿Qué hay que pensar? –objetó Broud–. Todos conocemos el castigo que merece.

–Su castigo pudiera ser peligroso para todo el clan, Broud. Necesito estar absolutamente seguro de que no hemos pasado nada por alto antes de condenarla. Nos reuniremos nuevamente mañana.

Los hombres volvieron a la cueva intercambiando comentarios.

–Nunca he sabido de una mujer que quisiera cazar –dijo Droog–. ¿Tendrá algo que ver con su tótem? Es un tótem viril.

–Yo no he querido cuestionar el juicio de Mog-ur –dijo Zoug–, pero siempre me ha intrigado su León Cavernario, incluso con las señales de su pierna. Ya no lo pongo en duda. Tenía razón, siempre la tiene.

–¿Podría ser macho en parte? –preguntó Crug–. He oído algunos comentarios.

–Eso explicaría sus modales poco femeninos –agregó Dorv.

–Es hembra, no cabe duda –cortó Broud–, y debe morir, eso lo sabemos todos.

–Probablemente tengas razón, Broud –dijo Crug.

–Aun cuando sea macho en parte, no me agrada la idea de que una mujer cace –comentó tercamente Dorv–. Ni siquiera me agrada que forme parte del clan. Es demasiado diferente.

–Ya sabes que siempre he opinado así, Dorv –convino Broud–. No sé por qué Brun quiere hablar nuevamente de eso. Si yo fuera jefe lo haría y se acabó.

–No es una decisión que pueda tomarse a la ligera, Broud –dijo Grod–. ¿Por qué tanta prisa? Un día más importa poco.

Broud apresuró el paso sin tomarse la molestia de contestar. «Ese viejo está siempre echando discursos, pensó, siempre se pone del lado de Brun. ¿Por qué no puede Brun tomar una decisión? Yo ya la he tomado. ¿De qué sirve hablar tanto? Tal vez esté envejeciendo demasiado para seguir de jefe.»

Ayla echó a andar detrás de los hombres. Se fue directamente a la cueva, al hogar de Creb, y se sentó en sus pieles de dormir, mirando al vacío. Iza trató de convencerla para que comiera, pero Ayla meneó la cabeza negativamente. Uba no sabía lo que estaba pasando, pero algo preocupaba a la muchacha alta y maravillosa, la amiga especial a la que amaba e idolatraba. Se fue hacia Ayla y se acurrucó en su regazo. En cierto modo, Uba tenía la sensación de que era un consuelo para Ayla; no hizo nada por bajarse, sino que se dejó mecer y acabó por quedarse dormida. Iza fue a cogerla de brazos de Ayla y la acostó antes de hacer ella lo mismo, pero no se durmió. Tenía el corazón demasiado angustiado por la extraña joven a la que llamaba hija y que estaba allí sentada, mirando fijamente las brasas de la hoguera que casi no calentaba ya.

El día amaneció claro y frío. Se estaba formando hielo en las orillas del río y una fina película de agua sólida cubría la poza quieta, alimentada por el arroyo, junto a la entrada de la cueva, como todas las mañanas, derritiéndose por lo general tan pronto como el sol estaba alto. Dentro de muy poco tiempo el clan se vería confinado en la cueva para pasar el invierno.

Iza no sabía si Ayla había dormido; seguía sentada en sus pieles cuando la mujer se despertó. La muchacha estaba silenciosa, perdida en un mundo que le era propio, sin tener apenas conciencia de lo que estaba pensando. Sólo esperaba. Creb no regresó a su hogar aquella segunda noche. Iza lo había visto entrar, arrastrando los pies, por la oscura grieta que servía de entrada a su santuario. Y no salió hasta por la mañana. Una vez que los hombres se fueron, Iza llevó algo de té a Ayla, pero ésta no respondió a las amables preguntas de la curandera. Cuando Iza volvió, el té seguía junto a la muchacha, intacto y frío. «Es como si ya estuviera muerta», pensó Iza. Se le cortó la respiración al sentir la helada garra de la pena que oprimía su corazón. Era casi más de lo que Iza podía soportar.

Brun condujo a los hombres a un lugar bajo una enorme roca, protegido del viento frío, y mandó encender una hoguera antes de abrir la sesión. La incomodidad que representaba estar sentados al aire fresco podría incitar a los hombres a despacharse precipitadamente, y él quería conocer toda la extensión de sus sentimientos y opiniones. Cuando comenzó, lo hizo de forma totalmente silenciosa, mediante los símbolos empleados para dirigirse a los espíritus, lo que hizo comprender a los hombres que no se trataba de un encuentro casual, sino de una sesión formal.

–La muchacha, Ayla, miembro de nuestro clan, ha utilizado la honda para matar a la hiena que atacó a Brac. Durante años ha usado el arma. Ayla es hembra; según la tradición del clan, la hembra que emplee un arma debe morir. ¿Alguien tiene algo que decir?

–Brun, Droog quisiera hablar.

–Droog puede hablar.

–Cuando la curandera encontró a la muchacha, estábamos buscando una nueva caverna. Los espíritus estaban enojados con nosotros y mandaron un terremoto para destruir nuestro hogar. Quizá no estuvieran tan furiosos, tal vez sólo querían un lugar mejor, y tal vez querían que encontráramos a la niña. Es extraña, como la señal de su tótem. Hemos tenido suerte desde que la encontramos. Creo que nos trae suerte, y creo que eso proviene de su tótem.

»El que fuera escogida por el Gran León Cavernario sólo es parte de su rareza. Pensamos que era peculiar porque le gustaba ir al agua del mar, pero si no hubiera sido tan peculiar, Ona estaría ahora vagando por el mundo de los espíritus. Ona es sólo una niña y ni siquiera ha nacido en mi hogar, pero he llegado a amarla. La habría echado de menos; agradezco que no se haya ahogado.

»Es rara para nosotros, pero sabemos poco de los Otros. Ahora es del clan, pero no nació en el clan. No sé por qué habrá querido cazar; está mal que las mujeres del clan cacen, pero tal vez sus mujeres sí lo hagan. Eso no viene al caso y de todos modos está mal, pero si no hubiera aprendido a usar la honda, también Brac estaría muerto. No es agradable pensar en cómo iba a morir. Que un cazador sea muerto por un carnívoro es una cosa, pero Brac es un bebé.

»Su muerte habría sido una pérdida para todo el clan, Brun, no sólo para Broud y para ti. Si hubiera muerto, no estaríamos aquí sentados para decidir qué hacer con la muchacha que le salvó la vida; estaríamos llorando por el niño que algún día habría de ser jefe. Creo que la muchacha debe ser castigada, pero ¿cómo se la puede condenar a morir? He concluido.

–Zoug querría hablar, Brun.

–Zoug puede hablar.

–Lo que dice Droog es cierto; ¿cómo puedes condenar a la muchacha que ha salvado la vida de Brac? Es diferente, no nació en el clan y quizá no piense como debería pensar una mujer, pero excepto en el asunto de la honda, se porta como una buena mujer del clan. Ha sido una mujer modelo, obediente, respetuosa...

–¡Eso no es cierto! Es rebelde, insolente –interrumpió Broud.

–Ahora estoy hablando yo, Broud –replicó Zoug con enojo. Brun le lanzó una mirada reprobatoria y Broud dominó su arrebato.

–Es cierto –prosiguió Zoug–, cuando la muchacha era más joven se portó insolente contigo, Broud. Pero tú tuviste la culpa, fuiste tú quien dejaste que eso te molestara. Si actúas como un chiquillo, ¿qué cosa más natural que la muchacha no te trate como un hombre? Conmigo siempre ha sido obediente y respetuosa. Ni tampoco ha sido insolente con ninguno de los demás hombres.

Broud miró con malos ojos al viejo cazador, pero se dominó.

–Aunque fuera cierto –prosiguió Zoug–, nunca he visto a nadie que maneje tan bien la honda como ella. Dice que aprendió de mí; yo no lo sabía, pero confesaré sinceramente que desearía tener un alumno tan capaz de aprender, y debo admitir que ahora podría aprender de ella. Quería cazar para el clan y, como no podía hacerlo, trató de hallar otra manera de ayudarnos. Puede haber nacido de los Otros, pero en su corazón pertenece al clan. Siempre ha puesto los intereses del clan por encima de los suyos. No pensó en el peligro cuando se lanzó tras Ona; puede ser capaz de moverse en el agua, pero yo vi lo cansada que estaba cuando regresó con la niña. El mar podía habérsela llevado también a ella. Sabía que cazar estaba mal y guardó su secreto durante tres años, pero no vaciló cuando Brac estuvo en peligro. Es hábil con el arma, más hábil que nadie que yo haya conocido. Sería una vergüenza permitir que se desperdicie tanta pericia. Yo digo: que pueda prestar servicios al clan, que se le permita cazar...

–¡No! ¡No! ¡No! –exclamó furiosamente Broud levantándose de un salto–. Es hembra. No se puede permitir que las hembras cacen...

–Broud –dijo el orgulloso y viejo cazador–. No he terminado. Podrás pedir la palabra cuando termine yo.

–Deja que termine Zoug, Broud –advirtió el jefe–. Si no sabes comportarte en una reunión formal, puedes retirarte. –Broud se sentó de nuevo, luchando por dominarse.

–La honda no es un arma importante. Yo no empecé a desarrollar mi habilidad hasta que fui demasiado viejo para cazar con lanza. Las demás armas son las verdaderas armas masculinas. Yo digo que se la deje cazar, pero sólo con honda. Que la honda sea el arma de los viejos y de las mujeres o, por lo menos, de esta mujer. Ahora he concluido.

–Zoug, bien sabes tú que es más difícil emplear una honda que una lanza, y muchas veces has sido tú quien ha suministrado carne cuando la cacería había fracasado. No te infravalores en favor de la muchacha. Con una lanza sólo se necesita un brazo fuerte –dijo Brun.

–Y piernas y corazón fuertes, y buenos pulmones y muchísimo valor –replicó Zoug.

–Me pregunto cuánto valor se necesitaría para enfrentarse a otro lince después de haber sido atacado por uno, a solas, y con sólo una honda –comentó Droog–. Yo no tendría nada en contra de la sugerencia de Zoug, si se limitara a cazar únicamente con honda. No parece que los espíritus hayan tenido nada en contra; sigue trayéndonos suerte. ¿Qué os ha parecido nuestra cacería del mamut?

–No estoy seguro de que sea una decisión que podamos tomar –dijo Brun–. No veo cómo podemos dejarla vivir, no hablemos ya de cazar. Ya conoces la tradición, Zoug. Nunca se ha hecho antes; ¿lo aprobarían realmente los espíritus? De todos modos, ¿cómo se te ha ocurrido? Las mujeres del clan no cazan.

–Sí; las mujeres del clan no cazan, pero ésta ha cazado. Probablemente no se me habría ocurrido de no haber sabido que podía hacerlo, de no haberlo visto. Lo único que digo es que se le permita seguir haciendo lo que ya ha hecho.

–¿Qué dices tú, Mog-ur? –preguntó Brun.

–¿Qué esperas que diga? ¡Si vive en su hogar! –intervino amargamente Broud.

–¡Broud! –atronó Brun–. ¿Estás acusando a Mog-ur de poner sus sentimientos y sus intereses por encima de los del clan? ¿Acaso no es Mog-ur? ¿El Mog-ur? ¿Crees tú que no dirá lo que es correcto, lo que es verdad?

–No, Brun. Broud ha dicho algo sensato. Todos conocen mis sentimientos hacia Ayla; no es fácil olvidar que la quiero. Creo que todos deben recordarlo, aun cuando he tratado de dejar a un lado mis emociones. No puedo estar seguro de haberlo logrado. He estado ayunando y meditando desde tu regreso, Brun. Esta noche pasada he encontrado un camino hacia recuerdos que no conocía, quizá porque nunca los he buscado.

»Hace mucho, muchísimo tiempo, mucho antes de que fuéramos clan, las mujeres ayudaban a los hombres a cazar. –Hubo un murmullo de incredulidad–. Es la verdad. Celebraremos una ceremonia y os llevaré a todos allá. Cuando estábamos aprendiendo a hacer herramientas y armas, y nacíamos con un conocimiento que era como los recuerdos, sólo que diferente, las mujeres y los hombres mataban animales para comer. Los hombres no siempre proveían entonces para las mujeres. Como una madre osa, la mujer cazaba para sus hijos y para ella.

»Fue más adelante cuando los hombres comenzaron a cazar para la mujer y los hijos de ésta, y mucho más tarde aún cuando las mujeres con hijos se quedaron en casa. Cuando los hombres comenzaron a ocuparse de los pequeños, cuando comenzaron a sustentarlos, fue el comienzo del clan y eso le ayudó a desarrollarse. Si la madre de un bebé moría mientras iba en busca de alimento, también el niño moría. Pero sólo cuando la gente dejó de luchar entre sí y aprendió a cooperar, a cazar en grupo, se inició realmente el clan. Incluso entonces, algunas mujeres cazaban, cuando eran ellas las que hablaban a los espíritus.

»Brun, has dicho que nunca anteriormente se había hecho. Estás equivocado: las mujeres del clan han cazado en otros tiempos. Los espíritus lo aprobaban entonces, pero eran espíritus diferentes, espíritus antiguos, no los espíritus de los tótems. Eran espíritus poderosos, pero hace mucho que se fueron a descansar. No estoy muy seguro de que en rigor pueda llamárseles espíritus del clan. No era tanto que se les venerara u honrara, sino que se les temía; pero no eran malos, sólo poderosos.

Los hombres estaban atónitos. Hablaba de tiempos tan pretéritos y tan mal recordados que casi los habían olvidado, que casi eran nuevos. Y sin embargo, sólo mencionarlos evocaba en ellos un recuerdo de temor, y más de un hombre se estremeció.

–Dudo mucho de que las mujeres nacidas ahora en el clan lleguen algún día a cazar –prosiguió Mog-ur–. No estoy seguro de que pudieran. Hace muchísimo tiempo de eso, las mujeres han cambiado desde entonces, y los hombres también. Pero Ayla es distinta, los Otros también son distintos, más diferentes de lo que imaginamos. No creo que dejarla cazar introduzca diferencia alguna en lo que concierne a las demás mujeres. Que ella cace, que desee cazar, las sorprende tanto como a nosotros. No tengo nada más que decir.

–¿Alguien más tiene alguna otra cosa que decir? –preguntó Brun, pero no estaba seguro de poder aguantar más; se habían expuesto demasiadas ideas nuevas como para sentirse cómodo.

–Brun, Goov quisiera hablar.

–Goov puede hablar.

–Sólo soy un acólito. No sé tanto como Mog-ur, pero creo que ha pasado algo por alto. Tal vez sea porque se ha esforzado demasiado por dejar a un lado su sentimiento hacia Ayla. Se ha concentrado en recordar, no en la muchacha misma, y eso quizá por temor a que hablara su amor y no su mente. No ha pensado en su tótem.

»¿Ha considerado alguien por qué un poderoso tótem masculino habría de escoger a una niña? –Y respondió a su pregunta retórica–: Aparte de Ursus, el León Cavernario es el tótem más poderoso. El león cavernario es más poderoso que el mamut; caza al mamut, sólo al viejo y al pequeño, pero a veces caza mamuts. El león cavernario no caza mamuts.

–No tiene sentido lo que dices, Goov. Dices que el león cavernario caza mamuts, y después dices que no los caza –señaló Brun.

–Él no caza, *ella* caza. Hemos pasado eso por alto al hablar de tótems protectores: incluso el león cavernario, el macho, es el protector. Pero ¿quién caza? ¡El carnívoro más grande de todos, el cazador más fuerte es la leona! ¡La hembra! ¿No es cierto que lleva a su compañero lo que ha matado? Él puede matar, pero a él le toca protegerla mientras caza.

»Es curioso que un León Cavernario escogiera a una niña, ¿no es cierto? ¿No se le ha ocurrido a nadie que tal vez su tótem no sea el León Cavernario sino la Leona Cavernaria? ¿La hembra? ¿La cazadora? ¿No podría eso explicar el porqué de que la muchacha quisiera cazar? ¿Por qué recibió una señal? Tal vez fuera la Leona la que le envió la señal, tal vez por eso fue marcada en su pierna izquierda. ¿Es realmente más excepcional en ella cazar que tener semejante tótem? No sé si es cierto, pero hay que admitir que sí es lógico. Ya sea su tótem el León Cavernario o la Leona Cavernaria, si estaba destinada a cazar, ¿podemos negarlo? ¿Podemos negar su poderoso tótem? ¿Y nos atrevemos a condenarla por hacer lo que desea su tótem? –concluyó Goov–. He terminado.

A Brun la cabeza le daba vueltas. Se le ocurrían las ideas demasiado deprisa. Necesitaba tiempo para pensar, para tomar una decisión. Claro está, la leona es la que caza, pero ¿quién ha oído hablar nunca de un tótem femenino? Los espíritus, las esencias de los espíritus protectores son todos machos; ¿o no es así? Sólo quien se pase días sin fin pensando en los caminos de los espíritus puede llegar a la conclusión de que el tótem de la niña que había estado cazando fuera el cazador de la especie que personifica su tótem. Pero Brun habría querido que Goov no insinuara la idea de negar los deseos de un tótem tan poderoso.

Todo el concepto de una mujer cazadora era tan singular, tan digno de profundas reflexiones, que algunos de los hombres habían sido incitados a empujar los confines de su mundo cómodo, seguro y bien definido. Cada uno hablaba desde su punto de vista, desde su área de interés o preocupación, y cada uno de ellos había empujado exclusivamente los confines de esa área, pero Brun tenía que abarcarlo todo, lo que era casi demasiado para él. Se sentía obligado a examinar cada uno de los aspectos antes de pronunciar un juicio y le hubiera gustado disponer de tiempo para pensar en todo ello cuidadosamente. Pero ya no podía aplazar mucho más la decisión.

—¿Alguien más desea expresar su opinión?

—Broud querría hablar, Brun.

—Broud puede hablar.

—Todas esas ideas son interesantes y pueden darnos algo en que pensar durante los fríos días de invierno, pero las tradiciones del clan están muy claras. Que la muchacha haya nacido de los Otros o no, ahora es del clan. Las hembras del clan no pueden cazar. Ni siquiera pueden tocar un arma ni cualquier herramienta que sirva para hacer un arma. Todos sabemos cuál es el castigo: debe morir. No cambia las cosas el que en otros tiempos hayan cazado las mujeres. Porque una osa o una leona cace, eso no significa que pueda cazar una mujer. No somos osos ni leones. No hay ninguna diferencia porque tenga un poderoso tótem o porque traiga suerte al clan. Tampoco las cambia que sea excelente con la honda, ni siquiera que haya salvado la vida del hijo de mi compañera. Se lo agradezco, claro está, todo el mundo se ha enterado de que así lo dije muchas veces cuando regresábamos, pero eso no cambia las cosas en absoluto. La mujer que usa un arma debe morir. No lo podemos cambiar; así es la ley del clan. Toda esta reunión es una pérdida de tiempo. No puedes tomar otra decisión, Brun. He terminado.

—Broud tiene razón —dijo Dorv—. No nos corresponde a nosotros cambiar las tradiciones del clan. Una excepción lleva a otra. Pronto no quedaría nada con lo que pudiéramos contar. El castigo es la muerte, la muchacha debe morir.

Hubo unos cuantos gestos de asentimiento. Brun no contestó inmediatamente. «Broud tiene razón, pensó. ¿Qué otra decisión puedo tomar? Ella salvó la vida de Brac, pero empleó un arma para hacerlo.» Brun no estaba más cerca de tomar una resolución que el día en que Ayla sacó su honda y mató a la hiena.

–Antes de tomar mi decisión tendré en consideración todos los pensamientos que habéis expresado. Pero ahora quiero que cada uno me dé una respuesta clara –dijo finalmente el jefe. Los hombres estaban sentados en círculo alrededor de la hoguera. Cada uno de ellos apretó el puño y lo sostuvo contra su pecho. Un movimiento arriba y abajo significaría una respuesta afirmativa, un movimiento lateral del puño significaría «no».

–Grod –comenzó Brun, dirigiéndose a su segundo-al-mando–: ¿Crees que la muchacha Ayla debe morir?

Grod vacilaba. Simpatizaba con el jefe que se enfrentaba a tal dilema. Había sido segundo de Brun durante muchos años, casi podía leer los pensamientos del jefe, y su respeto hacia él había crecido con el paso de los años. Pero no veía otra alternativa: alzó el puño y lo bajó.

–¿Qué más podemos hacer, Brun? –agregó.

–Grod dice que sí. ¿Droog? –preguntó Brun, dirigiéndose al tallador de herramientas.

Droog no vaciló: se cruzó el pecho con el puño.

–Droog dice que no. Crug, ¿y tú?

Crug miró a Brun, después a Mog-ur y finalmente a Broud. Alzó el puño.

–Crug dice que sí, que la muchacha debe morir –confirmó Brun–. ¿Goov?

El joven acólito respondió inmediatamente poniendo el puño sobre su pecho.

–Goov opina que no. ¿Broud?

Broud movió el puño antes de que Brun terminara de pronunciar su nombre, y Brun se apartó con la misma rapidez; conocía de antemano la respuesta de Broud.

–Sí. ¿Zoug?

El viejo maestro de lanzamiento de honda se sentó orgullosamente y movió el puño atrás y adelante del pecho, con un énfasis que no dejaba el menor lugar a dudas.

–Zoug considera que la muchacha no debería morir. Y tú, Dorv, ¿qué opinas?

La mano del otro viejo subió y, antes de que pudiera bajarla, todas las miradas se concentraron en Mog-ur.

–Dorv dice que sí. Mog-ur, ¿cuál es tu opinión? –preguntó Brun. Había adivinado lo que dirían los demás, pero el jefe no estaba seguro en cuanto al viejo mago.

Creb se sentía morir; conocía las tradiciones del clan, se echaba la culpa del delito de Ayla, de haberle dejado demasiada libertad. Se sentía culpable por quererla y temía que eso empañara su razón, temía ser capaz de pensar en sí mismo antes que en su deber hacia el clan, y comenzó a levantar el puño. Lógicamente decidió que debería morir; pero antes de iniciar el movimiento, su puño se fue de lado como si alguien lo hubiera empujado a su pesar. No pudo decidirse a condenarla aun cuando haría lo que debiera, una vez tomada la decisión. Él no tenía nada que decir; eso le correspondía a Brun y sólo a Brun.

–Las opiniones están divididas a partes iguales –anunció el jefe–. La decisión, de todos modos, estaba en mis manos. Sólo quería conocer vuestras opiniones. Necesitaré algún tiempo para pensar en lo que se ha dicho hoy. Mog-ur dice que esta noche tendremos una ceremonia. Eso está bien. Necesitaré que me ayuden los espíritus, tal vez todos necesitemos su protección. Conoceréis mi decisión por la mañana. Ella se enterará también en ese momento. Ahora podéis ir a prepararos para la ceremonia.

Brun permaneció junto al fuego, solo, después de que se fueran todos. Las nubes corrían por el cielo, impulsadas por vientos fríos, y a su paso dejaban caer, a ratos, chubascos helados, pero Brun no se fijaba en la lluvia como tampoco en las últimas brasas que chisporroteaban en el fuego que se apagaba. Era casi de noche cuando finalmente se incorporó y echó a andar lentamente hacia la cueva. Vio que Ayla seguía sentada donde la había visto por la mañana, antes de salir. «Espera lo peor, se dijo. ¿Qué otra cosa le cabe esperar?»

16

El clan se reunió temprano fuera de la cueva. Soplaba un frío viento del este anunciando ráfagas más heladas aún, pero el cielo estaba claro y el sol mañanero brillante, justo por encima de la sierra, en contraste con los ánimos sombríos. Cada quien evitaba las miradas de los demás; los brazos colgaban a los lados a falta de conversación, mientras todos iban a ocupar su lugar arrastrando los pies, para saber cuál sería el destino de la extraña muchacha que no les era ajena.

Uba podía sentir que su madre temblaba y que su mano la apretaba tanto que le hacía daño. La niña sabía que era algo más que el viento lo que estremecía tan fuertemente a su madre. Creb estaba de pie en la abertura de la cueva. Nunca había parecido más imponente el gran mago, con su cara estropeada como de granito cincelado y su único ojo tan opaco como si fuera de piedra. A una señal que le hizo Brun, fue cojeando a la cueva, lenta, cansadamente, abrumado bajo un peso avasallador. Fue hasta su hogar y miró a la muchacha que estaba sentada sobre sus pieles y, con un esfuerzo supremo de voluntad, se acercó a ella.

–Ayla, Ayla –dijo dulcemente. La muchacha alzó la mirada–. Es la hora. Tienes que venir. –La muchacha tenía la mirada apagada, como si no comprendiese–. Ahora tienes que venir, Ayla, Brun espera –repitió Creb.

Ayla asintió y se puso penosamente en pie. Tenía las piernas agarrotadas por haber estado sentada tanto tiempo, pero apenas lo notaba. Siguió silenciosamente al viejo, contemplando el polvo del suelo pisoteado que todavía mostraba las huellas de los que habían seguido ese camino previamente: la señal de un talón, la impresión de dedos, la silueta borrosa de un pie encerrado en una bolsa floja de cuero, la marca redonda del cayado de Creb y el surco de la pierna tullida que arrastraba. Se detuvo al ver los pies de Brun, envueltos en protectores polvorientos, y se dejó caer al suelo. Al sentir un leve golpe en el hombro, hizo un esfuerzo para alzar la mirada hasta el rostro del jefe del clan.

El impacto le devolvió la conciencia y despertó en ella un temor indefinible. Le era familiar –frente baja y huidiza, cejas fuertes, nariz grande en forma de pico, barba entrecana–, pero la mirada orgullosa, severa y dura de los ojos del jefe había desaparecido, sustituida por una compasión sincera y un pesar luminoso.

–Ayla –dijo en voz alta antes de proseguir con gestos formales reservados para las ocasiones serias–, muchacha del clan, las tradiciones son antiguas. Hemos vivido con ellas durante generaciones, casi desde que el clan existe. No has nacido de nosotros pero eres uno de los nuestros, y debes vivir o morir según nuestras propias costumbres. Mientras estuvimos en el norte cazando mamuts, se te vio emplear una honda, y ya habías cazado anteriormente con honda. Las mujeres del clan no usan armas, es una de muestras tradiciones. También el castigo forma parte de nuestras tradiciones. Así vive el clan y no se puede cambiar.

Brun se inclinó hacia delante y miró a los ojos azules llenos de espanto de la muchacha.

–Sé por qué has usado la honda, Ayla, aunque todavía no puedo entender por qué comenzaste. Brac no viviría de no haber sido por ti. –Se enderezó y, con los gestos más formales, de manera que todos pudieran ver, agregó–: El jefe de este clan agradece a la muchacha el haber salvado la vida del hijo de la compañera de su hijo.

Algunos miembros del clan intercambiaron sus miradas. Era una rara concesión que un hombre no solía hacer públicamente, y más raro aún que un jefe admitiera estar agradecido a una simple muchacha.

–Pero las tradiciones no hacen esas concesiones –prosiguió. Hizo una seña a Mog-ur y el mago entró en la cueva–. No me queda más remedio, Ayla. Mog-ur está ahora colocando los huesos y diciendo en voz alta los nombres que no se pueden pronunciar, nombres que sólo conocen los mog-ures. Cuando haya terminado, morirás. Ayla, muchacha del clan, estás Maldita, Maldita de Muerte.

Ayla sintió que la sangre abandonaba su rostro. Iza chilló y sostuvo su lamento, convertido ahora en un agudo gemido por su hija perdida. El sonido se cortó de repente al alzar Brun la mano:

–No he terminado –indicó. En medio del súbito silencio que siguió, entre los miembros del clan se cruzaron miradas de expectante curiosidad. ¿Qué más tendría que decir Brun?

–Las tradiciones del clan son claras, y yo, como jefe, debo seguir las costumbres. Una mujer que emplee un arma debe ser maldita de muerte, pero no hay costumbres que indiquen por cuánto tiempo. Ayla, estás Maldita de Muerte por toda una luna. Si, por gracia de los espíritus, eres capaz de volver del otro mundo una vez que la luna haya concluido su ciclo y se encuentre en la misma fase que ahora, podrás volver a vivir con nosotros.

El grupo sufrió una conmoción: era algo inesperado.

–Eso es cierto –señaló Zoug–. Nada dice que la maldición tenga que ser permanente.

–Pero ¿qué diferencia existe? ¿Cómo puede alguien estar muerto por tanto tiempo y volver a vivir? Tal vez unos cuantos días, pero ¿una luna entera? –inquirió Droog.

–Si la maldición fuera unos pocos días, no estoy seguro de que se cumpliera el castigo –dijo Goov–. Algunos mog-ures consideran que el espíritu no llega nunca al otro mundo si la maldición es breve. Se queda merodeando en espera de que pase el tiempo para poder regresar. Si el espíritu se queda cerca, también se quedarán los malos. Es una maldición de muerte limitada, pero es tan prolongada que bien pudiera ser permanente. Eso satisface las costumbres.

–Entonces, ¿por qué no le ha echado la maldición y se acabó? –señaló Broud con ira–. No hay nada en las tradiciones acerca de maldiciones de muerte temporales por ese delito. Se supone que debe morir por ello, la maldición de muerte debería ser el final para ella.

–¿Crees que no lo será, Broud? ¿De veras crees que podría regresar? –preguntó Goov.

–No creo nada. Sólo quiero saber por qué Brun no se ha limitado a echarle la maldición. ¿Acaso no es ya capaz de tomar una decisión?

Broud estaba confundido por la pregunta directa. Había manifestado abiertamente la idea que todos habían ponderado privadamente: ¿impondría Brun una maldición temporal de muerte si no creyera que podía haber una oportunidad, por remota que fuera, de que pudiera volver de entre los muertos?

Brun había luchado con ese dilema la noche entera. Ayla había salvado la vida del bebé; no era justo que tuviera que morir por ello. Él amaba al niño y estaba sinceramente agradecido, pero en todo aquello había algo más que sus sentimientos personales. Las tradiciones exigían que la muchacha muriera, pero también había otras costumbres: las de la obligación, las costumbres que imponían una vida por otra. Ella llevaba parte del espíritu de Brac; merecía, se le debía algo de igual valor: se le debía su propia vida.

Sólo cuando comenzaba a clarear el alba había finalmente encontrado el camino. Algunas almas osadas habían vuelto después de una maldición temporal de muerte. Era una oportunidad remota, casi no llegaba a ser oportunidad, apenas un leve vestigio de esperanza. A cambio de la vida del niño, Brun le daba la única oportunidad que podía darle. No era suficiente, pero no podía ofrecer más y era mejor que nada.

Súbitamente se hizo un silencio de muerte: Mog-ur estaba en pie ante la abertura de la cueva, y parecía la muerte en persona, anciano y agotado. No era necesario que hiciera la señal. Estaba hecha. Mog-ur había cumplido con su deber: Ayla estaba muerta.

El alarido de Iza rasgó el aire. Entonces comenzaron Oga y Ebra, y después todas las mujeres se unieron a Iza, lamentándose por simpatía hacia ella. Ayla vio cómo la mujer a la que amaba se derrumbaba bajo el peso del dolor y corrió hacia ella para consolarla; pero justo cuando iba a rodear con sus brazos a la única madre que podía recordar, Iza le volvió la espalda y se apartó para evitar el abrazo; era como si no la hubiera visto. La muchacha estaba confundida; miró interrogativamente a Ebra, pero ésta miró a través de ella. Fue hacia Aga y después hacia Ovra: ninguna la veía. Cuando se acercaba, se daban la vuelta o se apartaban. No deliberadamente para dejarla pasar, sino como si hubieran pensado cambiar de sitio antes de que ella llegara. Corrió hacia Oga.

–Soy yo, soy Ayla. Estoy aquí, frente a ti. ¿No me ves? –gesticuló.

Los ojos de Oga se volvieron vidriosos. Se dio la vuelta y se alejó sin responder, sin dar muestras de que la reconociera, como si Ayla fuera invisible.

Ayla vio que Creb se dirigía a Iza, y corrió hacia él:

–¡Creb! Soy Ayla, aquí estoy –señalaba frenéticamente. El viejo mago siguió su camino, apartándose apenas para evitar a la muchacha que se derrumbó a sus pies hecha un ovillo, como si fuera una roca inanimada en su camino–. ¡Creb! –gimió la muchacha–. ¿Por qué no puedes verme? –Se incorporó y corrió nuevamente hacia Iza.

–¡Madre! ¡Madrrre! ¡Mírame! ¡MÍRAME! –gesticuló delante de los ojos de la mujer. Iza volvió a lanzar el mismo grito prolongado de antes; agitó los brazos y se golpeó el pecho.

–¡Mi hija! ¡Mi Ayla! Ha muerto mi hija. Se ha ido. Mi pobre, pobre Ayla. Ya no vive.

Ayla miró a Uba, que se abrazaba a las piernas de su madre, llena de temor y confusión. Se arrodilló frente a la niña.

–Tú me ves, ¿verdad, Uba? Estoy aquí. –Ayla vio que los ojos de la niña daban señales de reconocerla, pero al instante Ebra se agachó, cogió a la niña y se la llevó.

–¡Quiero ir con Ayla! –señalaba la niña tratando de alejarse.

–Ayla ha muerto, Uba. Se ha ido. Eso no es Ayla, es sólo su espíritu: tiene que encontrar su camino hacia el otro mundo. Si tratas de hablarle, si lo ves, el espíritu querrá llevarte consigo. Te traerá mala suerte verlo; no lo mires. No quieres tener mala suerte, ¿verdad, Uba? –Ayla se dejó caer en el suelo; realmente no había imaginado lo que significaba una maldición de muerte; se había imaginado todo tipo de horrores, pero la realidad era mucho peor.

Para el clan, Ayla había dejado de existir. No era una farsa, no era una simulación para asustarla: no existía. Era un espíritu que resultaba visible por casualidad, que aún prestaba una semblanza de vida a su cuerpo, pero Ayla había muerto. La muerte era un cambio de estado para la gente del clan, un viaje a otro plano de la existencia. La fuerza vital era un espíritu invisible, resultaba evidente. Una persona podía estar viva un instante y muerta al siguiente sin cambio aparente, con la salvedad de que lo que causaba movimiento y hálito y vida había desaparecido. La esencia que fue la verdadera Ayla había dejado de formar parte de su mundo; se había visto obligada a pasar al otro. No importaba que la parte física estuviera fría e inanimada o cálida y animada.

Sólo quedaba dar un paso más para acreditar que la esencia de la vida pudiera ser expulsada. Si el cuerpo físico de Ayla no lo sabía aún, muy pronto se enteraría. Nadie creía realmente que fuera a regresar algún día, ni siquiera Brun. Su cuerpo, la envoltura vacía, nunca podría ser nuevamente viable a menos que su espíritu fuera autorizado a regresar; y sin el espíritu vital, el cuerpo no podría comer ni beber, y pronto se deterioraría. Si se admitía firmemente semejante concepto y si los seres amados ya no reconocían la existencia de uno, ya no había existencia. Ya no había razón alguna para comer, beber o vivir.

Pero mientras el espíritu permaneciera cerca de la cueva, animando al cuerpo, aun cuando ya no formase parte de él, las fuerzas que lo impulsaban también merodeaban cerca; podrían perjudicar a los que seguían viviendo, podrían intentar llevarse consigo otra vida. No era poco frecuente que el compañero u otra persona íntima de alguien a quien se hubiera maldecido de muerte falleciera poco después. Al clan no le importaba que el espíritu se llevara consigo el cuerpo o dejara la envoltura inmóvil tras de sí, lo que deseaba era que el espíritu de Ayla se fuera, y pronto.

Ayla observaba a las personas que le eran tan familiares y que estaban a su alrededor. Se apartaban entregándose a tareas rutinarias, pero existía cierta tensión. Iza y Creb entraron en la cueva; Ayla se puso en pie y les siguió. Nadie intentó detenerla, sólo Uba fue retenida lejos de ella. Se consideraba que los niños disfrutaban de una protección especial, pero nadie quería arriesgarse. Iza recogió todas las pertenencias de Ayla, incluyendo su lecho de pieles y el relleno de hierba seca que cubría una depresión del piso, y las llevó afuera; Creb la acompañó tras haberse agachado para coger una rama ardiendo del fuego de la cueva. La mujer lo arrojó todo a un lugar junto a una hoguera sin encender que Ayla no había visto antes, y regresó corriendo a la cueva mientras Creb prendía el fuego; el mago hizo gestos silenciosos por encima de sus cosas y el fuego, gestos que en su mayoría eran desconocidos para la muchacha.

Con una consternación que crecía por instantes, Ayla vio cómo Creb echaba al fuego todas sus cosas. No habría ceremonia funeraria en su honor; eso formaba parte del castigo, parte de la maldición. Pero había que destruir todo recuerdo de ella, no debía quedar nada que pudiera retenerla allí. Vio cómo su palo de cavar empezaba a arder, después su canasto, el relleno de hierba seca, la ropa; todo fue arrojado al fuego. Vio cómo le temblaban las manos a Creb al coger su manto de pieles. Lo apretó un instante contra su pecho y lo arrojó después a las llamas.

—¡Creb, yo te quiero! —gesticuló la muchacha. Él pareció no verla. Con un sentimiento de horror profundo, vio cómo recogió su bolsa de medicinas, la que Iza le había hecho justo antes de la malhadada cacería de mamuts, y la tiraba también al fuego.

—¡No, Creb, no! Mi bolsa de medicinas no —rogó; pero era demasiado tarde, ya había empezado a arder.

Ayla no pudo soportarlo más. Echó a correr ciegamente cuesta abajo, en dirección al bosque, sollozando de dolor y desolación. No se daba cuenta de la dirección que había tomado ni le importaba. Las ramas le cerraban el paso, pero seguía avanzando aunque le arañaban brazos y piernas. Atravesó agua helada, pero no advirtió que tenía los pies empapados ni que comenzaban a entumecérsele hasta que tropezó con un tronco seco y cayó cuan larga era. Quedó tendida sobre la tierra fría y húmeda, deseando que la muerte se apresurara y la aliviara de su aflicción. No le quedaba nada: ni familia, ni clan, ni razón para seguir viviendo. Estaba muerta, ellos decían que estaba muerta.

La muchacha estaba a punto de ver realizado su deseo. Perdida en su mundo privado de temor y desdicha, no había comido ni bebido desde su regreso, hacía más de dos días. No llevaba ropa de abrigo, los pies le dolían de frío. Estaba débil y deshidratada, y era una perfecta candidata a morir a causa de su exposición a la intemperie. Pero dentro de ella había algo más fuerte que su deseo de morir, lo mismo que la había mantenido en movimiento mucho antes, cuando un terremoto devastador había dejado a la niña de cinco años privada de amor, familia y seguridad. Una voluntad indomable de vivir, un obstinado instinto de supervivencia que no le permitía abandonarse mientras respirara, mientras le quedara vida para seguir adelante.

La caída le había repuesto un poco del cansancio; sangrando por los arañazos y tiritando de frío, se sentó. Su rostro había dado contra un montón de hojas mojadas, y se lamió los labios, pues su lengua buscaba humedad; tenía sed. No podía recordar cuándo había tenido tanta sed en toda su vida. El gorgoteo de agua próxima la hizo incorporarse. Después de beber agua fría prolongada y satisfactoriamente, siguió caminando. Tiritaba tanto que los dientes le castañeteaban, y le lastimaba caminar con los pies fríos y doloridos. Estaba mareada y confusa. Su actividad la hizo entrar un poco en calor, pero la temperatura había bajado tanto que ya comenzaba a sentir sus efectos.

No sabía con seguridad dónde se encontraba, no había pensado en un destino determinado, pero sus pies la llevaron por un trayecto que había recorrido muchas veces anteriormente y que se había fijado en su cerebro a fuerza de repetirlo. El tiempo no significaba nada para ella, no sabía cuánto rato llevaba caminando. Trepó a lo largo de la base de una muralla empinada más allá de una cascada nebulosa y empezó a tener conciencia de que la zona le parecía familiar. Saliendo de un bosque ralo de coníferas mezcladas con sauces y abedules enanos, se encontró en su alto prado secreto.

Se preguntó cuánto tiempo hacía que no visitaba el lugar. Pocas veces había vuelto desde que empezó a cazar, menos cuando estuvo practicando la técnica de las dos piedras. Siempre había sido un lugar de prácticas, no de caza. ¿Había estado allí siquiera una vez en todo el verano? No podía recordar. Apartando las densas y enmarañadas ramas que la ocultaban a pesar de no tener hojas, Ayla entró en su pequeña cueva.

Le pareció más pequeña de lo que recordaba. «Ahí están las viejas pieles de dormir», se dijo, recordando cuando las había traído, tanto tiempo atrás. Algunas ardillas listadas habían hecho su nido en ellas, pero cuando las sacó para sacudirlas, comprobó que no estaban demasiado estropeadas: sólo un poco tiesas, por viejas, pero la cueva seca las había conservado. Se envolvió en ellas, agradeciendo su calor, y volvió a entrar en la cueva.

Había una pieza de cuero, una vieja capa que había llevado a la cueva para hacerse un jergón rellenándola de hierbas por debajo. «Me pregunto si seguirá aquí aquel cuchillo, se dijo. El estante se ha caído, pero debería estar por aquí cerca..., ¡aquí está!» Ayla sacó la hoja de sílex de entre la tierra, la limpió y empezó a recortar la vieja capa de cuero. Se quitó los protectores mojados que llevaba en los pies y pasó las correas por los orificios abiertos en los círculos que había cortado, después se puso éstos en los pies rellenándolos con hierba seca que había encontrado debajo del cuero, y tendió los mojados para que se secaran. Entonces empezó a hacer un inventario.

«Necesito un fuego, pensó, la hierba seca servirá para que prenda.» La amontonó junto a una pared. «El estante está seco; lo puedo hacer astillas para el fuego y también como base para encenderlo, si encuentro un palo para la fricción. Ahí está mi taza de abedul; también podría quemarla... No, me servirá para el agua. Esta canasta está hecha trizas, pensó mirándola, pero ¿qué hay dentro? ¡Mi vieja honda! No recordaba haberla dejado aquí; sin duda hice una nueva.» Cogió la honda. «Es demasiado pequeña y los ratones casi han dado cuenta de ella; necesitaré otra.» Se detuvo y se quedó contemplando el trozo de cuero que tenía entre las manos.

«He sido maldita. Por esto he sido maldita. Estoy muerta. ¿Cómo puedo estar pensando en fuegos y hondas? Estoy muerta. Pero no me siento muerta: siento hambre y frío. ¿Acaso puede un muerto sentir hambre y frío? ¿Qué se siente estando muerto? ¿Estará mi espíritu en el otro mundo? Ni siquiera sé dónde está mi espíritu. Nunca he visto el espíritu. Creb dice que nadie puede ver a los espíritus, pero que se les puede hablar. ¿Por qué no podía verme Creb? ¿Por qué no podía verme nadie? Debo de estar muerta. Entonces, ¿por qué estoy pensando en fuegos y en hondas? ¡Porque tengo hambre!»

«¿Debería usar la honda para conseguir algo de comer? ¿Y por qué no? Ya tengo la maldición encima, ¿qué más podrían hacerme? Pero ésta no sirve. ¿Con qué podría hacerme otra? ¿Con la capa? No, es demasiado dura: lleva demasiado tiempo aquí; lo que necesito es piel suave, un cuero delgado y flexible. Miró a su alrededor por la cueva. Ni siquiera puedo matar un animal para hacerme una honda, si no tengo honda. ¿Dónde podría encontrar cuero suave?» Después de darle muchas vueltas a la cabeza, se sentó en el suelo desesperada.

Se fijó en las manos que tenía sobre el regazo y de repente se percató de dónde las tenía apoyadas: ¡el manto! «El manto es suave y flexible. Puedo cortarle un trozo.» Se alegró y empezó a buscar por la cueva, nuevamente entusiasmada. «Ahí está mi viejo palo de cavar; no recuerdo haber dejado ninguno aquí. Y algunos trastos. Eso mismo, traje unas cuantas conchas. Tengo hambre, ojalá hubiera algo de comer por aquí. ¡Espera! ¡Eso es! Este año no he cogido avellanas: tienen que estar caídas por ahí fuera.»

Todavía no se había dado cuenta de ello, pero Ayla había vuelto a vivir. Recogió las avellanas, las llevó a la cueva y comió todas las que su estómago, encogido por la falta de alimentos, pudo admitir. Entonces se quitó las pieles viejas y cortó un trozo para hacerse una honda. La tira no iba a tener el bolso hundido para retener las piedras, pero pensó que de todos modos serviría.

Nunca había cazado anteriormente animales para comer; el conejo era rápido pero no lo suficiente. Creyó recordar haber pasado junto a una presa de castores; derribó al animal acuático precisamente cuando iba a zambullirse. Al regresar a la cueva divisó una piedra pequeña, gris y gredosa junto al arroyo. «¡Eso es sílex! ¡Sé que es sílex!» Recogió el nódulo y se lo llevó también. Metió al conejo y al castor en la cueva y salió otra vez en busca de leña y de una piedra para martillar.

«Necesito un palo para hacer fuego, se dijo, tiene que ser bueno y seco; esta madera está algo húmeda.» Vio su viejo palo de cavar. «Con eso se puede hacer», se dijo. Era algo difícil iniciar un fuego sin ayuda: estaba acostumbrada a alternar la presión hacia abajo, girando, con otra mujer para que no parara de dar vueltas. Después de un esfuerzo y concentración intensos, un trocito ardiendo de la plataforma del fuego cayó en el montón de hierba seca. Soplando cuidadosamente se vio recompensada con unas llamitas que subían; agregó las astillas una por una y después trozos más grandes del viejo estante. Cuando el fuego quedó firmemente prendido, colocó encima trozos más grandes de la madera que había estado recogiendo, y un fuego alegre calentó la pequeña cueva.

«Voy a tener que hacerme una olla para cocinar, pensó mientras ensartaba el conejo desollado en el asador y le ponía encima la cola del castor para añadir su sabrosa grasa a la carne magra. Necesitaré otro palo de cavar y un canasto. Creb quemó el mío; lo quemó todo, hasta mi bolsa de medicinas. ¿Por qué tenía que quemar mi bolsa de medicinas? Se le llenaron los ojos de lágrimas que muy pronto corrieron por sus mejillas. Iza dijo que yo había muerto; le supliqué que me viera pero sólo decía que yo había muerto. ¿Por qué no podía verme? Si yo estaba allí delante de ella. –La muchacha lloró un poco y después acabó por sentarse y secarse las lágrimas–. Voy a hacerme otro palo de cavar; necesitaré un hacha de mano, se dijo con firmeza.»

Mientras el conejo se asaba, talló a golpes un hacha de mano de la manera como se lo había visto hacer a Droog, y con ella cortó una rama verde para hacer un palo de cavar. Después recogió más leña y la depositó en la cueva. Esperaba con impaciencia que la carne estuviera asada: sólo de olerla se le hacía la boca agua y su estómago vacío gruñía. Cuando mordió el primer bocado, tuvo la sensación de que nada le había parecido nunca tan sabroso.

Había oscurecido para cuando terminó y se alegró de tener fuego. Lo juntó bien para que no se apagara y se acostó, envuelta en las viejas pieles, pero el sueño se negó a venir. Se quedó mirando las llamas mientras los espantosos sucesos del día pasaban por su mente en una horrenda procesión, sin darse cuenta de que le corrían las lágrimas. Estaba asustada, pero, más que nada, estaba solitaria. No había pasado una noche sola desde que Iza la recogió. Por fin, el agotamiento le cerró los ojos, pero su sueño fue perturbado por pesadillas. Llamaba a Iza y llamaba a otra mujer en un lenguaje que casi había olvidado. Pero no había nadie para consolar a la muchacha desesperada, enferma de soledad.

Los días de Ayla transcurrían en una actividad constante para asegurarse la supervivencia. No era ya la criatura inexperta e ignorante que había sido a los cinco años. Durante los años pasados con el clan, había tenido que trabajar duro, pero al hacerlo había aprendido. Tejió canastos muy tupidos, impermeables, para llevar agua y cocinar, y se hizo un nuevo canasto para recolectar. Curtió las pieles de los animales que cazaba y forró con piel de conejo el interior de los protectores que usaba para los pies; se hizo unas polainas enrolladas y atadas con cuerda, y unos protectores para las manos parecidos a los de los pies: una pieza circular que se ataba alrededor de la muñeca formando una bolsa, pero con unas ranuras cortadas en la palma para sacar el pulgar. Fabricó herramientas de sílex y recogió hierba para que su cama fuera más mullida.

Las hierbas del prado le suministraban también alimento. Estaban altísimas, cargadas de semillas y granos. En la zona inmediata había también nueces, bayas de arándano, gayubas, manzanillas duras, tubérculos feculentos y helechos comestibles. Se alegró de hallar astrágalos, en la variedad no venenosa de la planta, cuyas vainas verdes encerraban hileras de granos redonditos; también recogió las diminutas semillas duras del quenopodio blanco para molerlas y agregarlas a los cereales que cocía para hacer gachas. Su entorno cubría sus necesidades.

A poco de llegar pensó que necesitaba otro manto de piel. El invierno no había alcanzado aún lo peor que tenía en reserva, pero hacía frío, y Ayla sabía que la nieve no tardaría en caer. Pensó primero en una piel de lince; el lince encerraba para ella un significado especial; pero su carne sería incomible, al menos para ella, y el alimento resultaba tan importante como la piel. No le costaría mucho cubrir sus necesidades inmediatas mientras pudiera cazar, pero tenía que almacenar para cuando la nieve no le permitiera salir de la cueva. La comida era ahora su razón de cazar.

No le gustaba nada la idea de matar a una de las dulces y tímidas criaturas que habían compartido durante tanto tiempo su retiro, y no estaba segura de poder matar un venado con la honda. Le sorprendió ver que la pequeña manada todavía ocupaba el alto prado, pero comprendió que debería aprovechar la oportunidad antes de que los animales bajaran a zonas menos elevadas. Una piedra lanzada con fuerza desde cerca derribó una hembra, y un fuerte estacazo acabó con ella.

Su piel era gruesa y suave –la naturaleza había preparado al animal para los inviernos fríos–, y su carne asada constituyó una cena muy satisfactoria. El olor a carne fresca atrajo a un glotón malhumorado; una piedra rápida dio cuenta de él y a Ayla le recordó el primer animal que había derribado: un glotón que había estado robando al clan. «Los glotones sirven para algo», le dijo a Oga en aquella ocasión; la respiración helada no se congelaba en la piel de un glotón; con sus pieles se hacían siempre las mejores capuchas. «Esta vez me haré una capucha con su piel», se dijo, arrastrando al animal muerto hacia la cueva.

Encendió fuegos formando un círculo alrededor del tendedero en que había puesto la carne a secar, evitando así que otros carnívoros se acercaran y acelerando al mismo tiempo el proceso de secado; además de que le agradaba el sabor que el humo daba a la carne. Abrió un hoyo en el fondo de la cueva, poco hondo, pues la capa de tierra no era profunda en la parte posterior de aquella grieta abierta en el monte, y lo forró con piedras del río. Una vez almacenada la carne, cerró el escondite con piedras pesadas.

Su nueva piel, curtida mientras se secaba la carne, tenía también olor a humo, pero era cálida y, junto con la vieja, le proporcionaba un lecho confortable. El venado le proporcionó también una bolsa para el agua, una vez que el estómago impermeable estuvo bien lavado, y tendones para hacer cuerdas, así como grasa de la protuberancia que tenía encima de la cola, donde el animal guardaba su reserva para el invierno. Estaba continuamente preocupada esperando que llegara la nieve, mientras se secaba la carne, y dormía fuera, dentro de un círculo de hogueras, para mantenerlas encendidas. Una vez que lo tuvo todo guardado, se sintió mucho más tranquila y segura.

Cuando un cielo pesadamente encapotado ocultó la luna, empezó a preocuparse por el paso del tiempo. Recordaba exactamente lo que había dicho Brun: «Si, por la gracia de los espíritus, eres capaz de volver del otro mundo una vez que la luna haya concluido su ciclo y se encuentre en la misma fase que ahora, podrás volver a vivir con nosotros». Ella no sabía si estaba en el «otro mundo», pero, por encima de todo, lo que deseaba era regresar. No estaba muy segura de poder hacerlo, no sabía si la verían cuando se presentara, pero Brun dijo que podía, y ella se aferraba a las palabras del jefe. Sólo que ¿cómo iba a saber cuándo podría regresar si las nubes ocultaban la luna?

Recordó que una vez, mucho antes, Creb le había mostrado cómo hacer muescas en un palo. Comprendió que la colección de palos mellados que guardaba en un sitio del hogar –fuera de los límites fijados a los demás miembros de éste– eran las cuentas de tiempo entre sucesos importantes. Una vez, por curiosidad, trató de llevar la cuenta de algo, igual que él, y puesto que la luna seguía ciclos que se repetían, pensó que sería divertido ver cuántas muescas harían falta para completar un ciclo. Cuando Creb lo descubrió, la regañó severamente. La reprimenda fortaleció el recuerdo de aquella ocasión, además de advertirla de que no debería volver a hacerlo. Estuvo preocupada un día entero acerca de cómo iba a saber cuándo regresaría a la cueva, antes de recordar aquello, y decidió que marcaría un palo cada noche. Por más que se esforzaba por retenerlas, los ojos se le llenaban de lágrimas cada vez que hacía una muesca.

Se le llenaban muy a menudo los ojos de lágrimas. Cositas insignificantes provocaban recuerdos de amor y de calor. Un conejo asustado que brincara a través del camino le recordaba sus largos paseos con Creb. Le gustaba su viejo rostro áspero, tuerto y lleno de cicatrices. Pensar en él la hacía llorar. Ver una planta que había cortado para Iza le hacía prorrumpir en sollozos al recordar cómo la mujer le explicaba sus usos; y su llanto aumentaba al recordar a Creb quemando su bolsa de medicinas. Lo peor de todo era la noche.

Se había acostumbrado a andar sola todo el día después de los pasados buscando plantas o cazando por el campo, pero nunca había estado separada de la gente de noche. Sentada sola en su cueva contemplando el fuego y su reflejo rojizo que danzaba sobre la pared, lloraba anhelando la compañía de los seres amados. En ciertos aspectos, a quien más echaba de menos era a Uba. Con frecuencia abrazaba sus pieles y las mecía canturreando suavemente para sí como tantas veces había hecho con Uba. Su entorno satisfacía sus necesidades materiales, pero no las humanas.

La primera nieve cayó silenciosamente durante la noche. Ayla hizo una exclamación de complacencia al salir de la cueva por la mañana. Una blancura prístina suavizaba los contornos del paisaje familiar, creando un mundo de ensueño de formas fantásticas y plantas míticas. Los arbustos tenían altos sombreros de nieve suave, las coníferas estaban vestidas con nuevas prendas blancas de gala y las ramas deshojadas estaban cubiertas de mantos brillantes que las destacaban nítidamente sobre el profundo azul del cielo. Ayla miró sus huellas, que deshacían la perfecta y suave capa de impoluta luminosidad, y echó a correr por la blanca nevada, cruzando sus pasos una y otra vez para formar un diseño complejo cuyo plan original se perdió al ejecutarlo. Empezó a seguir el rastro de un animalito; de repente cambió de opinión y trepó al estrecho saliente del crestón rocoso que el viento no había permitido se cubriera de nieve.

Toda la sierra que se extendía tras ella en una serie de picos mayestáticos estaba cubierta de blanco matizado de azul. Chispeaba al sol como una joya gigantesca luminosa. La vista que se ofrecía ante ella mostraba hasta dónde se había extendido la nevada. El mar verde azulado, encrespado con la espuma del oleaje, se recogía en la grieta abierta entre colinas nevadas, pero, por el este, la estepa seguía sin cubrir. Ayla vio diminutas figurillas escabullirse a través de la planicie blanca que se extendía allá abajo. Una de las figuras parecía arrastrarse lentamente cojeando. De repente, la magia abandonó el paisaje nevado y la muchacha abandonó su atalaya.

La segunda nevada careció en absoluto de magia. La temperatura bajó bruscamente. En cuanto dejaba la cueva, feroces vientos le clavaban afiladas agujas en su desnudo rostro, congelándoselo. La tormenta duró cuatro días; amontonó tanta nieve contra la muralla que casi bloqueó la entrada de la cueva. Ayla se abrió un túnel para salir, haciendo uso de las manos y de un hueso plano de la cadera del venado que había matado, y se pasó el día recogiendo leña. La operación de secar la carne había agotado la reserva de leña que había alrededor, y avanzar penosamente por la nieve la dejó exhausta. Estaba segura de que tenía suficiente comida, pero no había tenido igual cuidado en amontonar madera. No estaba segura de que tuviera suficiente y si nevaba mucho más su cueva podría quedar enterrada tan profundamente que le resultaría imposible salir.

Por vez primera, desde que se encontró sola en su pequeña cueva, temió por su vida. La altitud del prado era demasiado elevada. Si llegaba a quedarse atrapada allí, no podría durar el invierno entero. No había tenido tiempo para prepararse para toda la estación fría. Aquella tarde Ayla regresó a su cueva prometiéndose recoger más leña al día siguiente.

Por la mañana, otra tormenta de nieve ululaba furiosamente; la entrada de la cueva quedó totalmente bloqueada. La muchacha se sintió encerrada, atrapada y asustada. Se preguntó cuán profundamente estaría encerrada bajo la nieve. Encontró una rama larga y la metió a través de las ramas del matorral de avellano, con lo que entró nieve en la cueva. Sintió una corriente de aire y miró, comprobando que la nieve caía horizontalmente, empujada por el viento; dejó la rama en el agujero y regresó junto al fuego.

Fue una suerte que pensara medir la altura del montón de nieve. El orificio, que la rama mantenía abierto, permitía entrar aire fresco en el corto espacio que ella ocupaba; el fuego necesitaba oxígeno y ella también. Sin aquel orificio, podría haberse quedado dormida y no despertar jamás; había corrido un peligro mayor del que suponía.

Descubrió que no necesitaba un fuego muy grande para mantener caliente la cueva. La nieve, que encerraba minúsculas bolsas de aire entre sus cristales helados, era un buen aislante; el calor de su cuerpo casi habría bastado para mantener caliente el pequeño espacio. Pero necesitaba agua; el fuego resultaba más importante para derretir la nieve que para mantener el calor.

Sola en la cueva, sin más iluminación que el diminuto fuego, el único medio que tenía de distinguir entre el día y la noche era la vaga luz que se filtraba por el respiradero durante el día. Tuvo la precaución de hacer una muesca en la rama cada tarde cuando se iba la luz. Sin otra cosa que hacer más que pensar, se quedaba mirando el fuego. Era caliente y se movía sin parar, de modo que encerrada, como sepultada, en su mundo, le pareció que cobraba vida propia. Veía cómo devoraba cada astilla, dejando sólo por residuo un poco de ceniza.

»¿Tendrá también el fuego un espíritu? –se preguntaba–. ¿Adónde va el espíritu del fuego cuando éste se apaga? Creb dice que cuando muere una persona, su espíritu pasa al otro mundo. ¿Estaré yo en el otro mundo? No se nota mucha diferencia; sólo que éste es más solitario y nada más. ¿Tal vez mi espíritu está en otra parte? ¿Cómo saberlo? Pero no me da esa impresión. Bueno, quizá. Creo que mi espíritu está con Creb, con Iza y con Uba. Pero yo estoy maldita, debo de estar muerta.

»Sabiendo que iba a sufrir la maldición, ¿por qué me daría una señal mi tótem? Creía que me estaría probando; tal vez esto sea otra prueba. Tal vez haya ido él al mundo de los espíritus en mi lugar. Tal vez sea él quien está combatiendo a los malos espíritus, podría hacerlo mejor que yo. Tal vez me haya enviado aquí a esperar. ¿Podría estar protegiéndome? Pero si no estoy muerta, ¿cómo estoy? Estoy sola, eso es lo que me pasa; ojalá no estuviera tan sola.

»El fuego tiene nuevamente hambre y quiere algo de comer. Creo que yo también voy a comer algo.» –Ayla tomó otro leño de su reserva, que menguaba rápidamente, y se lo echó a las llamas; después se fue a ver su respiradero–. «Está oscureciendo, pensó, será mejor que marque mi palo. ¿Irá a estar soplando esa tormenta el invierno entero?» –Cogió su palo marcado, hizo una nueva muesca y ajustó sus dedos sobre todas las marcas; primero una mano, después la otra, nuevamente la primera y continuó hasta haber cubierto todas las marcas–. «Ayer fue mi último día; ahora puedo volver, pero ¿cómo salir con esta tormenta?» Comprobó nuevamente el respiradero; apenas podía ver que la nieve seguía cayendo lateralmente en la oscuridad creciente. Meneó la cabeza y regresó junto al fuego.

Al día siguiente, cuando despertó, lo primero que hizo fue comprobar de nuevo el paso de aire, pero el ventarrón seguía soplando furiosamente. «¿No se detendrá nunca? No puede seguir así siempre, ¿no es cierto? Yo quiero regresar. ¿Y si Brun hubiera hecho permanente mi maldición? ¿Y si nunca pudiera regresar aunque cesara la tormenta? Si ahora no estoy muerta, seguro que lo estaría entonces. No ha habido tiempo suficiente. A duras penas he podido subsistir toda una luna; no podría lograrlo el invierno entero. Me pregunto por qué haría Brun que fuera una maldición de muerte limitada. No me lo esperaba. ¿Podría haber regresado realmente si hubiera ido yo al mundo de los espíritus y no mi tótem? ¿Cómo sé yo que fue mi espíritu? Tal vez mi tótem haya estado protegiendo aquí mi cuerpo mientras mi espíritu está lejos. No lo sé. No lo sé y eso es todo. Sólo sé que si Brun no hubiera hecho que la maldición fuera temporal, no me habría quedado la menor oportunidad, caviló.

«¿Una oportunidad? ¿Querría Brun darme una oportunidad?» Con un destello de percepción intuitiva, todo se ajustó en la mente de Ayla con una nueva profundidad, que revelaba su madurez recién alcanzada. «Creo que Brun hablaba sinceramente cuando me dio las gracias por haber salvado la vida de Brac. Tenía que maldecirme porque es la ley del clan, aunque no lo quisiera, pero sí quiso darme una oportunidad. No sé si estoy muerta. Cuando uno está muerto, ¿come o duerme o respira?» Se estremeció con un escalofrío que no era causado por la temperatura. Creo que la mayoría de la gente no quiere, y ya sé por qué.

«Entonces, ¿qué me decidió a seguir viviendo? ¡Habría sido tan fácil morir si me hubiera quedado tendida donde caí al salir corriendo de la cueva! Si Brun no me hubiera dicho que podría regresar, ¿me habría vuelto a levantar? De no saber que había una posibilidad, ¿habría seguido intentándolo? Brun dijo: "Por la gracia de los espíritus...". ¿Qué espíritus? ¿El mío? ¿El de mi tótem? ¿Importa acaso? Algo me ha hecho desear seguir viviendo; tal vez fuera mi tótem que me protegía y tal vez fuera simplemente que yo sabía que contaba con una oportunidad. Tal vez ambas cosas. Sí, creo que fueron ambas cosas.»

Ayla tardó un rato en darse cuenta de que estaba despierta y tuvo que tocarse los ojos para saber que los tenía abiertos. Ahogó un chillido en la negrura de la sofocante cueva. «¡Estoy muerta! ¡Brun me echó la maldición y ahora estoy muerta! Nunca podré salir de aquí ni regresar a la cueva: es demasiado tarde. Los malos espíritus me han engañado; me han dejado creer que estaba viva, a salvo en mi cueva; pero estoy muerta. Se enfurecieron al ver que no iba con ellos siguiendo el río, y por eso me castigaron. Me hicieron creer que estaba viva y en realidad he estado muerta todo el tiempo.» La muchacha temblaba de miedo, arrebujada en sus pieles y sin atreverse a hacer un movimiento.

La muchacha había dormido mal; se despertaba a cada momento y recordaba sueños pavorosos de horrendos espíritus malignos y de terremotos, de linces que atacaban y se convertían en leones cavernarios, y nieve, nieve sin fin. La cueva tenía un olor húmedo, peculiar, pero el olfato fue lo primero que le hizo percatarse de que sus demás sentidos estaban funcionando, aunque no la vista. Lo segundo fue cuando, presa del pánico, dio un brinco y se golpeó la cabeza con la muralla rocosa.

—¿Dónde está mi palo? —preguntaba por señas en la oscuridad—. Es de noche y tengo que hacer una marca en el palo.

Gateó en la oscuridad buscando su palo como si fuera lo más importante de su vida. «Se supone que lo marco de noche, pero ¿cómo puedo marcarlo si no lo encuentro? ¿Lo habré marcado ya? ¿Cómo voy a saber si puedo regresar a casa si no encuentro mi palo? No, no, eso no puede ser.» Sacudió la cabeza tratando de aclarar sus ideas. «Puedo regresar a casa, ya ha transcurrido el tiempo. Pero estoy muerta. Y la nieve no quiere parar. Va a seguir nevando y nevando. El palo. El otro palo. Tengo que ir a ver la nieve. ¿Cómo voy a ver la nieve en la oscuridad?»

Arrastrándose por la cueva, tropezando con las cosas, llegó a la abertura y vio un oscuro y pálido resplandor por arriba. «Mi palo, tiene que estar ahí arriba.» Trepó por el matorral que penetraba un poco en la cueva, encontró el extremo de la larga rama y la empujó. Le cayó la nieve encima mientras la rama avanzaba entre la nieve y abría el paso de aire. Una bocanada de aire fresco la saludó junto con un jirón de cielo de brillante azul. La tormenta había cedido finalmente, y cuando dejó de soplar el viento, la última nieve caída había taponado el agujero.

El aire fresco y frío le aclaró las ideas. «¡Ha terminado! ¡Ha dejado de nevar! ¡Por fin ha dejado de nevar! Puedo volver a casa. Pero ¿cómo voy a salir de aquí?», revolvió con la rama tratando de ensanchar el orificio. Se desprendió una amplia porción, cayó por la boca de la cueva y se estrelló contra el suelo, cubriéndolo de nieve húmeda y fría. Si no hubiera estado atenta, habría quedado sepultada. «Tengo que pensar muy bien lo que hago.» Bajó de nuevo y sonrió al ver cómo entraba la luz a raudales por la abertura ensanchada. Estaba excitada, ansiosa por marcharse, pero se obligó a sí misma a sentarse y a pensar muy bien en todo.

«Ojalá no se hubiera apagado el fuego, me habría gustado beber una infusión caliente. Pero creo que hay algo de agua en la vejiga. Sí, bueno, pensó, y bebió un poco. No podré cocinar nada para comer, pero una comida menos no me hará mucho daño. De todos modos, puedo comer algo de carne de venado seca. No hay necesidad de cocinarla. Volvió rápidamente a la entrada de la cueva para asegurarse de que el cielo seguía azul. Ahora bien, ¿qué voy a llevarme? No tengo que preocuparme por la comida, hay mucha en reserva, especialmente después de la cacería del mamut.»

De repente, todo se amontonó en su memoria: la cacería del mamut, la muerte de la hiena y la maldición de muerte. «¿Me aceptarán realmente otra vez? ¿Realmente querrán verme de nuevo? ¿Y si no? ¿Adónde iré? Pero Brun dijo que podría volver, lo dijo.» Ayla se aferraba a esa idea.

«Bueno, no me llevaré la honda, eso sí que no. ¿Y mi canasto? Creb quemó el mío. No necesitaré otro hasta el próximo verano; entonces haré otro nuevo. Mi ropa; me llevaré toda la ropa, la llevaré puesta, y quizá algunas herramientas.» Ayla reunió todas las cosas que pensaba llevarse y empezó a vestirse. Se puso el forro de piel de conejo y sus protectores para los pies, envolvió sus piernas en polainas de piel de conejo, metió sus herramientas en el manto y ató firmemente sus pieles contra su cuerpo. Se cubrió con la capucha de piel de glotón y los protectores de las manos, y avanzó hacia el orificio. Volvió para echar una mirada a la cueva que había sido su hogar durante la luna pasada, se quitó los protectores de sus manos y volvió sobre sus pasos.

No sabía por qué era importante dejar la cueva en orden, pero eso le daba la sensación de algo completo, como prescindir de ella ahora que ya no la necesitaba. Ayla tenía un sentido innato del orden, fortalecido por Iza, que debía mantener un ordenamiento sistemático en su depósito de medicinas. Rápidamente lo ordenó todo limpiamente, volvió a ponerse los protectores de las manos y se dirigió decididamente hacia la entrada bloqueada por la nieve.

Iba a salir; todavía no sabía cómo, pero iba a regresar a la cueva del clan.

«Será mejor que salga por la parte de arriba del agujero, porque no podré abrirme un túnel a través de tanta nieve», pensó. Empezó a trepar por el matorral de avellano y aprovechó la rama que había mantenido abierto el orificio para ensancharlo. Subida a las ramas más altas, que sólo se doblaban ligeramente bajo el peso de la joven, sacó la cabeza del hoyo y contuvo el aliento: su prado del monte era irreconocible. Desde su posición, la nieve formaba una suave pendiente. No podía identificar una sola marca en el terreno; todo estaba cubierto de nieve. «¿Cómo voy a poder pasar a través de todo esto? Está muy profundo.» La muchacha estaba casi abrumada por el desaliento.

Mirando a su alrededor, comenzó a determinar su posición. «Aquel bosquecillo de abedules, junto al alto pino, no es mucho más alto que yo. La nieve no puede ser muy profunda por ahí. Pero ¿cómo voy a llegar hasta allí?» Gateó para salir del agujero en que se encontraba, pisoteó la nieve para que proporcionara una base más sólida, mientras lo intentaba. Trepó por el saliente y cayó de bruces sobre la nieve; su peso se distribuyó por igual sobre una superficie más amplia, impidiéndole hundirse más.

Cuidadosamente se puso de rodillas y finalmente de pie, comprobando que sólo estaba más o menos a unos treinta centímetros por debajo de la nieve circundante. Dio un par de pasos vacilantes, pisoteando la nieve mientras avanzaba. Los protectores de sus pies eran unos holgados círculos de cuero fruncidos alrededor del tobillo, y el hecho de llevar dos pares le impedía caminar con agilidad, pues el segundo par se ajustaba peor aún sobre el primero, formando una especie de balón. Aunque no eran exactamente unas raquetas para la nieve, servían para repartir el peso de la muchacha sobre un área mayor, y eso le impedía hundirse demasiado en la nieve ligera como polvo.

Pero era difícil avanzar. Pisoteando la nieve al andar, dando pasos cortos y hundiéndose de vez en cuando hasta las caderas, se fue abriendo paso hasta el lugar en donde había estado el arroyo. La nieve que cubría el agua helada no era tan profunda. El viento había acumulado una gran cantidad contra la muralla en que se abría su cueva, pero en otras áreas había dejado la tierra casi desnuda. Se detuvo allí, tratando de decidir si seguiría el arroyo helado hasta el río y después daría un amplio rodeo, o si seguiría el camino más abrupto y directo hacia abajo, hasta la cueva del clan. Estaba ansiosa, no aguantaba la impaciencia que la impulsaba a regresar y decidió tomar el camino más corto. No sabía que era mucho más peligroso.

Ayla se puso en marcha cuidadosamente, pero era lento y difícil encontrar el camino de bajada. Para cuando el sol llegó a su punto más alto en el cielo, apenas había cubierto la mitad del trecho cuesta abajo que en verano solía recorrer en el tiempo que transcurre entre el crepúsculo y el anochecer. Hacía frío, pero los brillantes rayos de mediodía calentaban la nieve y la joven empezaba a cansarse y a mostrarse descuidada.

Partió de una plataforma desnuda, barrida por el viento, que conducía a una pendiente suave totalmente cubierta de nieve, y patinó sobre un tramo de gravilla. La grava suelta desprendió unas piedras mayores que sacaron de su sitio a otras. Todas las piedras fueron a parar a un montón de nieve, sacándolo de su posición insegura, mientras Ayla perdía pie. En un instante se encontró resbalando y rodando cuesta abajo, nadando a través de una cascada de nieve desplazada, en medio del rugido atronador de una avalancha.

Creb estaba acostado pero despierto cuando apareció Iza silenciosamente llevándole una taza de té caliente.

–Sabía que no dormías, Creb. He pensado que tal vez quisieras tomar algo caliente antes de levantarte. La tormenta cesó durante la noche pasada.

–Ya lo sé, puedo ver el cielo azul del otro lado de la muralla.

Se quedaron tomando té, sentados uno junto al otro. A menudo se sentaban juntos sin hablar. El hogar parecía vacío sin Ayla. Costaba trabajo creer que una muchacha pudiera dejar un vacío tan grande. Iza y Creb trataban de llenarlo estando más juntos, tratando de consolarse mutuamente con su presencia, pero no era mucho el consuelo. Uba estaba desganada y lloriqueaba; nadie podía convencer a la niña de que Ayla había muerto; seguía preguntando por ella. Jugueteaba con la comida, tiraba la mitad o se le caía. Luego se ponía de mal humor y pedía más, cosa que sacaba de quicio a Iza hasta que la regañaba, aunque al instante se arrepentía. La tos de la mujer había vuelto y la mantenía despierta gran parte de la noche.

Creb había envejecido más de lo que parecía posible en tan poco tiempo. No se había acercado a la pequeña caverna desde el día en que colocó los huesos blancos del oso cavernario en dos hileras paralelas, el último de ellos introducido en la base de la calavera del oso y saliendo por el orificio ocular izquierdo, y dijo en voz alta los nombres de los malos espíritus en sílabas tensas y ásperas, invocando sus favores y su poder. No tenía fuerzas para volver a mirar esos huesos, ni deseaba emplear los bellos gestos fluidos que servían para comunicar con los espíritus más benéficos. Había pensado seriamente en renunciar y traspasar las funciones de Mog-ur a Goov. Brun trató de convencerle de que lo reconsiderara de nuevo una vez que el viejo mago tocó el tema.

–¿Qué vas a hacer, Mog-ur?

–¿Qué hace un hombre al retirarse? Estoy haciéndome demasiado viejo para pasarme largas horas sentado en esa fría cueva. Mi reuma está empeorando.

–No te precipites, Creb –señaló dulcemente el jefe–. Piénsalo un poco más.

Creb lo pensó y casi había decidido anunciarlo ese mismo día.

–Iza, creo que voy a dejar que Goov sea el mog-ur –manifestó el mago a la mujer que estaba sentada a su lado.

–Eso sólo tú puedes decidirlo, Creb –respondió. No trató de disuadirlo; sabía que ya no tenía ganas de seguir adelante desde el día en que pronunció la maldición de muerte contra Ayla, aunque aquello había conformado toda su vida.

–Ya ha pasado el plazo, ¿verdad, Creb? –preguntó Iza.

–Sí, ya ha pasado el plazo.

–¿Cómo puede ella saber que ha terminado el plazo? Nadie puede ver la luna con tanta tormenta.

Creb pensó en aquella ocasión en que había enseñado a una niña cómo contar los años antes de poder tener un bebé, y en otra niña mayor que contaba los ciclos de la luna ella solita.

–Si viviera, lo sabría, Iza.

–Pero ha sido una tormenta tan terrible. Nadie podría superarla.

–No lo pienses más. Ayla ha muerto.

–Ya lo sé, Creb –expresó Iza con gestos desesperados. Creb miró a su hermana, pensó en cuánto sufría y quiso transmitirle algo, algún gesto para mostrarle que la comprendía.

–No debería decir esto, Iza, pero el plazo ha vencido; su espíritu ha abandonado este mundo, y los espíritus malos también. No ha causado daño en ninguna parte. Su espíritu me habló antes de irse, Iza. Me dijo que me amaba. Fue tan real que por poco cedo. Pero el espíritu de la persona que ha recibido la maldición es el más peligroso; siempre intenta atraparte haciéndote creer que es real, para llevarte consigo. Casi desearía haberme ido.

–Ya lo sé, Creb. Cuando su espíritu me llamó madre, yo... yo... –Iza alzó las manos, no podía proseguir.

–Su espíritu me suplicó que no quemara la bolsa de medicinas, Iza. Se le llenaron los ojos de agua, igual que cuando vivía. Eso fue lo peor. Creo que si no la hubiera arrojado ya al fuego, se la habría entregado. Pero fue la última estratagema; fue entonces cuando se marchó definitivamente.

Creb se puso en pie, se envolvió en sus pieles y tendió la mano hacia el cayado. Iza le observaba; pocas veces se alejaba del fuego. Llegó hasta la entrada de la cueva y se quedó allí largo tiempo, contemplando la nieve brillante. Sólo volvió cuando Iza mandó a Uba a buscarle para que fuera a comer. Regresó a su puesto poco después; Iza se reunió más tarde con él.

–Aquí hace frío, Creb. No deberías quedarte así, expuesto al viento –señaló.

–Es la primera vez que tenemos un cielo claro desde hace muchos días. Es un alivio ver algo que no sea una tormenta aullante.

–Sí, pero acércate al fuego para calentarte de vez en cuando.

Creb anduvo cojeando del fuego a la entrada de la cueva varias veces, quedándose largos ratos contemplando el paisaje invernal. Pero a medida que avanzaba el día, tardó más y más en volver. Durante la cena, mientras el crepúsculo se convertía en oscuridad, hizo señas a Iza:

–Me iré al hogar de Brun cuando terminemos de cenar. Le diré que de ahora en adelante Goov será mog-ur.

–Sí, Creb –contestó Iza cabizbaja. No había esperanza. Ahora estaba segura de que ya no había esperanza.

Creb se puso en pie mientras Iza retiraba la comida. De repente, un grito de espanto surgió del hogar de Brun; Iza levantó la mirada. Una extraña aparición se encontraba en la entrada de la cueva, totalmente cubierta de nieve y sacudiéndose los pies a patadas.

–¡Creb! –gritó Iza–. ¿Qué es eso?

Creb se quedó mirando un momento, alerta contra los malos espíritus; de repente, su único ojo se abrió más de lo normal.

–¡Es Ayla! –exclamó a voz en cuello y se dirigió rápidamente hacia ella cojeando; olvidando su cayado, olvidando su dignidad y olvidando todas las costumbres que obligaban a disimular los sentimientos fuera del hogar propio, rodeó a la muchacha con sus brazos y la apretó contra su pecho.

17

–¿Ayla? ¿Es realmente Ayla, Creb? ¿No es su espíritu? –gesticuló Iza mientras el viejo llevaba a la muchacha cubierta de nieve
hasta su hogar. Temía creérselo, temía que la muchacha que tan
real parecía resultara ser un espejismo.

–Es Ayla –indicó Creb–. Ha transcurrido el plazo. Ha superado a los malos espíritus; ha vuelto con nosotros.

–¡Ayla! –Y la mujer corrió hacia ella con los brazos abiertos y
envolvió a la muchacha en un abrazo ferozmente amoroso, a pesar de la nieve húmeda. No sólo la nieve las mojaba: Ayla derra-
maba lágrimas de gozo suficientes para todos ellos. Uba tiraba de
la muchacha mientras los brazos de Iza la tenían apresada.

–Ayla. Ayla ha vuelto. Uba sabe que Ayla no muerta –afirmaba la niña con el convencimiento de quien sabe haber tenido
razón todo el tiempo. Ayla la levantó en brazos y la apretó tan
fuertemente que Uba se revolvió para soltarse y poder respirar.

–¡Tú mojada! –señaló Uba en cuanto tuvo los brazos libres.

–Ayla, quítate esas ropas mojadas –dijo Iza, mientras se afa-
naba echando leña al fuego y buscando algo que pudiera ponerse
la joven, tanto para disimular la intensidad de sus emociones
como para demostrar su preocupación maternal–. Te vas a morir
de frío.

Iza miró a la joven, llena de confusión, comprendiendo de repente lo que acababa de decir. Ayla sonrió.

–Tienes razón, madre. Me voy a resfriar –señaló, y se quitó el
manto y la capucha. Se sentó y empezó a tratar de quitarse los
protectores empapados sujetos con correas hinchadas.

–Tengo un hambre atroz. ¿Hay algo que comer? No he probado nada en todo el día –dijo, después de ponerse uno de los
mantos viejos de Iza; le quedaba pequeño y algo corto, pero por
lo menos estaba seco–. Habría llegado más temprano, pero me vi

atrapada en una avalancha al bajar del monte. He tenido suerte de no quedar enterrada bajo demasiada nieve, pero me llevó mucho tiempo abrirme una salida.

El pasmo de Iza sólo duró un instante. Ayla podría haber dicho que tuvo que caminar sobre fuego para volver, e Iza lo habría creído. Su regreso mismo era suficiente prueba de que la muchacha era invencible. ¿Qué era una pequeña avalancha para ella? La mujer cogió las pieles de Ayla para colgarlas, pero retiró súbitamente la mano, mirando la piel de venado, que no conocía, con mucha suspicacia.

—¿De dónde has sacado ese manto, Ayla? —preguntó.

—Lo he hecho yo.

—¿Es... es de este mundo? —interrogó la mujer con aprensión. Ayla sonrió de nuevo.

—Sí, madre, muy de este mundo. ¿Ya te has olvidado? Sé cazar.

—No digas eso, Ayla —dijo Iza muy nerviosa. Volvióse de espaldas para que el clan, que bien sabía ella estaba observando, no viera, y gesticuló discretamente—: ¿No tendrás una honda, verdad?

—No, la dejé allá. Pero eso no cambia nada. Todo el mundo lo sabe, Iza. Algo tenía que hacer después de que Creb me lo quemara todo. La única manera de conseguir un manto era cazando. La piel no crece en los sauces ni tampoco en los pinos.

Creb había estado observando silenciosamente, sin atreverse a creer que había vuelto de veras. Contaban historias de personas que habían regresado después de una maldición de muerte, pero él seguía sin creer que fuera posible. «Además, hay algo diferente en ella; ha cambiado. Tiene más confianza en sí, es más adulta. No me extraña, después de lo que ha pasado. Y también recuerda; sabe que he quemado sus cosas. Me pregunto qué más recordará. ¿Cómo será el mundo de los espíritus?»

—¡Espíritus! —gesticuló, recordando de repente: «Los huesos están colocados todavía. Tengo que quebrantar la maldición».

Creb se apresuró a ir a deshacer el diseño de los huesos de oso cavernario que todavía estaban dispuestos en forma de una maldición de muerte. Tomó la antorcha que ardía incrustada en una grieta de la pared, siguió adelante y se quedó boquiabierto de asombro al llegar al pequeño espacio detrás del breve corredor. La calavera del oso cavernario se había movido, el hueso largo no salía ya por el orificio ocular; el diseño estaba ya trastocado.

Un gran número de pequeños roedores compartían la cueva del clan, atraídos por los alimentos almacenados y el calor. Uno de ellos habría pasado cerca o habría saltado sobre la calavera, derribándola. Creb se estremeció ligeramente, hizo una señal de protección y llevó nuevamente los huesos al montón del fondo. Al salir vio que Brun le estaba esperando.

–Brun –dijo Mog-ur por medio de gestos al verle–. No lo puedo creer. Ya sabes que no he vuelto aquí desde que pronuncié la maldición. Nadie lo ha hecho. Acabo de entrar para deshacerla, pero ya estaba deshecha. –En su rostro se dibujaba una expresión de asombro y pavor.

–¿Qué crees tú que ha sucedido?

–Tiene que haber sido su tótem. Una vez vencido el plazo, tal vez lo haya deshecho para que pudiera regresar –contestó el mago.

–Sin duda tienes razón. –Y el jefe inició otro movimiento, pero vaciló.

–¿Querías hablarme, Brun?

–Quiero hablarte a ti solo –vaciló nuevamente–. Perdona mi intervención. He estado mirando tu hogar. El retorno de la muchacha ha sido una sorpresa.

Todos los miembros del clan habían roto la costumbre de apartar los ojos para no mirar el hogar ajeno. No pudieron remediarlo. Nunca habían visto a nadie volver de entre los muertos.

–Se comprende, dadas las circunstancias. No tienes por qué preocuparte –respondió Mog-ur, empezando a alejarse.

–No es para eso para lo que quería verte –dijo Brun, tendiendo la mano para retener al viejo mago–. Quiero preguntarte sobre ceremonias. –Mog-ur se quedó a la expectativa, observando cómo Brun buscaba sus palabras–. Una ceremonia ahora que ella ha regresado.

–No es necesaria ceremonia alguna, el peligro ha pasado. Los malos se han ido, no hace falta protección.

–No hablo de esa clase de ceremonia.

–¿De qué hablas entonces?

Brun vaciló nuevamente y siguió en otra dirección:

–He visto que hablaba con Iza y contigo. ¿Has notado alguna diferencia en ella, Mog-ur?

–¿Qué quieres dar a entender con «una diferencia»? –preguntó Mog-ur, cautelosamente, sin entender bien lo que insinuaba Brun.

–Tiene un tótem fuerte. Droog ha dicho siempre que era afortunada. Cree que el tótem de ella también nos trae suerte a nosotros. Puede tener razón. Nunca habría podido regresar sin suerte y una fuerte protección. Creo que ahora ya lo sabe. Eso es lo que quiero significar por «diferente».

—Sí, creo haber observado una diferencia así. Pero sigo sin comprender lo que tiene que ver con ceremonias.

—¿Recuerdas la reunión que tuvimos después de la cacería del mamut?

—¿Quieres decir cuando la interrogamos?

—No, la otra posterior, sin ella. He estado pensando en esa reunión desde que se fue. No creía que pudiera regresar, pero sabía que si volvía, significaría que su tótem es muy fuerte, más poderoso aún de lo que creíamos. He estado pensando en lo que deberíamos hacer si volvía.

—¿Lo que deberíamos hacer? No hay nada que hacer. Los espíritus malos se han ido, Brun. Ella está de vuelta pero no es diferente de lo que era anteriormente. Es sólo una muchacha, nada ha cambiado.

—Pero ¿y si yo quisiera cambiar algo? ¿Hay alguna ceremonia para eso?

Mog-ur estaba intrigado.

—Una ceremonia ¿para qué? No necesitas ceremonia para cambiar la manera en que obraste con ella. ¿Qué clase de cambio? No te puedo hablar de ceremonias si no sé para qué las quieres.

—Su tótem es también un tótem del clan, ¿o no? ¿No deberíamos intentar que todos los tótems estuvieran contentos? Quiero que celebres una ceremonia así.

—Brun, no tiene sentido lo que dices.

Brun alzó las manos, abandonando el intento de comunicación. Mientras Ayla estuvo lejos, había tenido tiempo para rumiar las muchas ideas nuevas que habían expresado los hombres. Pero el resultado desconcertante de sus reflexiones se introducía incómodamente en la mente del jefe del clan.

—Nada de eso tiene sentido. ¿Cómo puedo explicarlo, pues? De todos modos, ¿quién esperaba verla regresar? No comprendo a los espíritus ni los he comprendido nunca. No sé lo que quieren, para eso estás tú aquí. ¡Pero no me estás ayudando mucho! Sea como sea, la idea misma es ridícula. Será mejor que vuelva a pensarlo todo.

Brun giró sobre sus talones y se alejó, dejando tras de sí a un mago absolutamente confuso. Después de dar unos cuantos pasos se volvió:

—Dile a la muchacha que quiero verla —señaló, y se alejó hacia su hogar.

Creb meneaba la cabeza mientras volvía a su hogar.

—Brun quiere ver a Ayla —anunció al regresar.

—¿Dijo que quería verla ahora mismo? —preguntó Iza, sirviéndole más comida—. No le importará que termine de comer, ¿no crees?

—Madre, ya he terminado; no me cabe ni un bocado más. Iré ahora.

Ayla avanzó hacia el hogar vecino y se sentó a los pies del jefe del clan con la cabeza agachada. Él llevaba los mismos protectores de pies gastados y rajados en los mismos lugares. La última vez que vio aquellos pies estaba aterrada. Ahora ya no estaba aterrada. Con gran sorpresa suya, no temía a Brun, pero le respetaba más. Esperó y le pareció que se tomaba demasiado tiempo en reconocer su presencia. Finalmente sintió un golpe en el hombro y alzó la mirada.

—Veo que has vuelto, Ayla —comenzó titubeante. No sabía qué decir.

—Sí, Brun.

—Me ha sorprendido verte, no te esperaba.

—Esta muchacha tampoco esperaba volver.

Brun estaba desconcertado. Quería hablarle, pero no sabía qué decir, y tampoco sabía cómo poner fin a la audiencia que él mismo había solicitado. Ayla esperaba, y después hizo un gesto pidiendo hablar.

—Esta muchacha quisiera hablar, Brun.

—Puedes hablar.

Ayla vaciló, tratando de hallar la expresión correcta para decir lo que quería decir.

—Esta muchacha se alegra de estar de vuelta, Brun. Más de una vez tuve miedo, más de una vez estuve segura de que no regresaría jamás.

Brun gruñó. «Estoy seguro de ello», pensó.

—Fue difícil, pero creo que mi tótem me protegía. Al principio había tanto que hacer que no me quedaba mucho tiempo para pensar. Pero después, cuando quedé atrapada, no pude hacer otra cosa.

«¿Tanto que hacer? ¿Atrapada? ¿Qué clase de mundo es ese mundo de los espíritus?» Estuvo a punto de preguntárselo, pero cambió de opinión. Realmente no deseaba saberlo.

—Creo que entonces empecé a comprender algo.

Ayla se detuvo, buscando la forma de expresarse. Deseaba transmitir un sentimiento parecido a la gratitud, pero no de la manera en que ésta se siente normalmente, ni la que implicaba cierta obligación o la que una mujer solía expresar al hombre. Quería decirle algo como a una persona, quería decirle que comprendía. Quería decir «gracias, gracias por haberme dado una oportunidad», pero no sabía muy bien cómo hacerlo.

—Brun, esta muchacha está... te está agradecida. Eso es lo que tú me dijiste. Me dijiste que me estabas agradecido por la vida de Brac. Yo te agradezco la mía.

Brun se echó hacia atrás y estudió a la muchacha: alta, de cara plana y ojos azules. Lo que menos habría esperado de ella era gratitud. Le había impuesto una maldición. «Pero no dijo que agradeciera la maldición de muerte, pensó, dijo que me agradecía su vida. ¿Comprendería que no le había quedado otro remedio? ¿Comprendería que le había brindado la única oportunidad a su alcance? ¿Lo comprendería esta extraña muchacha mejor que sus cazadores, mejor aún que Mog-ur? Sí, decidió, lo comprende.» Por un instante experimentó Brun un sentimiento hacia Ayla que nunca había experimentado hacia una mujer. En ese instante deseó que fuera hombre. No tenía que pensar más en lo que deseaba pedir a Mog-ur. Ya lo sabía.

—No sé qué es lo que están planeando, y no creo que los demás cazadores lo sepan —decía Ebra—. Lo único que sé es que nunca he visto a Brun tan nervioso.

Las mujeres estaban reunidas preparando los manjares para un banquete. No sabían cuál era la razón para ello —Brun sólo les había dicho que prepararan un festín para esa noche— y abrumaban con preguntas a Iza y Ebra, tratando de que éstas les insinuaran algo.

—Mog-ur se ha pasado la mitad del día y toda la noche en la cámara de los espíritus. Tiene que ser alguna ceremonia. Mientras Ayla estuvo ausente, ni siquiera se acercó; ahora, casi no sale de ahí —comentó Iza—. Cuando está así, se le ve tan distraído que no se acuerda de comer. A veces se le olvida comer mientras está comiendo.

—Pero si va a ser una ceremonia, ¿por qué ha estado Brun la mitad del día limpiando un espacio en el fondo de la cueva? —interrogó Ebra con gestos—. Cuando me he brindado a hacerlo yo, me ha despachado. Disponen de un lugar para las ceremonias, ¿por qué tenía él que trabajar como una mujer limpiando el fondo?

—¿Qué otra cosa podría ser? —preguntó Iza—. Me da la impresión de que cada vez que les miro, Brun y Mog-ur están con sus cabezas juntas. Y si advierten mi presencia, dejan de hablar y sus rostros adoptan expresiones culpables. ¿Qué más podrán estar tramando esos dos? ¿Y por qué vamos a celebrar un festín esta noche? Mog-ur se ha pasado el día entero en el espacio que ha limpiado Brun. A veces entra en la cámara de los espíritus, pero sale inmediatamente después. Parece como si llevara algo consigo, pero está tan oscuro allá atrás que no podría asegurarlo.

Ayla se limitaba a disfrutar con la compañía. Al cabo de cinco días, todavía le costaba creer que estaba de vuelta en la caverna del clan, sentada con las mujeres y preparando comida como si nunca hubiera estado ausente. No era exactamente lo mismo. Las mujeres no se sentían del todo cómodas junto a ella. Creían que había estado muerta y su retorno a la vida era un verdadero milagro. No sabían de qué hablar con una persona que había ido al mundo de los espíritus y había vuelto. A Ayla no le importaba; estaba contenta de haber vuelto. Observaba cómo Brac gateaba hasta su madre para mamar.

–Oga, ¿cómo está el brazo de Brac? –preguntó a la joven madre sentada a su lado.

–Míralo tú misma, Ayla. –La madre descubrió al niño para mostrar su hombro y su brazo–. Iza le quitó el molde el día antes de tu regreso. El brazo está bien, sólo un poco más delgado que el otro. Iza dice que en cuanto comience a usarlo, se fortalecerá.

Ayla miró las heridas ya curadas y tocó suavemente el hueso mientras el niño serio, de grandes ojazos, la contemplaba. Las mujeres habían tenido buen cuidado de evitar los temas que se relacionaran, aunque fuera de lejos, con la maldición de Ayla. A menudo comenzaba una de ellas una conversación, y dejaba caer sus manos a media frase al ver hacia dónde iba a parar. Eso hacía que a la cálida comunicación que solía establecerse cuando las mujeres se reunían para trabajar le faltara fluidez.

–Las cicatrices siguen estando rojas, pero con el tiempo palidecerán –dijo Ayla, y miró al niño–. ¿Eres fuerte, Brac? Demuéstrame lo fuerte que eres. ¿Puedes bajarme el brazo? –Y le tendió el antebrazo–. No, con esa mano no, con la otra –le corrigió, al ver que el niño tendía hacia ella el brazo sano. Brac cambió de mano y tiró del brazo de Ayla, que resistió justo lo necesario para verificar la fuerza que hacía; después dejó que le bajara el brazo–. Eres un muchacho fuerte, Brac, algún día serás un valeroso cazador como Broud.

Tendió los brazos para ver si se acercaba a ella. Al principio el niño se volvió, después lo pensó mejor y permitió que Ayla le cogiera en brazos. La muchacha lo sostuvo en el aire y después lo abrazó, sentándolo en su regazo.

–Brac es un chico grande; muy pesado y muy robusto.

El niño se quedó allí cómodamente sentado unos momentos, pero al ver que ella no tenía nada con qué alimentarle, se escabulló para regresar con su madre, alcanzó uno de sus senos y empezó a mamar sin quitar la vista de encima a Ayla con sus grandes ojos redondos.

–¡Qué suerte tienes, Oga! Es un niño maravilloso.

–No tendría tanta suerte de no haber sido por ti, Ayla. –Oga había acabado por tocar el tema que todas habían estado evitando con tanto esfuerzo–. Nunca te he dicho cuán agradecida te estoy. Al principio estaba demasiado preocupada por él y no sabía qué decir. No parecía tampoco que tú quisieras hablar mucho, y después te fuiste. Todavía no sé qué decir. Nunca esperaba volver a verte; es difícil creer que estés de vuelta. Hiciste mal usando un arma y no puedo comprender por qué se te antojó cazar, pero me alegro de que lo hicieras. No puedo decirte cuánto. Me sentí tan mal cuando tú... cuando tuviste que irte, pero me siento muy feliz de que hayas vuelto.

–Yo también –dijo Ebra. Las demás mujeres expresaron su asentimiento meneando la cabeza de arriba abajo.

Ayla se sentía abrumada por la incondicional aceptación que le expresaban, y luchaba por contener las lágrimas que se le saltaban con demasiada facilidad. Temía que las mujeres se sintiesen incómodas si veían que los ojos se le llenaban de agua.

–Me alegro de estar de vuelta –señaló, y las lágrimas se escaparon de su control. Ahora Iza ya sabía que sus ojos se hacían agua cuando sentía fuertemente alguna cosa, no porque estuviera enferma. También las mujeres se habían acostumbrado a esa peculiaridad suya y habían llegado a comprender el significado de sus lágrimas; se limitaron a asentir con expresión comprensiva.

–¿Cómo fue, Ayla? –preguntó Oga, con la mirada llena de una turbación compasiva. Ayla lo pensó antes de contestar.

–Solitario –respondió–. Muy solitario. ¡Echaba tanto de menos a todos! –Las miradas de las mujeres reflejaban tanta lástima que Ayla tuvo que decir algo para distender los ánimos–: ¡Llegué incluso a echar de menos a Broud! –agregó.

–Ejem, ejem, ejem –carraspeó Aga–. Sí debiste sentirte sola. –Y echó una mirada a Oga, que se sentía algo confusa.

–No, Oga, no necesitas disculparle –dijo amablemente Ayla–. Todos sabemos que Broud te tiene afecto. Deberías estar orgullosa de ser su compañera. Va a ser jefe y es un valeroso cazador, incluso fue el primero en herir al mamut. No tienes tú la culpa de que no me quiera. En parte la culpa es mía; no siempre me he portado con él como debía. No sé cómo empezó todo ni sé cómo ponerle fin; si pudiera lo haría, pero no es nada por lo que debas preocuparte.

–Siempre ha tenido un genio fuerte –comentó Ebra–. No es como Brun. Yo sabía que Mog-ur tuvo razón al decir que el tótem de Broud era el Rinoceronte Lanudo. Creo que, en cierto modo, tú le has ayudado a dominar su genio, Ayla. Eso hará de él un mejor jefe.

–Yo no sé –dijo Ayla moviendo la cabeza–. Si no estuviera yo cerca, creo que no se descontrolaría tanto. Creo que yo provoco lo peor que lleva dentro.

Siguió un silencio tenso. Por lo general, las mujeres no hablaban tan abiertamente de los defectos de sus hombres, pero la discusión había servido para despejar la atmósfera de tensión que rodeaba a la muchacha. Juiciosamente, Iza consideró que era el momento de cambiar de tema.

–¿Alguna sabe dónde están los ñames? –preguntó.

–Creo que estaban en el sitio que Brun ha limpiado –contestó Ebra–. Tal vez no volvamos a encontrarlos antes del próximo verano.

Broud había visto que Ayla estaba sentada con las mujeres, y había fruncido el ceño al verla examinar a Brac y tenerlo sobre su regazo. Eso le hizo recordar que ella había salvado la vida del muchacho, lo que, a su vez, le recordó que había sido testigo de su humillación. Broud se había sentido tan confundido por su retorno como todos los demás. El primer día la contempló con pavor, con cierta aprensión. Pero el cambio que Creb había interpretado como una madurez creciente, y Brun como la percepción de su propia suerte, Broud lo veía como una flagrante insolencia. Durante su prueba por medio de la nieve, Ayla no sólo había adquirido la confianza de que podría sobrevivir, sino también una serena aceptación de las malsanas trivialidades de la vida. Después de su ordalía, con sus luchas de vida o muerte, nada tan insignificante como una reprimenda, cuya eficacia se había ido perdiendo por desgaste, podía afectar a su serena compostura.

Ayla *había* echado de menos a Broud. En su aislamiento total, aunque no hubiera sido más que el agobio al que él la sometía, le habría parecido mejor que el vacío total de no ver a la gente que la quería. Los primeros días disfrutó literalmente de su estrecha aunque abusiva atención. Él no sólo la veía, sino que veía cada uno de los movimientos que hacía.

Al tercer día de su regreso, los viejos patrones de vida se restablecieron por sí solos, pero con una diferencia. Ayla no tenía ya que luchar consigo misma para doblegarse a su voluntad, su respuesta no tenía siquiera la corriente oculta de una condescendencia sutil. Ayla se sentía auténticamente inconmovible. Él no podría hacer nada que la perturbara; podría pegarla y maldecirla y llegar incluso al límite de la violencia explosiva; pero eso no causaba ningún efecto. La muchacha accedía a sus demandas más irracionales. Aun cuando lo hacía sin intención, estaba dando a Broud una pequeña medida del ostracismo que ella había sufrido tan abundantemente. Le dejaba al margen de sus reacciones. Su furor más iracundo, controlado sólo mediante un esfuerzo supremo, no obtenía más reacción que la mordedura de una pulga; menos, porque cuando a uno le muerde una pulga, al menos puede rascarse. Era lo peor que ella podía hacer; eso le enfurecía.

Broud se moría por recibir atención, se regodeaba en ella; para él constituía una necesidad. Nada podía provocar en él una frustración mayor que ver a alguien que no reaccionaba ante él. Poco importaba, en el fondo, que la reacción fuera positiva o negativa: lo esencial era que la hubiera. Estaba seguro de que la muchacha le demostraba indiferencia porque le había visto humillado, había presenciado su vergüenza y no respetaba su autoridad. En parte, tenía razón. Ayla conocía los límites exteriores del control que ejercía sobre ella, había puesto a prueba el valor de su fuerza interior y había descubierto que todo ello era insuficiente para merecer su respeto. Pero no era sólo que no le respetara ni reaccionara ante él: era que usurpaba la atención que él necesitaba.

Con su sola presencia atraía la atención sobre sí, y todo lo que había en ella llamaba la atención: su poderoso tótem, compartir el hogar y el amor del formidable mago; su adiestramiento para convertirse en curandera; haber salvado la vida de Ona; su habilidad con la honda; haber matado la hiena, con lo que salvó la vida de Brac; y ahora, volver del mundo de los espíritus. Cada vez que Broud había demostrado gran valor y se había hecho justamente digno de admiración, respeto y atención por parte del clan, ella le había robado la atención que le correspondía.

Broud miraba airadamente a Ayla, desde lejos. «¿Por qué tenía que haber vuelto? Todo el mundo habla de ella; siempre están hablando de ella. Cuando maté el bisonte y me hice hombre, todos hablaban del estúpido tótem que tiene. ¿Se enfrentó acaso a un mamut lanzado a la carga? ¿Estuvo a punto de verse aplastada por cortarle los tendones? No. Lo único que hizo fue lanzar un par de guijarros con una honda, y lo único en que todos podían pensar era en ella. Brun y sus reuniones: todo por ella. Y además, ni siquiera pudo hacerlo a derechas: y ahora está de vuelta y todos siguen hablando de ella. ¿Por qué tiene que echarlo siempre todo a perder?»

–Creb, ¿por qué estás tan agitado? No recuerdo haberte visto nunca tan nervioso. Actúas como un muchacho a punto de escoger su primera compañera. ¿No quieres que te prepare una taza de té para calmarte los nervios? –preguntó Iza después de ver que el mago se levantaba por tercera vez, echaba a andar para irse del hogar, cambiaba de opinión y volvía sobre sus pasos para sentarse de nuevo.

–¿Qué te hace pensar que estoy nervioso? Lo único que pasa es que estoy tratando de recordarlo todo y meditar un poco –contestó Mog-ur, algo avergonzado.

–¿Qué necesitas recordar? Llevas años de Mog-ur, Creb. No puede existir una sola ceremonia que no seas capaz de llevar a cabo hasta dormido. Y nunca te he visto meditar poniéndote en pie y sentándote otra vez. ¿Por qué no me dejas que te prepare un poco de té?

–No. No. No necesito té. ¿Dónde está Ayla?

–Está por ahí, más allá del último hogar, buscando ñames. ¿Por qué?

–Sólo quería saberlo –respondió Creb, sentándose de nuevo. Poco después se acercó por allí Brun, haciendo señas a Mog-ur. El mago se puso nuevamente en pie y ambos se dirigieron al fondo de la cueva.

«¿Qué pasará con esos dos?», se preguntaba Iza meneando la cabeza, llena de asombro.

–¿No es ya casi la hora? –preguntó el jefe tan pronto como llegaron al lugar que él había despejado–. ¿Está todo listo?

–Todos los preparativos están hechos, pero el sol debería estar más bajo, creo yo.

–¿Crees tú? ¿Acaso no sabes? Creí que habías dicho que sabías qué hacer. Creí que habías dicho que meditaste y encontraste una ceremonia. Todo tiene que estar absolutamente correcto. ¿Cómo puedes decir que «crees»? –dijo secamente Brun.

–He meditado –respondió Mog-ur, a la defensiva–. Pero hace mucho tiempo y el lugar era diferente. No había nieve. No creo que hubiera nieve, ni siquiera en invierno. No es fácil saber el momento exacto. Lo único que sé es que el sol estaba bajo.

–¡No me lo habías dicho! ¿Cómo puedes estar seguro de que así es como debe ser? Quizá sea mejor olvidarlo. De todos modos, ha sido una idea ridícula.

–Ya he hablado a los espíritus, las piedras están colocadas en su lugar. Ellos nos esperan.

–Tampoco me gusta la idea de mover las piedras. Quizá deberíamos haber decidido hacerlo en la cámara de los espíritus. ¿Estás seguro de que no se molestarán porque los hayamos sacado de la cámara pequeña, Mog-ur?

–Ya hemos hablado de eso, Brun. Hemos decidido que era mejor mover las piedras que traer a los Antiguos al lugar de los Tótems de los espíritus. Los Antiguos pueden no desear quedarse una vez que la vean.

–¿Cómo sabes que regresarán una vez que los hayamos despertado? Es demasiado peligroso, Mog-ur. Será mejor cancelarlo todo.

–Pueden quedarse algún tiempo –reconoció Mog-ur–. Pero después de que todo haya vuelto a su lugar y vean que no hay sitio para ellos, se irán. Sus tótems les dirán que se vayan. Pero haz lo que te parezca. Si quieres cambiar de idea, yo trataré de aplacar a los espíritus. Sólo porque estén esperando una ceremonia no significa que haya que celebrarla.

–No. Tienes razón. Lo mejor será seguir adelante. Están esperando algo. Los hombres, sin embargo, pueden no sentirse muy felices con eso.

–Brun, ¿quién es el jefe? Además, ya se acostumbrarán una vez que comprendan que es lo correcto.

–¿Lo es, Mog-ur? ¿Lo es realmente? Ha transcurrido tanto tiempo... No estoy pensando ahora en los hombres. ¿Lo aceptarán nuestros tótems? Hemos tenido mucha suerte, casi demasiada suerte. Sigo pensando que algo terrible va a suceder. No quiero hacer nada que los irrite. Quiero hacer lo que ellos desean. Quiero que se sientan felices.

–Eso es lo que estamos haciendo, Brun –dijo dulcemente Mog-ur–, tratando de hacer lo que ellos quieren. Todos ellos.

—Pero ¿estás seguro de que los demás comprenderán? Si complacemos a uno, ¿no se sentirán desairados los demás?

—No, Brun, no estoy seguro de que comprendan. —El mago podía percibir la tensión y la preocupación del jefe. Sabía cuán difícil le resultaba—. Nadie puede estar absolutamente seguro: sólo somos humanos; incluso un mog-ur es sólo humano. Lo único que podemos hacer es intentarlo. Pero tú mismo lo has dicho: hemos tenido suerte. Eso tiene que significar que los espíritus de todos los tótems se sienten felices. Si estuvieran peleando unos con otros, ¿crees que habríamos tenido tanta suerte? ¿Cuántas veces logra un clan matar un mamut sin que nadie resulte lastimado? Cualquier cosa podría haber salido mal. Podría haber recorrido toda esa distancia sin encontrar una manada y parte del mejor tiempo para cazar se habría desperdiciado. Corriste un riesgo, pero todo salió bien. Incluso Brac sigue con vida, Brun.

El jefe miró el rostro serio del mago. Entonces se enderezó un poco más y una firme resolución sustituyó a la indecisión en los ojos de Brun.

—Voy a buscar a los hombres —señaló.

Se había dicho a las mujeres que se mantuvieran alejadas del fondo de la cueva, que ni siquiera miraran en aquella dirección. Iza se dio cuenta de que Brun se llevaba a los hombres, pero hizo como que no lo veía. Lo que hicieran era cosa suya. No estaba segura de lo que le impulsó a alzar la mirada en el momento en que dos hombres, con los rostros pintados de ocre rojo, se abalanzaron hacia Ayla. Iza se dio cuenta de que se echaba a temblar. ¿Para qué podían necesitar a Ayla?

La muchacha no se había percatado siquiera de que los hombres se iban con Brun. Estaba revolviendo entre canastos y recipientes de cuero tieso amontonados en una confusión total detrás del hogar que más lejos se encontraba de la salida de la cueva, buscando ñames. Al ver el rostro pintado de rojo del jefe que aparecía súbitamente frente a ella, dio un respingo de asombro.

—No te resistas. No emitas ningún sonido —le indicó Brun.

No se asustó hasta que le pusieron una venda sobre los ojos, pero se quedó petrificada al sentir que casi iba en volandas mientras la llevaban.

Los hombres se asustaron al ver que Brun y Goov se llevaban a la muchacha. No estaban más enterados que las mujeres de la razón por la cual se celebraba una ceremonia, pero a diferencia de ellas, los hombres sabían que su curiosidad se vería finalmente satisfecha. Mog-ur sólo había advertido que nadie hiciera un solo ademán ni emitiera un sonido una vez que todos estuvieran sentados en círculo detrás de las piedras que habían traído de la cámara, pero la advertencia cobró fuerza una vez que entregó dos largos huesos de oso cavernario a cada uno de los hombres, para que los cruzaran como una X ante sí. El peligro tenía que ser realmente grande para que necesitaran una protección tan extremada. Y empezaron a intuir cuál era el peligro al ver a Ayla.

Brun obligó a la hembra a sentarse en el espacio abierto del círculo, directamente frente a Mog-ur, y se sentó detrás de ella. A una señal del mago, Brun le retiró la venda. Ayla parpadeó para aclararse la vista. A la luz de las antorchas podía ver a Mog-ur sentado detrás de una calavera de oso cavernario y a los hombres sosteniendo los huesos cruzados, y se encogió de temor, como si quisiera hundirse en el suelo.

«¿Qué he hecho yo? No he tocado una honda», pensaba, tratando de recordar si había cometido algún terrible delito que fuera la razón de su presencia allí. No se le ocurría qué podría haber hecho mal.

–No te muevas. No emitas ningún sonido –advirtió nuevamente Mog-ur.

No creía poder hacerlo aunque quisiera. Con los ojos muy abiertos, observaba al mago mientras éste se incorporaba, dejaba su cayado y comenzaba los movimientos formales que instaban a Ursus y los espíritus totémicos a velar sobre ellos. Muchos de los gestos le resultaban desconocidos, pero estaba contemplando con atención extasiada, no tanto por el significado de los símbolos que estaba trazando Mog-ur, como por el propio viejo mago.

Conocía a Creb, lo conocía bien: un viejo baldado que cojeaba torpemente al andar, inclinándose mucho sobre su cayado. Era la caricatura torcida de un hombre, con un lado de su cuerpo atrofiado, los músculos subdesarrollados por falta de uso, y el otro lado excesivamente desarrollado para compensar la parálisis que obligaba a depender tan pesadamente de este lado. Ya había observado anteriormente sus graciosos ademanes cuando empleaba el lenguaje formal en ceremonias públicas, movimientos abreviados por la falta de un brazo y, sin embargo, de cierta manera sutil, cargados de delicadezas y complejidades y de un significado más pleno. Pero los movimientos del hombre que estaba en pie detrás de la calavera mostraban una faceta del mago que ella nunca supo que existiera.

Había desaparecido la torpeza. En su lugar surgían ritmos hipnóticamente poderosos de un movimiento que fluía suavemente, obligando a los ojos a mirar. El movimiento de la mano y las posturas sutiles no constituían una danza graciosa, aunque pareciera serlo; Mog-ur era un orador que hablaba con una fuerza persuasiva que Ayla nunca había visto; y el gran hombre santo nunca era tan expresivo como cuando se dirigía al auditorio que, aunque invisible, le resultaba a veces más real que los humanos sentados frente a él. El mog-ur del Clan del Oso Cavernario hizo gala de mayores esfuerzos aún cuando comenzó a dirigir su atención hacia los increíblemente venerables espíritus a los que deseaba convocar a esta ceremonia única.

–¡Oh!, Espíritus los más Antiguos, Espíritus a los que no hemos invocado desde las primeras brumas de nuestros comienzos, prestadnos atención ahora. Os invocamos, os rendimos pleitesía y pedimos vuestra ayuda y vuestra protección. Grandes Espíritus de nombres tan venerables que son sólo un susurro de la memoria: despertad de vuestro profundo sueño y dejad que os honremos. Tenemos una ofrenda, un sacrificio para aplacar vuestros corazones antiguos; necesitamos vuestra sanción. Escuchad mientras pronunciamos vuestros nombres.

»Espíritu del Viento. ¡Ooooha! –Ayla sintió un escalofrío a lo largo de su espina dorsal cuando Mog-ur dijo el nombre en voz alta–. ¡Espíritu de la Lluvia! ¡Zheena! ¡Espíritu de las Nieblas! ¡Eeesha! Atended nuestra súplica. ¡Miradnos benévolamente! Tenemos con nosotros a uno de los vuestros, a uno que ha caminado con vuestras sombras y ha regresado, regresado por la voluntad del Gran León Cavernario.

«Está hablando de mí, comprendió súbitamente Ayla. Esto es una ceremonia. ¿Qué estoy haciendo yo en una ceremonia? ¿Quiénes son esos espíritus? Nunca los he oído mencionar anteriormente. Los nombres son femeninos; yo creía que todos los espíritus protectores eran masculinos.» Ayla tiritaba de miedo, pero se sentía intrigada. Los hombres, sentados como las piedras que tenían por delante, tampoco habían oído hablar nunca de los espíritus antiguos hasta que Mog-ur pronunció sus nombres, y sin embargo, éstos no les eran totalmente desconocidos. Al oír los nombres antiguos se despertaba una memoria igualmente antigua que tenían escondida en lo más profundo de la mente.

–¡Oh, vosotros, los más venerados en los Tiempos Antiguos! Los caminos de los Espíritus nos son desconocidos, sólo somos humanos, no sabemos por qué esta hembra ha sido escogida por uno tan poderoso, no sabemos por qué la ha conducido a vuestros antiguos caminos, pero no podemos repudiarla. Él ha luchado por ella en el país de las sombras, ha derrotado a los malignos y nos la ha devuelto para hacer claros sus deseos, para que se sepa que no la vamos a repudiar. ¡Oh, poderosos Espíritus del Pasado!, vuestros caminos han dejado de ser los caminos del clan, y sin embargo, lo fueron otrora y deben serlo de nuevo para ésta que está sentada con nosotros. Aceptadla. Protegedla y otorgad a su clan vuestra protección. –Mog-ur se volvió hacia Ayla–: Que avance la hembra –ordenó.

Ayla sintió que los fuertes brazos de Brun la levantaban del suelo y la llevaban hacia delante hasta que se encontró frente al gran mago. Contuvo el aliento al sentir que Brun cogía un mechón de sus largos cabellos rubios y le echaba la cabeza hacia atrás. Miró hacia abajo y vio que Mog-ur sacaba un cuchillo afilado de su bolsa y lo alzaba muy por encima de su cabeza. Aterrada, observó el rostro del tuerto que se acercaba, con el cuchillo en alto, y casi perdió el conocimiento al ver cómo bajaba rápidamente la punta afilada hacia su cuello descubierto.

Sintió un dolor agudo, pero estaba demasiado asustada para gritar. Mog-ur se limitó a hacer un pequeñísimo corte en la base de su garganta. El chorrito de sangre caliente fue rápidamente absorbido por un pedacito de suave piel de conejo. El mago esperó hasta que el trozo de piel quedó empapado en su sangre y limpió el corte con un líquido ardiente de un tazón que Goov sostenía en la mano. Entonces Brun la soltó.

Fascinada, observó cómo Mog-ur colocaba el trocito de piel empapado en sangre en un cuenco de piedra, poco profundo, parcialmente lleno de aceite. El acólito entregó al mago una pequeña antorcha; con ella prendió el aceite del cuenco y observó silenciosamente mientras la piel quemada se convertía en un tizón quebradizo con un olor fuerte y picante. Una vez que terminó de arder, Brun apartó el manto de la muchacha y dejó al descubierto su muslo izquierdo. Mog-ur metió el dedo en el residuo que había quedado en el cuenco y trazó una línea negra sobre cada una de las cuatro largas cicatrices que tenía en la pierna. Ella se quedó mirando, pasmada: parecía una marca de tótem, cortada y pintada de negro durante la ceremonia que señalaba el paso de un muchacho a la edad adulta. Sintió que la llevaban hacia atrás y vio que Mog-ur se dirigía nuevamente a los espíritus.

—Aceptad este sacrificio de sangre, Venerabilísimos Espíritus, y sabed que su tótem, el Espíritu del León Cavernario, es el que la ha escogido para seguir vuestros antiguos caminos. Sabed que os hemos honrado, sabed que os hemos rendido homenaje. Otorgadnos vuestro valimiento y regresad a vuestro sueño profundo, seguros de que vuestros caminos no han sido olvidados.

«Todo ha terminado», pensó Ayla, respirando hondamente de alivio al ver que Mog-ur se sentaba de nuevo. Todavía no comprendía por qué la habían hecho participar en la insólita ceremonia. Pero no habían terminado aún con ella. Brun se puso delante de ella y le hizo señas de que se incorporara. Rápidamente se puso en pie. Él, entonces, metió la mano en un pliegue de su manto y sacó un óvalo pequeño de marfil pintado de rojo, serrado de la proximidad de la punta de un colmillo de mamut.

—Ayla, por esta sola vez, mientras estamos bajo la protección de los Antiquísimos Espíritus, estás en condiciones de igualdad con los hombres. —Ella no estaba muy segura de comprender correctamente al jefe—. Una vez que abandones este lugar, no volverás a pensar nunca más en ti como una igual; eres hembra y siempre lo serás.

Ayla expresaba su acuerdo con movimientos de la cabeza. Por supuesto que sabía que era hembra, pero estaba intrigada.

—El marfil procede del colmillo del mamut que matamos. Fue una cacería muy afortunada; ningún hombre fue lastimado y, sin embargo, derribamos a la enorme bestia. Este trozo ha sido santificado por Ursus, pintado con el rojo sagrado por Mog-ur, y es un potente talismán de caza. Todos los cazadores del clan llevan uno semejante en su amuleto, y todo cazador debe tener uno.

»Ayla: ningún muchacho se convierte en adulto antes de haber matado su primer animal, pero una vez que lo hace, no puede ser niño. Hace mucho tiempo, durante la época de los Espíritus que todavía rondan por aquí cerca, las mujeres del clan cazaban. No sabemos por qué tu tótem te ha conducido para que sigas esa senda antigua, pero no podemos repudiar al Espíritu del León Cavernario; hay que permitirlo. Ayla, has matado tu primer animal, ahora debes asumir las responsabilidades de un adulto. Pero eres mujer, no hombre, y siempre serás mujer en todos los aspectos menos en uno: puedes usar tan sólo la honda, Ayla, pero ahora serás la Mujer-Que-Caza.»

Ayla sintió súbitamente que una oleada de calor le subía al rostro. ¿Sería verdad? ¿Había comprendido bien a Brun? Por usar la honda había tenido que sufrir una ordalía a la que no creyó poder sobrevivir, ¿y ahora iban a permitirle usarla? ¿Permitirle cazar? ¿Abiertamente? Apenas podía creerlo.

—Este talismán es para ti. Guárdalo en tu amuleto.

Ayla cogió la bolsa que colgaba de su cuello y a duras penas consiguió soltar los nudos. Tomó el óvalo de marfil pintado de rojo de manos de Brun y lo metió junto al trozo de ocre rojo y el molde fósil, cerrando después la bolsita de cuero y pasándose por la cabeza nuevamente la correa que lo sostenía.

—No se lo digas todavía a nadie. Lo anunciaré esta noche, antes del banquete. Es en tu honor, Ayla, en honor de tu primera matanza —dijo Brun—. Espero que la próxima sea algo más sabroso que una hiena —agregó con un destello de humor en la mirada—. Ahora date la vuelta.

Hizo lo que le decían y sintió que le vendaban nuevamente los ojos; los dos hombres se la llevaron de nuevo y le quitaron la venda. Vio que Brun y Goov regresaban al círculo de los hombres. ¿Estaría soñando? Se tocó la garganta y sintió que ardía la herida donde Mog-ur la había cortado; entonces bajó la mano y notó tres objetos dentro de su amuleto. Apartó su manto y se quedó mirando las rayas negras algo borrosas que cubrían sus cicatrices. «¡Una cazadora! ¡Soy una cazadora! Una cazadora del clan. Han dicho que mi tótem lo deseaba y que no podían soslayarlo.» Cerró la mano sobre su amuleto, bajó los párpados y entonces comenzó a ejecutar los gestos formales.

«Gran León Cavernario, ¿por qué he dudado de ti? La maldición de muerte fue una dura prueba, la peor hasta ahora, pero tenía que ser así para obtener un don tan grande. Te estoy muy agradecida por haberme considerado digna. Sé que tenía razón Creb: mi vida nunca será fácil teniéndote a ti por tótem, pero siempre valdrá la pena.»

La ceremonia había sido suficientemente eficaz para convencer a los hombres de que a Ayla debía permitírsele cazar... a todos menos a uno. Broud estaba furioso. De no haber estado tan asustado por la advertencia de Mog-ur, habría abandonado la ceremonia. No quería tomar parte en nada que otorgara privilegios especiales a aquella hembra. Miró sombríamente a Mog-ur, pero su rencor estaba especialmente dirigido contra Brun, y no podía aguantar la bilis.

«Es obra suya, pensaba Broud. Siempre la ha protegido, la ha favorecido. Me amenazó con la maldición de muerte sólo por haber castigado la insolencia de esa muchacha, y eso que se lo merecía. Debería haberla maldecido como es debido, para siempre. Ahora va a permitir que cace, que cace como un hombre. ¿Cómo ha podido hacerlo? Bueno, Brun está envejecido. No será siempre jefe. Algún día yo seré jefe, y entonces ya veremos. Entonces no le tendrá para protegerla. Entonces ya verá cuáles van a ser sus privilegios; que trate simplemente de comportarse con insolencia.»

18

La Mujer-Que-Caza ganó su título completo durante el invierno en que se iniciaba el décimo año de su vida. Iza sintió una satisfacción interior, así como cierta sensación de alivio al observar los cambios que se estaban produciendo en la muchacha y que anunciaban el comienzo de la menarquia. Las caderas de Ayla y las dos protuberancias que hinchaban su pecho, cambiando los contornos de su cuerpo recto, infantil, aseguraron a la mujer que su extraña hija no estaba, en modo alguno, condenada a seguir siendo una niña para siempre. A la hinchazón de los pezones y un ligero plumón en el pubis y las axilas siguió el primer flujo menstrual de Ayla; la primera vez que el espíritu de su tótem batalló con otro.

Ayla comprendía ahora que era poco probable que llegara a dar a luz; su tótem era demasiado fuerte. Deseaba un bebé –lo había deseado desde que nació Uba, un bebé propio para cuidarlo y amarlo–, pero aceptaba las pruebas y restricciones impuestas por el poderoso León Cavernario. Siempre disfrutaba cuidando a los bebés y a los niños del clan, que se hacía poco a poco más numeroso, cuando las madres estaban ocupadas, y sentía una punzada de contrariedad cuando se iban con otra para mamar. Pero por lo menos ahora ya era mujer, y no una niña más alta que una mujer.

Ayla experimentaba una sensación de identidad empática hacia Ovra, que había abortado unas cuantas veces, aunque siempre al comienzo del embarazo y sin muchas dificultades. El tótem de Ovra, el castor, también era un poco feroz; la mujer parecía destinada a no tener hijos. Desde la cacería del mamut y especialmente después de que Ayla alcanzara la calidad de adulta, las dos jóvenes solían hacerse compañía mutuamente. La mujer tranquila no hablaba mucho –era de naturaleza retraída en contraste con la disposición abierta y amistosa de Ika–, pero entre Ayla y

Ovra se desarrolló un entendimiento que fue madurando en una amistad estrecha y que se amplió para incluir a Goov. La amistad entre el joven acólito y su compañera era evidente para todos; eso hacía a Ovra objeto de una mayor conmiseración. Y como su compañero era tan bondadoso y comprensivo respecto a su incapacidad de darle un hijo, comprendía que ella anhelaba aún más tenerlo.

Oga estaba nuevamente encinta, para gran deleite de Broud. Había quedado embarazada poco después de destetar a Brac, al cumplir éste los tres años. Parecía que iba a ser tan prolífica como Ika y Aga. Droog estuvo seguro de que el hijo de Aga, que tenía ya dos años, iba a ser el tallador que él anhelaba cuando encontró al niño golpeando dos piedras, una contra otra. Encontró una piedra-martillo que se ajustaba a la manita regordeta de Grood, y le permitió jugar cerca de él mientras trabajaba y que golpeara trozos rotos de sílex imitando al tallador. Igra, hija de Ika, tenía ya también dos años y prometía ser tan extrovertida como su madre: era una niña alegre, regordeta y sociable que encantaba a todos. El clan de Brun estaba aumentando.

Ayla pasó unos días, a principios de la primavera, lejos del clan cumpliendo la maldición obligatoria de la mujer en la pequeña cueva que le servía de retiro. Después de la maldición de muerte, mucho más traumática, resultaban casi unas vacaciones. Aprovechó el tiempo para hacer lo que se le antojaba y para perfeccionar su lanzamiento después del largo invierno, aunque tenía que recordar a cada momento que ya no había por qué mantenerlo secreto. Aunque le costaba poco conseguir alimentos, esperaba con ansia las citas cotidianas con Iza en un lugar previamente establecido, cerca de la cueva del clan. Iza le llevaba más comida de la que podía comer, pero más que nada, le llevaba compañía. Todavía le resultaba difícil pasar las noches sola, aunque el saber que el ostracismo iba a ser limitado, de corta duración, se lo facilitaba un poco.

A menudo se quedaban juntas hasta que oscurecía y Ayla tenía que emplear una antorcha para regresar. Iza nunca pudo superar el nerviosismo que provocaba en ella la piel de venado que Ayla se había hecho mientras estaba «muerta», de modo que la joven decidió dejarla en la cueva. Ayla se enteró por su madre de las cosas que necesitaba saber una mujer, como todas las demás. Iza le proporcionó las tiras de piel suave y absorbente que se llevaban sujetas por una correa alrededor de la cintura y le explicó los símbolos que debía una hacer al enterrar muy profundamente en la tierra las tiras manchadas de sangre. Le explicó la posición que convenía adoptar si un hombre decidía aliviar sus necesidades con ella, los movimientos que debía hacer y cómo limpiarse después. Ahora Ayla era una mujer; podía verse llamada a cumplir todas las funciones de una hembra adulta miembro del clan. Hablaban de muchas cosas que interesan a las mujeres, si bien algunas ya le eran conocidas debido a su adiestramiento médico. Hablaron del parto, la lactancia y la medicina para aliviar los calambres. Iza le explicó las posiciones y los movimientos que se consideraban seductores entre los hombres del clan, las maneras en que una mujer puede alentar a un hombre para que éste desee aliviar sus necesidades con ella. Hablaron de las responsabilidades de la mujer apareada. Iza dijo a Ayla todo lo que su madre le había dicho a ella, pero en su fuero interno se preguntaba si una muchacha tan fea necesitaría algún día saber tantas cosas.

Había un tema en el cual nunca abundó Iza. La mayoría de las jóvenes, al convertirse en mujeres, solían haberle echado el ojo a un joven en particular. Aunque ni una muchacha ni su madre tenían derecho a opinar en la materia directamente, si una madre se llevaba bien con su compañero, podía hablarle de los deseos de su hija. El compañero, si quería, podía hacérselos saber al jefe, que era quien tenía la última palabra. De no haber nada más que tomar en cuenta, y especialmente si el joven en cuestión había mostrado interés por la muchacha, el jefe podía permitir que prevalecieran los deseos de la joven.

No siempre, y desde luego no en el caso de Iza, pero el tema de los compañeros nunca surgió entre Iza y Ayla, aun cuando solía ser un asunto que tenía muchísimo interés para una joven núbil y para su madre. No había ningún hombre solo en el clan, sin contar con que Iza estaba segura de que, de haber habido alguno, no habría querido a Ayla, así como que ningún hombre del clan la querría como segunda mujer. Y la propia Ayla no estaba interesada en ninguno de ellos. Ni siquiera había pensado en un compañero hasta que Iza habló de las responsabilidades de la mujer apareada. Pero pensó en ello más adelante.

Una soleada mañana de primavera, poco después de su regreso, Ayla fue a llenar una bolsa de agua al estanque alimentado por el manantial próximo a la cueva. Todavía no había salido nadie; se arrodilló y se inclinó dispuesta a meter la bolsa, pero se detuvo súbitamente. El sol matutino incidía a través del agua quieta y convertía su superficie en un espejo. Ayla se quedó mirando el

340

curioso rostro que la miraba desde el estanque; nunca anteriormente se había visto reflejada. La mayor parte del agua que había cerca de la cueva consistía en torrenteras o riachuelos y, por lo general, sólo solía mirar a la poza después de haber introducido el recipiente que deseaba llenar, perturbando así la superficie tranquila.

La joven estudió su propio rostro. Era un tanto cuadrado, con una mandíbula bien marcada, modificada por unas mejillas todavía redondeadas debido a su corta edad, unos pómulos altos y un cuello largo y suave. Su barbilla tenía un asomo de hendidura, sus labios eran carnosos y su nariz recta y finamente cincelada. Los ojos claros, de un gris azulado, estaban perfilados por largas pestañas un poco más oscuras que el cabello dorado que caía en ondas suaves y abundantes muy por debajo de los hombros, brillantes con los reflejos del sol; las cejas, del mismo matiz que las pestañas, se arqueaban por encima de sus ojos en una frente suave, recta y alta, sin el menor indicio de arcos ciliares prominentes. Ayla se echó hacia atrás y corrió a la cueva.

–Ayla, ¿qué sucede? –preguntó Iza por señas; era evidente que algo perturbaba a su hija.

–¡Madre! Acabo de verme en el estanque. ¡Soy tan fea! ¡Oh, madre!, ¿por qué soy tan fea? –fue la respuesta. Y rompió en llanto en brazos de la mujer. Desde donde comenzaban sus recuerdos, Ayla no había visto nunca a nadie que no perteneciera al clan. No tenía otro punto de referencia. Ellos se habían acostumbrado a ella, pero ahora ella se veía diferente a todos, anormalmente diferente.

–¡Ayla, Ayla! –Iza trataba de calmarla, abrazándola.

–Madre, yo no sabía que era tan fea. No lo sabía. ¿Qué hombre me va a querer? Nunca tendré compañero. Y nunca tendré un bebé... nunca lo voy a tener. ¿Por qué tengo que ser tan fea?

–No sé yo si eres realmente tan fea, Ayla: eres diferente.

–¡Soy fea! ¡Soy fea! –Ayla meneaba la cabeza, negándose a ser consolada–. ¡Mírame! Soy demasiado alta, soy más alta que Broud y Goov. ¡Casi soy tan alta como Brun! Y soy fea. Soy alta y fea y nunca tendré compañero –gesticuló, sollozando de nuevo.

–¡Ayla! ¡Déjalo ya! –ordenó Iza, sacudiéndola por los hombros–. No puedes hacer nada por cambiar tu aspecto. No naciste en el clan, Ayla, naciste en los Otros, y te pareces a ellos. No puedes cambiarlo, tienes que aceptarlo. Es cierto que tal vez nunca tengas compañero; eso tampoco tiene remedio y también debes aceptarlo. Pero no es seguro, no hay que desesperar. Pronto serás curandera, una curandera de mi linaje. Aun cuando no tengas compañero, no serás una mujer sin posición, sin valor.

»El verano que viene se celebrará la Reunión del Clan. Habrá muchos clanes allí; el nuestro no es el único clan, ya sabes. Puedes encontrar un compañero en uno de los otros clanes. Quizá no uno joven o que tenga posición elevada, pero un compañero, al fin y al cabo. Zoug te aprecia mucho; es una suerte que tenga tan buena opinión de ti. Ya ha hecho llegar a Creb un mensaje para que lo transmita. Zoug tiene parientes en otro clan; ha dicho a Creb que les diga cuánto te estima; cree que puedes ser una buena compañera para alguno; incluso ha dicho que, de haber sido más joven, él mismo te habría tomado. Recuérdalo: éste no es el único clan, y éstos no son los únicos hombres que hay en el mundo.

–¿Zoug ha dicho eso? ¿A pesar de que soy tan fea? –señaló Ayla, con una expresión esperanzada en los ojos.

–Sí, eso ha dicho Zoug. Con su recomendación y la posición de mi estirpe, estoy segura de que habrá algún hombre que te acepte, aunque tu aspecto sea distinto.

La sonrisa trémula de Ayla se borró.

–Pero ¿no significa eso que tendría que alejarme? ¿Vivir en otro lugar? No quiero separarme de ti ni de Creb ni de Uba.

–Ayla, yo soy vieja. Creb tampoco es joven, y dentro de unos años Uba será una mujer y estará apareada. Y entonces, ¿qué vas a hacer? –Iza siguió expresándose por medio de gestos–. Algún día Brun transmitirá el mando a Broud. No creo que debas seguir viviendo con este clan cuando Broud sea el jefe. Creo que sería mejor que te alejaras, y la Reunión del Clan pudiera ser tu oportunidad.

–Supongo que tienes razón, madre. No creo que me guste vivir aquí cuando Broud sea jefe, pero odio la idea de abandonarte –dijo, frunciendo el ceño, pero de repente se le iluminó el rostro–: Pero para el verano que viene falta todo un año. No tengo que preocuparme hasta entonces.

«Todo un año, pensó Iza. Mi Ayla, mi niña. Quizá tendrías que tener mi edad para saber lo rápidamente que transcurre un año. ¿No quieres dejarme? No sabes cuánto te echaré de menos. ¡Si por lo menos hubiera un hombre en este clan que te aceptara! ¡Si Broud no fuera a convertirse en el siguiente jefe!»

Pero la mujer no dejó que Ayla adivinara sus pensamientos mientras se secaba los ojos y regresaba a buscar agua. Esta vez no se miró en el estanque.

Aquella misma tarde, Ayla estaba sentada a la orilla del bosque mirando hacia la cueva a través de la maleza. Había varias personas fuera, trabajando o charlando. Ajustó los dos conejos que llevaba colgados al hombro, miró la honda prendida en la correa de su cintura, la metió en un pliegue de su manto y después la sacó y volvió a colgarla de su cinturón a la vista de todos. Miró nuevamente hacia la cueva y echó a andar nerviosamente.

«Brun dijo que podía, pensó. Hubo una ceremonia para que yo pudiera. Soy cazadora, soy la Mujer-Que-Caza.» Ayla alzó la barbilla y salió de detrás de la pantalla de follaje que la ocultaba.

Durante un largo y gélido momento, todos los que estaban fuera de la cueva se detuvieron y se quedaron mirando a la joven que avanzaba hacia ellos con dos conejos al hombro. En cuanto superaron la sorpresa y se dieron cuenta de que estaban demostrando malos modales, desviaron la mirada. El rostro de Ayla ardía, pero siguió caminando hacia delante con una determinación tesonera, ignorando las miradas de soslayo. Se sintió aliviada al alcanzar la cueva después de haber superado el desafío de unos rostros escandalizados, y agradeció el interior fresco y oscuro. Era más fácil ignorar las expresiones de la gente que estaba dentro.

También los ojos de Iza se abrieron cuan grandes eran cuando Ayla llegó al hogar de Creb, pero se recuperó rápidamente y miró hacia otro lado como si no hubiera visto los conejos. No sabía qué decir. Creb estaba sentado en su piel de oso, en aparente meditación, y no pareció fijarse en ella. La había visto llegar a la cueva, pero cuando la joven se acercó al hogar, se las había arreglado para poner cara de palo. Nadie dijo nada cuando dejó los animales en el suelo junto a la lumbre. Poco después llegó Uba a todo correr y no tuvo empacho en reaccionar abiertamente.

–¿De veras los has cazado tú sola, Ayla? –preguntó.

–Sí –contestó Ayla asintiendo con la cabeza.

–Parecen dos bonitos y gordos conejos. ¿Los vamos a cenar, madre?

–Sí, bueno, supongo que sí –respondió Iza, aún confusa e insegura.

–Voy a despellejarlos –dijo rápidamente Ayla, sacando el cuchillo. Iza observó un instante, después avanzó y le quitó el cuchillo de la mano.

–No, Ayla, tú los has cazado, yo los desollaré.

Ayla retrocedió mientras Iza despellejaba los conejos, los ensartaba rápidamente y los ponía a asar; la joven estaba tan incómoda como su madre.

–Ha sido una buena cena, Iza –declaró más tarde Creb, evitando aún comentar la caza de Ayla, pero Uba no puso tantos reparos.

–Han sido unos buenos conejos, Ayla, pero otro día, ¿por qué no tratas de conseguirnos perdiz blanca? –le dijo. Uba compartía la predilección de Creb por las gruesas aves de patas emplumadas.

La vez siguiente que Ayla trajo su caza a la cueva no causó tanta sensación, y al cabo de poco tiempo se hizo costumbre que saliera a cazar. Con un cazador en su hogar, Creb redujo la parte que tomaba de los demás cazadores, excepto cuando se trataba de los animales grandes sólo cazados por los hombres.

Fue una primavera muy ajetreada para Ayla. Su parte del trabajo de las mujeres era el mismo aunque tenía que cazar, además de su tarea de recoger hierbas para Iza. Pero a Ayla le gustaba, estaba llena de energías y se sentía más feliz que nunca. Le alegraba poder cazar sin ocultarse, estar otra vez con el clan y ser por fin una mujer, además de la satisfacción que le proporcionaban las relaciones más estrechas que estaba trabando con las otras mujeres. Uka y Ebra la aceptaban, aunque las dos mujeres mayores nunca pudieron olvidar que era diferente; Ika siempre se había mostrado amigable; en cuanto a las actitudes de Aga y su madre, se habían invertido del todo desde que salvó a Ona de ahogarse. Ovra se había convertido en su confidente y Oga simpatizaba con ella a pesar de Broud. El ardor adolescente que sintió Oga por el hombre se había templado; era ya un hábito indiferente, enfriado por los años de convivir con los impredecibles arranques de su compañero. Pero el odio vengativo de Broud hacia Ayla aumentó cuando ésta fue aceptada como cazadora. Seguía buscando la manera de exasperarla, tratando de hacerla reaccionar. Su acoso se había convertido en una manera de vivir a la que la joven se había acostumbrado y que la dejaba imperturbable. Había empezado a creer que aquel hombre no volvería a incordiarla más.

La primavera estaba en plena floración el día en que Ayla decidió salir a cazar perdiz blanca para preparar el manjar predilecto de Creb. Pensó que, ya que andaba por allí, podría echar un vistazo a lo que estaba creciendo para reabastecer la farmacopea de Iza. Pasó la mañana recorriendo la campiña próxima y después se dirigió a una ancha pradera cerca de la estepa. Levantó un par de aves que volaban bajo y las derribó con rápidas pedradas antes de ponerse a buscar entre las altas hierbas con la esperanza

344

de encontrar un nido y tal vez algunos huevos. A Creb le gustaban las aves rellenas con sus propios huevos en un nido de verduras y hierbas comestibles. Exclamó gozosamente al descubrirlo, y envolvió cuidadosamente los huevos en musgo suave, antes de guardarlos en un profundo pliegue de su manto. Estaba satisfecha de sí misma. Por pura necesidad de desfogarse, corrió rápidamente a través de la pradera y se detuvo, sin aliento, en lo alto de una loma cubierta de nueva hierba verde.

Arrojándose al suelo, comprobó que los huevos estuvieran intactos y se puso a comer un trozo de carne seca. Observó una alondra de la pradera de pechuga amarilla que lanzaba su trino gloriosamente desde un punto elevado y levantaba el vuelo sin dejar de cantar. Un par de pardales de corona dorada, gorjeando su tonada sombría de notas descendentes, revoloteaban entre las zarzamoras a la orilla del campo. Otro par de pajarillos de cabeza negra y manto gris que cantaban «chicadidí», llamados carboneros, volaban rápidamente entrando y saliendo, pues tenían su nido en un agujero del tronco de un abeto cerca de un arroyuelo que serpenteaba entre la densa vegetación al pie de la loma. Reyezuelos pardos, pequeñitos y vivaces, regañaban a los demás pájaros mientras llevaban ramitas y musgo seco a una cavidad, donde estaban haciendo su nido, dentro de un viejo manzano retorcido que hacía gala de su juvenil fecundidad con una floración sonrosada.

A Ayla le encantaban aquellos momentos de soledad. Tendida al sol, sintiéndose descansada y contenta, no pensaba en nada en particular como no fuera en la belleza del día y en lo dichosa que se sentía. Ni siquiera sospechaba que alguien más estuviera cerca, hasta que vio una sombra dibujada en el suelo delante de ella. Sobresaltada, alzó la mirada hasta encontrarse con el rostro malévolo de Broud.

No se había programado salir de caza aquel día y Broud decidió cazar solo. No había puesto demasiado interés; su salida a cazar había sido más bien un pretexto para dar un paseo en un cálido día de primavera que para buscar una carne que no necesitaba realmente. Había visto desde lejos a Ayla descansando en la loma y no podía dejar pasar la oportunidad de echarle en cara su pereza al sorprenderla sentada sin hacer nada.

Ayla dio un brinco al verle, pero eso le fastidió: era más alta que él y no le gustaba levantar la vista para mirar a una mujer. Le hizo señas de que se sentara y se dispuso a reprenderla enérgicamente. Pero al sentarse de nuevo, la mirada indiferente, sumisa, que volvía vidriosos los ojos de la joven, le irritó aún más. Le gustaría encontrar una forma de que reaccionara de alguna manera. En la cueva, por lo menos podía ordenarle que hiciera algo para él y verla brincar para cumplir sus órdenes.

Miró a su alrededor, después a la mujer sentada a sus pies, que, sin alterar su compostura, esperaba le echara una reprimenda y se fuera. «Es peor que nunca desde que se ha convertido en mujer, pensó el hombre. La Mujer-Que-Caza... ¿Cómo pudo hacer Brun semejante cosa?» Observó las perdices blancas que tenía y recordó sus propias manos vacías. «Hasta la mirada de su feo rostro es insolente; está orgullosa porque ha cazado y yo no. ¿Qué podría obligarla a hacer? Aquí no hay nada que pueda mandarle traer. Espera... ahora es mujer, ¿no? Pues hay algo que puedo obligarla a hacer.»

Broud le hizo una seña, y los ojos de Ayla se abrieron muy grandes. Era algo inesperado. Iza le había dicho que los hombres sólo deseaban eso de las mujeres a las que consideraban atrayentes; ella sabía que Broud la consideraba fea. Broud no había pasado por alto la sorpresa horrorizada de Ayla; su reacción le animó. Volvió a hacerle la seña, imperiosamente, para que adoptara la posición de modo que él pudiera aliviar sus necesidades, la posición del intercambio sexual.

Ayla sabía lo que se esperaba de ella; no sólo se lo había explicado Iza: ella misma había visto a miembros adultos del clan entregados a esa actividad; todos los niños lo veían; no había restricciones artificiales en el clan. Los niños aprendían el comportamiento de los adultos imitando a sus padres, y el comportamiento sexual era sólo una de las muchas actividades que copiaban. Eso siempre intrigaba a Ayla, se preguntaba por qué lo hacían, pero no le perturbaba ver que un muchachito saltase inocentemente sobre una niña, en una imitación consciente de los adultos.

A veces no era una simple imitación. Muchas muchachitas del clan eran desfloradas por muchachos púberes que estaban todavía en el límite de ser-casi-hombres, en vísperas de su primera matanza; y a veces, un hombre seducido por una joven coqueta se satisfacía con una hembra todavía-no-mujer. La mayoría de los jóvenes, sin embargo, consideraban que jugar con sus antiguas compañeras estaba por debajo de su dignidad.

Pero Ayla no había tenido más compañero de juegos que Vorn, más o menos de su misma edad, y desde los primeros tiempos en que Aga se opuso activamente a su asociación, nunca se había desarrollado un contacto estrecho entre ambos. Ayla no simpatizaba mucho con Vorn, quien imitaba el comportamiento de Broud hacia ella. A pesar del incidente en el campo de prácticas, el muchacho seguía idolatrando a Broud, y Vorn no iba a jugar a «compañeros» con Ayla. No había nadie más que pudiera hacerlo, de modo que nunca se había dedicado a imitar el acto. Dentro de una sociedad que practicaba el sexo con la misma naturalidad que la respiración, Ayla seguía siendo virgen.

La joven se sintió incómoda; sabía que debía someterse, pero se sentía turbada y Broud disfrutaba con ello. Se alegró de que se le hubiera ocurrido; finalmente, había derribado sus defensas. Le excitaba verla tan confusa y desconcertada, y eso intensificó el deseo. Se acercó mientras ella se ponía en pie antes de arrodillarse. Ayla no estaba acostumbrada a que los hombres del clan se acercaran tanto a ella. La fuerte respiración de Broud la asustó; la joven vaciló.

Broud se impacientó, la empujó y apartó su propio manto exponiendo su órgano, grueso y oscilante. «¿Qué es lo que está esperando? Es tan fea que debería sentirse halagada; ningún otro hombre la querría», pensó Broud con enojo, arrebatando el manto de ella para quitárselo de delante a medida que aumentaba su necesidad.

Pero cuando Broud se aproximó a ella, algo se rompió: Ayla no podía hacerlo. ¡No podía! La razón la abandonó; no importaba que tuviera la obligación de obedecerle; se puso en pie y echó a correr, pero Broud fue más rápido que ella. La agarró, la arrojó al suelo y le golpeó la cara, cortándole el labio con su rudo puño. Empezaba a disfrutar. Demasiadas veces se había dominado cuando deseaba golpearla, pero ahora no había allí nadie para detenerle. Y tenía justificada razón: le estaba desobedeciendo, desobedeciendo activamente.

Ayla estaba frenética; trató de levantarse y él volvió a golpearla. Estaba consiguiendo de ella una reacción tal como nunca la hubiera esperado, y eso despertaba en él una lujuria mayor. Iba a doblegar a aquella hembra insolente. La golpeó una y otra vez, y sintió una enorme satisfacción al sentir que la joven se encogía cuando iba a golpearla de nuevo.

La cabeza de Ayla zumbaba, la sangre le corría por la nariz y la comisura de la boca. Trató de incorporarse, pero él la retuvo tendida. Luchó contra él, golpeándole el pecho con los puños, sin hacer mella en su cuerpo musculoso, pero aquella resistencia provocó en él una lujuria mayor aún. Nunca se había sentido tan estimulado... la violencia incrementaba su pasión y la lujuria daba mayor fuerza a sus golpes. Se deleitaba en su resistencia y la volvió a abofetear.

Ella estaba semiinconsciente cuando la tumbó boca abajo, hizo a un lado febrilmente su manto y le separó las piernas. Con una embestida violenta, la penetró profundamente. Ella gritó de dolor; eso le causó más placer aún. Se lanzó de nuevo, arrancándole otro grito de dolor, y una vez más, y otra. La intensidad de su excitación le impelía, elevándole rápidamente a cimas insoportables. Con un último impulso que provocó un alarido final de agonía, vació su calor acumulado.

Broud quedó tendido un instante sobre ella, privado de energías. Entonces, respirando aún fuertemente, se retiró. Ayla sollozaba incoherentemente. La sal de sus lágrimas quemaba las heridas de su rostro cubierto de sangre. Tenía un ojo hinchado, casi cerrado y amoratándose. Sus muslos estaban manchados de sangre y por dentro le dolía muchísimo. Broud se incorporó y se quedó mirándola; se sentía a gusto, nunca había gozado tanto penetrando a una mujer. Recogió sus armas y tomó nuevamente el camino de la cueva.

Ayla se quedó tendida con la cara sobre la tierra hasta mucho después de haber dejado de sollozar. Finalmente, se enderezó. Se tocó la boca, la sintió hinchada y vio la sangre que manchaba sus dedos. Todo su cuerpo le dolía, por dentro y por fuera. Vio que había sangre entre sus muslos y sobre la hierba. «¿Estará luchando nuevamente mi tótem?, se preguntó. No, no lo creo, no es el momento. Será que Broud me ha herido. No sabía que también podía golpearme por dentro. Pero a las demás mujeres no les hace daño. ¿Por qué tiene que herirme el órgano de Broud? ¿Tendrá mi cuerpo algo que no está bien?»

Lentamente se puso en pie y caminó hasta el arroyo; cada paso le producía dolor. Se lavó, pero eso no sirvió para mitigar el dolor palpitante ni el torbellino que tenía en la cabeza. «¿Por qué ha querido Broud que yo haga eso? Iza dice que los hombres quieren aliviar sus necesidades con mujeres atractivas. Yo soy fea. ¿Por qué iba un hombre a querer lastimar a una mujer que le gusta? Pero también a las mujeres les gusta; si no, ¿por qué habrían de hacer gestos para alentar a los hombres? ¿Cómo puede gustarles a ellas? A Oga no le importa cuando se lo hace Broud, y lo hace diariamente y en ocasiones varias veces al día.»

De repente, Ayla se sintió horrorizada. «¡Oh, no! ¿Y si Broud quiere que lo vuelva a hacer? No regresaré. No puedo regresar.

¿Adónde podría ir? ¿A mi cueva? No, está muy cerca y allí no puedo pasar el invierno. Tengo que regresar, no puedo vivir sola. ¿Adónde podría ir? Y no puedo dejar a Iza, a Creb y a Uba. ¿Qué voy a hacer? Si Broud lo quiere, no puedo negárselo. Ninguna de las demás mujeres lo intentaría siquiera. ¿Qué tengo de malo? Nunca lo quiso hacer cuando todavía era una muchacha. ¿Por qué tuve que convertirme en mujer? ¡Y yo que me sentía tan feliz! Ahora no me importaría seguir siendo niña toda la vida. ¿De qué sirve ser mujer si no se puede tener un bebé? ¿Especialmente si un hombre te puede obligar a hacer semejante cosa? ¿Qué hay de bueno en ello? ¿Para qué sirve?»

El sol estaba ya en el ocaso cuando bajó penosamente de la loma en busca de sus perdices. Los huevos, tan cuidadosamente guardados, estaban rotos y habían manchado la delantera de su manto. Miró de nuevo al arroyo y recordó lo feliz que se había sentido observando a los pajarillos. Le parecía que habían transcurrido eras, que había sucedido en otros tiempos, en otro lugar. Se arrastró de vuelta a la cueva, temiendo el dolor que le causaba cada paso.

A medida que Iza veía cómo el sol se ponía detrás de los árboles al oeste, su preocupación iba en aumento. Recorrió en parte todos los senderos del bosque cercano y caminó hacia el reborde, para ver la pendiente que bajaba a la estepa. «Una mujer no debería salir sola; nunca me gusta cuando sale Ayla a cazar, pensaba Iza. ¿Y si la hubiera atacado algún animal? ¿Tal vez esté herida?» También Creb estaba preocupado, aunque trataba de no exteriorizarlo. El propio Brun comenzó a preocuparse a medida que se hacía de noche. Iza fue la primera en verla acercarse a la cueva desde el reborde. Iba a regañarla por haberle ocasionado tanta preocupación, pero se detuvo antes de hacer el primer gesto.

–¡Ayla! ¡Estás herida! ¿Qué ha pasado?

–Broud me ha golpeado –señaló, con expresión sombría.

–Pero ¿por qué?

–Porque le he desobedecido –indicó por gestos la joven mientras entraba en la cueva y se dirigía directamente al hogar.

«¿Qué puede haber sucedido?, se preguntaba Iza. Ayla no ha desobedecido a Broud durante años. ¿Por qué habría de rebelarse ahora contra él? ¿Y por qué no me dijo él que la había visto? Él sabía que estaba preocupada. Regresó al mediodía. ¿Por qué llega Ayla tan tarde?» Iza miró hacia el hogar de Broud y vio que miraba a Ayla por encima de los límites de piedras, contra lo que dictaban los buenos modales, con una sonrisa llena de vanidad y deleite en el rostro.

Creb había captado toda la escena: el rostro magullado e hinchado de Ayla y su aspecto de desolación total, la vigilancia a que la tenía sometida Broud desde el momento en que llegó, mirándola con una sorna arrogante. Sabía que el odio de Broud había crecido con los años –la obediencia plácida de Ayla parecía afectarle más que su rebeldía infantil–, pero algo había sucedido que daba a Broud la sensación de dominar a la joven. Por muy perspicaz que fuera Creb, no podría haber adivinado cuál era la causa.

A la mañana siguiente, Ayla temía abandonar el hogar y se quedó entretenida con el desayuno mientras pudo. Broud la estaba esperando. De sólo pensar en su intensa excitación de la víspera, había vuelto a excitarse y estaba preparado. Al hacerle éste la señal, la joven sintió el deseo de volverse corriendo, pero se obligó a sí misma a adoptar la posición. Trató de contener sus gritos, pero el dolor hizo que se le escapasen de sus labios, atrayendo las miradas sorprendidas de los que se encontraban cerca. No comprendían por qué gritaba de dolor, como tampoco podían comprender el interés súbito que había despertado en Broud.

Broud se deleitaba en su recién descubierto dominio sobre Ayla y la utilizaba frecuentemente, aunque muchas personas no comprendían por qué prefería a la mujer fea a la que aborrecía en lugar de su guapa compañera. Al cabo de cierto tiempo aquello dejó de ser doloroso, pero a Ayla le resultaba odioso; y precisamente su odio era lo que Broud disfrutaba. La había puesto en su lugar, había logrado superarla y, finalmente, había hallado la manera de obligarla a reaccionar ante él. No importaba que la respuesta fuera negativa; lo prefería así. Quería verla asustada, ver su temor, ver cómo se obligaba a sí misma a someterse. De sólo pensarlo se sentía estimulado. Siempre había tenido un fuerte impulso sexual; ahora era más sexualmente activo que nunca. Todas las mañanas, cuando no iba de cacería, se quedaba esperándola, y por lo general volvía a forzarla por la noche, y en ocasiones también a mediodía. Incluso se sentía excitado de noche y usaba a su compañera para aliviarse. Era joven y saludable, estaba en la cima de sus hazañas sexuales, y cuanto más intensamente le aborrecía Ayla, mayor placer sentía.

Ayla perdió su vivacidad. Estaba desanimada, desmadejada, indiferente. La única emoción que experimentaba era un odio devorador hacia Broud y su penetración cotidiana. Como un enorme glaciar que se apodera de toda la humedad de la tierra que lo rodea, su odio y amarga frustración drenaban todos los demás sentimientos.

Siempre había sido aseada, lavándose y lavando sus cabellos en el río para no tener piojos. Incluso llevaba grandes tazones de nieve que colocaba junto al fuego siempre encendido, para que se derritiera y le proporcionara agua fresca en invierno. Ahora sus cabellos colgaban sin vida en marañas grasientas y llevaba el mismo vestido día tras día, sin tomarse la molestia de limpiar las manchas ni de ventilarlo. Se rezagaba en sus tareas, hasta el punto de que hombres que nunca antes la habían regañado empezaron a reprenderla. Perdió todo interés en las medicinas de Iza, dejó de hablar, como no fuera para responder a preguntas directas, salía pocas veces de cacería y, cuando lo hacía, solía volver con las manos vacías. Su abatimiento tenía desalentados a todos los que compartían el hogar de Creb.

Iza no podía más de tanta preocupación; no entendía el cambio drástico que se había operado en Ayla. Sabía que era consecuencia del interés inexplicable de Broud hacia ella, pero por qué tenía semejante efecto era algo que no podía explicarse. Daba vueltas alrededor de Ayla, vigilándola sin cesar, y cuando la joven empezó a sentirse mal por las mañanas, tuvo miedo de que algún espíritu maligno que se le hubiera metido dentro estuviera ganando terreno.

Pero Iza era una curandera experimentada; fue la primera en fijarse en que Ayla no se mantenía en el aislamiento impuesto a las mujeres cuando sus tótems combatían y observó más de cerca a su hija adoptiva. Apenas podía creer lo que venía sospechando, pero cuando pasó otra luna y el verano había alcanzado el máximo de su tremendo calor, Iza se convenció. Una tarde, mientras Creb estaba fuera del hogar, hizo señas a Ayla.

—Quiero hablarte.

—Sí, Iza —fue la respuesta de Ayla, que se levantó de sus pieles con esfuerzo y se dejó caer en el suelo junto a la mujer.

—¿Cuándo fue la última vez que batalló tu tótem, Ayla?

—No sé.

—Ayla, quiero que reflexiones sobre esto. ¿Han combatido los espíritus dentro de ti desde que cayeron las flores?

La joven trató de recordar.

—No estoy segura, quizá una vez.

—Es lo que yo pensaba —dijo Iza—. Tienes náuseas por la mañana, ¿no es cierto?

—Así es –respondió la joven con una inclinación de la cabeza. Ayla pensaba que su indisposición se debía a que cuando Broud no salía de caza por la mañana, la estaba esperando, y le odiaba tanto que no podía retener el desayuno, y a veces tampoco la cena.

—¿Has sentido los pechos endurecidos?

—Un poco.

—Y han crecido también, ¿verdad que sí?

—Creo que sí. ¿Por qué me preguntas? ¿Por qué este interrogatorio?

La mujer se quedó mirándola con expresión grave.

—Ayla, no sé cómo habrá sucedido, apenas puedo creerlo, pero estoy segura de que es verdad.

—¿Qué es lo que es verdad?

—Tu tótem ha sido derrotado; vas a tener un bebé.

—¿Un bebé? ¿Yo? No puedo tener un bebé –protestó Ayla–, mi tótem es demasiado fuerte.

—Ya lo sé, Ayla. No consigo entenderlo, pero vas a tener un bebé –repitió Iza.

Una expresión de sorpresa maravillada llenó los ojos mortecinos de Ayla.

—¡Será posible! ¿Puede ser realmente posible? ¿Yo, tener un bebé? ¡Oh, madre, qué maravilla!

—Ayla, no estás apareada, no creo que haya un hombre del clan que te quiera aceptar, ni siquiera como segunda mujer. No puedes tener un hijo sin compañero, podría traer mala suerte –gesticuló seriamente Iza–. Será mejor que tomes algo para perderlo; creo que lo mejor sería el muérdago. Ya sabes, esa planta de pequeñas bayas blancas que crece muy alto en el roble. Es muy eficaz y, si se maneja debidamente, no resulta demasiado peligroso. Te haré una infusión con las hojas y unas poquitas bayas. Ayudará a tu tótem a expulsar la nueva vida. Te sentirás un poco enferma, pero...

—¡No! ¡No! –Ayla meneaba negativamente la cabeza con gran vigor–. No, Iza: no quiero tomar muérdago. No quiero tomar nada para perderlo. Madre, quiero un bebé. Lo he deseado desde que nació Uba. Nunca creí que fuera posible.

—Pero, Ayla, ¿y si el bebé fuera desgraciado? Incluso podría nacer deforme.

—No será desgraciado, no lo permitiré. Lo prometo. Me voy a cuidar mucho para que sea saludable. ¿No decías que un tótem fuerte ayuda, una vez que ha sucumbido, a tener un bebé saludable? Y lo cuidaré mucho después de nacido. No permitiré que le pase nada. Iza, debo tener ese bebé. ¿No lo comprendes? Es posible que mi tótem nunca vuelva a ser derrotado. Ésta puede ser mi única oportunidad.

Iza miró los ojos suplicantes de la joven; era la primera chispa de vida que había podido vislumbrar en ellos desde el día en que Broud la golpeó mientras estaba fuera, cazando. Sabía que debería insistir en que Ayla tomara la medicina; no estaba bien que una mujer sin compañero diera a luz, cuando podía evitarse. Pero Ayla deseaba tan desesperadamente al bebé que podría caer en una depresión más profunda aún si la obligaban a renunciar a él. Y tal vez tuviera razón: podría ser su única oportunidad.

—Está bien, Ayla —concedió—. Si tanto lo quieres... Pero será mejor no decírselo a nadie todavía; todos se enterarán muy pronto.

—¡Oh, Iza! —dijo, abrazando a la mujer. Mientras el milagro de su imposible embarazo iba penetrando en ella, una sonrisa le cruzó el rostro. Dio un brinco, llena de energías; no podía quedarse quieta, tenía que hacer algo.

—Madre, ¿qué estás cocinando hoy? Déjame ayudarte.

—Estofado de uro —respondió la mujer, pasmada ante la transformación tan repentina de la joven—. Si quieres, puedes cortar la carne.

Mientras trabajaban ambas mujeres, Iza se percató de que casi se había olvidado de la dicha que podía irradiar Ayla. Sus manos volaban, charlando y trabajando, y de repente volvió a surgir el interés de Ayla por la medicina.

—Yo no sabía lo del muérdago, madre —observó Ayla—. Sé del cornezuelo y del ácoro, pero no sabía que el muérdago pudiera hacer que una mujer pierda su bebé.

—Siempre habrá algunas cosas de las que no te he hablado, Ayla, pero sabrás lo suficiente. Y sabes cómo hacer pruebas; siempre podrás seguir aprendiendo. El tanaceto también servirá, pero puede ser más peligroso que el muérdago. Empleas toda la planta, flores, hojas y raíces, y la pones a hervir. Si llenas de agua hasta aquí —Iza señalaba una marca en el lateral de uno de sus tazones medicinales— y dejas que se reduzca hasta caber en esta taza —mostrando una taza de hueso—, será más o menos lo correcto; suele bastar con una taza. Las flores de crisantemo sirven a veces; no son tan peligrosas como el muérdago o el tanaceto, pero tampoco resultan eficaces siempre.

–Sería mejor para las mujeres que tienden a perder sus niños con facilidad. Sería mejor emplear algo más suave, si sirve... que sea menos peligroso.

–Así es. Y, Ayla, otra cosa que deberías saber. –Se volvió para comprobar que Creb no había regresado aún–. Ningún hombre debe enterarse nunca de esto; es un secreto que sólo conocen las curanderas, y no todas. Es mejor no decírselo nunca a una mujer, porque si su compañero preguntara, tendría que decírselo. Nadie le preguntará a una curandera. Si algún hombre lo descubriera, lo prohibiría. ¿Comprendes?

–Sí, madre –respondió Ayla, sorprendida ante el sigilo de Iza y muy intrigada.

–Nunca pensé que necesitara saber de estas cosas para ti, pero deberás conocerlo de todas maneras por ser curandera. A veces, cuando una mujer tiene un parto difícil, suele ser mejor que no vuelva a tener hijos. La curandera puede darle la medicina sin explicarle lo que es. Hay otras razones por las que una mujer puede no querer tener hijos. Algunas plantas encierran una magia especial, Ayla. Fortalecen tanto al tótem de la mujer que éste puede impedir que comience siquiera a iniciarse una nueva vida.

–¿Conoces la magia para impedir el embarazo, Iza? ¿El débil tótem de una mujer puede volverse tan fuerte? ¿Cualquier tótem? ¿Aun cuando un mog-ur lleve a cabo un encantamiento para fortalecer el tótem del hombre?

–Sí, Ayla. Por eso nunca debe enterarse de esto hombre alguno. Yo misma lo utilicé cuando me aparearon. No me gustaba mi compañero; deseaba que me cediera a otro hombre. Pensé que si nunca tenía hijos, no querría quedarse conmigo –confesó Iza.

–Pero has tenido un bebé: has tenido a Uba.

–Tal vez, al cabo de mucho tiempo, la magia se debilite. Tal vez mi tótem no quiso seguir combatiendo, tal vez quería que tuviera un bebé. No lo sé. No hay nada que sirva todo el tiempo. Hay fuerzas más grandes que cualquier magia, pero me sirvió durante muchos años. Nadie comprende del todo a los espíritus, ni siquiera Mog-ur. ¿Quién iba a creer que tu tótem pudiera ser derrotado, Ayla? –La curandera echó una rápida mirada a su alrededor–. Ahora, antes de que vuelva Creb, ¿conoces esa enredadera pequeña, amarilla, con hojas y flores diminutas?

–¿El hilo de oro?

–Sí, esa misma. A veces la llaman estrangulador porque mata a la planta en la que se desarrolla. Déjala secar, aplástala, más o menos esta cantidad, en la palma de tu mano, hiérvela en agua suficiente para llenar esta taza de hueso hasta que el extracto adquiera el color del heno maduro. Tómate dos sorbos cada día en que el espíritu de tu tótem no esté combatiendo.

–¿No es también una buena cataplasma para picaduras y mordeduras?

–Sí, y eso te da un buen pretexto para tenerla a mano, pero la cataplasma se emplea sobre la piel, fuera del cuerpo. Para que tu tótem tenga fuerza, te lo bebes. Hay otra cosa más que debes tomar mientras tu tótem está combatiendo: raíz de artemisa, seca o fresca. Hiérvela y bebe el agua, un tazón cada uno de los días en que estés aislada –prosiguió Iza.

–¿No es la planta de hoja dentada que sirve contra la artritis de Creb?

–Esa misma. Sé de otra, pero nunca la he empleado. Es la magia de otra curandera: intercambiamos conocimientos. Hay cierto ñame que no crece por aquí, pero te enseñaré en qué difiere de los que tenemos. Lo cortas en trozos y lo hierves y haces con él un puré espeso; lo dejas secar y lo reduces a polvo fino. Hace falta mucho, medio tazón mezclado con agua, para formar nuevamente una pasta, que has de tomar cada día que no estés aislada, cuando los espíritus no estén combatiendo.

Creb entró en la cueva y vio que ambas mujeres estaban muy absortas en su conversación. Al instante percibió el cambio en Ayla. Estaba animada, atenta, pensativa y sonriente. «Tiene que haberse sacudido lo que fuera», pensó, mientras llegaba cojeando a su hogar.

–Iza –dijo en voz alta para llamarles la atención–. ¿Tiene uno que morirse de hambre aquí?

La mujer dio un salto con expresión culpable, pero Creb no se fijó en ello. Estaba tan contento de ver a Ayla tan ocupada, trabajando y charlando, que no vio a Iza.

–En seguida estará preparado, Creb –señaló Ayla y, corriendo, fue a abrazarlo; hacía tiempo que Creb no se sentía tan contento. Se encontraba sentado en su estera cuando llegó Uba corriendo a la cueva.

–¡Tengo hambre! –gesticuló la niña.

–Siempre tienes hambre, Uba –dijo Ayla riendo y alzando a la niña para darle vueltas en el aire. Uba estaba encantada: era la primera vez, en todo el verano, que Ayla tenía ganas de jugar con ella.

Más tarde, después de cenar, Uba trepó hasta el regazo de Creb. Ayla tarareaba en voz baja mientras ayudaba a Iza a limpiar. Creb suspiró, satisfecho; así daba gusto estar en el hogar.

«Los muchachos son muy importantes, pensó, pero creo que las niñas son mejores. No tienen que ser fuertes y valientes todo el tiempo y no les importa acurrucarse en el regazo de uno para dormir. Casi desearía que Ayla siguiera siendo una niña.»

Ayla despertó a la mañana siguiente envuelta en un resplandor de dicha anticipada. «Voy a tener un bebé», se dijo. Se abrazó a sí misma estando aún tendida entre sus pieles. De repente le entraron ganas de levantarse. «Creo que bajaré al río esta mañana: tengo que lavarme la cabeza.» Brincó fuera del lecho, pero una náusea se apoderó de ella. «Tal vez sea mejor comer algo sólido y ver si no lo devuelvo. Tengo que comer para que mi bebé sea saludable.» No pudo conservar el desayuno, pero al cabo de un rato de estar levantada, volvió a comer y se sintió mejor. Todavía estaba pensando en el milagro de su embarazo cuando salió de la cueva para dirigirse al río.

—¡Ayla! —llamó Broud despectivamente, contoneándose con jactancia y haciendo la señal.

Ayla se sintió sobresaltada: se había olvidado de Broud. Tenía cosas más importantes en qué pensar, como bebés que amamantar y tener al calor de sus brazos, su propio bebé. «Bueno, más vale terminar con esto ahora, pensó, y pacientemente adoptó la postura adecuada para que Broud aliviara sus necesidades. Ojalá lo haga deprisa, quiero bajar al río a lavarme la cabeza.»

Broud se sintió frustrado; algo faltaba. No encontró la menor respuesta en ella. Echó de menos la excitación que le producía obligarla contra su voluntad. El odio desbordante y la amarga frustración que ella nunca había conseguido disimular anteriormente, se habían esfumado: había dejado de luchar contra él. Actuaba como si él no estuviera allí, como si no sintiera nada. Y no lo sentía. Su mente estaba en otra parte, no percibió su penetración como tampoco sus reproches ni sus golpes. Era una cosa más que tenía que aceptar y se resignaba a ello. Su serenidad tranquila y su aplomo habían vuelto.

El gozo de Broud no se debía al placer de la experiencia sexual, sino al dominio que ejercía sobre Ayla. Descubrió que ya no se sentía estimulado; le costó conservar su erección. Al cabo de varios intentos sin poder lograr el clímax, retrocedió y pronto desistió. Era demasiado humillante. «Podía ser una mujer de piedra, dada su respuesta, pensó. De todos modos, es fea y he perdido suficiente tiempo con ella. Ni siquiera sabe apreciar el honor que representa el interés del futuro jefe.»

Oga se alegró de verlo regresar, aliviada al ver que había superado su incomprensible predilección por Ayla. No había tenido celos; no había motivo alguno para estar celosa. Broud era su compañero y no había dado la menor señal de que se dispusiera a renunciar a ella. Cualquier hombre podía aliviar sus necesidades con cualquier mujer que se le antojara, eso no tenía nada de extraordinario. Lo que no podía comprender era que dedicara tanta atención a Ayla cuando, por alguna extraña razón, estaba claro que ella no disfrutaba.

Por mucho que quisiera convencerse de que no le importaba, a Broud le exasperaba la indiferencia súbita de Ayla. Creía haber hallado finalmente el modo de dominarla, de derribar de una vez por todas su muralla de indiferencia, y había descubierto el placer que eso le proporcionaba. Por eso se fortaleció más su determinación para encontrar la manera de atacarla otra vez.

19

El embarazo de Ayla asombró a todo el clan. Parecía imposible que una mujer con un tótem tan poderoso como el suyo pudiera concebir vida. Inmediatamente se dio rienda suelta a las especulaciones sobre qué espíritu del tótem de un hombre habría conseguido subyugar al León Cavernario, y a todos los hombres del clan les habría gustado adjudicarse ese honor y el incremento de prestigio que entrañaba. Algunos consideraban que tuvo que ser la combinación de varias esencias totémicas, tal vez de toda la población masculina, pero la mayoría de las opiniones se dividían en dos campos, coincidiendo más o menos exactamente con los límites de edad.

El factor determinante era la proximidad de la mujer, y por eso la mayoría de los hombres consideraban que los hijos de sus compañeras eran resultado del espíritu de su tótem. Una mujer pasaba, inevitablemente, mucho más tiempo con el hombre cuyo hogar compartía; la oportunidad de tragarse el espíritu de su tótem era, por tanto, mayor. Aun cuando el tótem de un hombre pudiera pedir ayuda al tótem de otro hombre durante la posterior batalla, o de cualquier otro espíritu que estuviera casualmente cerca, la fuerza vital del primer tótem era la que mayor derecho tenía a reivindicarlo. Un espíritu auxiliador podía tener el honor de iniciar la nueva vida, pero eso dependía del arbitrio del tótem que había solicitado ayuda. Los dos hombres que más cerca habían estado de Ayla desde que se hizo mujer eran Mog-ur y Broud.

–Yo digo que es Mog-ur –afirmaba Zoug–. Es el único cuyo tótem es más fuerte que el León Cavernario. Y ¿de quién es el hogar que ella comparte?

–Ursus nunca permite que una mujer trague su esencia –repuso Crug–. El Oso Cavernario escoge a los que quiere proteger, como hizo con Mog-ur. ¿Crees que un Venado iba a derrotar a un León Cavernario?

–Con ayuda del Oso Cavernario. Mog-ur tiene dos tótems: el Venado no tendría que buscar ayuda muy lejos. Nadie dice que el Oso Cavernario dejara su espíritu, lo único que estoy diciendo es que ayudó –replicó acaloradamente Zoug.

–Entonces, ¿por qué no quedó embarazada el invierno pasado? Vivía entonces en su hogar. Sólo después de que Broud se encaprichó con ella, aunque no me preguntéis lo que veía en ella. Fue después de haber pasado tanto tiempo junto a ella cuando la nueva vida comenzó. Un Rinoceronte Lanudo también es poderoso. Con ayuda, puede haber superado al León Cavernario –arguyó Crug.

–Creo que fue el tótem de todos –apostilló Dorv–. La pregunta es: ¿quién quiere tomarla por compañera? Todos desean apuntarse el tanto, pero ¿quién quiere a la mujer? Brun ha preguntado si alguno la quiere. Si no está apareada, el niño tendrá mala suerte. Yo soy demasiado viejo, aunque no puedo decir que lo siento.

–Bueno, yo la tomaría si tuviera aún mi propio hogar –señaló Zoug–. Es fea, pero trabajadora y respetuosa. Sabe cómo cuidar a un hombre. Eso, a la larga, resulta más importante que una cara bonita.

–Yo, no –expresó Crug meneando la cabeza–. No quiero tener en mi hogar a la Mujer-Que-Caza. Está muy bien eso para Mog-ur; de todos modos, no puede cazar ni le importa. Pero me imagino regresando de la caza con las manos vacías y comiendo la carne que mi compañera hubiera traído. Además, tengo mi hogar suficientemente lleno con Ika, Borg y la pequeña Igra. Me alegro de que Dorv pueda colaborar aún. Y mi compañera Ika todavía es joven y puede tener más. ¿Quién sabe?

–He pensado en ello –dijo Droog–, pero mi hogar está demasiado lleno. Aga y Aba, Vorn, Ona y Groob. ¿Qué haría yo con una mujer y un niño más? ¿Qué dices tú, Grod?

–No. A menos que Brun me obligue –respondió brevemente Grod. El segundo-al-mando nunca había podido superar cierta incomodidad en cuanto a la mujer que no había nacido en el clan. Le inquietaba.

–¿Y el propio Brun? –preguntó Crug–. Él fue quien aceptó que ingresara en el clan.

–A veces es aconsejable considerar a la primera mujer antes de tomar la segunda –comentó Goov–. Ya sabemos lo que piensa

Ebra respecto a la posición de la curandera. Iza ha estado adiestrando a Ayla. Si ésta se convierte en curandera de la estirpe de Iza, ¿os hacéis una idea de cómo se sentiría Ebra compartiendo el hogar con una mujer más joven, una segunda compañera, de posición superior a la suya? Yo tomaría a Ayla. Cuando sea mog-ur no cazaré tanto; a mí no me importaría entonces que trajera al hogar un conejo o una marmota; de todos modos, sólo son animales pequeños. No creo que a Ovra le importara una segunda mujer con posición más elevada, se llevan bien las dos. Pero Ovra quiere tener un hijo propio. Le costaría compartir el hogar con una mujer y un bebé. Especialmente porque nadie esperaba que Ayla tuviera uno. Creo que fue el espíritu del tótem de Broud el que lo inició todo: lástima que se comporte así con ella, porque él debería ser quien la tomara.

–Yo no estoy seguro de que fuera el de Broud –dijo Droog–. ¿Tú qué opinas, Mog-ur? Podrías tomarla por compañera.

El viejo mago había estado observando tranquilamente la discusión de los hombres, cosa que hacía con frecuencia.

–Lo he estado considerando. No creo que haya sido Ursus ni el Venado quienes iniciaran el bebé de Ayla. Tampoco estoy seguro de que haya sido el tótem de Broud. El tótem de ella ha sido siempre un enigma; nadie sabe lo que puede haber ocurrido. Pero necesita un compañero. No es sólo que el bebé pueda tener mala suerte, es que un hombre tendrá que responsabilizarse de él, proveer por él. Yo soy demasiado viejo, y si resultara niño, no podría adiestrarlo para cazar. Y ella no puede hacerlo porque sólo caza con honda. De todas formas, no puedo aparearme con ella. Sería como si Grod se apareara con Ovra, sobre todo teniendo aún a Ika como primera compañera. Para mí, es como la hija de la compañera, hija del hogar, no una mujer con quien aparearse.

–Ya ha sucedido en otras ocasiones –dijo Dorv–. La única mujer con quien un hombre no puede aparearse es con su hermana.

–No está prohibido, pero no está bien visto. Y la mayoría de los hombres no lo desean. Además, nunca he tenido compañera, y soy demasiado viejo para comenzar ahora. Iza me cuida, con eso me basta. Me siento a gusto con ella. Es normal que los hombres alivien sus necesidades con sus compañeras de vez en cuando. Hace mucho que no he experimentado esas necesidades; aprendí a controlarlas hace mucho tiempo. No sería un gran compañero para una mujer joven. Pero tal vez no necesite uno. Dice Iza que tendrá un embarazo difícil, ya está empezando a tener problemas y es posible que no llegue a término. Sé que Ayla desea tenerlo, pero sería mejor para todos si lo perdiera.

Como se había informado a los hombres, el embarazo de Ayla no marchaba bien. La curandera temía que la criatura tuviera algo malo. Muchos abortos se debían a fetos mal conformados, y a Iza le parecía mejor perderlos que dar a luz y tener que deshacerse de un bebé malformado. Los mareos matutinos de Ayla se prolongaron mucho más allá del primer trimestre; aun a finales del otoño, cuando su abultada criatura había crecido sobremanera, tenía dificultades para no devolver los alimentos. Cuando Ayla comenzó a sangrar y a soltar coágulos, Iza pidió a Brun que exonerara a la joven de las actividades normales y la obligó a guardar cama.

Los temores de Iza respecto al bebé de Ayla aumentaron con las dificultades del embarazo. Estaba convencida de que Ayla debería renunciar al bebé y segura de que no costaría mucho expulsarlo, a pesar de que el vientre abultado atestiguaba el crecimiento del feto. Temía más por Ayla. El bebé estaba exigiendo mucho de ella. Sus brazos y piernas adelgazaron en contraste con su corpulencia. No tenía apetito y comía, por pura fuerza de voluntad, los alimentos especiales que Iza preparaba para ella. Alrededor de los ojos se le formaron unos círculos negros y su abundante cabellera lustrosa perdió vida. Siempre tenía frío, carecía de reservas suficientes para conservar el calor y se pasaba la mayor parte del tiempo acurrucada junto al fuego, envuelta en pieles. Pero cuando Iza sugirió que Ayla tomara la medicina que pusiera final al embarazo, la joven se negó.

–Iza, quiero tener mi bebé. Ayúdame –suplicó Ayla–. Tú puedes ayudarme, sé que puedes. Haré todo lo que digas, pero ayúdame a tener mi bebé.

Iza no podía negarse. Durante algún tiempo había dependido de Ayla para recolectar las hierbas que necesitaba: ella salía muy pocas veces. El ejercicio fuerte provocaba en ella accesos de tos. Iza se había estado administrando mucha medicación para ocultar la enfermedad pulmonar destructiva, que empeoraba a cada invierno. Pero, por Ayla, saldría en busca de cierta raíz que ayudaba a impedir el aborto.

La curandera salió de la cueva una mañana temprano para buscar, en los bosques de las tierras altas y en los yermos húmedos, aquella raíz especial. El sol brillaba en un cielo claro cuando se puso en camino. Iza creía que iba a ser uno de esos días calurosos de fines de otoño y no quiso cargarse con ropas de abrigo.

Además, contaba con estar de vuelta antes de mediodía. Siguió un camino que conducía al bosque desde la cueva; a continuación giró para seguir un arroyo y comenzó a escalar las empinadas cuestas. Estaba más débil de lo que creía, le faltaba aliento y tenía que detenerse a menudo o esperar a que se pasase un torturador acceso de tos. A media mañana cambió el tiempo. Fueron apareciendo nubes por el este, empujadas por un viento frío, y, al llegar a los contrafuertes, soltaron su pesada carga de lluvia en forma de aguanieve. En unos instantes Iza quedó empapada.

La lluvia había amainado cuando encontró la clase de bosque de coníferas y de plantas que andaba buscando. Tiritando bajo la fría llovizna, arrancó las raíces del suelo lodoso. Su tos había empeorado cuando tomó el camino de vuelta y convulsionaba su cuerpo a cada instante haciendo fluir una espuma sanguinolenta entre sus labios. No estaba tan familiarizada con los alrededores de esta cueva como lo había estado con el entorno del anterior hogar del clan. Se desorientó, siguió el arroyo equivocado cuesta abajo y tuvo que volver sobre sus pasos en busca del verdadero. Casi había oscurecido cuando la curandera, totalmente empapada y muerta de frío, encontró el camino hacia la cueva.

–¡Madre! ¿Dónde has estado? –preguntó por señas Ayla–. Estás empapada y tiritando. Acércate al fuego. Voy a traerte ropa seca.

–He encontrado raíz de amaya para ti, Ayla. Lávala y mastica... –Iza tuvo que detenerse para ceder a otro espasmo. Tenía los ojos calenturientos, el rostro enrojecido–. Mastícala cruda. Eso te ayudará a conservar el bebé.

–¿No habrás salido con esa lluvia sólo para buscarme una raíz, verdad que no? ¿Acaso no sabes que preferiría perder el bebé a perderte a ti? Estás demasiado enferma para salir así, y tú lo sabes muy bien.

Ayla sabía que Iza no se encontraba bien desde hacía años, pero hasta entonces no se había dado cuenta de lo enferma que estaba la mujer. La joven se olvidó de su embarazo, lo ignoró cuando sangraba ocasionalmente, se olvidó de comer la mitad del tiempo y se negó a separarse del lado de Iza. Cuando dormía, lo hacía sobre unas pieles junto a la cama de la mujer. También Uba velaba constantemente.

Era la primera experiencia de la pequeña en cuanto a una enfermedad grave en alguien a quien amaba, y el efecto fue traumático. Observaba todo lo que hacía Ayla, la ayudaba, y eso le hizo comprender su propia herencia y su destino. Uba no era la única que observaba a Ayla: todo el clan estaba preocupado por la curandera y no muy seguro de la habilidad de la joven. Ella se mantenía indiferente frente a aquellas apreciaciones. Su atención estaba totalmente centrada en la mujer a la que llamaba madre.

Ayla rebuscó en su memoria todos los remedios que Iza le había enseñado, interrogó a Uba para que apelara a los recuerdos que sabía estaban almacenados en la memoria de la niña y aplicó cierta lógica que le era propia. El talento especial que Iza había detectado, la capacidad de descubrir y tratar el verdadero problema, era el punto fuerte de Ayla: sabía diagnosticar. Partiendo de pequeños indicios, podía reconstituir un cuadro como las piezas de un rompecabezas y llenar los vacíos con razonamientos e intuición. Era una habilidad para la que sólo su cerebro, entre todos los que compartían la cueva, estaba capacitado en exclusividad. La crisis de la enfermedad de Iza fue el estímulo que agudizó su talento.

Ayla aplicaba todos los remedios que había aprendido a usar con la curandera. Probaba, además, nuevas técnicas que le venían sugeridas por otros usos, a veces diferentes. Sea como fuere, la medicación, los cuidados amorosos o la voluntad de vivir de la curandera –más probablemente todo ello a la vez– lograron que, cuando los vientos helados del invierno amontonaron la nieve contra las barreras que había a la entrada de la cueva, Iza estuviera suficientemente restablecida como para volver a ocuparse del embarazo de Ayla. Era justamente el momento.

El esfuerzo por devolver la salud a Iza tuvo sus efectos: Ayla perdió constantemente sangre durante el resto del invierno y sufrió un dolor incesante en la espalda. Despertaba a medianoche con calambres en las piernas y seguía vomitando a menudo. Iza esperaba que perdiera el bebé en cualquier momento. No sabía cómo podía retenerlo Ayla, ni cómo podía seguir desarrollándose el bebé estando ella tan débil. Pero se desarrollaba. El vientre de la joven se hinchó hasta proporciones increíbles y el bebé pateaba con tanto vigor que apenas la futura madre podía conciliar el sueño. Iza nunca había visto que una mujer padeciera un embarazo tan difícil.

Ayla no se quejaba nunca. Temía que Iza pensara que estaba dispuesta a renunciar al bebé, aun cuando el embarazo estaba ya demasiado avanzado para que la curandera pensara en ello. Y tampoco Ayla lo pensaba. Su sufrimiento la convencía más aún de que si perdía ese bebé nunca volvería a tener otro.

Desde su cama, Ayla veía cómo las lluvias primaverales barrían la nieve, y la primera flor de azafrán que vio fue una que Uba le trajo. Iza no le permitía salir de la cueva. Los sauces se habían deshecho de su pelusa y habían reverdecido, y los primeros brotes anunciaban un follaje verde el día triste y lluvioso de primavera, a principios de su undécimo año, cuando se inició el parto de Ayla.

Las primeras contracciones fueron fáciles. Ayla tomó una infusión de corteza de sauce, mientras conversaba con Iza y Uba, excitada y complacida de que por fin hubiera llegado la hora. Estaba segura de que al día siguiente estaría con su bebé en brazos. Iza abrigaba sus reservas, pero se esforzaba por no manifestarlo. La conversación derivó, como sucedía tantas veces últimamente entre Iza y sus dos hijas, hacia la medicina.

—Madre, ¿qué raíz fue la que me trajiste el día en que saliste y caíste enferma? –señaló Ayla.

—Se llama amaya. No se suele usar mucho porque debería mascarse mientras está fresca y debe recogerse a finales del otoño. Es muy buena para impedir el aborto, pero ¿cuántas mujeres corren el peligro de abortar a fines de otoño? En cuanto se seca, pierde su eficacia.

—¿Cómo se la reconoce? –preguntó Uba. La enfermedad de Iza había despertado en Uba un mayor interés hacia las plantas curativas que habría de administrar más adelante, y tanto Iza como Ayla la estaban adiestrando al mismo tiempo. Pero adiestrar a Uba no era lo mismo que adiestrar a Ayla: para conseguir todo lo que su cerebro podía dar de sí, Uba sólo tenía que recordar con un poco de ayuda lo que sabía y ver cómo se aplicaba.

—En realidad se trata de dos plantas, hembra y macho, con un tallo largo que surge de un racimo de hojas junto al suelo, y flores pequeñas que brotan cerca de la parte superior y bajan hasta la mitad del tallo. Las flores macho son blancas. La raíz proviene de la planta hembra; sus flores son más pequeñas y verdes.

—¿Has dicho que crece en bosques de coníferas? –interrogó Ayla.

—Sólo en los que son húmedos. Le gusta la humedad, el pantano, los lugares húmedos de las praderas y a menudo crece en los bosques altos.

—No deberías haber salido aquel día, Iza. Me tuviste tan preocupada... Oh, espera. ¡Ahí viene otra!

La curandera examinó a Ayla. Estaba tratando de calcular la duración de los dolores. «Todavía falta mucho», pensó.

–No llovía cuando salí –explicó Iza–. Creí que sería un día caluroso. Estaba equivocada. El tiempo otoñal siempre es impredecible. Quería preguntarte algo, Ayla. Parte del tiempo estuve delirando, con fiebre, pero creo que hiciste una cataplasma para el pecho con las hierbas que empleamos para aliviar el reuma de Creb.

–Sí, la hice.

–Yo no te había enseñado eso.

–Ya lo sé. Pero tosías tanto y escupías sangre que quise darte algo que calmara los espasmos, pero también pensaba que deberías expulsar las flemas con menos esfuerzos. Esa medicina para el reuma de Creb penetra muy adentro con el calor y estimula la sangre. Pensé que podría aflojar las flemas de modo que no tuvieras que toser tan fuerte para sacarlas, y de todos modos podía seguir dándote el cocimiento para calmar los espasmos. Parece que sirvió.

–Sí, creo que sí.

Cuando Ayla expuso su razonamiento, parecía lógico, pero Iza se preguntaba si se le habría ocurrido a ella. «Yo tenía razón, pensaba Iza, es una buena curandera y va a mejorar. Merece la posición de mi estirpe. Tendré que hablar con Creb. Puede que no quede mucho tiempo antes de que yo abandone ese mundo. Ahora Ayla es una mujer, tiene que ser curandera... si sobrevive a este parto.»

Después del desayuno, Oga se acercó con Grev, su segundo hijo, y mientras le daba de mamar, se sentó junto a Ayla. Ovra se reunió con ellas poco después. Las tres jóvenes charlaron amigablemente entre las contracciones de Ayla, aunque no se habló de su inminente alumbramiento. Toda aquella mañana, mientras Ayla se encontró en la primera etapa de sus dolores, las mujeres del clan visitaron el hogar de Creb. Algunas sólo se quedaban unos instantes para brindar con su presencia un apoyo moral, otras se quedaban casi todo el tiempo junto a ella. Siempre había unas cuantas mujeres sentadas alrededor de su lecho, pero Creb se mantenía alejado. Entraba y salía, muy nervioso, deteniéndose para intercambiar algunos gestos con los hombres reunidos en el hogar de Brun, pero no podía quedarse mucho rato en el mismo sitio. La cacería que se había proyectado para aquel día se aplazó. El pretexto de Brun fue que todavía estaba todo demasiado mojado, pero todos sabían la verdadera razón.

Al final de la tarde, los dolores de Ayla se hicieron más fuertes. Iza le dio un cocimiento de cierto ñame que tenía cualidades especiales para aliviar los dolores de parto. A medida que avanzaba la tarde, las contracciones se fueron haciendo cada vez más fuertes y frecuentes. Ayla estaba tendida en su cama, empapada en sudor, aferrada a la mano de Iza. Trataba de ahogar sus gritos, pero cuando el sol se ocultó tras el horizonte, Ayla estaba retorciéndose de dolor, gritando cada vez que una convulsión le sacudía el cuerpo. La mayor parte de las mujeres no pudieron soportar quedarse cerca; todas, menos Ebra, regresaron a sus respectivos hogares. Encontraron algo que hacer, levantando la vista cada vez que Ayla daba otro grito agónico. La conversación había cesado también alrededor del hogar de Brun. Los hombres estaban sentados, desalentados, mirando al suelo. Cualquier intento de charla insulsa era interrumpido por los gritos de dolor de Ayla.

—Ebra, tiene las caderas demasiado estrechas —señaló Iza—. No van a permitir que se abra suficientemente el canal del parto.

—¿No serviría de algo romper la bolsa de aguas? A veces da resultado —sugirió Ebra.

—Lo he estado pensando. No quería hacerlo demasiado pronto, no podría soportar un parto seco. Esperaba que se rompiera por sí sola, pero se está debilitando mucho y no hay progreso. Tal vez sea mejor hacerlo ahora. ¿Me quieres dar ese palo de olmo? Ahora empieza otra contracción. Lo haré tan pronto como termine.

Ayla arqueó la espalda y agarró las manos de las dos mujeres mientras un grito de agonía se escapaba en crescendo de entre sus labios.

—Ayla, voy a tratar de ayudarte —señaló Iza una vez terminada la contracción—. ¿Me entiendes?

Ayla asintió silenciosamente.

—Voy a romper la bolsa de aguas, y entonces te pediré que te pongas en cuclillas. Empujar al bebé hacia abajo sirve de ayuda. ¿Podrás hacerlo?

—Lo intentaré —señaló débilmente Ayla.

Iza insertó el palo de olmo, y las aguas del parto de Ayla surgieron, provocando otra contracción.

—Ahora enderézate, Ayla —expresó la curandera con un gesto. Entre Ebra y ella tiraron de la joven y la sostuvieron mientras se acuclillaba sobre el pellejo de cuero, semejante al que se ponía debajo de todas las mujeres a punto de dar a luz.

—Ahora empuja, Ayla, empuja fuerte. —Ésta hizo un esfuerzo al sobrevenir el próximo dolor.

–Está demasiado débil –indicó Ebra–. No puede empujar con suficiente fuerza.

–Ayla, tienes que empujar más fuerte –ordenó Iza.

–No puedo –respondió Ayla con un ademán.

–Debes hacerlo, Ayla. Debes hacerlo, porque si no tu bebé morirá –dijo Iza.

No agregó que también Ayla moriría. Iza pudo ver cómo se le tensaban los músculos con la siguiente contracción.

–¡Ahora, Ayla! ¡Ahora! ¡Empuja! Empuja con todas tus fuerzas –la instó Iza.

«No puedo dejar que muera mi bebé, pensaba Ayla. No puedo. Si éste muere, no podré tener otro.» Desde alguna reserva desconocida, Ayla sacó un último esfuerzo. A medida que el dolor aumentaba, aspiró fuerte y se aferró a la mano de Iza en busca de ayuda. Empujó con un ímpetu que hizo brotar gotas de sudor de su frente. Se le iba la cabeza; le pareció que los huesos se le estaban partiendo, como si se esforzara por echar fuera sus entrañas.

–Bien, Ayla, bien –la alentó Iza–. Ya se le ve la cabeza; una vez más.

Ayla aspiró otra bocanada de aire y volvió a hacer un esfuerzo. Sintió que la piel y los músculos se le desgarraban, pero siguió empujando. Con un chorro de sangre roja y espesa, la cabeza del bebé salió a la fuerza del estrecho canal. Iza la cogió en sus manos y tiró de ella, pero lo peor había pasado.

–Un poco más, Ayla, justo lo necesario para expulsar la placenta. –Ayla hizo un nuevo esfuerzo, sintió que perdía el conocimiento y que todo se oscurecía, y se desvaneció.

Iza ató un trozo de fibra teñida de rojo alrededor del cordón umbilical del recién nacido y cortó lo demás con los dientes. Le golpeó los pies hasta que un grito semejante a un maullido se convirtió en un fuerte berrido. «El niño vive, se dijo Iza, tranquilizada, mientras comenzaba a limpiarlo; y después sintió que se le partía el corazón. Después de todo lo que ha soportado, después de tantos sufrimientos... esto. ¿Por qué? Deseaba tanto tener su bebé». –Iza envolvió al recién nacido en la suave piel de conejo que Ayla tenía preparada; después hizo una compresa de raíces masticadas para ponérsela a Ayla, sujetándola en su lugar con una tira de piel absorbente. Ayla profirió un gemido y abrió los ojos.

–Mi bebé, Iza, ¿es niño o niña? –preguntó.

–Es niño, Ayla - dijo la mujer, y prosiguió rápidamente para no dejarle abrigar falsas esperanzas–, pero es deforme.

La sonrisa que se iniciaba en los labios de Ayla se convirtió en una expresión horrorizada.

–¡No! ¡No puede ser! ¡Enséñamelo!

Iza le llevó al recién nacido.

–Me lo temía. Sucede a menudo cuando el embarazo de una mujer es difícil. Lo siento, Ayla.

La joven retiró la cobija y miró a su diminuto hijo. Sus brazos y piernas eran más delgados de lo que habían sido los de Uba al nacer, y más largos, pero tenía el número de dedos correcto en los lugares debidos. Sus testículos y pene diminutos evidenciaban silenciosamente su sexo. Pero su cabeza, decididamente, no era natural. Era anormalmente grande, lo que causó la dificultad del parto de Ayla, y algo deformada debido a su desgarradora entrada en el mundo, pero eso no era motivo suficiente de alarma: Iza sabía que sólo era el resultado de las apreturas que sufrió al nacer y que pronto se corregiría. Pero lo deforme era la conformación de la cabeza, la forma básica, que nunca cambiaría, y el cuello flaco y larguirucho incapaz de soportar la enorme cabeza del bebé.

El bebé de Ayla tenía unos considerables arcos superciliares, como la gente del clan, pero su frente, en vez de huir hacia atrás, se alzaba alta y recta por encima de las cejas y se abombaba formando, en opinión de Iza, una alta corona que terminaba configurándose como una voluminosa formación oblonga. Pero la parte posterior de su cabeza no era todo lo larga que debería haber sido; parecía que el cráneo del crío fuera empujado hacia delante, hacia la frente abombada y la corona, acortando y redondeando la parte posterior. Sólo tenía un occipital simbólico detrás y sus rasgos estaban extrañamente alterados. Tenía unos ojos grandes y redondos, pero su nariz era mucho más pequeña de lo normal; su boca era grande, sus maxilares no tan grandes como los del clan, pero debajo de su boca había una proyección ósea que desfiguraba su rostro, una barbilla bien desarrollada, ligeramente huidiza, de la que carecía por completo la gente del clan. La cabecita del bebé cayó hacia atrás cuando Iza lo cogió por vez primera y automáticamente tendió su mano para sostenerla, meneando su propia cabeza sobre su cuello grueso y corto. Dudaba de que el niño lograra alguna vez mantener la cabeza levantada.

El bebé movió su hocico buscando el calor de su madre mientras se encontraba en brazos de Ayla, tratando de mamar como si no le hubiera alimentado lo suficiente antes de venir al mundo. Ella le ayudó a colgarse de su seno.

–No deberías hacerlo, Ayla –dijo dulcemente Iza–. No debes darle más vida puesto que pronto habrá de serle quitada. Eso te dificultará más aún el deshacerte de él.

–¿Deshacerme de él? –Ayla mostró su desazón–. Pero ¿cómo me voy a deshacer de él? Es mi bebé, mi hijo.

–No te queda más remedio, Ayla. Es la regla. Una madre debe deshacerse siempre de un hijo deforme que haya traído al mundo. Es mejor hacerlo cuanto antes y no esperar a que lo ordene Brun.

–Pero Creb era deforme... y le permitieron vivir –repuso Ayla.

–El compañero de su madre era jefe del clan; él lo permitió. Tú no tienes compañero, Ayla, ningún hombre que hable en favor de tu hijo. Ya te dije al principio que tu hijo podría tener mala suerte si dieras a luz antes de aparearte. ¿No queda demostrado por su deformidad, Ayla? ¿Por qué dejar vivir a un niño que durante toda su vida sólo tendrá mala suerte? Es mejor resolverlo ahora, Ayla –razonó Iza.

Renuentemente, Ayla apartó a su hijito del pecho, con las lágrimas desbordando sus ojos.

–¡Oh, Iza! –dijo llorando–. Yo quería tanto tener un bebé, un bebé que fuera mío, como lo tenían las demás. Nunca creí poder tener uno. Y me sentía tan dichosa; no me importó estar enferma, sólo quería mi bebé. Fue tan duro que no creí que llegara nunca, pero cuando dijiste que iba a morir, empujé. Si tenía que morir de todos modos, ¿por qué fue tan duro? Madre, quiero tener a mi bebé, no me obligues a deshacerme de él.

–Ya sé que no es fácil, Ayla, pero debe hacerse. –El corazón de Iza sentía mucha pena por ella. El bebé buscaba el pecho que le habían retirado tan bruscamente, buscaba la seguridad y la satisfacción de su necesidad de mamar. Ella no tenía leche aún, tardaría un día más o menos; sólo tenía ese líquido lechoso y espeso que proporcionaría al niño la inmunidad propia contra las enfermedades durante los primeros meses de su vida. Se puso a llorar y pronto lanzó un enérgico chillido, agitando los brazos y pateando la cobija. Su grito llenó la cueva con la insistencia exigente de un bebé furioso y sofocado. Ayla no pudo resistir y se lo pegó nuevamente al pecho.

–No lo puedo hacer –señaló–. No lo haré. Mi hijo vive, está respirando. Puede que sea deforme, pero es fuerte. ¿Le has oído gritar? ¿Has oído gritar a algún bebé de ese modo? ¿Le has visto patear? ¡Mira cómo mama! Lo quiero, Iza, lo quiero y me voy a quedar con él. Preferiría marcharme a matarle. Puedo cazar. Puedo encontrar alimento. Yo misma puedo cuidar de él.

–¡Ayla, no puedes decir eso! –indicó Iza, palideciendo–. ¿Adónde irías? Estás demasiado débil, has perdido muchísima sangre.

–No lo sé, madre. A cualquier parte... a alguna parte. Pero no renunciaré a él. –Ayla estaba decidida y se mostraba inflexible. Iza no puso en duda que la joven madre pensara lo que decía, pero estaba demasiado débil para ir a ninguna parte; se moriría si trataba de salvar al bebé. Iza se sentía aterrorizada ante la idea de que Ayla no respetara las costumbres del clan, pero también estaba segura de que lo haría.

–Ayla, no hables así –rogó Iza–. Dámelo. Si tú no puedes, lo haré por ti. Le diré a Brun que estás demasiado débil, es una razón suficiente. –La mujer tendió las manos para coger al niño–. Deja que me lo lleve. Una vez que se haya ido, resultará más fácil olvidarlo.

–¡No, no, Iza! –Ayla meneó enérgicamente la cabeza, apretando más el paquetito que tenía en sus brazos. Se inclinó sobre él, protegiéndole con su cuerpo, moviendo sólo una mano para hablar, con los símbolos abreviados de Creb–. Voy a quedarme con él. De alguna manera, como sea, aun cuando tenga que marcharme, me quedaré con mi bebé.

Uba estaba mirando a las dos mujeres, ignorada por ambas. Había presenciado el horripilante alumbramiento de Ayla, como había visto a otras mujeres dar a luz antes que ella. Ningún secreto de la vida ni de la muerte les era ocultado a los niños; compartían el sino del clan al igual que sus mayores. Uba amaba a la muchacha de cabellos de oro que era para ella amiga y compañera de juegos, hermana y madre. El nacimiento difícil y doloroso había asustado a la niña, pero cuando Ayla habló de marcharse, se asustó más aún. Le recordó el tiempo en que había estado ausente, cuando todos decían que nunca más regresaría. Uba estaba segura de que si Ayla se marchaba ahora, nunca más volvería a verla.

–No te vayas. –La muchacha se puso en pie haciendo gestos frenéticos–. Madre, no puedes dejar que Ayla se vaya. No vuelvas a irte.

–No quiero marcharme, Uba, pero no puedo dejar que muera mi bebé –dijo Ayla.

–¿No puedes ponerlo en lo alto de un árbol como la madre en la historia de Aba? Si sobrevive siete días, Brun tendrá que permitir que te quedes con él –suplicó Uba.

–La historia de Aba es una leyenda, Uba –explicó Iza–. Ningún bebé puede vivir fuera, al frío, sin alimento.

Ayla no estaba prestando atención a la explicación de Iza; la sugerencia infantil de Uba le había dado una idea.

–Madre, parte de esa leyenda es cierta.

–¿Qué quieres decir?

–Que si mi bebé vive al cabo de siete días, Brun tendrá que aceptarlo. ¿No es así? –preguntó muy en serio.

–¿En qué estás pensando, Ayla? No puedes dejarle fuera con la esperanza de que siga con vida al cabo de siete días. Sabes que es imposible.

–No dejarlo, llevármelo. Conozco un lugar donde puedo ocultarlo, Iza. Puedo irme allí y llevármelo y regresar el día en que se le tenga que poner nombre. Brun tendrá entonces que permitir que me quede con él. Hay una pequeña caverna...

–¡No! Ayla, no me digas esas cosas. Estaría mal. Sería desobedecer. No puedo aprobarlo; no es la regla del clan. Brun se enojaría mucho; iría en tu busca, te encontraría y te traería de vuelta. No está bien, Ayla –reprendió Iza. Se puso en pie y fue hacia el fuego, pero volvió sobre sus pasos–: Y si te marcharas, me preguntaría dónde estás.

Nunca en su vida había hecho nada Iza que fuera contrario a las leyes del clan ni a los deseos de Brun. Sólo pensarlo la aterraba. Incluso la medicina anticonceptiva secreta tenía la sanción de las generaciones pasadas de curanderas, era parte de su herencia. Mantener el secreto no era desobedecer –no había tradición ni costumbre que prohibiera su uso: lo único que hacía era no mencionarlo. El plan de Ayla era nada menos que una rebelión, una rebelión que jamás habría podido imaginar Iza. No podía aprobarla.

Pero sabía cuánto deseaba Ayla al bebé; su corazón se rompía al pensar en todo lo que había sufrido durante el prolongado y doloroso embarazo, y cómo sólo el temor de que muriera el bebé le había dado la fuerza necesaria para salvar su propia vida. «Ayla tiene razón, pensaba Iza mirando al bebé recién nacido. Es deforme, pero, por lo demás, fuerte y saludable. Creb era deforme... y ahora es Mog-ur. Además de que es su primer hijo. Si tuviera un compañero, éste quizá permitiera que viviera el niño. No, no lo permitiría», se dijo de nuevo. No podía engañarse a sí misma como no podía engañar a nadie. Pero podía callarse.

Pensó en hablar a Creb o a Brun; sabía que debería hacerlo, pero no era capaz de decidirse. Iza no podía aprobar el plan de

Ayla, pero podía guardárselo para sus adentros. Era la peor cosa que hubiera cometido en toda su vida intencionadamente.

Echó unas cuantas piedras calientes en un tazón de agua para preparar a Ayla una infusión de cornezuelo. La joven estaba durmiendo con el bebé en brazos cuando Iza le llevó la medicina y la sacudió suavemente.

–Bebe esto, Ayla –dijo–. He envuelto la placenta y está en ese rincón. Puedes descansar esta noche, pero mañana habrá que enterrarla. Brun ya lo sabe, se lo ha dicho Ebra. Preferiría no tener que examinar al bebé y dar la orden oficialmente. Espera que tú te ocupes de todo cuando hayas ocultado las evidencias del nacimiento. –Iza estaba indicando a su hija de cuánto tiempo disponía para trazar sus planes.

Ayla se quedó despierta cuando Iza la dejó sola, pensando en lo que debería llevarse. «Necesitaré mis pieles para dormir, pieles de conejo para el bebé y plumón, y también un par de cobijas más para mudarle. Tiras de piel para mí, mi honda y cuchillos. Oh, y comida, será mejor que lleve de comer y una bolsa de agua. Si espero hasta que el sol esté alto, antes de salir, puedo tenerlo todo preparado por la mañana.»

A la mañana siguiente, Iza cocinó mucho más de lo que hacía falta para desayunar cuatro personas. Creb había regresado tarde a su hogar para dormir; quería evitar cualquier comunicación con Ayla. No sabía qué podría decirle. «Su tótem es demasiado fuerte, se decía. Nunca ha sido superado del todo; por eso ha sangrado tanto durante su embarazo. A eso se debe que el niño sea deforme. Mala suerte; lo deseaba tanto.»

–Iza, has hecho de comer para todo el clan –observó Creb–. ¿Cómo es posible que comamos tanto?

–Es para Ayla –respondió Iza y agachó rápidamente la cabeza.

«Iza debería haber tenido muchos hijos, pensaba el viejo, está chocheando con los pocos que tiene. Pero Ayla necesita reponer sus fuerzas. Le va a llevar mucho tiempo superar esto. Me sorprendería que algún día llegara a tener un hijo normal.»

Ayla sintió que se le iba la cabeza en cuanto se puso en pie y sintió también un golpe de sangre caliente. Le dolía dar siquiera unos cuantos pasos, y tratar de inclinarse era un tormento. Estaba más débil de lo que había creído y se sintió invadida por el pánico: «¿Cómo voy a poder trepar hasta la cueva? Pero no queda más remedio. Si no lo hago, Iza me quitará mi bebé y se deshará de él. ¿Qué voy a hacer si pierdo a mi bebé?»

«No lo perderé, decidió con firme determinación, desterrando de su mente el pánico. Llegaré arriba de algún modo, aunque tenga que ir gateando todo el camino.»

Estaba lloviznando cuando Ayla salió de la cueva. Metió unas cuantas cosas en el fondo de su canasto y las cubrió con el apestoso paquete de los residuos del parto; lo demás lo escondió bajo su manto exterior de pieles. El bebé estaba firmemente sujeto contra su cuerpo mediante una faja especial para transportar niños. La primera oleada de aturdimiento pasó mientras echaba a andar bosque adentro, pero siguió sintiendo náuseas. Se apartó del sendero y se adentró en la selva antes de detenerse. Era difícil abrir el hoyo con su palo de cavar, de tan débil como se sentía. Enterró profundamente el bulto, como le había dicho Iza, y ejecutó los símbolos apropiados. Después miró a su hijo que dormía profundamente, bien abrigado y confortablemente seguro. «Nadie te meterá en un hoyo así», le decía la joven madre. Entonces comenzó a escalar los abruptos contrafuertes, sin darse cuenta de que alguien la seguía con la mirada.

Poco después de que abandonara Ayla la cueva, Uba echó a andar tras ella. El invierno de entrenamiento, después de la enfermedad de su madre, había hecho a la muchachita mucho más consciente del peligro que corría Ayla. Sabía lo débil que estaba la joven madre, y temía que fuera a desmayarse y se convirtiera en fácil presa de algún animal carnívoro atraído por el olor a sangre. Uba estuvo a punto de volver corriendo a la cueva para contárselo a Iza, pero no quería que Ayla se marchara sola y empezó a seguirla. La muchacha la perdió de vista cuando abandonó el sendero, pero volvió a verla cuando escalaba una pendiente descubierta.

Ayla se apoyaba pesadamente en su palo de cavar mientras ascendía, empleándolo como bastón. Se detenía a menudo, tragando con fuerza para superar las náuseas y luchando para no abandonarse al vértigo que podía convertirse en desmayo; sintió que la sangre le chorreaba por las piernas, pero no se detuvo para cambiar su tira absorbente. Recordó cuando podía subir aquella cuesta a todo correr, sin jadear. Ahora no terminaba de convencerse de lo lejos que estaba la alta pradera. La distancia entre puntos de referencia conocidos era bastante larga; Ayla se esforzó hasta que estuvo a punto de desvanecerse y luchó por seguir consciente hasta haber descansado lo suficiente para poder seguir su camino.

Al caer la tarde, cuando el bebé empezó a llorar, lo oyó apenas a través de una neblina. No se detuvo por eso, sino que siguió ascendiendo con empeño. Su mente sólo se aferraba a una idea: «Tengo que llegar a la pradera, tengo que llegar a la cueva». Ni siquiera estaba ya muy segura de por qué.

Uba la seguía a cierta distancia, pues no quería que Ayla la viera. No sabía que Ayla apenas podía ver más allá del siguiente paso. La cabeza de la joven madre flotaba en una niebla roja cuando alcanzó finalmente el pastizal montañoso. «Un poco más, se decía, sólo un poco más.» Cruzó pesadamente el campo y apenas tuvo fuerzas suficientes para apartar las ramas cuando llegó trastabillando a la pequeña cueva y se dejó caer en lo que había sido tantas veces su santuario. Cayó sobre la piel de venado, sin preocuparse de que su manto estuviera mojado, y se olvidó de que no había dado de mamar al bebé que lloraba antes de permitirse sucumbir al agotamiento.

Fue una suerte que Uba alcanzara la pradera justo cuando Ayla desaparecía en la cueva, pues, de lo contrario, habría pensado que la mujer se había desvanecido en el aire. La gruesa y vieja maleza de avellanos, con su maraña de ramas, disimulaba por completo el orificio de la muralla montañosa, incluso sin el follaje veraniego. Uba corrió de vuelta a la cueva. Había tardado más de lo que pensaba; Ayla había tardado muchísimo más de lo que ella esperaba en llegar a su cueva. Temía que Iza estuviera preocupada y la reprendiera; pero Iza no se enteró del retraso de su hija. Había visto a su hija deslizarse detrás de Ayla y adivinó sus intenciones, pero no quería saber nada con seguridad.

20

–¿No debería estar ya de vuelta, Iza? –preguntó Creb. Había estado yendo y viniendo ansiosamente de la puerta de la cueva a su hogar toda la tarde. Iza asintió, nerviosa, sin alzar la vista del cuarto de venado frío y cocido que estaba troceando.

–¡Ay! –exclamó de repente cuando el afilado cuchillo que estaba usando le cortó en un dedo. Creb alzó la mirada, tan sorprendido por el hecho de que se cortara como por su grito espontáneo. Iza era tan hábil con el cuchillo de piedra que no recordaba cuándo fue la última vez que se cortó. «Pobre Iza, pensó Creb. He estado tan absorto en mi propia preocupación que me he olvidado de cómo debe de sentirse, se reprendió. No es de extrañar que esté nerviosa; también ella está preocupada.»

–He hablado con Brun hace un rato, Iza –señaló Creb–. Todavía no quiere ponerse a buscarla. Nadie debería saber dónde una mujer se deshace... dónde se encuentra en momentos como éstos. Ya sabes que sería mala suerte para un hombre llegar a verla. Pero está tan débil que podría estar tirada en cualquier lugar, bajo la lluvia. Tú podrías ir a buscarla, Iza, tú eres curandera. No puede haber ido muy lejos. No te preocupes por la cena, puedo esperar. ¿Por qué no sales ya? Pronto será de noche.

–No puedo –señaló Iza, y se metió en la boca el dedo herido.

–¿Qué quieres decir con eso de que no puedes?

–No puedo encontrarla.

–¿Cómo sabes que no puedes encontrarla si no la buscas? –El viejo mago estaba completamente confundido. «¿Por qué no querrá Iza salir en su busca? Ahora que lo pienso, ¿por qué no ha ido ya a buscarla? Me parecería normal que anduviera recorriendo el bosque, levantando las piedras para encontrar a Ayla a estas horas. Está tan nerviosa... algo anda mal.»

–Iza, ¿por qué no quieres ir en busca de Ayla? –preguntó.

–De nada serviría. No podría hallarla.

–¿Por qué? –insistió el mago.

Los ojos de la mujer estaban llenos de una ansiedad temerosa.

–Se está escondiendo –confesó la mujer.

–¡Escondiéndose! ¿De qué se está escondiendo?

–De todos. De Brun, de ti, de mí, de todo el clan –contestó.

Creb no sabía qué pensar, y las respuestas enigmáticas de Iza le confundían más aún.

–Iza, es mejor que te expliques. ¿Por qué se está escondiendo Ayla del clan, de mí o de ti? Especialmente de ti. Ahora te necesita.

–Creb, quiere quedarse con el bebé –señaló Iza, y después explicó muy rápidamente, suplicando con los ojos que la comprendiera–. Le dije que era deber de la madre deshacerse de un bebé deforme, pero se negó. Tú sabes cuánto lo ha deseado. Ha dicho que se lo llevaría y se escondería con él hasta el día de ponerle nombre, así Brun tendría que aceptarlo. –Creb se quedó mirando duramente a la mujer, sopesando rápidamente las consecuencias del empecinamiento de Ayla.

–Sí, Iza, Brun se verá obligado a aceptar a su hijo, pero entonces la maldecirá por haber desobedecido deliberadamente, y esta vez será para siempre. ¿No sabes que cuando una mujer obliga a un hombre contra su voluntad, éste se desprestigia? Brun no puede permitírselo, los hombres le perderían el respeto. Aun cuando la maldiga, se desprestigiará, y la Reunión del Clan es este verano. ¿Crees que podrá enfrentarse ahora con los otros clanes? –señaló airadamente el mago–. ¿Cómo se le ha ocurrido semejante cosa?

–Es una de las historias de Aba respecto a la madre que puso a su bebé deforme en un árbol –contestó Iza. Perturbada, la mujer estaba fuera de sí. ¿Por qué no habría pensado más en eso?

–¡Cuentos de viejas! –señaló Creb con disgusto–. Aba no debería llenar la cabeza de una joven con tales insensateces.

–No es sólo Aba, Creb... también tú.

–¡Yo! ¿Cuándo le he contado semejantes cuentos?

–No necesitabas contarle cuentos. Has nacido deforme, pero se te permitió vivir. Ahora eres Mog-ur.

La declaración de Iza sobresaltó al contrahecho y manco mago. Sabía muy bien qué serie de sucesos fortuitos habían provocado su aceptación. Sólo la suerte había conservado al más alto hombre santo del clan. La madre de su madre le dijo una vez que fue casi un milagro. ¿Estaría Ayla intentando hacer que se produjera para su hijo un milagro por causa de él? No funcionaría. Nunca podría obligar a Brun a aceptar a su hijo y seguir viviendo. Tendría que ser deseo de él, decisión de él, exclusivamente de él.

—Y tú, Iza, ¿no le has dicho que eso estaba mal?

—Le supliqué que no se fuera. Le dije que yo me desharía del bebé si ella no podía. Pero después de eso no me dejó ni acercarme a él. ¡Oh, Creb, ha sufrido tanto para tenerlo!

—De manera que dejaste que se fuera con la esperanza de que el plan saliera bien. ¿Por qué no me lo has dicho a mí o a Brun?

Iza meneó la cabeza. «Creb tiene razón, debería habérselo dicho. Ahora también Ayla morirá y no sólo su bebé», pensó.

—¿Adónde ha ido, Iza? —El único ojo de Creb se había vuelto de piedra.

—No lo sé. Habló de una cueva pequeña —respondió la mujer con el alma en los pies. El mago se volvió bruscamente y llegó cojeando al hogar del jefe.

Los gritos del bebé acabaron por despertar a Ayla de su sueño; estaba oscuro y la cueva estaba húmeda y fría a falta de fuego. Se fue al fondo para aliviarse y dio un respingo cuando el fluido caliente y amoniacal quemó su carne desgarrada, despellejada. Tanteó a oscuras en su canasto para ponerse una tira limpia y sacar un manto seco para el niño mojado y sucio; bebió un poco de agua. Entonces, envolviendo a ambos con sus pieles, se tendió de espaldas para amamantar a su hijo. Cuando despertó de nuevo, el muro de la cueva estaba bañado por los rayos del sol que se filtraban a través de las ramas enredadas del avellano que ocultaba la entrada. Comió sus fríos alimentos mientras el niño mamaba.

La comida y el reposo la revivieron y se sentó sosteniendo al niño y reflexionando. «Tengo que conseguir leña, pensaba, y no tengo comida para mucho tiempo, tendré que buscar más. La alfalfa debe de estar ya brotando; eso fortalecerá mi sangre. El trébol nuevo y los brotes de algarrobo también deben de estar en su punto. La savia sube, la corteza interior debe de estar dulce, especialmente la de arce. No, el arce no crece tan arriba, pero hay abedul y abetos. Vamos a ver, bardana, fárfara, hojas nuevas de diente de león y helecho, la mayor parte todavía cerrado. No me olvidé de mi honda... hay muchísimas ardillas por aquí, castores y conejos.»

Ayla soñaba con los placeres de la temporada cálida, pero, al ponerse en pie, sintió que sangraba nuevamente y que la cabeza le daba vueltas. Tenía las piernas cubiertas de sangre seca que ensuciaba los protectores de sus pies y su manto, lo que le hizo tener una conciencia más realista de lo desesperado de su situación.

Cuando le pasó el vértigo, decidió limpiarse y recoger algo de leña, pero no sabía qué hacer con el niño. Estaba indecisa entre el deseo de llevárselo consigo o dejarlo dormido donde estaba. Las mujeres del clan nunca dejaban a los bebés solos, siempre estaban a la vista de alguna de las mujeres, y a Ayla no le gustaba la idea de dejarlo solo. Pero tenía que limpiarse y conseguir más agua, y podría cargar con más leña si no lo llevaba.

Miró entre las ramas de maleza sin hojas para asegurarse de que no había nadie cerca, y entonces hizo las ramas a un lado y abandonó la cueva. El suelo estaba empapado; cerca del arroyo había un lodazal resbaladizo. Manchas de nieve cubrían aún los rincones sombreados. Tiritando en el viento frío que soplaba desde el este empujando más nubes de lluvia, Ayla se desnudó, se metió en el arroyo frío para limpiarse, y después lavó sus prendas; el cuero frío y pegajoso no la ayudó mucho a entrar en calor cuando volvió a ponérselas.

Fue hasta los bosques que rodeaban el alto pastizal y sacudió algunas de las ramas bajas y secas de un abeto. Un vértigo se apoderó de ella, se le doblaron las rodillas y tendió la mano para agarrarse a un árbol. La cabeza le latía fuertemente, tragó ruidosamente para no devolver y la debilidad se adueñó de ella. Olvidó toda idea de cazar o recoger alimentos. El embarazo agotador, el terrible parto y la durísima escalada habían contribuido a dejarla exhausta... le quedaban muy pocas fuerzas.

El bebé estaba llorando cuando volvió a la cueva; tenía frío, estaba mojado y echaba de menos el calor de su madre. Lo cogió en sus brazos y lo acurrucó; después recordó que había dejado la bolsa de agua junto al arroyo, necesitaba agua. Dejó al niño en el suelo y se arrastró fuera de la cueva; había empezado a llover nuevamente. Cuando estuvo de vuelta, se dejó caer hecha un ovillo, agotada, y tendió las pieles húmedas sobre ambos. Estaba demasiado cansada para darse cuenta de las agudas aristas de miedo que la punzaban en los rincones de su mente, cuando el sueño la venció.

–¿No decía yo que era insolente y testaruda? –señalaba Broud en una actitud de dignidad mojigata–. ¿Alguien me creyó? No. Todos se pusieron de su lado, encontraron excusas, la dejaron obrar a su antojo e incluso cazar. No me importa lo fuerte que pueda ser su tótem, nada hace suponer que las mujeres puedan cazar. El León Cavernario no la incitaba a ello: era simplemente un desafío. ¿Veis lo que pasa cuando se deja demasiada libertad a la mujer? ¿Cuando se muestra uno demasiado indulgente? Ahora cree que puede obligar al clan a aceptar a su hijo deforme. Esta vez nadie puede encontrarle excusas. Ha desobedecido deliberadamente las costumbres del clan. Es imperdonable.

Por fin, Broud había sido rehabilitado y se vanagloriaba al tener la oportunidad de decirles: «Yo bien que os avisé». E insistía vengativamente hasta el punto de que el jefe se molestó. A Brun no le agradaba perder prestigio y el hijo de su compañera no le facilitaba nada las cosas.

–Bueno, ya has expuesto tu punto de vista, Broud –indicó–. No es necesario seguir con lo mismo. Ya me ocuparé yo de ella cuando regrese. Ninguna mujer me ha obligado nunca a hacer algo contra mi voluntad y se ha salido con la suya después; y ninguna mujer va a lograrlo ahora. Cuando reanudemos la búsqueda mañana por la mañana –prosiguió Brun, para explicar la razón de su convocatoria–, creo que deberíamos buscar en lugares que frecuentamos poco. Iza ha dicho que Ayla sabía dónde había una cueva pequeña. ¿Ha visto alguien una cueva pequeña por aquí cerca? No puede estar muy lejos, estaba demasiado débil para ir muy lejos. Olvidémonos de la estepa o la selva y busquemos por donde pueda haber probabilidad de cuevas. Con esta lluvia, su pista se ha borrado, pero puede haber quedado alguna pisada. No importa lo que cueste, quiero que la encontremos.

Iza esperaba ansiosamente que la reunión de Brun concluyera. Había estado tratando de hacer acopio de valor para hablarle y consideró llegado el momento. Al ver que los hombres se separaban, fue hasta el hogar del jefe con la cabeza baja y se sentó a sus pies.

–¿Qué quieres, Iza? –preguntó el jefe después de tocarle el hombro.

–Esta mujer indigna querría hablar al jefe –comenzó Iza.

–Puedes hablar.

–Esta mujer hizo mal al no acudir al jefe cuando se enteró de lo que proyectaba la mujer joven. –Iza olvidó la fórmula oficial de dirigirse al jefe y prosiguió, dominada por sus emociones–: Pero, Brun, deseaba tanto ese bebé. Nadie creía que lograría dar vida, y ella menos que nadie. ¿Cómo pudo ser superado el espíritu del León Cavernario? Se sintió tan feliz al enterarse. Incluso cuando sufría, nunca se quejó, y estuvo a punto de morir al dar a luz, Brun. Sólo la idea de que su bebé pudiera morir le dio fuerzas al final. No podía renunciar a él, aunque fuera deforme. Estaba segura de que era el único bebé que iba a tener. Se le trastornó la cabeza de dolor y sobresalto, había perdido el juicio. Sé que no tengo derecho a pedirlo, pero, Brun, te suplico que la dejes vivir.

—¿Por qué no acudiste antes a mí, Iza? Si piensas que rogar por su vida puede servir de algo ahora, ¿por qué no viniste entonces? ¿He sido tan malo con ella? No era ciego a sus sufrimientos. Uno puede apartar la vista para no mirar el hogar de otro hombre, pero no puede cerrar los oídos. No hay una sola persona de este clan que no sepa cuánto dolor sufrió Ayla para dar a luz. ¿Crees que tengo el corazón tan duro, Iza? Si hubieras venido a mí para decirme cómo se sentía y lo que pensaba hacer, ¿no crees que habría ponderado yo la posibilidad de dejar vivir al niño? Podría haber pasado por alto su amenaza de huir y esconderse, tomándolo como desvaríos de una mujer trastornada. Habría examinado al niño. Incluso sin compañero, si su deformidad no fuese demasiada, podría haberlo permitido. Pero no me dejaste opción, Iza. Diste por sentado lo que yo haría. Tú no sueles ser así, Iza.

»Sé muy bien que nunca has faltado a tu deber. Siempre has sido un ejemplo para las demás mujeres. Sólo puedo achacar tu comportamiento a tu enfermedad. Sé lo enferma que estás, aunque tratas de disimularlo. He respetado tus deseos y no he hablado de ello, pero estaba seguro de que pasarías al mundo de los espíritus el otoño pasado. Ya sabía yo que Ayla consideraba ésta como su única oportunidad de ser madre; y creo que tiene razón. Es más, también vi que se olvidó de sí misma cuando enfermaste, Iza, y te sacó adelante. No sé cómo lo hizo; tal vez fuera porque Mog-ur aplacó a los espíritus que deseaban verte con ellos y les convenció de que te permitiera quedarte, pero no fue sólo Mog-ur.

»Estaba dispuesto a consentir lo que me pidiera y permitirle ser curandera. Había llegado a respetarla tanto como te respeté a ti en el pasado. Ha sido una mujer admirable, un modelo de obediencia sumisa, a pesar del hijo de mi compañera. Sí, Iza, sé perfectamente el mal trato a que Broud la ha sometido. Incluso su único fallo el verano pasado fue provocado por él, aun cuando no comprendo muy bien cómo. Es indigno de él ponerse en contra de una mujer de esa manera; Broud es un cazador muy fuerte y valeroso, y no tiene razón alguna para considerar que su virilidad esté amenazada por hembra alguna. Pero tal vez haya visto algo que a mí se me pasó por alto o tal vez tenga razón y yo haya sido tolerante con ella. Iza, de haber venido antes a pedírmelo, podría haber ponderado tu ruego, podría haber dejado vivir al niño. Ahora es demasiado tarde. Cuando regrese el día en que debe darse nombre a su hijo, los dos, Ayla y su hijo, morirán.

Al día siguiente Ayla trató de encender un fuego. Quedaban todavía algunas astillas de leña seca de la temporada anterior. Hizo girar un palillo entre sus manos contra otra madera, pero no tuvo aguante suficiente para seguir esforzándose hasta lograr la chispa, y fue una suerte que no lo lograra. Droog y Crug encontraron su camino hasta la pradera de la montaña donde dormían ella y el niño: habrían olido el fuego o los restos de un fuego y descubierto su refugio. En realidad estuvieron tan cerca de la cueva que, si el bebé hubiera gemido entre sueños, lo habrían oído. Pero la entrada del orificio que se abría en la pared rocosa estaba tan bien oculto por la espesa maraña de avellano, que no la vieron.

La suerte le sonrió más aún. Las lluvias de primavera, que se vertían sombríamente desde un cielo de plomo convirtiendo la orilla del arroyuelo en una poza de lodo y la tierra de la pradera en una superficie pantanosa, borraron todas sus huellas. Los cazadores eran tan expertos en seguir pistas que podían identificar las huellas de pisadas de cada uno de los miembros del clan individualmente y su vista era tan aguda que habrían reconocido ramitas rotas o tierra removida al arrancar bulbos o raíces, si ella hubiera salido a buscar comida, cosa que precisamente su debilidad no le había permitido hacer, evitándole así ser descubierta.

Cuando Ayla salió más tarde y vio las huellas de las pisadas de los hombres en el lodo junto al nacimiento que constituía el manantial del río, precisamente donde se habían detenido para beber, el corazón le dio un vuelco. Salir de nuevo le daba miedo; se sobresaltaba cada vez que una ráfaga de viento sacudía el matorral que cerraba la entrada de su cueva, y estaba tensa escuchando sonidos imaginarios.

El alimento que había llevado consigo estaba casi agotado. Buscó entre los canastos donde había almacenado alimentos durante los días en que estuvo aislada purgando su maldición de muerte temporal. Lo único que halló fue unas cuantas nueces secas, podridas, y excrementos de pequeños roedores, lo cual evidenciaba que sus reservas habían sido descubiertas y consumidas hacía mucho. Encontró también los restos echados a perder del suplemento de comida que Iza le había dado cuando utilizó la

cueva como refugio durante su maldición femenina: eran inco-
mestibles.

Entonces recordó que había escondido en la pequeña excavación cubierta de piedras, en el fondo de la cueva, carne seca del
venado que había matado para cubrirse con su piel. Ayla encontró el montoncito de piedras y las retiró; la carne conservada estaba intacta, pero el alivio de sus tensiones fue breve: las ramas de
la entrada se agitaron y el corazón de Ayla dio un brinco.

–¡Uba! –señaló con asombro al ver a la muchacha entrar en
la cueva–. ¿Cómo me has encontrado?

–Te seguí el día en que huiste. ¡Estaba tan asustada ante la
idea de que te pasara algo malo! Te he traído algo de comer y un
poco de té para que te fluya la leche. Madre lo hizo.

–¿Sabe Iza dónde estoy?

–No. Pero sí sabe que yo lo sé. No creo que desee saberlo,
porque entonces tendría que decírselo a Brun. ¡Oh, Ayla! Brun
está furioso contra ti. Los hombres han estado buscándote todos
los días.

–He observado sus huellas junto al arroyo, pero no han visto
la cueva.

–Broud está presumiendo de que siempre supo lo mala que
eres. Apenas he visto a Creb desde que te fuiste. Se pasa todo el
día en la cámara de los espíritus; madre está muy preocupada.
Quiere que te diga que no vuelvas –dijo Uba; en sus ojos se reflejaba el temor que sentía por la joven.

–Si no te ha hablado de mí, ¿cómo ha podido Iza darte un
mensaje? –preguntó Ayla.

–Cocinó de más anoche y también esta mañana. No demasiado... supongo que tenía miedo de que Creb se diera cuenta de
que era para ti. Pero no ha comido su porción. Más tarde ha hecho el té y después se ha puesto a gemir y a hablar sola como si estuviera lamentándose por ti; se ha estado lamentando desde que
te fuiste, pero esta vez me miraba a los ojos. Y no paraba de decir:
«Mi pobre niña, mi pobre niña, no tiene comida, está débil. Necesita leche para su bebé»... y cosas por el estilo. Y después se ha alejado del hogar. La bolsa de agua con el té estaba junto al fuego y
la comida envuelta.

»Sin duda me vio seguirte –prosiguió Uba–. Yo me preguntaba
por qué no me habría regañado por haber tardado tanto. Brun y
Creb están furiosos con ella por no haberles dicho que ibas a es-
conderte. Si supieran que ella intuye dónde te encuentras y no se
lo dice, no sé lo que le harían. Pero a mí nadie me ha preguntado:

de todos modos, nadie presta mucha atención a los niños, y menos a las niñas. Ayla, yo sé que debería decirle a Creb dónde estás, pero no quiero que Brun te maldiga, no quiero que te mueras.

Ayla sentía palpitaciones en los oídos. «¿Qué he hecho?» No se había percatado de lo débil que estaba ni de lo difícil que le sería sobrevivir sola, con un bebé, cuando amenazó con abandonar el clan. «Y ahora, ¿qué voy a hacer?» Tomó en brazos a su bebé y lo abrazó. «Pero no podía dejarte morir, ¿verdad que no?»

Uba miraba compasivamente a la joven madre que parecía haber olvidado su presencia.

—Ayla —dijo tímidamente—. ¿Podría verlo? Nunca he tenido la oportunidad de ver a tu bebé.

—¡Oh, Uba! Claro que puedes verlo —señaló, llena de remordimientos por haber ignorado a la niña que había recorrido tan largo camino para llevarle el mensaje de Iza. También ella podría tener disgustos; si se descubría que Uba sabía dónde encontrar a Ayla y no lo decía, el castigo podría ser tremendo... podría arruinarle la vida.

—¿Quieres tenerlo un poco?

—¿Puedo?

Ayla le puso el bebé en el regazo. Uba iba a apartar sus ropas, pero antes alzó la vista para pedir permiso a Ayla; la madre asintió.

—Ayla, no parece tan mal. No está tullido como Creb. Está flacucho, pero lo que parece más diferente es su cabecita. Pero no tan diferente como la tuya. Tú no te pareces a nadie del clan.

—Es porque no nací en el clan. Iza me encontró cuando era muy pequeña; dice que nací de los Otros. Pero ahora soy del clan —dijo orgullosamente Ayla, y de repente su expresión cambió—. Pero no por mucho tiempo.

—¿Echas alguna vez de menos a tu madre? Quiero decir a tu verdadera madre, no a Iza —preguntó la niña.

—No recuerdo más madre que Iza. No recuerdo nada antes de haber venido a vivir con el clan. —De pronto palideció—: Uba, ¿adónde puedo ir si no regreso? ¿Con quién voy a vivir? No volveré a ver a Iza, ni a Creb. Y ésta será la última vez que te vea a ti. Pero no sabía qué hacer. No podía dejar morir a mi niño.

—Yo qué sé, Ayla. Madre dice que Brun se desprestigiará si le obligas a aceptar a tu hijo, por eso está tan furioso. Dice que si una mujer obliga a un hombre a hacer algo, los demás hombres dejarán de respetarle. Aunque te maldiga después, se desprestigiará porque le obligaste a hacer algo contra su voluntad. No quiero que te vayas, Ayla, pero si regresas, morirás.

La joven miró el rostro descompuesto de la niña, sin darse cuenta de que su propio rostro, cubierto de lágrimas, tenía la misma expresión. Las dos se arrojaron simultáneamente una en brazos de la otra.

–Será mejor que te vayas, Uba, antes de que tengas un disgusto –dijo Ayla. La niña devolvió el bebé a su madre y se puso en pie para marcharse–. Uba –llamó Ayla mientras la niña empezaba a apartar las ramas–, me alegro de que hayas venido a verme, porque así he podido hablar contigo una vez más. Y dile a Iza... dile a mi madre que la quiero. –Las lágrimas volvían a correr por sus mejillas–. Díselo también a Creb.

–Lo haré, Ayla. –La muchacha se quedó un momento más–. Ahora me voy –dijo, y abandonó rápidamente la cueva.

Cuando Uba se hubo alejado, Ayla deshizo el bulto de comida que le había llevado. No había mucho pero, con el venado seco, tendría para unos cuantos días. ¿Y después? No podía pensar, su mente era un verdadero torbellino de confusión que la sumía en un negro agujero de desesperanza.

Su plan le había estallado en la cara. No sólo estaba en peligro la vida de su hijito, sino también la suya propia. Comió, sin saborear nada, y bebió un poco de té antes de tenderse de nuevo con su hijo; se deslizó hasta el olvido que proporcionaba el sueño. Su cuerpo tenía sus propias necesidades y exigía descanso.

Era de noche cuando despertó; bebió lo que le quedaba de té frío. Decidió buscar más agua mientras fuera todavía de noche, pues no había posibilidad de que la vieran los que andaban buscándola. Tanteó en la oscuridad en busca de la bolsa de agua y se apoderó de ella el pánico al notar que había perdido el sentido de la orientación en la negrura absoluta de la caverna. Las ramas que disimulaban la entrada, destacándose fantásticamente sobre una oscuridad menos negra, le devolvieron la noción de dónde estaba; salió rápidamente.

Una luna en cuarto creciente, jugando al escondite con nubes que corrían rápidamente, arrojaba una luz difusa, pero sus ojos, muy dilatados por la oscuridad de la cueva, podían ver árboles fantasmales que recortaban su silueta en el leve resplandor. El susurro del agua del arroyo, salpicando sobre diminutas rocas que formaban una cascada de juguete, reflejaba su brillante plateado con un matiz iridiscente. Ayla estaba débil aún, pero no se sentía mareada al ponerse en pie y le resultaba menos doloroso andar.

Ningún hombre del clan la vio mientras se inclinaba junto al arroyo bajo el manto protector de la oscuridad, pero otros ojos, más acostumbrados a ver a la luz de la luna, la vigilaban. Los depredadores nocturnos y sus presas, que buscaban su alimento de noche, bebían de aquel mismo arroyo. Ayla no había sido nunca tan vulnerable desde que vagó sola –criatura de cinco años de edad–, y no tanto por su debilidad, sino porque no estaba pensando en términos de supervivencia. No estaba en guardia; sus pensamientos estaban vueltos hacia dentro. Habría sido presa fácil para cualquier depredador en acecho, atraído por los ricos olores. Pero Ayla hacía sentir su presencia antes de ahora; piedras rápidas, aun cuando no siempre letales pero sí dolorosas, habían dejado su impronta. Los carnívoros en cuyo territorio estaba comprendida la cueva, tendían a apartarse de ella. Eso le daba a la joven una ligera ventaja, un factor de seguridad, una reserva de protección, de la que se estaba beneficiando ahora que tanto lo necesitaba.

–Tiene que haber alguna señal de ella –señaló Brun con enojo–. Si ha llevado alimentos, no le van a durar para siempre; tiene que salir pronto de su escondite. Quiero que se vuelva a buscar por todos los lugares donde se ha buscado ya. Si ha muerto, quiero saberlo. Algún animal carnívoro la habrá encontrado y tiene que quedar evidencia de ello. Quiero que se la encuentre antes del día del nombre. No iré a una Reunión del Clan si no aparece.

–¡Ahora nos va a privar de ir a la Reunión del Clan! –resopló Broud con ira–. Y para empezar, ¿por qué fue aceptada en el clan? Ni siquiera pertenece al clan. Si yo fuera jefe, no la habría admitido. Si fuera jefe, no habría dejado que Iza se quedara con ella, ni siquiera le habría permitido recogerla. ¿Por qué nadie puede verla como lo que es? No es la primera vez que desobedece; siempre ha mostrado falta de respeto por las costumbres del clan y se ha salido con la suya. ¿Alguien ha impedido que traiga animales a la cueva? ¿Ha impedido alguien que vaya por ahí sola, cosa que ninguna mujer decente del clan pensaría siquiera hacer? No es extraño que nos espiara mientras practicábamos. ¿Y qué sucedió cuando se la sorprendió usando una honda? Una maldición de muerte temporal, y cuando regresó ¡se le permitió cazar! Imagínate: una mujer del clan cazando. ¿Sabéis lo que pensarían de eso los demás clanes? No tiene nada de sorprendente que no vayamos a la Reunión del Clan. ¿Tiene algo de extraño que pretenda obligarnos a aceptar a su hijo?

–Broud, ya hemos oído todo eso antes –señaló cansadamente Brun–. Su desobediencia no quedará sin castigo, te lo prometo.

La constante insistencia de Broud en el mismo tema no sólo estaba atacándole los nervios a Brun, sino que también estaba dejando huella. El jefe empezaba a cuestionar su propio juicio, un juicio que debía basarse en la aceptación de unas tradiciones y costumbres muy antiguas que dejaba muy poco espacio para las desviaciones. Y, sin embargo, como Broud no paraba de recordarle, Ayla se había hecho culpable de una serie de infracciones que empeoraba progresivamente y parecía conducir a aquel acto imperdonable de rebelión. Había sido demasiado generoso con la intrusa que no había nacido con el inherente sentido de virtud del clan, demasiado indulgente con ella; Ayla se había aprovechado de él. Tenía razón Broud, debería haber sido más severo, debería haberla obligado a someterse, tal vez nunca debería haber permitido que la curandera la recogiera. Pero ¿tenía que estar machacándolo todo el tiempo el hijo de su compañera?

El constante sermoneo de Broud estaba dejando huella también en el resto de los cazadores. Casi todos empezaban a convencerse de que Ayla les había obnubilado en cierto modo con engaños y que sólo Broud había sido lo suficientemente perspicaz para reconocerlo. Cuando Brun no estaba cerca, el joven hablaba mal del jefe, insinuando que estaba demasiado viejo para seguir encabezándolos eficazmente. La pérdida de prestigio de Brun estaba siendo un golpe devastador contra su confianza; podía percibir cómo el respeto de los hombres se le retiraba poco a poco, y no podía soportar la idea de enfrentarse a una reunión de los clanes en tales circunstancias.

Ayla siguió en la cueva, de la que salía únicamente para buscar agua. Envuelta en pieles, tenía calor suficiente incluso sin fuego. La comida que le llevó Uba y la reserva olvidada de carne de venado, tan seca como el cuero y dura de masticar, pero altamente nutritiva, sazonada por el hambre, hacía que no fuera necesario recolectar o cazar. Eso le permitía descansar todo lo que necesitaba. Como no le acuciaba la necesidad de alimentar a un feto no-del-todo-correcto, su cuerpo joven y saludable, fortalecido por años de un ejercicio físico agotador, comenzaba a restablecerse. No necesitaba dormir tanto, pero en cierto modo esto resultaba ser un inconveniente. Sus pensamientos perturbadores la acosaban constantemente. Por lo menos, mientras dormía no experimentaba ansiedad.

Ayla estaba sentada junto a la entrada de la cueva sosteniendo en sus brazos al niño dormido. Un fluido blanco y acuoso se escurría por las comisuras de sus labios y goteaba del otro pecho estimulado por su chupeteo, lo que significaba que la leche había empezado a afluir. El sol del atardecer, oculto de vez en cuando por nubes rápidas, calentaba la tierra junto a la entrada con sus manchas de luz. Ayla miraba a su hijito, observando su respiración regular interrumpida por rápidos parpadeos y leves sobresaltos que le impulsaban a realizar determinados movimientos de los labios como si succionara antes de volver a calmarse. Le miró de cerca, volviéndole la cabeza para verlo de perfil.

«Uba ha dicho que no pareces tan mal, pensaba Ayla; eso mismo me parece a mí, si acaso un poco diferente. Eso también lo dijo Uba. Pareces diferente, pero no tanto como yo. —Ayla recordó súbitamente el reflejo de su rostro en el estanque tranquilo—. ¡No tan diferente como yo!»

Ayla volvió a examinar a su hijo, tratando de recordar su propio reflejo. «Mi frente se abomba como la suya, pensó, tocándose con la mano. Y ese hueso bajo su boca, también yo lo tengo. Pero tiene arcos ciliares pronunciados, y yo no. La gente del clan los tiene. Si yo soy diferente, ¿por qué no iba a ser diferente mi bebé? Debería parecerse a mí, ¿no es cierto? Se me parece un poco, sí, pero también se parece a los bebés del clan. Se parece a los dos. Yo no nací del clan, pero mi bebé sí, sólo que se parece a mí y a ellos, como si estuviéramos mezclados.

»No creo yo que seas deforme, hijito mío. Si has nacido de mí y del clan, tienes que parecerte a ambos. Si los espíritus se mezclaron, ¿no tendrías que parecer una mezcla tú también? Ése es tu aspecto, así debes parecer. Pero, ¿qué tótem te inició? No importa el que fuera, sin duda ha tenido ayuda. Ninguno de los hombres tiene un tótem más fuerte que el mío, sólo Creb. ¿Inició tu vida el Oso Cavernario, bebé mío? Vivo en el hogar de Creb. No, no puede ser. Creb dice que Ursus no permite nunca que una mujer trague u espíritu, Ursus escoge siempre. Y si no fue Creb, ¿de quién más he estado cerca?»

Ayla vio súbitamente la imagen de Broud cerniéndose sobre ella. ¡No! Meneó la cabeza, rechazando ese pensamiento. Broud no. No inició él a mi bebé. Se estremeció de repugnancia pensando en el futuro jefe y en la manera en que la había forzado a someterse a sus deseos. «¡Le odio! Le he odiado cada vez que se ha acercado a mí. ¡Me alegro tanto de que no haya vuelto a molestarme! Espero que nunca, nunca quiera aliviar sus deseos conmigo de nuevo. ¿Cómo puede aguantarle Oga? ¿Cómo pueden aguantar eso las mujeres? ¿Por qué tiene que meter un hombre su órgano en el lugar por donde salen los bebés? Ese sitio debería ser sólo para los bebés, no para que los órganos de los hombres lo pongan todo pringoso. Los órganos de los hombres no tienen nada que ver con los bebés», pensó, llena de indignación.

La incongruencia de aquel acto sin sentido quedó incrustada en su mente; después comenzó a insinuársele un pensamiento extraño: «¿O tal vez sí? ¿Puede tener algo que ver con los bebés el órgano del hombre? Sólo las mujeres pueden tener bebés, pero tienen bebés niños y bebés niñas, se dijo reflexivamente. Me pregunto si cuando un hombre mete su órgano en el sitio por donde salen los bebés está iniciándolo. ¿Y si no fuera el espíritu del tótem de un hombre lo que inicia un bebé, si fuera su órgano? ¿No significaría eso que también a él le pertenece el bebé? Quizá por eso tengan esa necesidad los hombres, porque quieren iniciar un bebé. Quizá por eso también les gusta a las mujeres. Nunca he visto que una mujer se tragara un espíritu, pero he visto a menudo que los hombres metían su órgano en las mujeres. Nadie había pensado nunca que pudiera tener yo un bebé, porque mi tótem es demasiado fuerte, pero el caso es que lo he tenido, y comenzó más o menos cuando Broud aliviaba sus necesidades conmigo.

»No, no es verdad. Eso significaría que mi bebé es también el bebé de Broud, pensó Ayla, horrorizada. Tiene razón Creb, siempre tiene razón. Me tragué un espíritu que combatió contra mi tótem y lo venció, y tal vez más de uno, quizá todos ellos.» Abrazó fuertemente a su hijito como tratando de acapararlo para sí sola. «Tú eres mi bebé, no de Broud. Ni siquiera fue el espíritu del tótem de Broud.»

El bebé se asustó por el efecto del brusco movimiento y empezó a llorar. Ayla lo meció amorosamente hasta que se calmó.

«Quizá mi tótem supiera cuánto deseaba yo tener un bebé y se dejó derrotar. Pero ¿por qué iba a dejarme mi tótem tener un bebé si sabía que tendría que morir? Un bebé que es en parte mío y en parte del clan siempre parecerá diferente y siempre dirán que mis bebés son deformes. Aun cuando tuviera un compañero, mis bebés no parecerían normales. Nunca me dejarían quedarme con ellos, tendrían que morir todos. Qué importa, si de todos modos voy a morir. Ambos vamos a morir, hijo mío.»

Ayla tenía su bebé pegado al cuerpo, lo mecía y le canturreaba mientras las lágrimas corrían por sus mejillas sin que se diera cuenta.

«¿Qué voy a hacer ahora, hijito mío? ¿Qué voy a hacer? Si regreso el día de darte nombre, Brun me maldecirá. Iza ha dicho que no vuelva, pero ¿adónde podría ir? Todavía no tengo suficientes fuerzas para cazar, y si las tuviera, ¿qué iba a hacer contigo? No podría llevarte conmigo; no se puede cazar con un bebé. Podrías llorar y espantar a los animales, pero tampoco podría dejarte solo. Quizá no necesitara cazar, podría encontrar comida. Pero necesitamos también otras cosas... mantas, pieles, capas y protectores para los pies.

»¿Y dónde encontraría una cueva para vivir? No puedo seguir aquí, hay demasiada nieve en invierno y está demasiado cerca; tarde o temprano acabarían por encontrarme. Podría marcharme, pero tal vez no encontrara una cueva y los hombres me seguirían la pista y me traerían otra vez. Aunque me alejara y encontrara una cueva y almacenara suficientes alimentos para todo el invierno venidero, y aun cuando cazara un poco, seguiríamos estando solos. Necesitas más gente, no sólo a mí. ¿Con quién jugarías? ¿Quién te enseñaría a cazar? ¿Y si algo me sucediera? ¿Quién te cuidaría? Estarías completamente solo, como yo cuando Iza me encontró.

»No quiero que estés solo; no quiero estar sola yo tampoco. Quiero volver a casa.» –Ayla sollozaba, escondiendo el rostro entre las ropas del niño–. «Quiero ver de nuevo a Uba y a Creb, quiero a mi madre. Pero no puedo volver al hogar: Brun está furioso conmigo. Soy la causa de su desprestigio y me echará la maldición. Yo no sabía que le haría perder su prestigio, pero no quería que murieras. Brun no es tan malo; me permitió cazar. ¿Y si no tratara de obligarle a aceptarte? ¿Y si sólo le suplicara que te deje vivir? Si regresara ahora, no se desprestigiaría porque todavía queda tiempo; quedan dos dedos antes del día de darte nombre. Quizá entonces no esté tan furioso.

»¿Y si lo está? ¿Y si dice que no? ¿Y si te aparta de mí? Si te arrebatan ahora, no quiero seguir viviendo. Si tienes que morir, también yo quiero morir. Si regreso y dice Brun que tienes que morir, le suplicaré que me maldiga. Moriré también. No dejaré que vayas solo al mundo de los espíritus, hijito mío; te prometo que si tienes que ir, iré yo contigo. Ahora mismo voy a ir a suplicar a Brun que me deje tenerte. ¿Qué otra cosa puedo hacer?»

Ayla se puso a meter cosas en su canasto. Envolvió al pequeño en la faja que tenía para transportarlo, y a ambos en su manto de pieles, y apartó las ramas que tapaban la entrada de la cueva. Mientras gateaba para salir, su mirada se fijó sobre algo que brillaba al sol. A sus pies había una piedra brillante, la recogió. No era una piedra, sino tres nódulos pequeños de pirita ferrosa pegados. La volvió entre sus dedos y vio cómo brillaba el «oro de los tontos». Tantas veces como había entrado y salido entre las ramas del avellano a lo largo de los años, y nunca anteriormente había visto aquella insólita piedra.

Ayla la apretó en su mano y cerró los ojos. «¿Será quizá una señal?, ¿una señal de mi tótem? Gran León Cavernario, expresó con ademanes. ¿He tomado la decisión correcta? ¿Me estás diciendo que debo regresar ahora? ¡Oh, León Cavernario! Que sea una señal. Que sea la señal de que me has encontrado digna, de que ha sido una prueba más. Que sea una señal de que mi bebé vivirá.»

Le temblaban los dedos al desatar los nudos de la bolsita de cuero que llevaba colgada del cuello. Agregó la piedra brillante de forma curiosa al óvalo de colmillo de mamut pintado de rojo, al molde fósil de un gasterópodo y al trocito de ocre rojo. Con el corazón palpitante de miedo y una esperanza desesperada, Ayla salió de la cueva y se dirigió a la caverna del clan.

21

Uba llegó corriendo a la cueva gesticulando desatinadamente:

—¡Madre! ¡Madre! ¡Ayla ha vuelto!

El rostro de Iza se quedó sin una gota de sangre.

—¡No! ¡No puede ser! ¿Tiene el bebé consigo? Uba, ¿fuiste a verla? ¿Se lo dijiste?

—Sí, madre, la vi. Le dije lo furioso que estaba Brun. Le dije que no regresara —respondió la niña con gestos.

Iza corrió a la entrada y vio que Ayla avanzaba lentamente hacia Brun. Se dejó caer como un ovillo a sus pies, inclinada sobre su hijito para protegerlo con su cuerpo.

—Ha llegado antes, sin duda calculó mal el tiempo —señaló Brun al mago que salía de la cueva cojeando a toda prisa.

—No ha calculado mal, Brun. Sabe que no es el día, ha regresado a propósito —señaló Mog-ur.

El jefe miró al viejo, preguntándose cómo podía estar tan seguro. Entonces echó una mirada a la joven y de nuevo hacia Mog-ur, con cierta aprensión.

—¿Estás seguro de que los encantamientos que preparaste para protegernos servirán? Debería estar aislada, su maldición de hembra no puede haber transcurrido ya, siempre es mucho más prolongada después de haber dado a luz.

—Los encantamientos son fuertes, Brun, hechos con los huesos de Ursus. Estás protegido. Puedes «verla» —replicó el mago.

Brun se volvió y miró a la joven mujer hecha un ovillo alrededor de su hijo y temblando convulsivamente de miedo. «Debería maldecirla ahora mismo, pensó furiosamente. Pero no es el día de nombrar al niño. Si Mog-ur tiene razón, ¿por qué ha regresado antes? ¿Y con el niño? Sin duda está con vida, pues de lo contrario no lo traería. Su desobediencia es imperdonable, pero ¿por qué ha regresado antes?» Su curiosidad era demasiado grande; tocó el hombro de la joven.

–Esta mujer indigna ha sido desobediente –comenzó a expresar Ayla mediante los movimientos silenciosos y formales, sin mirarle directamente y sin saber siquiera si respondería. Sabía que no debía intentar hablar a un hombre, debería estar aislada, pero él le había dado un golpecito en el hombro–. Esta mujer querría hablar al jefe si se le permite.

–No mereces hablar, mujer, pero Mog-ur ha invocado protección en tu caso. Si yo quiero que hables, los espíritus lo permitirán. Tienes razón, has sido muy desobediente. ¿Qué puedes alegar en tu favor?

–Esta mujer está agradecida. Esta mujer conoce las costumbres del clan, debería haberse deshecho del niño como le dijo la curandera; en cambio, huyó. Iba a regresar el día de ponerle nombre a su hijo para que el jefe tuviera que aceptarlo en el clan.

–Has vuelto demasiado pronto –gesticuló Brun, triunfante–. No es todavía el día de darle nombre. Puedo mandar a la curandera que te lo quite.

La tensión que había crispado las espaldas de Brun desde que se fue Ayla se aflojó mientras hacía los ademanes; y entonces lo comprendió plenamente: sólo si el niño viviera siete días, la tradición le obligaría a aceptarlo; no se había desprestigiado, estaba nuevamente al mando.

Los brazos de Ayla apretaron involuntariamente al niño que tenía pegado al pecho bajo el manto. Entonces, la joven madre prosiguió:

–Esta mujer sabe que no es todavía el día de darle nombre. Esta mujer comprendió que había hecho mal al intentar obligar al jefe a aceptar a su hijo. No le corresponde a una mujer decidir si su hijo debe vivir o morir; sólo el jefe puede tomar esa decisión. Por eso ha regresado esta mujer.

Brun miró el rostro serio de Ayla; por lo menos había recobrado el buen sentido a tiempo, pensó.

–Puesto que conocías las costumbres del clan, ¿por qué has regresado con un niño deforme? Iza dijo que fuiste incapaz de llevar a cabo tu deber de madre. ¿Estás dispuesta a hacerlo ahora? ¿Quieres que la curandera lo haga en tu lugar?

Ayla vaciló, cubriendo a su hijito con su propio cuerpo.

–Esta mujer lo entregará si el jefe lo ordena. –Hacía las señas lenta, dolorosamente, forzándose a sí misma, sintiendo como si le revolvieran un puñal en el corazón–. Pero esta mujer ha prometido a su hijo que no le dejará ir solo al mundo de los espíritus. Si el jefe decide que el bebé no puede vivir, esta mujer te ruega que la maldigas. –Y dejó de expresarse en lenguaje formal para rogar–: Te lo suplico, Brun, te suplico que dejes vivir a mi hijo. Si ha de morir, no quiero seguir viviendo.

La ferviente súplica de Ayla sorprendió al jefe. Bien sabía que algunas mujeres deseaban conservar a sus bebés a pesar de malformaciones y deformidades, pero casi todas se sentían aliviadas al deshacerse de ellos cuanto antes y lo más discretamente posible. Un niño deforme estigmatizaba a la madre. Dejaba traslucir cierta falta de adecuación, cierta incapacidad de producir un bebé perfecto. La hacía menos deseable. Aunque la deformidad no fuera suficiente para representar un impedimento grave, había que tomar en cuenta la posición y los futuros compañeros. Los últimos años de una madre podían resultar difíciles si sus hijos o los compañeros de sus hijas no pudieran atenderla. Aun cuando nunca moriría de hambre, su vida podría ser muy desdichada. La petición de Ayla no tenía precedente. El amor maternal era fuerte, pero ¿lo suficiente como para seguir al hijo al otro mundo?

–¿Quieres morir con un niño deforme? ¿Por qué? –preguntó Brun.

–Mi hijo no es deforme –señaló Ayla con un ligero tono de desafío–. Es diferente, nada más. Yo soy diferente, no me parezco a la gente del clan; mi hijo también. Cualquier bebé que yo tenga será igual que él, si mi tótem vuelve a ser derrotado. Nunca tendré un bebé que sea autorizado a vivir. Si todos mis bebés tienen que morir, tampoco yo quiero vivir.

Brun miró a Mog-ur.

–Si una mujer traga el espíritu del tótem de un hombre, ¿no debería parecerse el bebé a ese hombre?

–Sí, debería. Pero no olvides que el suyo es también un tótem varonil. Quizá por ello luchó tanto. El León Cavernario ha querido tal vez ser parte de la nueva vida. Podría haber algo de razón en lo que ella dice. Tendré que meditar al respecto.

–Pero ¿y si el niño sigue siendo deforme?

–Eso ocurre a menudo cuando el tótem de una mujer se niega a someterse del todo. Eso hace que el embarazo sea difícil y deforma al bebé –replicó Mog-ur–. Me sorprende más que el niño sea varón. Si el tótem de una mujer libra una fuerte batalla, por lo general el niño será hembra. Pero no lo hemos visto, Brun; quizá convenga que lo examinemos.

«¿Por qué tomarse esa molestia?, se preguntaba Brun. ¿Por qué no maldecirla ahora mismo y deshacerse del bebé?» El regreso prematuro de Ayla y su humillación arrepentida habían mitigado el orgullo herido de Brun, pero todavía estaba lejos de sentirse calmado. Había estado muy cerca de perder su prestigio por culpa de ella y no era el primer problema que le causaba. Había vuelto, pero ¿qué haría después? Y, además, estaba aproximándose la Reunión del Clan, como le había recordado tantas veces Broud.

Una cosa era permitir que Iza recogiera a una niña extraña y se la llevara al clan. Pero Brun se había visto obligado a reflexionar a menudo, en los últimos tiempos, sobre la impresión que habría de causar en los demás clanes verle llegar con una mujer nacida de los Otros. Se preguntaba, mirando hacia atrás, cómo había podido tomar tantas decisiones heterodoxas; cada una de ellas, en su momento, no parecía irracional. Incluso permitir que la mujer cazara fue lógico entonces. Pero todo ello junto, mirándolo desde el punto de vista de un extraño, producía el efecto de un quebrantamiento abrumador de las costumbres. Ayla había desobedecido, merecía un castigo; maldiciéndola, eliminaría todas sus preocupaciones.

Pero una maldición de muerte era una grave amenaza contra el clan, y ya lo había expuesto una vez a los malos espíritus por causa de ella. Su retorno voluntario había impedido que se desprestigiara; Iza tenía razón, sin duda: Ayla había perdido temporalmente la cabeza por la confusión y el dolor. ¿No le dijo a Iza que habría tomado en cuenta una solicitud en cuanto a dejar vivir al niño si se lo hubieran pedido? Bueno, ella lo pidió; regresó sabiendo muy bien hasta qué grado había delinquido, sabiéndolo y dispuesta a cargar con las consecuencias, implorando por la vida de su hijito. Por lo menos, podía examinarle. A Brun no le agradaba tomar decisiones precipitadas. Hizo una señal brusca a Ayla señalando el hogar de Creb, y se alejó a toda prisa.

Ayla corrió a los brazos de Iza, que la esperaba. Aunque no fuera más, por lo menos había vuelto a ver, por última vez, a la mujer que era la única madre que conocía.

—Todos habéis tenido la oportunidad de examinarle —dijo Brun—. En circunstancias normales, no os molestaría; sería una decisión sencilla. Pero quiero saber cuál es vuestra opinión; una maldición de muerte es una perspectiva fuerte, y no me gustaría exponer al clan una vez más a los espíritus malignos. Si consideráis que el niño es aceptable, me será difícil maldecir a la madre. Sin ella, otra mujer debería encargarse del niño, tendría que vivir con uno de vosotros cuya esposa esté amamantando. Si se permite vivir al niño, el castigo de Ayla tendrá que ser menos severo. Mañana es el día para ponerle nombre; tengo que tomar pronto la decisión, y Mog-ur necesitará tiempo para preparar una maldición, si tal va a ser su castigo. Tiene que hacerse antes de que salga el sol mañana.

–No es sólo su cabeza, Brun –comenzó a explicar Crug. Ika estaba todavía criando a su hijo más pequeño y Crug no deseaba que el crío de Ayla se sumara a su hogar, por lejana que fuera la posibilidad–. Eso de por sí ya es bastante malo, pero es que ni siquiera puede levantarla. Hay que sostenérsela. ¿Cómo será cuando crezca? ¿Cómo cazará? Nunca podrá proveer para sí mismo; no será más que una carga para todo el clan.

–¿No creéis que haya alguna posibilidad de que se le fortalezca el cuello? –preguntó Droog–. Si Ayla muere, se llevará parte del espíritu de Ona consigo. Aga se encargaría de su hijo, cree que se lo debe, aunque no creo que desee realmente tener un bebé deforme. Si ella está dispuesta, supongo que yo también lo estaré, pero no si va a ser una carga para todo el clan.

–Tiene el cuello tan largo y flaco, y tan grande la cabeza, que no creo que llegue a fortalecérsele nunca –comentó Crug.

–Yo no querría tenerlo en mi hogar por nada del mundo; ni siquiera me tomaría la molestia de preguntárselo a Oga. No es digno de ser hermano de los hijos de ella: se convertiría en hermano de Brac y Grev, y no voy a permitirlo. Brac sobrevivirá aunque ella se lleve una pequeña parte de su espíritu. No sé por qué estás dándole vueltas, Brun. Estabas dispuesto a maldecirla. Sólo porque ha vuelto corriendo antes de tiempo ya piensas en aceptarla, y además hablas de aceptar también a su hijo deforme. –Y los ademanes con que Broud se expresaba revelaban su amargura–. Te ha desafiado al huir; el que haya vuelto no disminuye en nada su desobediencia. ¿Qué hay que discutir? El niño es deforme y ella debe ser maldita. Y se acabó. ¿Por qué estás siempre haciéndonos perder el tiempo con estas reuniones para tratar de ella? Si yo fuera jefe, ya le habría echado la maldición. Es desobediente, es insolente y ejerce una mala influencia en las demás mujeres. De lo contrario, ¿cómo puedes explicar el mal comportamiento de Iza? –Broud se estaba enfureciendo más y más, y sus gestos eran cada vez más excitados–. Merece la maldición, Brun. ¿Cómo se te puede ocurrir otra cosa? ¿Por qué no lo comprendes? ¿Estás ciego? Nunca ha hecho nada bien. Si yo fuera jefe, nunca habría sido aceptada, eso para empezar. Si yo fuera jefe...

–Pero todavía no eres jefe, Broud –replicó fríamente Brun–, y es poco probable que llegues a serlo si no eres capaz de controlarte mejor. Ella es tan sólo una mujer, Broud. ¿Por qué te sientes tan amenazado por ella? ¿Qué te podría hacer? Te tiene que obedecer, no le queda más remedio. Si tú fueras jefe, si tú fueras jefe, ¿es lo único que sabes decir? ¿Qué clase de jefe es el que se muestra ansioso por matar a una mujer aun a riesgo de poner en peligro a todo el clan? –El propio Brun mismo estaba a punto de descontrolarse; había aguantado todo lo que había podido al hijo de su compañera.

Los hombres estaban incómodos y escandalizados. Una batalla abierta entre el jefe presente y el futuro resultaba inquietante. Desde luego, Broud se había salido de los límites, pero estaban acostumbrados a sus estallidos. Era Brun el que les preocupaba; nunca habían visto al jefe tan a punto de perder el control. Y nunca anteriormente había cuestionado las cualidades del hijo de su compañera para ser jefe después de él.

Durante un momento lleno de tensión, los dos hombres se miraron fijamente, voluntad contra voluntad; Broud fue el primero en bajar la mirada. Al no sentirse ya en peligro de perder su prestigio, Brun había recobrado firmemente el control. Era jefe y no estaba todavía dispuesto a retirarse. Eso puso al joven en guardia: su terreno no era tan firme como creía. Broud trató de dominar su sensación de impotencia y frustración amarga que amenazaba avasallarle. «Sigue favoreciéndola, se decía Broud. ¿Cómo es posible? Yo soy hijo de su compañera y ella es sólo una mujer fea.» Broud luchó por conservar la calma, tragándose la amargura que le emponzoñaba el alma.

–Este hombre lamenta ser causa de que el jefe le malinterpretara –señaló formalmente Broud–. Este hombre se preocupa por los cazadores a los que habrá de encabezar algún día, si el jefe actual considera que este hombre es capaz de dirigir cazadores. ¿Cómo puede cazar un hombre si su cabeza oscila?

Brun se quedó mirando dura y airadamente al joven. Había una contradicción entre el significado de los gestos formales y las señales inconscientes de su expresión y su actitud. La respuesta abiertamente cortés de Broud era sarcástica, lo que enojó al jefe más que un desacuerdo directo. Broud estaba tratando de disimular sus sentimientos y Brun lo sabía. Pero Brun estaba avergonzado por su propio estallido; sabía que lo habían provocado las observaciones de Broud, cada vez más despectivas, que ponían en tela de juicio su sentido común. Habían atacado un punto sensible de su orgullo, pero no era excusa suficiente para que él perdiera hasta ese punto el control de sí mismo y desacreditara tan abiertamente al hijo de su compañera.

—Has expuesto tu punto de vista —indicó rígidamente Brun—. Me doy cuenta de que el niño, al crecer, será una carga mayor para el jefe que venga después de mí y para el siguiente, pero la decisión sigue siendo mía. Haré lo que considere mejor. No he dicho que el niño será aceptado, Broud, ni que la mujer no será maldita. Mi preocupación es por el clan, no por ella ni el niño. Una maldición de muerte puede ponernos en peligro a todos; espíritus malignos que se rezaguen pueden traer mala suerte, especialmente porque ya han sido convocados antes. Creo que el niño es demasiado deforme para vivir, pero Ayla es ciega a la deformidad de su hijo; no la ve. Tal vez el deseo tan grande de tener un hijo le haya trastornado la mente. Cuando volvió, me suplicó que la maldijera si su hijo no era aceptable. He pedido las opiniones de todos porque quería saber si alguien más veía una cosa que yo no hubiera visto en el niño. Una maldición de muerte para castigarla o aceptar su solicitud sigue siendo una decisión que no puede tomarse a la ligera.

La frustración de Broud se redujo algo. «Después de todo, tal vez Brun no la favorezca», pensó.

—Tienes razón, Brun —contestó con pesar—. Un jefe debe pensar en los peligros para su clan. Este joven agradece tener un jefe tan prudente para instruirle.

Brun sintió que su tensión se aliviaba; nunca había considerado seriamente sustituir a Broud. Seguía siendo el hijo de su compañera, el hijo de su corazón. «No siempre es fácil controlarse, pensó Brun, recordando su propia irritación. Lo que pasa es que a Broud le cuesta más que a los demás, pero está mejorando.»

—Me alegro de que lo hayas comprendido, Broud. Cuando seas jefe, serás responsable de la seguridad y el bienestar del clan. —El comentario de Brun no sólo daba a entender a Broud que seguía siendo el heredero, sino que alivió a los demás cazadores. Querían tener la seguridad de que se conservaría la tradicional legitimidad en la jerarquía del clan y el lugar que cada uno ocupaba en ella. Nada les trastornaba tanto como la falta de seguridad respecto al porvenir.

—En el bienestar del clan estaba pensando —señaló Broud—. No quiero tener en mi clan un hombre que no pueda cazar. ¿Para qué servirá el hijo de Ayla? La desobediencia de ella merece un grave castigo, y si desea la maldición, también será satisfecha. Estaremos mejor sin ellos. Ayla ha desafiado deliberadamente las tradiciones del clan. No merece vivir. Su hijo es tan deforme que no merece vivir.

Hubo un asentimiento general; Brun advirtió cierto elemento de insinceridad en el razonamiento de Broud, pero lo dejó pasar. La animosidad entre ambos había desaparecido y no deseaba volver a despertarla. Una pelea abierta con el hijo de su compañera incomodaba tanto a Brun como a los demás.

El jefe sintió que debería otorgar su acuerdo, pero algo le hacía vacilar. «Es lo correcto, pensaba: ha sido un problema desde el principio. Claro que Iza se sentirá contrariada, pero no he prometido perdonar a ninguno de ellos; sólo he dicho que lo consideraría. Ni siquiera dije que miraría al niño si regresaba; de todos modos, ¿quién esperaba que volviera? Ése es precisamente el problema: nunca sé lo que debo esperar de ella. Si la pena debilita a Iza, bueno, nos queda Uba. Al fin y al cabo, es la única que ha nacido de su estirpe y puede adquirir más adiestramiento de las curanderas durante la Reunión del Clan.

»Si parte del espíritu de Brac que lleva consigo muere con Ayla, ¿se perderá mucho de él? A Broud no le preocupa, ¿por qué habría yo de preocuparme? Tiene razón: ella merece el castigo más severo, ¿no es así? Un amor tan fuerte por un bebé no es tampoco normal. ¿Qué demuestran los cuentos de viejas? Ni siquiera puede darse cuenta de que su hijo es deforme; sin duda ha perdido la razón. ¿Puede causar tanto padecimiento dar a luz? Los hombres han sufrido mucho más, ¿verdad que sí? Algunos han vuelto todo el camino a pie después de una dolorosa herida de caza. Naturalmente, sólo es una mujer y no puede esperarse que soporte tanto dolor. Me pregunto hasta dónde habrá llegado. La cueva que mencionó no puede estar muy lejos. Por poco se muere al dar a luz, estaba demasiado débil para viajar muy lejos, pero ¿por qué no pudimos encontrarla?

»Por otra parte, si se le permite vivir, tendré que llevarla a la Reunión del Clan. ¿Qué pensarán los demás clanes? Sería peor si permitiera vivir a su hijo deforme. Es lo correcto, todos lo piensan así. Quizá no habría tantos problemas con Broud, tal vez se controlaría mejor si ella no estuviera aquí. Es un cazador sin miedo; sería un buen jefe si tuviera un poco más de sentido de la responsabilidad, sólo un poco más de control de sí mismo. Tal vez debería hacerlo, por el bien de Broud. Para el hijo de mi compañera podría ser mejor que ella desapareciera. Es lo correcto, sí, realmente lo es; es lo correcto, ¿no es así?»

–He tomado mi decisión –señaló Brun–. Mañana es el día de ponerle nombre. Al alba, antes de que despunte el día...

–¡Brun! –interrumpió Mog-ur. Se había mantenido fuera de la discusión; nadie le había visto mucho desde el nacimiento del hijo de Ayla. Se había pasado la mayor parte del tiempo en su pequeño recinto, examinando su alma en busca de una explicación de las acciones de Ayla. Sabía cuán duramente había luchado por aceptar las costumbres del clan y creía que lo había logrado; estaba convencido de que había algo más, algo que él no sabía qué era y que la había impelido a llegar hasta aquel extremo.

–Antes de que te comprometas, Mog-ur desearía hablar.

Brun se quedó mirando al mago; su expresión era enigmática, como de costumbre. Brun nunca había podido leer en el rostro de Mog-ur. «¿Qué podrá decir que no haya tenido yo en cuenta? He decidido maldecirla y él lo sabe.»

–Mog-ur puede hablar –señaló.

–Ayla no tiene compañero, pero siempre he atendido a sus necesidades, soy responsable de ella. Si me lo permitís, hablaré como si fuera su compañero.

–Habla si quieres, Mog-ur, pero ¿qué puedes agregar? Ya he tomado en consideración el gran amor que siente hacia el niño y el dolor y los sufrimientos que soportó para tenerlo. Comprendo lo difícil que puede ser para Iza; sé que puede debilitarla enormemente. He pensado en todas las razones posibles para excusar sus acciones, pero los hechos siguen estando ahí. Ha desafiado las costumbres del clan. Su bebé no es aceptado por los hombres. Broud ha demostrado claramente que ninguno de los dos merece vivir.

Mog-ur se puso en pie; después se deshizo de su cayado. Envuelto en su pesado manto de piel de oso, el mago era una figura imponente. Sólo los viejos y Brun le habían conocido cuando no era Mog-ur, el más santo de todos los hombres que intercedían ante el mundo de los espíritus, el mago más poderoso del clan. Cuando se abandonaba a la elocuencia durante una ceremonia, era un protector carismático que imponía pasmo. Él era quien desafiaba a las fuerzas invisibles mucho más temibles que cualquier animal lanzado a la carga, fuerzas que podían convertir al cazador más valeroso en un cobarde amilanado. No había un solo hombre presente que no se sintiera más seguro sabiendo que él era el mago de su clan, no había quien no hubiera temblado ante su poder y su magia en algún momento de su vida, y sólo uno, Goov, se atrevía a pensar en ocupar su lugar.

Mog-ur, solo, estaba en pie entre los hombres del clan y lo pavoroso desconocido, de lo que se convertía en parte por asociación. Ello le impregnaba de un aura sutil que le acompañaba en su vida seglar. Ni siquiera cuando estaba sentado dentro de los límites de su hogar, rodeado por sus mujeres, se le consideraba realmente como un hombre. Era algo más, algo distinto: era Mog-ur.

Mientras el pavoroso hombre santo fijaba un ojo siniestro en cada uno de los hombres, ninguno de ellos, incluyendo a Broud, dejó de estremecerse en las profundidades de su alma al comprender súbitamente que la mujer a la que acababan de condenar a muerte vivía en su hogar. Pocas veces hacía pesar Mog-ur su presencia fuera de sus funciones, pero esta vez lo hizo. Se volvió finalmente hacia Brun.

—El compañero de una mujer tiene derecho a abogar por la vida de un niño deforme. Estoy pidiendo que se perdone la vida al hijo de Ayla y, por el bien de éste, también pido que se le perdone la vida a ella.

Todas las razones que Brun había estimado tan recientemente como justificativas para salvarle la vida parecían cobrar ahora mayor peso, y los argumentos en pro de su muerte se volvían insignificantes. Casi llegó a convencerse sólo por la fuerza de la solicitud de Mog-ur, y prueba de su fuerte carácter es que no lo hizo. Pero era el jefe. No podía capitular tan fácilmente delante de sus hombres, y a pesar del deseo de ceder a la fuerza del poderoso hombre de la magia, se mantuvo firme.

Cuando Mog-ur vio la expresión de firme resolución que reemplazaba la indecisión anterior, el mago pareció cambiar a los ojos de Brun. El carácter ultraterrenal le abandonó; se convirtió en un viejo tullido con manto de piel de oso, que se mantenía todo lo derecho que su pierna buena le permitía sin ayuda del cayado. Al hablar, lo hizo con los ademanes corrientes subrayados por palabras rudas del habla cotidiana. Su rostro tenía una expresión decidida aunque extrañamente vulnerable.

—Brun, desde que fue hallada, Ayla ha vivido en mi hogar. Creo que todos convendrán conmigo en que las mujeres y los niños miran al hombre del hogar como prototipo del hombre del clan. Es su modelo, el ejemplo, para ellos, de lo que el hombre debe ser. Yo he sido el ejemplo de Ayla, yo soy el prototipo a los ojos de ella.

»Soy deforme, Brun. ¿Tiene algo de extraño que la mujer que ha crecido con un hombre deforme como modelo encuentre difícil reconocer una deformidad en su hijo? Carezco de un brazo y un ojo, la mitad de mi cuerpo está seca y consumida. Soy medio hombre, y sin embargo, desde el primer momento, Ayla me ha visto como si estuviera entero. El cuerpo de su hijo es completo; tiene dos ojos, dos buenos brazos y dos buenas piernas. ¿Cómo puede esperarse que reconozca en él alguna deformidad?

»Tuve la responsabilidad de su educación; a mí hay que achacarme sus defectos. Fui yo quien pasó por alto sus pequeñas desviaciones de las costumbres del clan. Incluso te convencí de que la aceptaras, Brun. Soy Mog-ur. Tú confías en mí para interpretar los deseos de los espíritus y has llegado a confiar en mí en otros aspectos. No creo que hayamos estado tan equivocados. A veces le resultó difícil a Ayla, pero creí que se había convertido en una buena mujer del clan. Ahora creo que he sido demasiado tolerante con ella. No le mostré claramente sus responsabilidades. Pocas veces la he regañado y nunca la he abofeteado. A menudo la dejaba seguir sus impulsos. Ahora tiene ella que pagar por mis errores. Pero, Brun, no pude mostrarme más rudo con ella.

»Nunca he tenido compañera. Podría haber escogido una mujer y ella tendría que haber vivido conmigo, pero no lo hice. ¿Sabes por qué, Brun? ¿Sabes cómo me miran las mujeres? ¿Sabes cómo me evitan las mujeres? He sentido la misma necesidad de aliviarme que cualquier otro hombre cuando era joven, pero aprendí a controlarla cuando veía que las mujeres me daban la espalda para no tener que ver la señal que yo hacía. No quise imponer mi cuerpo tullido y deforme a una mujer que me rehuía, que se volvía con repugnancia al verme.

»Pero Ayla nunca se apartó de mí. Desde el principio me tendió las manos para tocarme. No me tuvo miedo ni sintió asco. Me dio libremente su afecto, me abrazó. Brun, ¿cómo podía yo regañarla?

»He vivido con este clan desde que nací, pero nunca he aprendido a cazar. ¿Cómo puede cazar un manco tullido? Era una carga, se burlaban de mí y me llamaban mujer. Ahora soy Mog-ur y nadie me pone en ridículo, pero no se celebró ceremonia de la virilidad en mi honor. Brun, no soy medio hombre, ni siquiera soy hombre. Sólo Ayla me ha respetado, me ha querido... no como mago, sino como hombre, como todo un hombre. Y la quiero como si fuera hija de esa compañera que nunca he tenido».

Creb se despojó del manto que llevaba para tapar su cuerpo torcido, deformado y marchito, y alzó el muñón de un brazo que siempre escondía.

–Brun, éste es el hombre a quien Ayla ha visto como un hombre completo. Éste es el hombre al que ella ha escogido como norma. Éste es el hombre al que ama y compara con su hijo. ¡Mírame, hermano mío! ¿Merezco yo vivir? ¿Merece menos vivir el hijo de Ayla?

El clan empezó a reunirse fuera de la cueva en la vaga media luz que antecede al alba. Una llovizna tan fina como la niebla cubría de un brillo lustroso las rocas y los árboles y se condensaba en diminutas gotezuelas en la barba y los cabellos de la gente. Delgados zarcillos brumosos se desprendían de los montes envueltos en neblina y se pegaban a las depresiones, y masas más densas de vapor etéreo lo difuminaban todo menos los objetos más próximos. La sierra del este se alzaba imprecisa de entre un mar nebuloso de bruma en la oscuridad menguante, ondeando vagamente justo en los confines de la visibilidad.

Ayla estaba tendida en sus pieles dentro de la cueva oscura, observando cómo Iza y Uba se movían silenciosamente alrededor del fuego, echando carbones a la hoguera y vertiendo agua para ponerla a hervir y preparar el té de la mañana. Su bebé estaba junto a ella, fingiendo mamar en sueños. No había pegado el ojo en toda la noche; su inicial alegría al ver a Iza había dejado rápidamente paso a una ansiedad desolada. Tan pronto como iniciaban una conversación, volvían a callarse las tres mujeres del hogar de Creb, que pasaron todo el largo día después del retorno de Ayla dentro de las piedras que lo delimitaban, comunicándose su desesperanza por medio de miradas angustiadas.

Creb no había puesto el pie en sus dominios, pero Ayla cruzó con él la mirada cuando salía de la cámara para reunirse con los hombres a quienes Brun había convocado. Apartó rápidamente la mirada de su callada súplica, pero no antes de que ella pudiera reconocer el amor y la lástima que anegaban su ojo, dulce y líquido. Iza y ella intercambiaron una mirada trémula y cómplice al ver a Creb dirigirse apresuradamente a la cámara de los espíritus después de conversar con Brun, con gestos disimulados, en una parte remota de la cueva. Brun había tomado su decisión y Creb fue a prepararse para su participación en ella. No volvieron a ver al mago.

Iza llevó a la joven madre el té dentro de la taza de hueso que había sido suya durante varios años y después se sentó silenciosamente a su lado, esperando que bebiera. Uba se reunió con ellas, pero tampoco podía brindar mucho más consuelo que su presencia.

—Casi todos están fuera. Será mejor que salgamos —señaló Iza, tomando la taza de manos de la joven. Ayla asintió. Se puso en pie y envolvió a su hijo en sus mantillas; después cogió su manto de piel del lecho y se lo echó por los hombros. Con los ojos brillantes de lágrimas que amenazaban saltársele, Ayla miró a Iza, después a Uba, y con un grito de dolor las abrazó. Las tres se quedaron apretadas en un fuerte abrazo. Entonces, con el corazón destrozado y a pasos lentos, Ayla salió de la cueva.

Con la mirada fija en el suelo, viendo de vez en cuando una señal de talón, la huella de dedos, el contorno borroso de un pie metido en un protector flojo, Ayla tuvo la sensación extraña de que era dos años antes y de que seguía a Creb fuera de la cueva para enfrentarse a su sino. «Debería haberme echado la maldición para siempre aquella vez, pensó. Sin duda he nacido para que me maldigan; si no, ¿por qué habría de volver a pasar por todo esto? Esta vez iré al mundo de los espíritus. Conozco una planta que nos hará dormir a ambos y no volveremos a despertarnos, no en este mundo. Se acabará todo muy pronto y llegaremos juntos al otro mundo.»

Llegó a donde estaba Brun, se dejó caer en el suelo y miró aquellos pies tan familiares envueltos en sucios protectores. Aumentaba la claridad; pronto saldría el sol. «Brun tendría que darse prisa», se dijo, justo antes de sentir un golpe en su hombro. Lentamente alzó la vista hacia el rostro barbudo de Brun; éste comenzó sin más preliminares.

—Mujer, has desafiado tercamente las costumbres del clan y debes ser castigada —señaló severamente. Ayla asintió; era cierto—. Ayla, mujer del clan, estás maldita. Nadie te verá ni te hablará. Sufrirás el aislamiento total de la maldición femenina. No podrás salir de los límites del hogar del que provee por ti hasta que la siguiente luna se encuentre en la misma fase que ésta.

Ayla se quedó mirando al jefe de rostro severo con una incredulidad hecha de asombro. ¡La maldición femenina! ¡No la maldición de muerte! No el ostracismo total y completo, sino un aislamiento nominal, confinada en el hogar de Creb. ¡Qué importaba que nadie del clan reconociera su existencia durante toda una luna! Le quedarían Iza, Uba y Creb. Y después podría reunirse con el clan como cualquier otra mujer. Pero Brun no había concluido.

–Y como castigo adicional, se te prohíbe cazar e incluso hablar de cazar hasta que el clan regrese de la Reunión del Clan. Hasta cuando las hojas no hayan caído de los árboles, no tendrás libertad para salir a donde no sea esencial. Cuando busques plantas de magia curativa, me dirás adónde vas y regresarás rápidamente. Siempre me pedirás permiso antes de salir del área de la cueva. Y me mostrarás dónde está la cueva que te ha servido de escondite.

–Sí, sí, claro, todo –asentía Ayla moviendo la cabeza de arriba abajo. Se encontraba flotando en una cálida nube de euforia, pero las siguientes palabras del jefe traspasaron su estado de ánimo como un carámbano de rayo frío, sumiendo su gozo en un diluvio de desesperación.

–Queda el problema de tu hijo deforme, que fue causa de tu desobediencia. Nunca más debes tratar de obligar a un hombre, menos a un jefe, contra su voluntad. Ninguna mujer debe intentar nunca obligar a un hombre –dijo Brun, y entonces hizo una seña. Ayla abrazó desesperadamente a su hijo y miró en la misma dirección que Brun. No podía permitir que se lo quitaran, no podía. Vio que Mog-ur salía cojeando de la cueva. Al verle despojarse de su piel de oso, dejando al descubierto un tazón de mimbre manchado de rojo y sostenido firmemente entre el muñón de su brazo y su cintura, una felicidad incrédula le inundó la cara; se volvió vacilante hacia Brun, no muy segura de que lo que estaba pensando pudiera ser verdad.

–Pero una mujer puede rogar –concluyó Brun–. Mog-ur está esperando, Ayla. Tu hijo necesita tener un nombre para ser del clan.

Ayla se puso en pie de un salto y corrió hacia el mago, sacando al bebé de su manto y dejándose caer a sus pies mientras le tendía el niño. Su primer grito al sentirse fuera del seno caliente de su madre y expuesto al frío húmedo fue saludado por el primer rayo del sol que apareció por encima de la sierra, perforando el velo de niebla.

¡Un nombre! Ni siquiera había pensado en un nombre. Ni siquiera se había preguntado qué nombre escogería Creb para su hijo. Con gestos formales, Mog-ur invocó a los espíritus de los tótems del clan para que acudieran; después metió el dedo en el tazón y sacó una pizca de pasta roja.

–Durc –dijo en voz alta, más fuerte que los gritos que pegaba el bebé, aterido y enojado–. El nombre del niño es Durc. –Entonces trazó una línea roja desde el punto en que se unían los dos arcos ciliares del bebé hasta el extremo de su naricilla.

–Durc –repitió Ayla acercando al niño a su cuerpo para darle calor. «Durc, se decía, como el Durc de la leyenda. Creb sabe que ha sido siempre mi predilecto.» No era un nombre común en el clan y muchos se mostraron sorprendidos. Pero tal vez el nombre, sacado de lo más profundo de la antigüedad y cargado de connotaciones dudosas, era apropiado para un muchacho cuya vida había colgado en la balanza de tan inciertos comienzos.

–Durc –dijo Brun. Fue el primero en desfilar. Ayla creyó vislumbrar una mirada de ternura en el severo y orgulloso jefe, cuando ella le miró con expresión de agradecimiento. La mayoría de los rostros eran una mancha vista a través de unos ojos llenos de lágrimas. Por mucho que se esforzara, no podía contenerlas y mantenía la cabeza baja para disimular que tenía los ojos llenos de agua. «No lo puedo creer, no lo puedo creer, se decía. ¿Es realmente cierto? ¿Tienes un nombre, hijito mío? ¿Te ha aceptado Brun, hijo mío? ¿No estoy soñando?» Recordó los nódulos brillantes de pirita ferrosa que había hallado y metido en su amuleto. «Había sido una señal. Gran León Cavernario, fue realmente una señal.» Entre todos los objetos que contenía su amuleto, éste fue al que más valor atribuía.

–Durc –oyó decir a Iza, y levantó la cabeza. La dicha en el rostro de la mujer no era menor que la de Ayla, aunque tenía los ojos secos.

–Durc –dijo Uba, y agregó con un gesto rápido–: Me alegro mucho.

–Durc –dijo alguien en tono de burla. Ayla levantó la cabeza a tiempo para ver que Broud se alejaba. Repentinamente recordó la peregrina idea que se le ocurrió mientras se escondía en la cueva en cuanto a la manera en que los hombres iniciaban a los bebés, y se estremeció al pensar que Broud era en cierto modo responsable de la concepción de su hijo. Había estado demasiado ocupada para observar la batalla entre las voluntades de Brun y de Broud. El joven iba a negarse a reconocer al miembro más nuevo del clan, y sólo una orden directa del jefe le obligó a hacerlo. Ayla le vio alejarse del grupo con los puños cerrados y la espalda tensa.

«¿Cómo ha podido?, Broud caminaba bosque adentro para alejarse de la odiosa escena. ¿Cómo ha podido?, dio una patada a un tronco con la esperanza de desahogar su frustración, y lo mandó rodando cuesta abajo. ¿Cómo ha podido?, cogió una rama fuerte y golpeó un árbol con ella. ¿Cómo ha podido? ¿Cómo ha podido?, la mente de Broud seguía repitiendo la frase mientras golpeaba con el puño, una y otra vez, un ribazo cubierto de musgo. ¿Cómo ha podido dejarla vivir y aceptar a su hijo? ¿Cómo ha podido hacerlo?»

22

–¡Iza! ¡Iza! ¡Pronto! ¡Ven a ver a Durc! –Ayla cogió el brazo de la curandera y la arrastró hacia la entrada de la cueva.

–¿Qué le ocurre? –preguntó la mujer, gesticulando, mientras se apresuraba para seguir el paso de la joven–. ¿Se está ahogando otra vez? ¿Se ha lastimado?

–No, no está lastimado. ¡Míralo! –Ayla se lo mostró orgullosamente tan pronto como llegaron al hogar de Creb–. ¡Está sosteniendo la cabeza levantada!

El niño estaba tendido boca abajo y levantaba la cabeza mirando a las dos mujeres con sus ojos grandes y solemnes que comenzaban a perder el color oscuro e indefinido de los recién nacidos para adquirir el matiz moreno de los miembros del clan. La cabeza le oscilaba a causa del esfuerzo, y de repente volvió a caer sobre la cobija de pieles. Metió el puño en la boca y comenzó a chupar ruidosamente, indiferente a la agitación que habían provocado sus esfuerzos.

–Si lo puede hacer siendo tan pequeño, podrá sostenerla cuando sea mayor, ¿no crees? –arguyó Ayla.

–No te hagas muchas ilusiones aún –replicó Iza–, pero es una buena señal.

Creb llegó arrastrando los pies, mirando al vacío con la vista desenfocada que le caracterizaba cuando estaba sumido en sus reflexiones.

–¡Creb! –llamó Ayla, corriendo hacia él. Devuelto a la realidad, el mago alzó la vista–. Durc ha levantado la cabeza, ¿verdad que sí, Iza? –Y la curandera asintió con la cabeza.

–Hhummmf –gruñó Mog-ur–. Si se está fortaleciendo tanto, creo que ya es hora.

–¿Hora de qué?

–He estado pensando que debería celebrar una ceremonia para asignarle un tótem. Es un poco joven, pero he recibido ciertas impresiones fuertes. Su tótem se me está manifestando. No hay razón para esperar. Más adelante, todo el mundo estará ocupado con los preparativos para el viaje y tengo que hacerlo antes de la Reunión del Clan. Podría traerle mala suerte viajar si su tótem no tiene hogar. –Al ver a la curandera, recordó otra cosa–. Iza, ¿tienes suficientes raíces para la ceremonia? No sé cuántos clanes estarán presentes. La última vez, uno de los clanes que se mudaron a una cueva más al este estaba pensando en ir a una Reunión del Clan al sur de las montañas. Será un poco más lejos para ellos, pero el camino es mejor. Su viejo mog-ur estaba en contra, pero su acólito deseaba ir. Asegúrate de llevar muchas.

–Creb, yo no iré a la Reunión del Clan. –Su expresión evidenciaba la frustración que eso le producía–. No puedo viajar tan lejos; tendré que quedarme aquí.

«Claro está, pensó, mirando a la frágil y casi totalmente canosa curandera, ¿en qué estaría pensando? Iza no puede ir. ¿Cómo no se me había ocurrido antes? Está demasiado enferma. Yo creía que nos abandonaba el otoño pasado; no sé cómo ha podido sostenerla tan bien Ayla. Pero ¿y la ceremonia? Sólo las mujeres de la estirpe de Iza conocen el secreto de la bebida especial. Uba es demasiado joven, tiene que ser una mujer. ¡Ayla! ¿Ayla? Iza podría enseñarle antes de que partamos. De todos modos, ya es hora de que se convierta en curandera.»

Creb observó a la joven mientras se inclinaba para tomar en brazos a su hijo y, de repente, la vio con ojos más críticos que hasta entonces. Pero ¿la aceptarán? Trató de verla tal y como la verían los miembros de los otros clanes. Su cabello dorado colgaba suelto alrededor de su rostro plano, sujeto detrás de las orejas y partido por una raya más o menos al medio, dejando al descubierto su frente abombada. Tenía definitivamente cuerpo de mujer, pero era delgada, excepto por el estómago, ligeramente flácido. Sus piernas eran largas y rectas, y cuando se puso en pie, resultó ser mucho más alta que él.

«No parece una mujer del clan, pensó. Va a llamar mucho la atención y mucho me temo que no siempre favorablemente. Tal vez tengamos que olvidarnos de la ceremonia: es posible que los demás mog-ures no acepten la bebida si la hace Ayla. Pero se puede intentar. ¡Si Uba fuera un poco mayor! Tal vez Iza pueda adiestrar a ambas, aunque no creo que acepten a una muchacha con preferencia a una mujer nacida de los Otros. Creo que hablaré con Brun. Ya que voy a llamar a los espíritus para la ceremonia del tótem de Durc, podríamos aprovechar el momento para convertir a Ayla en curandera.»

–Tengo que ver a Brun –señaló bruscamente Creb, y echó a andar hacia el hogar del jefe. Se volvió hacia Iza–: Creo que tendrás que enseñar a preparar la bebida a Uba y a Ayla, aunque no creo que sirva de mucho.

–Iza, no consigo encontrar el tazón que me diste para la curandera del clan anfitrión –señaló con gestos frenéticos Ayla, después de haber rebuscado entre montones de pieles, alimentos y objetos acumulados sobre el piso junto al lugar donde solía dormir–. He buscado por todas partes.

–Ya lo has guardado, Ayla. Cálmate, chiquilla. Todavía hay tiempo. Brun no estará preparado para salir hasta que termine de comer. Será mejor que te sientes y comas tú también, se te están enfriando las gachas. Tú también, Uba. –Iza meneó la cabeza–. En mi vida he visto tanto alboroto. La noche pasada lo revisamos todo, ya está todo dispuesto.

Creb estaba sentado en una estera, con Durc en su regazo, y observaba, divertido, el nerviosismo de última hora.

–Son iguales que tú, Iza. ¿Por qué no te sientas y comes?

–Me quedará tiempo de sobra cuando os hayáis marchado –replicó. Creb apoyó al bebé contra su hombro y Durc miró a su alrededor desde aquella nueva atalaya–. Mira qué fuerte está ya el cuello del niño –expresó Iza–. Es increíble. Desde la ceremonia de su tótem se ha ido fortaleciendo de día en día. Déjame tenerle un poco; no le voy a tener en todo el verano.

–Tal vez por eso el Lobo Gris me apremiaba para que lo hiciera tan pronto –señaló Creb–; quería ayudar al niño.

Creb volvió a sentarse y miró a la pequeña nidada de la que era patriarca. Aun cuando nunca lo había expresado, a menudo había anhelado tener familia, como los demás. Ahora, en su vejez, tenía dos mujeres destartaladas que hacían lo imposible para que gozara de comodidades, una niña que estaba siguiendo sus pasos y un saludable bebé para mimarle como había hecho con las dos niñas. Había hablado con Brun acerca del entrenamiento del niño. El jefe no podía permitir que un varón de su clan se criara sin adquirir las habilidades necesarias. Brun había aceptado al niño a sabiendas de que compartiría hogar con Creb y se sentía responsable de él. Ayla se sintió agradecida cuando Brun anunció, en la ceremonia del tótem de Durc, que él se encargaría personalmente de la educación del niño si se fortalecía lo suficiente para cazar. No podía pensar en un hombre mejor para educar a su hijo.

«El Lobo Gris es un buen tótem para el muchacho, cavilaba Creb, pero me da qué pensar. Algunos lobos corren con la manada y otros son solitarios. ¿Cuál de ellos será el tótem de Durc?»

Una vez que todo estuvo recogido, asegurado en envoltorios y cargado a las espaldas de la mujer joven y la niña, todos salieron juntos en tropel. Iza abrazó por última vez al niño mientras éste frotaba su naricilla contra su cuello, ayudó a envolverlo en el manto que servía para cargarle y entonces sacó algo de un doblez de su manto.

–Esto es para que lo lleves ahora, Ayla. Eres curandera del clan –dijo Iza, y le entregó la bolsita teñida de rojo que contenía las raíces especiales–. ¿Recuerdas cada uno de los pasos? No debes olvidarte de nada. Me hubiera gustado haber podido hacerte una demostración, pero la magia no se puede hacer sólo para practicar; es demasiado sagrada para desperdiciarla y no se puede usar para cualquier ceremonia, sólo para las importantes. Recuerda: no son sólo las raíces las que constituyen la magia; todos tenéis que prepararos tan cuidadosamente como se preparan las bebidas.

Uba y Ayla asintieron mientras la joven tomaba la valiosa reliquia y la metía en su bolsa de medicinas. Iza le había dado la bolsa de piel de nutria el día en que la hicieron curandera y todavía le recordaba la que Creb había quemado. Ayla tocó su amuleto y sintió el quinto objeto que ahora contenía: un trozo de dióxido de manganeso metido en la bolsita junto con los tres nódulos de pirita ferrosa unidos, un óvalo pintado de rojo de marfil de mamut, el molde fósil de un gasterópodo y una pizca de ocre rojo.

El cuerpo de Ayla había sido marcado con el ungüento negro, obtenido pulverizando y calentando la piedra negra y mezclándola con grasa, en cuanto ella se convirtió en depositaria de una parte de los espíritus de cada miembro del clan y, a través de Ursus, de todo el clan. Sólo para los ritos más solemnes y más santos se pintaba el cuerpo de una curandera con marcas negras, y sólo las curanderas podían llevar en sus amuletos la piedra negra.

A Ayla le hubiera gustado que Iza fuera con ellas, y le preocupaba la idea de dejarla atrás. Fuertes ataques de tos sacudían a menudo a la frágil mujer.

–Iza, ¿estás segura de que te sentirás bien? –preguntó Ayla por señas, después de haberla abrazado con fuerza–. Tu tos empeora.

410

–Siempre empeora en invierno. Ya sabes que en verano estoy mejor. Además, Uba y tú habéis recogido tantas raíces de helenio que no creo que haya quedado una sola planta por los alrededores, y seguramente no tendremos muchas frambuesas negras esta temporada con todas las raíces que habéis arrancado para mezclar flores en mi té. Estaré bien, no te preocupes por mí –aseguró Iza. Pero Ayla sabía que el alivio que las medicinas proporcionaban era pasajero, en el mejor de los casos. La anciana había estado medicándose sola con plantas durante años; la tisis había avanzado demasiado para que le sirvieran ya de algo.

–No dejes de salir cuando haga sol y descansa mucho –instó Ayla–. No habrá mucho trabajo que hacer por aquí; hay muchísima leña y abundante comida. Zoug y Dorv podrán tener encendido el fuego para alejar a los animales y los espíritus malignos, y Aba puede cocinar.

–Sí, sí –asintió Iza–. Ahora, a correr, que Brun está a punto de ponerse en marcha.

Ayla ocupó su lugar habitual detrás, mientras todas la miraban y se quedaban esperando.

–Ayla –señaló Iza–, nadie puede ponerse en marcha mientras no ocupes el lugar que te corresponde.

Avergonzada, Ayla pasó delante del grupo de mujeres; había olvidado su nueva posición. Se ruborizó de confusión al ponerse en la fila delante de Ebra. Se sentía incómoda; no le parecía correcto ser la primera. Hizo una señal de excusa a la compañera del jefe, pero Ebra estaba acostumbrada a ser la segunda; aun así, le parecía extraño ver a Ayla delante y no a Iza; eso le llevó a preguntarse si acudiría ella a la siguiente Reunión del Clan.

Iza y las tres personas demasiado viejas para hacer el viaje acompañaron al clan hasta la sierra y se quedaron mirando hasta que lo vieron reducido a una serie de puntitos en la llanura. Después regresaron a la cueva vacía. Aba y Dorv habían faltado ya a la anterior Reunión del Clan y casi estaban sorprendidos al ver que todavía estaban vivos para faltar a otra, pero para Iza y Zoug era la primera vez. A pesar de que de cuando en cuando salía Zoug con la honda, era más frecuente que regresara con las manos vacías, y Dorv no veía ya lo suficiente para salir.

Los cuatro se reunieron alrededor de la hoguera de la entrada de la cueva, aunque era un día cálido, pero no se sentían con ánimos para conversar. De repente, Iza fue presa de un ataque de tos que la hizo expulsar una gran masa sanguinolenta de flemas. Se fue a su hogar para descansar, y poco después los demás también entraron y se sentaron sin hacer nada en sus respectivos hogares. No se habían sentido contagiados por la excitación del largo viaje ni el ansia de ver amigos o parientes de los otros clanes. Sabían que su verano sería de una soledad insoportable.

El frescor de comienzos del verano en la zona templada cerca de la cueva modificaba las planicies abiertas de las estepas continentales del este. Había desaparecido el abundante follaje verde que cubría la maleza y los árboles deciduos y que atestiguaba todavía el renacer de las coníferas, con agujas algo más claras en la punta de ramas y espiras. En cambio, herbajes y pastos de crecimiento rápido alcanzaban ya la altura del pecho y su verdor juvenil, difuminado en un matiz pardusco, indeterminado, entre verde y oro, se extendía hasta el horizonte. La vegetación densa y enmarañada de la estación anterior amortiguaba los pasos del clan según seguía su camino a través de la pradera sin límites, dejando un rastro pasajero que delataba el lugar por donde habían pasado. Pocas veces sombreaban las nubes la extensión inmensa del cielo, como no fuera a causa de una tormenta eventual que casi siempre se desataba a lo lejos. Escaseaba el agua; se detenían para llenar sus recipientes en todos los ríos, pues no estaban seguros de encontrar otro suficientemente cerca cuando acamparan de noche.

Brun marcó el paso a seguir, teniendo en cuenta a los miembros más lentos de la partida de viajeros, pero sin dejar de avanzar rápidamente. Tenían que recorrer una larga distancia para llegar a la cueva del clan anfitrión en los altos montes del territorio continental al este. Era un paso difícil de seguir, en particular para Creb, pero, al pensar en la gran Reunión y en las ceremonias solemnes que habría de presidir, se le levantaban los ánimos. Aunque su cuerpo estaba atrofiado y tullido, además de deformado por la artrosis, no disminuía el poder mental del gran mago. El sol caliente y las plantas de Ayla anestesiaban el dolor de sus articulaciones doloridas y, al cabo de algún tiempo, el ejercicio fue fortaleciendo sus músculos, incluidos los de la pierna que tan poco servicio le prestaba.

Los viajeros se acomodaron a una rutina monótona; un día era igual que el siguiente, con una abrumadora regularidad. La estación que avanzaba cambiaba tan levemente que apenas se dieron cuenta de cuándo el sol se había convertido en una bola de fuego, abrasadora, que agostaba la estepa y convertía la planicie en un amarillento mar de tierra parda, hierba azafranada y rocas doradas contra un cielo cubierto de polvo, de un amarillo pardusco.

Durante tres días les ardieron los ojos a causa del polvo y de las cenizas que los vientos dominantes transportaban desde un inmenso incendio en la pradera. Pasaron junto a enormes manadas de bisontes y gigantescos ciervos con enormes cornamentas palmeadas, caballos, onagros y asnos; con menos frecuencia, saigas provistos de cuernos que crecían muy rectos en la parte superior de la cabeza y se encorvaban ligeramente en la punta; decenas y decenas de miles de animales herbívoros, bien alimentados por la inmensa tierra de pastizales.

Mucho antes de aproximarse al istmo pantanoso que unía la península al continente y servía de desagüe al mar salado y poco profundo del noroeste, apareció ante sus ojos el macizo montañoso cuya altura sólo era superada por otro en la Tierra. Incluso los picos más bajos estaban cubiertos de hielos perpetuos hasta la mitad de sus pendientes, fríamente impasibles a pesar del calor abrasador de la planicie. En cuanto la llana pradera comenzó a ascender por los contrafuertes moteados de cañuela y espolín, rojos por la riqueza del mineral de hierro que encerraban –el ocre rojo los convertía en terreno santo–, Brun comprendió que la marisma no estaba lejos; era un nexo secundario y de poca importancia, pues la principal conexión de la península con el territorio continental estaba más al norte y formaba parte del límite occidental del mar interior, más pequeño.

Durante dos días bregaron por entre pantanos pútridos, infestados de mosquitos y formados por aguas estancadas, a veces atravesados por canales, hasta llegar al territorio continental. Robles y ojaranzos achaparrados les condujeron rápidamente hasta la sombra fresca y acogedora de los robledales de las zonas arboladas. Atravesaron un bosquecillo compuesto casi exclusivamente de hayas, animadas por unos cuantos nogales, y un bosque variado en que el roble era la especie predominante, aunque también había boj y tejo: tenían el tronco revestido de hiedra y clemátides. Las lianas desaparecían progresivamente, aunque trepaban todavía por los árboles cuando el clan llegó a una franja de abetos y piceas mezclados con ojaranzos, arces y hayas. La parte occidental era la más húmeda de la sierra y estaba densamente cubierta de selva, además de tener la línea más baja de nieves.

Advirtieron la presencia de bisontes forestales y ciervos, corzos y alces de los paisajes boscosos; también vieron jabalíes, zorros, hurones, linces, lobos, leopardos, gatos monteses y muchos animales más pequeños, pero ni una sola ardilla. Ayla sentía que faltaba algo en la fauna de aquellos montes, hasta que se percató de la ausencia del animalito familiar, la cual fue ampliamente compensada por la oportunidad de contemplar por primera vez un oso cavernario.

Brun alzó la mano para interrumpir la marcha, y después señaló hacia el monstruoso y velludo úrsido que se estaba frotando la espalda contra un árbol. Incluso los niños se dieron cuenta del pavor con que el clan contemplaba al enorme vegetariano. Su presencia física era harto impresionante; los osos pardos de las montañas del clan, y también de éstas, pesaban como promedio unos ochocientos kilos; el peso de un oso cavernario macho, durante el verano, cuando estaba relativamente esbelto, alcanzaba los dos mil kilos. A fines del otoño, cuando había engordado en previsión del invierno, su volumen era mucho mayor. Su estatura era más o menos tres veces la de los hombres del clan, y con su enorme cabeza y manto velludo, parecía más grande aún. Se estaba rascando perezosamente la espalda contra la áspera corteza del viejo tronco y parecía no fijarse en la gente paralizada que tenía tan cerca. Pero no tenía gran cosa que temer de criatura alguna y se limitaba a ignorarlas. Los osos pardos más pequeños que habitaban en la zona de la cueva eran capaces de romper de un zarpazo el cuello de un ciervo; ¿qué no podría hacer este enorme animal? Sólo otro macho durante la época de la brama o la hembra de la especie protegiendo a sus cachorros se atrevería a hacerle frente. Esta última siempre salía vencedora.

Pero era algo más que las enormes dimensiones del animal lo que tenía fascinado al clan. Era Ursus, la personificación del clan mismo. Era de su linaje y algo más, pues encarnaba su esencia misma. Sus huesos eran tan sagrados que podían alejar cualquier peligro. La afinidad que sentían con él era un nexo espiritual mucho más significativo que uno físico. A través de su Espíritu todos los clanes estaban unidos en uno solo, y la Reunión del Clan a la que iban a asistir después de un viaje tan largo tenía significación gracias a él. Su esencia era lo que les hacía ser un clan, el Clan del Oso Cavernario.

El oso se cansó de lo que estaba haciendo —o la picazón ya se le había calmado— y se irguió cuan alto era, anduvo unos cuantos pasos sobre sus patas traseras y, finalmente, se dejó caer sobre las cuatro. Con el hocico a ras del suelo, se alejó pesadamente a galope lento. A pesar de su enorme tamaño, el oso cavernario era fundamentalmente una criatura pacífica que pocas veces atacaba a menos que le molestaran.

—¿Era Ursus? —señaló Uba, ansiosa y maravillada.

–Era Ursus –afirmó Creb–. Y verás otro oso cavernario cuando lleguemos allá.

–¿Es verdad que el clan anfitrión tiene un oso cavernario vivo en su cueva? –preguntó Ayla–. ¡Es tan grande!

Sabía que era costumbre que el clan anfitrión de la Reunión del Clan capturara un cachorro de oso y lo criara en la cueva.

–Probablemente se encuentre ahora en una jaula fuera de la cueva, pero cuando era pequeño vivía en la cueva con ellos y se crió como un niño, y cada hogar le alimentaba siempre que deseaba comer. La mayoría de los clanes afirman que sus osos cavernarios llegan hasta a hablar un poco, pero yo era joven cuando organizamos la Reunión del Clan y no lo recuerdo muy bien, de modo que no puedo decir si es cierto o no. Cuando el oso ha crecido, lo meten en una jaula para que no lastime a nadie, pero todos siguen dándole cositas para comer y le acarician para que sepa que le quieren. Será honrado en la Ceremonia del Oso y llevará nuestros mensajes al mundo de los espíritus –explicó Creb.

Ya había oído hablar de ello, pero después de ver un oso cavernario, la historia adquiría un nuevo significado para aquellos que eran demasiado jóvenes para que se acordaran o que nunca habían asistido a una Reunión del Clan.

–¿Cuándo podremos ser anfitriones de una Reunión del Clan y tener un oso cavernario viviendo con nosotros? –preguntó Uba.

–Cuando nos toque el turno, a menos que el clan cuyo turno haya llegado no pueda hacerlo; entonces podemos ofrecernos a hacerlo nosotros. Pero los clanes no dejan pasar la oportunidad de ser anfitriones, aun cuando los cazadores tengan que viajar mucho para encontrar un cachorro de oso cavernario, aparte de que el peligro que representa la madre osa es muy grande. El clan que nos recibe esta vez ha tenido suerte; todavía hay osos cavernarios viviendo cerca de su cueva. Han ayudado a otros clanes a conseguir osos cavernarios, pero ahora es su turno. No queda ninguno alrededor de nuestra cueva, pero en otros tiempos los hubo sin duda, puesto que los huesos de Ursus estaban dentro cuando la descubrimos –respondió Creb.

–¿Y si algo le sucede al clan al que le corresponde ser anfitrión de la Reunión? Nuestro clan ni siquiera vive ya en la misma cueva que antes –preguntó Ayla–. Si fuera nuestro turno, ¿cómo iban a saber los demás dónde encontrarnos?

–Enviaríamos mensajeros al clan más próximo para difundir la noticia, ya fuese para indicar a los clanes dónde está la nueva caverna o para darle la oportunidad a otro clan.

Brun hizo una seña y todos se pusieron nuevamente en marcha. Cuando pasaron junto al árbol que el oso cavernario había aprovechado para rascarse, Creb lo examinó detenidamente y recuperó unos cuantos pelos atrapados entre la áspera corteza; los envolvió cuidadosamente en una hoja sujeta entre sus dientes antes de guardarlos en un pliegue de su manto. El pelo de un oso cavernario salvaje vivo podría hacer encantamientos poderosísimos.

A medida que ascendían, las gigantescas coníferas de los contrafuertes más bajos fueron dejando paso a las variedades más chaparras y robustas de las tierras altas, abriendo impresionantes panoramas de las cimas deslumbrantes de los montes que habían visto de lejos al atravesar las planicies. Aparecieron bosquecillos de abedul y enebros rastreros y azaleas rosadas, cuyas múltiples flores comenzaban a abrirse salpicando de brillantes colores el verde primario de la naturaleza. Una multitud de flores silvestres venían a incorporar muchos más matices a la paleta de tonos vibrantes, lilas atigradas manchadas de naranja, aguileñas malvas y rosadas, arvejas azules y púrpuras, lirios de color espliego claro, gencianas azules, violetas y prímulas en toda la gama de formas. La cadena montañosa meridional, lo mismo que la del extremo más bajo de la península que se plegó durante el mismo movimiento orogénico, servía de refugio para la fauna y flora del continente durante la Era Glaciar.

A veces aparecía un gamo o algún muflón de pesada cornamenta. Ya estaban llegando a los árboles enanos y rodeados de matorrales de la taiga montañosa, a orillas de las altas praderas de hierbas y juncias bajas, a punto de coger una senda muy frecuentada que atravesaba una pendiente empinada. Los hombres del clan anfitrión tenían que andar mucho antes de llegar a las planicies abiertas al norte de los montes para cazar, pero la proximidad de los osos cavernarios hacía el lugar tan afortunado que aceptaban de buen grado ese inconveniente. Eso les hacía también más aficionados a cazar a los huidizos animales selváticos.

La gente que corrió al encuentro del nuevo clan que se aproximaba, tan pronto como vio a Brun y Grod aparecer por un recodo del camino, se quedó inmóvil al divisar a Ayla. El adiestramiento de toda la vida no pudo impedir las miradas escandalizadas; la posición de Ayla al frente de las mujeres, mientras el cansado clan desfilaba silenciosamente hacia el espacio abierto delante de la cueva, provocó una agitación llena de curiosidad. Creb ya se lo había advertido, pero Ayla no estaba preparada para causar tan grande sensación, como tampoco para semejante multitud. Más de doscientos individuos asombrados se agolparon alrededor de la extraña mujer. Ayla nunca había visto tanta gente en su vida, y menos aún en un mismo lugar.

Se detuvieron frente a una enorme jaula hecha de postes fuertes profundamente clavados en la tierra y firmemente amarrados entre ellos por medio de correas. En el interior había otro ejemplar de los enormes osos que habían visto por el camino, pero éste era mayor aún. Alimentado de la mano a la boca durante tres años con una superabundancia que le había vuelto plácido y manso, el gigantesco oso cavernario estaba tumbado perezosamente dentro del recinto cerrado, casi demasiado gordo para ponerse en pie. Para el pequeño clan había supuesto un esfuerzo de devoción y veneración mantener durante tanto tiempo al enorme oso, y ni siquiera los muchos obsequios de alimentos, objetos y pieles que los clanes visitantes traían compensaban aquel esfuerzo. Pero no había una sola persona que no envidiara a los miembros del clan anfitrión; cada uno de los clanes esperaba con anhelo que llegara su turno para llevar a cabo esa misma tarea y cosechar los beneficios espirituales y la posición derivados de tan grande honor.

El oso cavernario se movió para observar lo que causaba tanta conmoción, esperando que le dieran más de comer, y Uba se pegó más a Ayla, tan asustada por el tropel de gente como por el oso. El jefe y el mago del clan anfitrión se acercaron a ellos y procedieron a saludarles por medio de gestos antes de dirigir una pregunta airada:

–¿Por qué has traído a una de los Otros a una Reunión del Clan, Brun? –indicó el jefe del clan anfitrión.

–Es una mujer del clan, Norg, una curandera de la estirpe de Iza –replicó Brun aparentando más tranquilidad de la que sentía en realidad. Un murmullo surgió de entre la gente que miraba y una oleada de agitadas señales con las manos.

–¡Eso es imposible! –gesticuló el Mog-ur–. ¿Cómo puede ser una mujer del clan? Ha nacido de los Otros.

–Es una mujer del clan –repitió el Mog-ur, tan inflexiblemente como Brun. Miró al jefe del clan anfitrión con una expresión airada–. ¿Dudas de mí, Norg?

Norg miró, incómodo, a su mog-ur, pero no recibió alientos de la expresión confusa del mago.

—Norg, hemos viajado mucho y estamos cansados —dijo Brun—. No es el momento de hablar de esto. ¿Nos niegas la hospitalidad de tu cueva?

Fue un momento cargado de tensión; si Norg se negaba, no les quedaría más remedio que recorrer de nuevo la larga distancia que los separaba de su cueva. Sería un grave quebrantamiento de las convenciones sociales, pero permitir la entrada de Ayla equivaldría a aceptarla como mujer del clan; por lo menos, así sabría Brun a qué atenerse. Norg volvió a mirar a su mog-ur, después al poderoso hombre de un solo ojo, que era el Mog-ur, y otra vez al hombre que era jefe del clan que ocupaba el primer puesto entre todos los clanes. Si el Mog-ur lo decía, ¿qué podía hacer él?

Norg indicó a su compañera que mostrara al clan de Brun el lugar que le había sido asignado, pero él caminó junto a Brun y al Mog-ur. Tan pronto como estuvieran instalados, estaba decidido a enterarse de cómo una mujer, obviamente nacida de los Otros, se había convertido en mujer del clan.

La entrada a la cueva del clan anfitrión era más pequeña que la de la cueva del clan de Brun, y la cueva misma parecía más pequeña cuando entraron por primera vez en ella. Pero en lugar de una amplia sala con una cámara anexa para las ceremonias, esta cueva estaba constituida por una serie de alojamientos y túneles perforados muy profundamente en la montaña y en su mayor parte inexplorados. Había más espacio del necesario para dar cabida a todos los clanes visitantes, aun cuando no iban a tener la ventaja de recibir luz por la entrada. El clan de Brun fue conducido a la segunda sala empezando por la entrada y la ocupó por completo. Era una posición favorable que correspondía a su elevada posición. Si bien ya había varios clanes instalados más atrás, aquel lugar les había sido reservado hasta que comenzara el Festival del Oso. Sólo entonces, cuando fuera seguro que no llegarían, se lo habrían asignado al segundo clan por orden de importancia.

El clan, en su conjunto, no tenía jefe, pero existía una jerarquía de clanes, así como había una jerarquía de miembros dentro de un mismo clan, y el jefe de más elevada posición se convertía, de hecho, en el jefe del clan simplemente porque era el miembro de más alta categoría. Pero no se trataba de una posición de autoridad absoluta; los clanes eran demasiado autónomos para eso. Todos estaban encabezados por hombres independientes y dictatoriales, que acostumbraban a ser la ley de por sí y que sólo se reunían una vez cada cuatro años. No se doblegaban fácilmente a una autoridad mayor, como no fuera por tradición y en el mundo de los espíritus. La manera de que cada clan se ajustaba dentro de la jerarquía, y por lo tanto el hombre reconocido como jefe del clan, era cosa que se decidía en la Reunión del Clan.

Muchos elementos contribuían a la posición de un clan; las ceremonias no eran la única actividad en una Reunión del Clan, las competiciones tenían una importancia similar o tal vez mayor. La necesidad de cooperación entre los clanes para sobrevivir, que imponía un estricto autocontrol, encontraba un desahogo aceptable en las competiciones con otros clanes. Y era necesario para sobrevivir en otro aspecto. La competición controlada les evitaba pelear entre sí. Casi todo se convertía en competición tan pronto como los clanes estaban reunidos. Los hombres rivalizaban en lucha, tiro con honda, lanzamiento de boleadoras, fuerza del brazo con mazas, carreras, carreras más complicadas con lanzamiento de venablos, talla de herramientas, danza, narraciones y la combinación de estas últimas en representaciones teatrales de escenas de cacerías.

Aunque a las suyas no se les daba tanta importancia como a las competiciones de los hombres, también las mujeres prestaban su colaboración. El gran banquete era una oportunidad para desplegar sus habilidades culinarias. Los regalos que se llevaban al clan anfitrión eran expuestos al principio para que todos los contemplaran, eran examinados críticamente y juzgados por consenso de las demás mujeres. Los objetos de artesanía comprendían cueros suaves y flexibles, pieles de lujo, objetos de delicado diseño y textura, recipientes de corteza o cuero rígido, fuertes cuerdas de tripa, plantas fibrosas o pelos de animal, largas correas de ancho regular sin puntos débiles, tazones de madera acabados con una fina suavidad, fuentes de servir hechas de hueso o con las partes más finas de troncos, tazas, tazones y cucharones, capuchas, sombreros, protectores para pies y para manos, y demás bolsas; incluso se comparaba a los bebés. Entre las mujeres no se reconocían los méritos con demasiada facilidad. Se daba en ellas una gama más sutil de matices en la expresión, en los gestos o en las posturas que diferenciaban con sensibilidad, pero que no por eso era menos ecuánime a la hora de percibir la diferencia entre lo mediocre y lo bueno, y al dar su aprobación a lo que era realmente bello.

La posición relativa de la curandera de cada clan y de cada mog-ur era un elemento básico para determinar su respectiva posición. Tanto Iza como Creb habían contribuido a que el clan de

Brun ocupara el primer lugar, así como el hecho de que el clan había sido el primero durante varias generaciones antes que él, lo cual, sin embargo, sólo supuso a Brun una ligera ventaja cuando se convirtió en jefe. Por importante que fueran todos los factores concurrentes, la capacidad de liderazgo del jefe del clan era lo decisivo. Y si la competición entre las mujeres era sutil, la determinación de qué jefe era más capaz lo era muchísimo más.

En parte, esa determinación dependía de lo bien que los hombres de cada clan se comportaran en las competiciones, demostrando lo bien que un jefe los entrenaba y motivaba; dependía también, en parte, de lo duro que trabajaran las mujeres y de lo bien que se portaran, demostrando así que el jefe tenía mano firme para dirigir. Por otro lado, se basaba en la fidelidad a la tradición del clan, pero, sobre todo, la posición de un jefe, y por consiguiente de su clan, se basaba en la fuerza de su propio carácter. Brun sabía que esta vez le iban a acorralar hasta el límite; ya había perdido terreno al llevar consigo a Ayla.

Las Reuniones del Clan eran también una oportunidad para reanudar viejas relaciones, ver a parientes de otros clanes e intercambiar chismes y cuentos que animarían más de una velada fría de invierno durante los años siguientes. Los jóvenes que no podían encontrar pareja en su propio clan, rivalizaban para llamar la atención, aunque los apareamientos sólo podían verificarse cuando la mujer fuera aceptable para el jefe del clan del joven. Se consideraba un honor para una joven ser escogida, especialmente por un clan de posición más elevada, aun cuando trasladarse lejos sería traumático para ellas y los seres queridos que dejaba atrás. A pesar de la recomendación de Zoug y del prestigio de la estirpe de Iza, ésta dudaba mucho de que Ayla consiguiera su compañero. Tener un hijo habría ayudado si éste fuera normal, pero su bebé deforme cerraba cualquier esperanza.

Los pensamientos de Ayla estaban muy lejos de la búsqueda de un compañero. Bastante preocupación tenía con hacer acopio de valor para enfrentarse a la congregación de gente curiosa y suspicaz que había fuera de la cueva. Ella y Uba habían desempacado y establecido el hogar que sería su morada mientras durara su visita. La compañera de Norg había cuidado de que las piedras para el fuego y para señalar los límites estuvieran amontonadas muy a mano y había pellejos de agua a disposición de los clanes invitados. Ayla se había apresurado a exponer los regalos que traía para el clan anfitrión de la manera que Iza le explicara, y la calidad de su trabajo ya había llamado la atención. Se lavó para quitarse la suciedad del camino, se puso un manto limpio y después dio de mamar a su hijito mientras Uba esperaba con impaciencia. La muchacha ansiaba explorar el área que rodeaba a la cueva y ver a toda la gente, pero no se atrevía a hacerlo sola.

–¡Date prisa, Ayla! –gesticuló–. Todos están fuera. ¿No puedes dar de mamar a Durc más tarde? Preferiría estar sentada al sol que en esta vieja cueva oscura. ¿Tú no?

–No quiero que se ponga a chillar desde el principio. Ya sabes lo fuerte que grita. La gente creería que no soy buena madre –explicó Ayla–. No quiero hacer nada que les lleve a pensar algo peor de mí que ahora. Creb me dijo que la gente se sorprendería al verme, pero no creí que pudieran impedirnos permanecer aquí. Y tampoco creía que mirarían tan fijamente.

–Bueno, nos han dejado entrar, y después de que Creb y Brun terminen de hablar con ellos, sabrán que eres una mujer del clan. Vamos, Ayla. No te puedes quedar siempre metida en la cueva, tendrás que dar la cara más tarde o más temprano. Dentro de poco se habrán acostumbrado a verte, lo mismo que nosotros. Yo no veo que seas tan diferente; realmente tengo que pensarlo.

–Yo estaba con ellos antes de que tú nacieras, Uba, pero éstos no me habían visto nunca. Oh, está bien, tendré que superar esta situación. Vamos. No olvides llevar algo para darle de comer al oso cavernario.

Ayla se levantó, apoyó a Durc contra su hombro y le dio golpecitos en la espalda mientras salían. Hicieron un ademán de respeto hacia la compañera de Norg al pasar por delante de su hogar. La mujer devolvió el saludo y regresó rápidamente a su tarea, cobrando súbitamente conciencia de que había estado mirándolas. Ayla respiró muy hondo al aproximarse a la entrada y alzó un poco más la cabeza. Estaba decidida a ignorar la curiosidad que la rodeaba; era una mujer del clan y tenía derecho a salir como cualquier otra.

Su decisión fue sometida a prueba al máximo mientras salía a la brillante luz del sol. Todos los miembros de todos los clanes habían encontrado un pretexto para encontrarse cerca de la cueva esperando a que saliera la extraña mujer del clan. Muchos de ellos trataban de mostrarse discretos, pero otros muchos olvidaban o pasaban por alto la cortesía más elemental y se quedaban mirándola con la boca abierta de asombro. Ayla podía sentir cómo se ruborizaba. Cambió la postura de Durc como excusa para mirarle a él y no a la multitud de rostros vueltos hacia ella.

421

Fue una suerte que mirara a su hijo. Su acción centró la atención en Durc, que había sido pasado por alto ante el primer impacto de la aparición de la joven madre. Expresiones y gestos –no todos ellos muy discretos– evidenciaban lo que pensaban de su hijo. Ojalá no se pareciera a sus propios hijos; si se pareciera a ella, podrían haberlo aceptado mejor. A pesar de lo que dijeran Brun y el Mog-ur, Ayla era de los Otros; su bebé podía haberse ajustado al mismo molde. Pero Durc tenía suficientes características del clan para que sus diferencias parecieran deformaciones. Era un bebé toscamente deformado al que no debería habérsele dejado sobrevivir. No sólo se devaluó la apreciación de Ayla, sino que Brun perdió todavía más terreno.

Ayla volvió la espalda a las miradas suspicaces y a las bocas abiertas y se fue con Uba a mirar al oso cavernario en su jaula. Cuando las vio aproximarse, el enorme úrsido se movió pesadamente y tendió a través de los barrotes su enorme zarpa en espera de algo que comer. Las dos retrocedieron al ver la monstruosa zarpa con sus garras, más adaptadas para arrancar raíces y tubérculos que constituían gran parte de su dieta normal, que para trepar por los árboles sosteniendo su enorme volumen. A diferencia de los osos pardos, sólo los cachorros de los osos cavernarios eran suficientemente ágiles y pequeños para trepar. Ayla y Uba dejaron las manzanas en el suelo justo al lado de los fuertes postes de madera que otrora fueron árboles de buen tamaño.

El animal, criado como un niño mimado que nunca había padecido hambre, era totalmente manso y se sentía a gusto entre la gente. La inteligente criatura había aprendido que ciertas acciones van acompañadas invariablemente de un complemento de golosinas: se sentó y pidió. Ayla habría sonreído ante sus payasadas de no haber recordado a tiempo que debía controlarse.

–Ahora ya sé por qué dicen los clanes que sus osos cavernarios hablan –indicó Ayla por gestos a Uba–. Está pidiendo más. ¿Tienes otra manzana?

Uba le entregó una de las pequeñas, duras y redondas frutas, y esta vez Ayla avanzó hasta la jaula y se la dio. Él se la metió en la boca, después se acercó a los barrotes y frotó su enorme cabeza melenuda contra un saliente de uno de los troncos de árbol.

–Creo que lo que quieres es que te rasquen, viejo aficionado a la miel, ¿eh? –señaló Ayla. Le habían advertido que nunca utilizara la expresión significativa de oso, de oso cavernario o de

Ursus en presencia de él; si se le llamaba por sus verdaderos nombres, recordaría quién era y caería en la cuenta de que no era precisamente un miembro del clan que le crió; eso le convertiría de nuevo en un oso salvaje, invalidaría la Ceremonia del Oso y echaría a perder la verdadera razón del festival. Ayla le rascó detrás de las orejas.

—Eso te gusta, ¿verdad, dormilón de invierno? —señaló Ayla, y se puso a rascarle detrás de la otra oreja, que el oso había vuelto hacia ella—: Podrías rascarte las orejas si quisieras, pero eres perezoso. ¿O quieres que te hagan caso? Eres un bebé grandote y peludo.

Ayla frotó y rascó la enorme cabezota, pero cuando Durc tendió la mano para agarrar los pelos del animal, retrocedió. Había acariciado y rascado a los animalitos heridos que llevaba a la cueva y consideraba que éste era un ejemplar más grandote y manso de la misma especie. Protegida por la pesada jaula, no tardó en perderle miedo al oso, pero su bebé era otra cosa. Cuando Durc tendió sus diminutas manos para cogerle de los pelos, de repente la enorme boca y las largas garras le parecieron peligrosas.

—¿Cómo has podido acercarte tanto? —gesticuló Uba, empavorecida—. A mí me daría miedo acercarme tanto a la jaula.

—Es solamente un bebé muy grandote, pero me olvidé de Durc. Ese animal podría lastimarlo si le hiciera una caricia. Puede parecer un bebé cuando pide comida o quiere que lo atiendan, pero no quisiera pensar siquiera en lo que sucedería si se enfureciera —dijo Ayla mientras se alejaba de la jaula.

No fue Uba la única que se sorprendió de la osadía de Ayla: todo el clan había estado observando. La mayoría de los visitantes se mantenían alejados, especialmente al principio. Los muchachitos jugaban acercándose a la carrera, llegando hasta la jaula y tocando al oso para presumir de valentía, y los hombres eran demasiado orgullosos para mostrar miedo, lo sintieran o no. Pero pocas veces las mujeres, fuera de las del clan anfitrión, se acercaban mucho, y meter las manos entre los barrotes para rascarlo ya de entrada era algo que no cabía esperar de una mujer. No les hizo cambiar la opinión que tenían de Ayla, pero sí les asombró.

Ahora que todos habían visto bien a Ayla, empezaba la gente a alejarse, pero ella seguía sintiendo que la miraban subrepticiamente. Las miradas directas de los niños no la molestaban; la suya era la curiosidad de los pequeños hacia todo lo que fuera insólito, y no implicaba connotaciones de suspicacia ni desaprobación.

Ayla y Uba se dirigieron a un lugar sombreado bajo una roca saliente en los límites exteriores de la amplia y pendiente área que había frente a la entrada de la cueva. Desde aquella discreta distancia podían observar las actividades sin faltar a la cortesía.

Siempre había existido una intimidad de calidad especial entre Ayla y Uba. Ayla había sido hermana, madre y compañera de juegos para la niña, pero desde que Uba había comenzado seriamente su educación, y especialmente después de haber seguido a Ayla hasta la pequeña cueva, su amistad había adquirido un carácter de relación mutua más de igual a igual. Eran amigas íntimas. Uba tenía ya casi seis años y había llegado a la edad en que comenzaba a mostrar interés por el sexo opuesto.

Estaban sentadas bajo la sombra fresca, Durc echado boca abajo sobre el manto tendido entre ambas, pataleando, agitando los brazos y alzando la cabeza para mirar a su alrededor. Durante el viaje había empezado a balbucir y a hacer ruidos con la boca, cosa que ningún niño del clan hacía nunca. Eso preocupaba a Ayla, al mismo tiempo que, inexplicablemente, le agradaba. Uba hacía comentarios sobre los muchachos mayores y sobre los jóvenes, y Ayla bromeaba al respecto amistosamente. Por acuerdo tácito no se habló de los posibles compañeros para Ayla, aunque tenía una edad mucho más adecuada para aparearse. Las dos estaban contentas de que hubiera terminado el largo viaje y especulaban acerca de la Ceremonia del Oso, puesto que ninguna de las dos había asistido nunca a una Reunión del Clan. Mientras hablaban, una joven se acercó y, con un lenguaje silencioso, oficial y universalmente conocido, preguntó tímidamente si podía hacerles compañía.

Le dieron la bienvenida: era el primer gesto amistoso que habían recibido. Pudieron ver que llevaba un bebé en su manto, pero estaba dormido y la mujer no mostró intenciones de despertarle.

—Esta mujer se llama Oda —señaló con gestos formales después de haberse sentado, e hizo un gesto para indicar que quería saber los nombres de ellas.

Uba respondió:

—Esta muchacha se llama Uba, y la mujer es Ayla.

—Aay... ¿Aayghha? Palabra-nombre no conozco. —El dialecto común de Oda y sus gestos eran algo diferentes, pero comprendieron la esencia de su comentario.

–El nombre no es del clan –dijo la mujer rubia. Comprendía la dificultad que todos tenían con su nombre; incluso en su propio clan, había algunos que no podían decirlo bien del todo.

Oda asintió con un gesto, alzó las manos como si fuera a decir algo y cambió de idea. Parecía nerviosa e incómoda. Finalmente señaló a Durc.

–Esta mujer puede ver que tienes un bebé –dijo, vacilando mucho–. ¿Es niño o niña?

–El bebé es varón. El bebé se llama Durc, como el Durc de la leyenda. ¿Conoce la leyenda esta mujer?

Los ojos de Oda reflejaron una curiosa expresión de alivio.

–Esta mujer conoce la leyenda. El nombre no es común en el clan de esta mujer.

–Tampoco es un nombre común en el clan de esta mujer. La verdad es que el bebé no es común. Durc es especial; el nombre le conviene –señaló Ayla con un matiz de orgulloso desafío.

–Esta mujer tiene un bebé; es una niña. El nombre es Ura –dijo Oda; todavía parecía nerviosa y vacilante.

Tras un incómodo silencio, Ayla preguntó, sin saber qué más decirle a aquella mujer cuya cordialidad iba acompañada de tanta vacilación:

–¿Está dormida la niña? Esta mujer querría ver a Ura si la madre lo permite.

Oda pareció considerar la solicitud durante un rato y finalmente, como si tomara una decisión, sacó al bebé de su manto y lo puso en brazos de Ayla.

Los ojos de Ayla se abrieron con una sorpresa que la dejó pasmada. Ura era joven –no podía haber nacido mucho antes de una luna–, pero no era su condición de recién nacida lo que asombraba a la mujer alta. ¡Ura tenía el mismo aspecto que Durc! Se parecía tanto a Durc como si fuera hermana suya. ¡La hijita de Oda podría haber sido suya!

La mente de Ayla sufrió un fuerte impacto. ¿Cómo era posible que una mujer del clan tuviera un bebé parecido al suyo? Ella creía que Durc era diferente porque era parte del clan y parte de ella, pero sin duda Creb y Brun estaban en lo cierto desde el principio: Durc no era diferente, era deforme, lo mismo que era deforme el bebé de Oda. Ayla no sabía qué pensar, estaba tan desconcertada que no sabía qué decir. Finalmente, Uba rompió el prolongado silencio.

–Tu bebé se parece a Durc, Oda. –Uba se olvidó de emplear el lenguaje formal, pero Oda comprendió.

–Sí –asintió la mujer–. Esta mujer se sorprendió al ver al bebé de Aayghha. Por eso yo... esta mujer quería hablar contigo. No sabía si el tuyo era niño o niña, pero esperaba que fuera varón.

–¿Por qué? –quiso saber Ayla.

Oda miró a la niña que tenía en el regazo.

–Mi hijita es deforme –señaló sin mirar directamente a Ayla–; tenía miedo de que nunca encontrara compañero cuando creciera. ¿Qué hombre iba a querer a una mujer tan deforme? –Los ojos de Oda suplicaban al mirar a Ayla–. Cuando yo... cuando esta mujer vio a tu bebé, yo esperaba que fuera varón porque... tampoco será fácil que tu hijo encuentre compañera, ¿sabes?

A Ayla no se le había ocurrido aún pensar en una compañera para Durc. Oda tenía razón: podía costarle trabajo encontrar una mujer para aparearse. Ahora comprendía por qué se les había acercado Oda.

–¿Es saludable tu hija? –preguntó–. ¿Fuerte?

Oda se miró las manos antes de responder:

–La niña es delgada, pero tiene buena salud. Tiene débil el cuello, pero se está fortaleciendo –expresó con fervor.

Ayla miró más de cerca a la pequeña. Era más rechoncha que Durc, su estructura se parecía más a la de los bebés del clan, pero sus huesos eran más delgados. Tenía la misma frente alta y la misma forma general de la cabeza, sólo que los arcos ciliares eran mucho más pequeños. Su nariz era casi diminuta, pero se veía a las claras que tendría la mandíbula prognata, sin barbilla, de la gente del clan. El cuello de la niña era más corto que el de Durc, pero decididamente mucho más largo que lo normal en los del clan. Ayla levantó a la niña, sosteniéndole automáticamente la cabeza, y comprobó los esfuerzos iniciales de la niña por sostener su cabeza, que tan familiares le eran.

–Su cuello se fortalecerá, Oda. El de Durc era todavía más débil cuando nació, y ahora, míralo.

–¿Lo crees así? –preguntó anhelantemente Oda–. Esta mujer quiere preguntar a la curandera del primer clan que tome en cuenta a esta criatura como compañera para su hijito –propuso formalmente Oda.

–Creo que Ura sería una buena compañera para Durc, Oda.

–Entonces, ¿preguntarás a tu compañero si estará conforme?

–Yo no tengo compañero –respondió Ayla.

–¡Oh! Entonces tu hijo es desafortunado –gesticuló Oda con desilusión–. ¿Quién le entrenará si no estás apareada?

—Durc no es desafortunado –insistió Ayla–. No todos los bebés nacidos de mujeres sin aparear son desafortunados. Vivo en el
hogar del Mog-ur; él no caza, pero el propio Brun ha prometido
entrenar a mi hijo. Será un buen cazador y un buen proveedor.
También tiene un tótem de cazador. El Mog-ur ha dicho que es
el Lobo Gris.

—No importa –expresó rápidamente Oda–; un compañero
desafortunado es mejor que ninguno. Ojalá tengas razón. Nuestro mog-ur no nos ha comunicado aún cuál es el tótem de Ura,
pero un Lobo Gris es lo suficientemente fuerte para el tótem de
cualquier mujer.

—Excepto el de Ayla –interpuso Uba–. Su tótem es el León
Cavernario; ella fue elegida.

—¿Cómo has podido tener un bebé? –preguntó Oda, atónita–.
El mío es el Hámster, pero esta vez sí que combatió denodada-
mente. Mi primera hija no me costó tanto.

—También mi embarazo fue difícil. ¿Tienes otra hija? ¿Es
normal?

—Lo era. Ahora está en el otro mundo –señaló Oda tristemente.

—¿Por eso han permitido que viva Ura? Me sorprende que te
hayan permitido conservarla –observó Ayla.

—Yo no quería quedarme con ella, pero mi compañero me
obligó. Es mi castigo –confesó Oda.

—¿Tu castigo?

—Sí –expresó Oda con un gesto–. Yo deseaba una niña y mi
compañero, un niño. Es sólo porque quise tanto a mi primer
bebé. Cuando fue muerta, quise otra nenita como ella. Mi compañero dice que Ura es deforme porque tuve malos pensamientos
durante mi embarazo. Él dice que si hubiera querido un niño, habría nacido normal. Me ha obligado a conservarla para que todos
sepan que no soy buena mujer. Pero no se ha deshecho de mí, tal
vez porque nadie más me ha querido.

—Yo no creo que seas tan mala mujer, Oda –señaló compasivamente Ayla–. Iza quería una niña cuando esperaba tener a
Uba. Me dijo que todos los días le pedía a su tótem que fuera
niña. ¿Cómo murió tu primera niña?

—Fue muerta por un hombre. –Oda enrojeció de confusión–.
Un hombre parecido a ti, Aayghha, un hombre de los Otros.

«¿Un hombre de los Otros?, se dijo Ayla. Un hombre parecido a mí.» Sintió que un escalofrío le recorría la espalda y que

las raíces de sus cabellos se estremecían. Se dio cuenta del desconcierto de Oda.

–Iza dice que nací de los Otros, Oda, pero no recuerdo nada de ellos. Ahora soy del clan –dijo, alentadoramente–. ¿Cómo sucedió todo?

–Íbamos de cacería, otras dos mujeres y yo, acompañando a los hombres. Nuestro clan vive al norte de aquí, pero esa vez llegamos más al norte que nunca. Los hombres se fueron temprano del campamento y nosotras nos quedamos para recoger leña y hierba seca. Había muchísimas moscas azules y sabíamos que deberíamos tener una hoguera encendida para secar la carne. De repente esos hombres irrumpieron en nuestro campamento. Querían aliviar sus necesidades con nosotras, pero no hicieron la señal; de haberla hecho, yo habría adoptado la posición, pero no me dieron oportunidad. Nos cogieron y nos arrojaron al suelo. Fueron muy bruscos. Ni siquiera me dejaron colocar a un lado a mi bebé. El que se apoderó de mí rompió mi manto y mi capa; mi bebé cayó, pero él no se dio cuenta.

»Cuando hubo terminado –prosiguió Oda–, otro hombre iba a tomarme, pero un tercero vio a mi bebé; levantó a la niña y me la dio, pero estaba muerta, se había golpeado la cabeza con una piedra al caer. Entonces el hombre que la había levantado del suelo pronunció unas palabras en voz muy fuerte y todos se alejaron. Cuando regresaron los cazadores, se lo contamos, y nos llevaron a casa inmediatamente. Mi compañero fue muy bueno conmigo entonces; se entristeció mucho por lo de mi niña. ¡Me alegré tanto al descubrir que mi tótem había sido derrotado nuevamente tan pronto después de haberla perdido! Ni siquiera tuve una sola vez la maldición femenina; pensé que mi tótem se había entristecido de que yo perdiera a mi bebé y había decidido que tuviera otro para consolarme. Por eso creí que podría tener otra niña, pero no debería haber deseado que fuera niña.

–Lo siento –dijo Ayla–. No sé lo que sería de mí si perdiera a Durc. Estuve a punto de perderlo. Hablaré al Mog-ur acerca de Ura; estoy segura de que hablará con Brun, quiere mucho a mi hijo. Y pienso que Brun también estará de acuerdo. Resultaría más fácil así que buscar a una mujer de nuestro clan para aparearla con un hombre deforme.

–Esta mujer quedará muy agradecida a la curandera, y prometo educarla bien, Aayghha. Será una buena mujer, no como su madre. El clan de Brun tiene la posición más alta; creo que mi compañero estará conforme. Si sabe que hay un lugar para Ura en

428

el clan de Brun, tal vez no esté tan enojado conmigo. Siempre me está diciendo que mi hija no será más que una carga y nunca tendrá posición. Y cuando Ura sea mayor, le podré decir que no tendrá que preocuparse por encontrar un compañero. Puede resultar penoso para una mujer que ningún hombre la quiera –dijo Oda.

–Lo sé –apostilló la mujer alta y rubia–. Hablaré con el Mog-ur tan pronto como pueda.

Cuando Oda se fue, Ayla se quedó pensativa y preocupada. Uba se dio cuenta de que necesitaba silencio y no la distrajo. «Pobre Oda, era feliz, tenía un buen compañero y una hija normal. Entonces tuvieron que presentarse aquellos hombres y echarlo todo a perder. ¿Por qué no hicieron la señal? ¿No podían ver que Oda tenía un bebé? Esos hombres de los Otros son tan malos como Broud. Peores. Por lo menos Broud le hubiera permitido apartar primero a su hijita. ¡Los hombres y sus necesidades! Los hombres del clan, los hombres de los Otros: son todos iguales.»

Mientras reflexionaba, su mente volvía atrás para pensar en los Otros. «Hombres de los Otros, hombres que se parecen a mí, ¿quiénes son los Otros? Iza dice que yo había nacido de ellos. ¿Por qué no recuerdo nada de los Otros? Ni siquiera recuerdo el aspecto que tienen. ¿Dónde viven? Me pregunto qué aspecto tendrá un hombre de los Otros.» Ayla recordó su reflejo en la poza quieta junto a la cueva y trató de imaginar a un hombre con su rostro. Pero cuando pensaba en un hombre, lo que le venía a la mente era la imagen de Broud, y tras un destello de clarividencia, el torbellino de ideas confusas que se arremolinaban en su mente empezó a ordenarse.

«¡Los hombres de los Otros! ¡Naturalmente! Oda ha dicho que uno de ellos alivió sus necesidades con ella y que después no tuvo la maldición ni una sola vez. Entonces dio a luz a Ura, igual que Durc nació después de que Broud alivió conmigo sus necesidades. Ese hombre era de los Otros y yo nací de ellos, pero tanto Oda como Broud son del clan. Ura no es más deforme que mi Durc. Éste es en parte como yo y en parte como el clan, y lo mismo sucede con Ura. O mejor dicho, es parte de Oda y parte de aquel hombre que mató a su bebé. De modo que Broud inició a Durc... con su órgano, no con el espíritu de su tótem.

»Pero las demás mujeres, las que estaban con Oda, no tuvieron bebés deformes. Y si cada vez que lo hacen los hombres y las mujeres siempre se iniciara un bebé, pues sólo habría bebés. Tal vez también Creb tenga razón. El tótem de una mujer tiene que ser derrotado; pero ella no se traga la esencia del tótem, sino que el hombre lo mete dentro de ella con su órgano. Y entonces se mezcla con la esencia del tótem de la mujer. No son sólo los hombres, también las mujeres.

»¿Por qué tuvo que ser Broud? Yo quería un bebé, mi León Cavernario sabía cuánto deseaba tener un bebé, pero Broud me odia. También odia a Durc. Pero ¿qué otro podría haber sido? Ninguno de los demás hombres se ha interesado por mí, soy demasiado fea. Broud sólo lo hizo porque sabía lo mucho que me disgustaba. ¿Sabría mi León Cavernario que el tótem de Broud ganaría finalmente? Su esencia debe de ser poderosa; Oga tiene ya dos hijos. Brac y Grev tienen que haber sido iniciados también por el órgano de Broud, lo mismo que Durc.

»¿Significa eso que son hermanos? ¿Hermanos? ¿Como Brun y Creb? También Brun tiene que haber iniciado a Broud dentro de Ebra. A menos que haya sido algún otro hombre. Pero no es probable. Por lo general, los hombres no hacen la señal a la mujer del jefe; es una falta de cortesía. Y a Broud no le gusta compartir a Oga. Durante la cacería del mamut, Crug siempre usó a Ovra. Todos podían ver su necesidad y Goov era más considerado. Incluso Droog lo hizo una o dos veces.

»Si Brun inició a Broud y Broud inició a Durc, ¿significa eso que también Durc es parte de Brun? ¿Y Brac y Grev? Brun y Creb son hermanos; nacieron de la misma madre y probablemente fueron iniciados por el mismo hombre. También éste era jefe. ¿Significa eso que Durc es parte también de Creb? ¿Y qué pasa con Iza? Ella es hermana.» Ayla meneó la cabeza. «Todo esto es demasiado desconcertante», se dijo.

«Pero el caso es que Broud inició a Durc. Me pregunto si mi tótem incitó a Broud a hacerme la señal la primera vez. Fue horrible, pero tal vez haya sido otra prueba, y quizá no hubiera otro medio. Mi tótem tenía que saberlo, tuvo que haberlo planeado. Sabía cuánto deseaba tener un bebé, y me dio la señal para indicarme que Durc viviría. ¿No se pondría furioso Broud si lo supiera? Me aborreció tanto que me dio lo que yo más había deseado.»

—Ayla —dijo Uba interrumpiendo sus reflexiones—, acabo de ver a Creb y a Brun entrar en la cueva. Se está haciendo tarde, deberíamos empezar a preparar algo de comer; Creb tendrá hambre.

Durc se había quedado dormido. Despertó al cogerlo Ayla en brazos, pero pronto volvió a quedarse dormido, bien envuelto en el manto junto al seno de su madre. «Estoy segura de que Brun permitirá que venga Ura y sea la compañera de Durc, pensaba mientras regresaban ambas a la cueva del clan anfitrión. Están más hechos el uno para el otro de lo que Oda cree. Pero ¿qué pasará conmigo? ¿Encontraré algún día un compañero apropiado para mí?»

23

Cuando llegaron los dos últimos clanes, Ayla pasó por el mismo penoso examen, en menor escala, que a su llegada. La mujer alta y rubia era algo extraño entre los casi doscientos cincuenta miembros del clan que se habían reunido allí. Llamaba la atención por donde pasara y todas sus acciones eran observadas con atención. Por anormal que pareciera, nadie podía descubrir en su comportamiento la menor desviación; Ayla mostraba un cuidado extremo en que nadie lo descubriera.

No dejaba traslucir ninguna de las características peculiares que de vez en cuando todavía se le escapaban en el ambiente menos tenso de su propia cueva. No reía, ni sonreía siquiera; no había lágrimas en sus ojos; no daba pasos largos ni movía airosamente los brazos de modo que se pudieran percibir sus tendencias poco femeninas. Era un dechado de virtud según los cánones del clan, una joven matrona ejemplar... y eso no chocaba a nadie. Nadie, fuera de su clan, había conocido a mujer alguna que obrara de otra manera. La verdad es que ese proceder hizo que su conducta fuera aceptable y, como había vaticinado Uba, todos se fueron acostumbrando a ella. Había demasiadas actividades en una reunión de los clanes como para que la novedad que representaba una mujer extraña acaparara por mucho tiempo su atención.

No era fácil retener a tanta gente junta dentro de los estrechos límites del entorno de la cueva durante un prolongado período. Hacía falta cooperación, coordinación y una gran dosis de cortesía. Los jefes de los diez clanes estaban mucho más ocupados de lo que estaban cuando sólo tenían que preocuparse por sus propios miembros; el número de personas reunidas multiplicaba los problemas.

Alimentar a la horda exigía la organización de partidas de caza. Aun cuando las normas y rangos establecidos dentro de un solo clan facilitaban la distribución de los cazadores, tan pronto como cazaban juntos dos o más clanes, surgían problemas. La posición del clan determinaba quién sería el jefe del grupo combinado, pero ¿cuál de los hombres que ocupaban el tercer lugar era el más competente? Al principio probaron distintas soluciones, ordenando las posiciones con cierta diversidad para que nadie se ofendiera. Una vez iniciadas las competiciones, resultaría más fácil, pero ninguna partida de caza se ponía en marcha antes de haber decidido cuál sería la posición de cada uno de los hombres.

Las expediciones de las mujeres para recolectar plantas también presentaban sus problemas. El caso era que demasiadas mujeres trataban de escoger los vegetales de mejor calidad. Un área podía verse agotada rápidamente sin que nadie hubiera obtenido todo lo necesario. Los alimentos conservados que habían traído consigo completaban la dieta de cada clan, pero los alimentos frescos siempre resultaban más deseables. El clan anfitrión solía recolectar muy lejos de su cueva antes de una Reunión, pero incluso esa deferencia resultaba insuficiente para satisfacer las necesidades de todos. Aunque su tiempo no estuviera limitado por un largo viaje para el almacenamiento de alimentos en previsión del invierno, el clan anfitrión tenía que almacenar algo más de lo acostumbrado. Para cuando hubiera terminado la reunión, las plantas comestibles de los alrededores habrían desaparecido.

El abastecimiento de agua procedente del río que, alimentado por un glaciar, corría allí cerca era suficiente, pero la leña escaseaba. Se cocinaba fuera de la cueva a menos que lloviera, y los clanes preparaban sus comidas colectivamente en lugar de hacerlo en hogares separados. Aun así, la mayor parte de la leña seca caída y muchos árboles vivos, que tardarían más de una o dos estaciones en reponerse, se agotaban. Después de la Reunión del Clan, el entorno de la cueva nunca volvería a ser el de antes.

El abastecimiento no era el único problema; el orden y concierto eran igualmente una cuestión importante. Los desechos humanos y demás basuras tenían que ser depositados en lugares adecuados. Y había que tener espacio. No sólo espacio para vivir y guarecerse dentro de la cueva, sino espacio para cocinar, espacio para reunirse, espacio para las competiciones, las danzas y los banquetes, y para circular. Organizar las actividades no era, de por sí, un trabajo insignificante. Todo ello implicaba interminables discusiones y compromisos dentro de una atmósfera cargada de una intensa confrontación. La costumbre y la tradición desempeñaban un gran papel para suavizar muchas tensiones, pero precisamente en este campo era donde más destacaba el talento administrativo de Brun.

Creb no era el único que se deleitaba con la Reunión del Clan porque le permitía reunirse con sus pares. Brun disfrutaba del reto que representaba rivalizar con hombres cuya autoridad era igual a la suya. Éste era su reto: competir para dominar a los demás jefes. La interpretación de los procedimientos antiguos exigía a veces hilar muy fino, capacidad para tomar una decisión y la fuerza de carácter para hacerla cumplir, sabiendo, por otro lado, cuándo convenía ceder. Por algo era Brun el primer jefe. Sabía cuándo tenía que mostrarse enérgico, cuándo conciliador, cuándo solicitar el consenso y cuándo defender solo su posición. Siempre que se reunían los clanes solía surgir un hombre fuerte que pudiera fundir a los jefes autoritarios en una entidad coherente y operativa, al menos mientras durara la reunión. Ese hombre era Brun. Lo había sido desde que se convirtió en jefe de su propio clan.

De haber perdido prestigio, el mero hecho de dudar de sí mismo le habría hecho perder esa ventaja. Sin la base que representaba la seguridad de su propio juicio, su desconfianza habría arrojado la sombra de la duda sobre sus decisiones. No podría enfrentarse a una Reunión ni a los demás jefes en tales circunstancias. Pero precisamente esa combinación de fuerza y compromiso, dentro de la estructura inflexible de la tradición del clan, era lo que le había permitido hacer las concesiones que había hecho en el caso de Ayla. Y una vez pasada la amenaza contra él, comenzó a considerarla de manera distinta.

Ayla había tratado de forzar una decisión, pero fue dentro de la estructura de las costumbres del clan, tal como ella las interpretaba, y no por una razón inaceptable. Ciertamente era una mujer, y como tal debía comprender cuál era su lugar, pero había recobrado el sentido viendo a tiempo lo equivocada que estaba. Cuando ella le mostró la ubicación de su cuevecita, se sintió pasmado ante la idea de que pudiera haber llegado hasta allá en un estado de debilidad tan grande. Se preguntó si un hombre lo habría logrado, y eso que la virilidad se medía de acuerdo con la resistencia impasible. Brun admiraba el valor, la determinación y la resistencia; demostraban fuerza de carácter. A pesar del hecho de que Ayla era una mujer, Brun admiraba su valor.

—Si estuviera Zoug aquí, habríamos ganado la competición de tiro con honda —señaló Crug—. Nadie podría haberle derrotado.

–Sólo Ayla –comentó Goov con gestos discretos–. Lástima que no haya podido competir.

–No necesitamos de una mujer para ganar –gesticuló Broud–. El concurso de tiro con honda no cuenta tanto, al fin y al cabo. Brun ganará con el lanzamiento de boleadoras, como siempre. Y todavía queda el lanzamiento de jabalina a la carrera.

–Pero Voord, que ya ha ganado la carrera a pie, tiene también una buena oportunidad de ganar en lanzamiento y puntería con jabalina a la carrera –dijo Droog–, y Gorn se portó muy bien con la maza.

–Espera hasta que les hagamos una representación de nuestra cacería del mamut. Nuestro clan está destinado a ganar –replicó Broud. La dramatización de cacerías formaba parte de muchas ceremonias; en ocasiones se producía espontáneamente después de una cacería especialmente excitante. A Broud le encantaba representarla. Sabía que era excelente cuando se trataba de evocar la sensación de excitación y drama de la cacería y le gustaba ser el centro de la atención.

Pero la escenificación de la cacería cumplía un fin mucho más importante que una mera exhibición. Con la pantomima expresiva y unos cuantos elementos de utilería, mostraban técnicas y tácticas de caza a los jóvenes o a los demás clanes. Era una manera de desarrollar y compartir la experiencia. Si se les preguntara, todos convendrían en que el premio a otorgar al clan que mejor actuara en la complicada competencia era la posición: el hecho de ser reconocido como el mejor entre sus pares. Pero también había otro premio que se otorgaba aun cuando no se reconocía: las competiciones desarrollaban las habilidades necesarias para sobrevivir.

–Ganaremos si tú diriges la danza de la cacería, Broud –dijo Vorn. El muchacho, de diez años de edad, que veía acercarse el momento de su virilidad, seguía idolatrando al futuro jefe. Broud alentaba su adoración permitiendo que tomara parte en las discusiones de los hombres siempre que podía.

–Lástima que tu velocidad no cuente, Vorn. Estuve mirando; ni siquiera te seguían de cerca, ibas muy por delante. Pero es un buen entrenamiento para la próxima vez –dijo Broud. A Vorn se le subieron los colores por efecto de este elogio.

–Pero nos queda aún una buena oportunidad –señaló Droog–. Aunque podría fallar. Gorn es fuerte, ha peleado muy bien contra ti en la competición de lucha, Broud. No estaba muy seguro de que pudieras vencerle. El segundo de Norg debe de estar orgulloso del hijo de su compañera; ha crecido desde la última Reunión. Creo que es el hombre más desarrollado que hay aquí.

–Tiene fuerza, es cierto –dijo Goov–. Se vio cuando ganó con la maza, pero Broud es más rápido y casi igual de fuerte. Gorn llegó segundo, pero con muy poca diferencia.

–Y Nouz tira bien con honda. Creo que ha debido de ver a Zoug desde la última vez y decidió entrenarse; no quiso que un viejo volviera a derrotarle –agregó Crug–. Si ha practicado lo mismo con las boleadoras, puede ser un fuerte rival para Brun. Voord corre muy aprisa, pero creí que le darías alcance, Broud. También fue muy reñida la carrera: sólo estabas un paso detrás de él.

–Droog hace las mejores herramientas –señaló Grod. Pocas veces se decidía a comentar algo; era muy lacónico.

–Seleccionar las mejores y traerlas aquí es una cosa, Grod, pero hace falta suerte para hacerlas bien cuando todos están mirándole a uno. Ese joven del clan de Norg tiene pericia –replicó Droog.

–Es un concurso en que tú tienes la ventaja precisamente porque él es más joven, Droog. Estará más nervioso y tú tienes más experiencia en cuanto a competir. Podrás concentrarte mejor –le alentó Goov.

–Pero, aun así, hace falta suerte.

–Para todo hace falta suerte –dijo Crug–. Sigo creyendo que el viejo Dorv cuenta una historia mejor que nadie.

–Porque estás acostumbrado a él, Crug –indicó Goov–. Es una competición muy difícil de juzgar. Incluso algunas de las mujeres cuentan bien las historias.

–Pero no son tan excitantes como las danzas de caza. Creo que los del clan de Norg estaban hablando de cómo cazaron un rinoceronte, pero se callaron al verme –dijo Crug–. Quizá representen esa cacería.

Oga se acercó a los hombres con timidez y les informó por señas que la cena estaba servida. Le hicieron señas de que se retirara. Ella esperaba que no tardaran demasiado en decidirse a cenar; cuanto más se retrasaran, más tardarían las mujeres en juntarse con las demás que se estaban reuniendo para contar cuentos, y Oga no quería perderse ninguno. Por lo general eran las viejas quienes representaban las leyendas e historias del clan con pantomimas teatrales. A menudo esas historias pretendían educar a los jóvenes, pero todas eran entretenidas: historias tristes que partían el corazón, cuentos felices que proporcionaban deleite o inspiración, y relatos humorísticos que ayudaban a que las propias situaciones de apuro resultaran menos ridículas.

Oga regresó al fuego cerca de la cueva.

—Creo que todavía no tienen hambre –dijo.

—Pues parece que han decidido venir –señaló Ovra–. Ojalá no cenen demasiado despacio.

—También Brun viene; sin duda ha concluido la reunión de los jefes, pero no sé dónde está Mog-ur –agregó Ebra.

—Entró más temprano en la cueva con los mog-ures. Sin duda están en la cámara de los espíritus de este clan. Imposible saber cuándo saldrán. ¿Tendremos que esperarle? –preguntó Uka.

—Dejaré algo preparado para él –dijo Ayla–. Siempre se olvida de comer cuando se prepara para alguna ceremonia. Está tan acostumbrado a comer frío que a veces me parece que lo prefiere así. No creo que le importe que no le esperemos.

—Mira, ya empiezan. Vamos a perdernos los primeros cuentos –indicó Oga, decepcionada.

—No queda más remedio, Ona –dijo Aga–. No podemos ir mientras no hayan terminado los hombres.

—No vamos a perdernos muchos, Ona –fue el consuelo que Ika le brindó–. Las historias durarán toda la noche. Y mañana los hombres mostrarán sus mejores cacerías y podremos presenciarlas. ¿No creéis que será excitante?

—Yo preferiría ver las historias de las mujeres –dijo Ona.

—Broud dice que nuestro clan va a representar la caza del mamut. Cree que es seguro que ganaremos; Brun le dará permiso para encabezarla –señaló Oga, con los ojos brillantes de orgullo.

—Será excitante, Ona. Recuerdo cuando Broud se hizo hombre y dirigió la danza de la caza. Todavía no sabía yo hablar, ni comprendía a nadie, pero era excitante –señaló Ayla.

Una vez servida la cena, las mujeres se quedaron esperando, anhelantes, lanzando miradas ansiosas hacia la concentración.

—Ebra, puedes irte a ver vuestras historias; nosotros tenemos que discutir algunos asuntos –expresó Brun.

Las mujeres recogieron a sus bebés y empujaron a los niños hacia el grupo que estaba sentado en círculo alrededor de una vieja que acababa de comenzar una nueva historia.

«... y la madre de la Gran Montaña de Hielo...»

—Date prisa –indicó Ayla–. Está contando la leyenda de Durc. No quiero perderme nada. Es mi predilecta.

—Todo el mundo la sabe, Ayla –dijo Ebra.

Las mujeres del clan de Brun hallaron dónde sentarse y muy pronto se sintieron cautivadas por el cuento.

–Lo cuenta algo distinto –dijo Ayla al cabo de un rato.

–La versión de cada clan es algo distinta, y cada narrador tiene su estilo, pero es la misma historia. Lo que pasa es que estamos acostumbradas a Dorv. Es hombre y comprende mejor las cosas que se refieren a los hombres. Una mujer cuenta más de las madres, no sólo de la madre de la Gran Montaña del Hielo, sino de lo tristes que se sentían las madres de Durc y de los otros jóvenes cuando éstos abandonaron el clan –respondió Uka.

Ayla recordó que Uka había perdido a su hijo en el terremoto. La mujer podía comprender la tristeza de una madre al perder a su hijo. La versión modificada daba a la leyenda un nuevo significado también para Ayla. Durante un rato, su frente se vio surcada de arrugas reveladoras de su preocupación. «Mi hijo se llama Durc; espero que eso no signifique que habré de perderlo algún día; Ayla abrazó a su bebé. No, no puede ser. Estuve a punto de perderlo una vez, el peligro ha pasado ya, ¿no es así?»

Una brisa errante agitó unos cuantos mechones sueltos de su cabello, refrescando por un instante su frente cubierta de sudor, mientras Brun calculaba cuidadosamente la distancia hasta el tocón de un árbol junto a la orilla del espacio abierto frente a la cueva. El resto del árbol, despojado de sus ramas, formaba parte de la empalizada que rodeaba al oso cavernario. El soplo de aire era más bien un inconveniente; no aliviaba en nada el calor sofocante del sol vespertino que caía pesadamente sobre el campo polvoriento. Pero el céfiro etéreo tenía más movimiento que la multitud que, formando círculo, observaba presa de una tremenda tensión.

Brun estaba igualmente inmóvil, erecto, con los pies separados, el brazo derecho colgando y sosteniendo con la mano el cabo de sus boleadoras. Las tres pesadas bolas de piedra, envueltas en cuero moldeado y sujetas a correas trenzadas, de longitud desigual, estaban en el suelo. Brun deseaba ganar ese concurso, no sólo por el placer de competir –aunque eso eso también tenía su importancia–, sino porque necesitaba mostrar a los demás jefes que no había perdido sus facultades competitivas.

Llevar a Ayla a la Reunión del Clan le había salido caro; comprendía ahora que él y su clan se habían acostumbrado demasiado a ella. Era una anomalía demasiado grande para que los demás la aceptaran en tan corto tiempo. Incluso el Mog-ur estaba luchando por conservar su lugar y no había conseguido convencer a los demás mog-ures de que era una curandera de la estirpe de Iza. Estaban dispuestos a prescindir de la bebida especial sacada de las raíces antes que permitir que ella lo elaborara. La pérdida de la posición de Iza era un apoyo más que se derrumbaba bajo la posición bamboleante de Brun.

Si su clan no quedaba primero en las competiciones, estaba seguro de que perdería importancia, y aunque todavía estaban compitiendo, el resultado distaba mucho de estar asegurado. Y aunque ganar en la competición no garantizaría que su clan ocupara el primer lugar, por lo menos le situaría en igualdad de oportunidades. Había otras muchas variables. El clan que recibía a los demás siempre tenía ventaja, y el clan de Norg era precisamente el que le estaba ofreciendo más oposición. Si quedaban segundos con poca diferencia podría obtener Norg suficiente apoyo para lograr el primer lugar. Norg lo sabía, y por eso era su rival más implacable. Brun estaba defendiendo su posición merced a su fuerza de voluntad.

Brun entrecerró los ojos mirando al tocón. El movimiento, apenas perceptible, fue suficiente para que la mitad de los espectadores contuvieran la respiración. Al instante siguiente, la figura inmóvil se convirtió en un movimiento fulminante, y las tres bolas de piedra, girando alrededor de su centro, volaron hacia el tronco. Brun supo, en el momento en que las boleadoras abandonaban su mano, que había errado el tiro: las piedras dieron en el blanco y después rebotaron, sin lograr envolverlo. Brun avanzó para recoger su arma mientras Nouz ocupaba su lugar. Si Nouz fallaba por completo, Brun ganaría. Si golpeaba el tocón, ambos tendrían derecho a probar de nuevo. Pero si Nouz envolvía el tocón con sus boleadoras, habría ganado la partida.

Brun se quedó a un lado con el rostro impasible, conteniendo el ansia de agarrar su amuleto y limitándose a dirigir una súplica mental a su tótem. Nouz no puso tantos reparos: tentó la bolsita de cuero que llevaba colgada al cuello, cerró los ojos y miró al tocón. Con un impulso súbito de movimiento rápido, dejó volar sus boleadoras. Sólo largos años de control de sus emociones permitieron que Brun disimulara su frustración al ver que las correas se enredaban alrededor del tocón y se quedaban allí. Nouz había ganado y Brun sintió que su posición se le escapaba más aún.

Brun se quedó en su sitio mientras se llevaban al campo tres pieles curtidas. Una fue atada al tocón podrido de un viejo tronco, enorme, cuya cima desigual era un poco más alta que los hombres. Otra fue tendida sobre un tronco caído y cubierto de musgo, de respetables proporciones, junto a la orilla del bosque, y sujeta al suelo con piedras. La tercera fue extendida sobre el suelo e igualmente sujeta con piedras. Las tres formaban un triángulo de lados más o menos iguales. Cada uno de los clanes escogió a un hombre para competir en este concurso, y los elegidos se pusieron en fila, por orden de importancia del clan, junto a la piel tendida sobre el suelo. Otros hombres, portadores de agudas lanzas, hechas casi todas con madera de tejo, algunas también con madera de abedul, álamo y sauce, se dirigieron a los otros blancos.

Dos jóvenes de los clanes de menor categoría formaron la primera pareja. Cada uno de ellos, lanza en mano, esperaba tensamente, uno junto al otro, con los ojos fijos en Norg. Tan pronto como éste dio la señal, ambos se abalanzaron hacia el tronco erguido y arrojaron sus lanzas contra él a través del cuero, apuntando al lugar donde habría estado el corazón del animal si la piel lo cubriera aún; después cogieron otra lanza que les tendían sus compañeros del clan apostados junto al blanco. Corrieron hacia el tronco caído y le asestaron la segunda lanza. Para cuando se apoderaron de la tercera lanza, uno de los hombres llevaba una clara ventaja. Corrió hacia la piel del suelo, enterró la lanza lo más profundamente y lo más cerca del centro que pudo, y alzó los brazos con gesto de triunfo.

Después de la primera carrera, quedaron cinco hombres. Tres de ellos se alinearon para la segunda carrera, esta vez de los clanes de más alta categoría. Al que quedaba el último se le daba otra oportunidad contra los dos restantes. Entonces, los dos hombres que quedaran segundos formaban pareja, quedando tres seleccionados para la carrera final: los dos ganadores de la primera carrera y el ganador de la última. Los finalistas fueron Broud, Voord y el representante del clan de Norg, Gorn.

De los tres, Gorn era el que había participado en cuatro carreras para llegar a las finales, mientras que los otros dos estaban bastante descansados después de dos carreras. Gorn había ganado la primera por parejas, pero llegó tercero cuando corrieron los tres clanes de primera categoría. Volvió a correr con los dos últimos hombres y quedó segundo, después formó pareja con el hombre que había llegado segundo en la carrera cuando él fue tercero, y esta vez le derrotó. Gorn había quedado finalista por agallas y aguante, y se había hecho acreedor a la admiración de todos.

Cuando los tres hombres estuvieron en línea para la última carrera, Brun avanzó hacia el campo.

–Norg –dijo–, creo que sería más equitativa la última carrera si la pospusiéramos para darle a Gorn la posibilidad de descansar. Creo que el hijo de la compañera de tu segundo-al-mando se lo merece.

Hubo asentimiento general, y la posición de Brun subió un poco, aunque Broud puso mala cara. La sugerencia situaba a su clan en una posición menos ventajosa: se perdía la ventaja que pudiera haber tenido Broud al correr contra un hombre cansado, pero demostraba la rectitud de Brun, y Norg no podía negarse. Brun había ponderado rápidamente las alternativas: si perdía Broud, su clan se expondría a perder su posición, pero si Broud ganaba, la evidente honradez de Brun incrementaría su prestigio y daría la impresión de una confianza que estaba lejos de experimentar. Sería un triunfo limpio –no podrían pensar que Gorn habría podido ganar de haber estado menos cansado– si ganaba Broud. Y era más justo.

Ya estaba la tarde avanzada cuando todos se reunieron de nuevo alrededor del campo. Las tensiones contenidas habían renacido con más fuerza. Los tres jóvenes, ahora ya descansados, saltaban calentando los músculos y blandiendo las lanzas para encontrar el equilibrio deseado. Goov se acercó al tronco con dos hombres de los otros clanes, y Crub se fue al tronco caído, con otros dos. Broud, Gorn y Voord se alinearon, los tres enfrentados, fijaron la mirada en Norg y esperaron su señal. El jefe del clan anfitrión alzó el brazo, lo dejó caer bruscamente y los hombres partieron.

Voord saltó el primero con Broud sobre sus talones y Gorn corriendo esforzadamente detrás. Voord estaba cogiendo ya su segunda lanza cuando Broud lanzó la suya contra el tronco podrido. Gorn renovó su punta de velocidad, lo cual incitó a Broud a correr tras él mientras se dirigían al tronco caído, pero Voord seguía a la cabeza. Picó su lanza en el tronco cubierto de cuero justo cuando Broud alzaba su lanza, pero dio en un nudo oculto y la lanza cayó al suelo. Cuando la recogió y volvió a lanzarla, tanto Broud como Gorn le habían dejado atrás. Cogió su tercera lanza y les siguió, pero para Voord la carrera estaba perdida.

Broud y Gorn se dirigían a todo correr hacia el último blanco, con las piernas golpeando rítmica y fuertemente el suelo, el corazón palpitando con fuerza. Gorn empezó a adelantarse a Broud, pero al ver que el gigante de anchos hombros iba a hacerle morder el polvo, Broud se enfureció: creyó que sus pulmones iban a estallar al lanzarse hacia delante, forzando cada uno de sus músculos y tendones. Gorn llegó a la piel tendida en el suelo un instante antes que Broud, pero mientras alzaba el brazo, Broud se abalanzó y clavó su lanza en el suelo a través del rudo cuero al pasar corriendo por encima de él. La lanza de Gorn se enterró una fracción de segundo después, pero ya era demasiado tarde.

Cuando Broud dejó de correr, los cazadores del clan de Brun le rodearon; Brun le miraba con los ojos brillantes de orgullo. Su corazón latía casi tan aprisa como el de Broud, había sufrido una agonía a cada paso del recorrido realizado por el hijo de su compañera. Ganó por muy poco, y durante unos cuantos momentos de tensión, Brun creyó que perdería, pero se lo había jugado todo y había ganado. Era una carrera decisiva, pero, al ganarla, sus posibilidades eran mayores. «Debo estar haciéndome viejo, se dijo. He perdido el partido de boleadoras, pero Broud no, Broud ha ganado. Tal vez sea hora de entregarle el clan. Podría hacerle jefe y anunciarlo aquí mismo. Lucharé por el primer puesto y dejaré que vuelva a casa con el honor. Después de esta carrera, se lo merece. ¡Lo haré! ¡Se lo voy a decir ahora mismo!»

Brun esperó hasta que los hombres terminaron de felicitarle y se acercó entonces al joven, esperando ver la dicha que revelarían los ojos de Broud al enterarse del gran honor que estaba a punto de recibir. Sería una buena recompensa por la magnífica carrera que había realizado. Era el mejor regalo que podía hacer al hijo de su compañera.

–¡Brun! –Broud vio al jefe y habló primero–. ¿Por qué tuviste que aplazar esta carrera? Estuve a punto de perderla. Podría haberle derrotado fácilmente si no le hubieras dado tiempo para descansar. ¿No te importa que tu clan sea el primero? –señaló con petulancia–. ¿O es que sabes que serás demasiado viejo para encabezar la siguiente Reunión? Si voy a ser el próximo jefe, lo menos que podías hacer es dejarme empezar como el primero, como empezaste tú.

Brun se quedó de una pieza, asombrado ante el ataque injurioso de Broud. Luchó por dominar sus emociones en conflicto. «No entiendes, se decía Brun, me pregunto si llegarás a entender algún día. Este clan es el primero y, si puedo, seguirá siéndolo. Pero ¿qué pasará cuando tú seas el jefe, Broud? ¿Por cuánto tiempo será este clan el primero?» El orgullo abandonó sus ojos y un gran pesar se apoderó de él, pero también supo controlarlo.

«Quizá sea demasiado joven, reflexionó, quizá sólo necesite un poco más de tiempo, un poco más de experiencia. ¿Se lo he explicado realmente alguna vez?», Brun trataba de olvidar que a él nadie había tenido que explicárselo.

–Broud, si Gorn hubiera estado cansado, ¿habría sido tan brillante tu victoria? ¿Y si los demás clanes hubieran dudado de que fueras capaz de derrotarle cuando estuviera descansado? Ahora saben de cierto que has ganado, y tú también lo sabes. Te has portado bien, hijo de mi compañera –señaló amablemente Brun–. Has hecho una excelente carrera.

A pesar de su amargura, Broud seguía respetando a aquel hombre más que a ninguno, y no pudo dejar de responder. En aquel momento sintió Broud, como lo había sentido el día de la cacería de su virilidad, que daría cualquier cosa por recibir un halago de Brun.

–No se me había ocurrido, Brun. Tienes razón, así todos saben que gané, saben que soy mejor que Gorn.

–Con esta carrera, si Droog gana la competición de talla de herramientas, y si nuestra cacería del mamut gana esta noche, estamos seguros de ser los primeros –dijo Crug, lleno de entusiasmo–. Y tú serás uno de los elegidos para la Ceremonia del Oso, Broud.

Otros hombres se agolparon alrededor de Broud para felicitarle mientras regresaba a la cueva. Brun le vio alejarse y también vio que Gorn regresaba rodeado por el clan de Norg. Un viejo le dio golpecitos en la espalda como para infundirle ánimos.

«El segundo de Norg tiene razones para enorgullecerse del hijo de su compañera, pensaba Brun. Broud puede haber ganado la carrera, pero no estoy seguro de que sea el mejor.» Brun había logrado controlar su pesar, pero no lo había eliminado, y aunque luchaba por enterrarlo más profundamente, el dolor no desaparecía. Broud seguía siendo el hijo de su compañera, el preferido de su corazón.

–Los hombres del clan de Norg son cazadores valientes –admitió Droog–. Ha sido un buen plan ese de cavar un hoyo por el camino que sigue el rinoceronte para ir a beber y cubrirlo con hojarasca para ocultarlo. Tal vez convendrá que lo empleemos alguna vez. Hace falta mucho valor para obligarle a retroceder cuando echa a correr; el rinoceronte puede ser más feroz que el mamut y mucho más imprevisible. Además, los cazadores de Norg lo han relatado bien.

–Pero, de todos modos, no ha sido tan buena como nuestra cacería del mamut. Todos lo han reconocido –dijo Crug–. Gorn ha merecido ser uno de los escogidos. Casi todos los torneos han sido entre Broud y Gorn. Durante un buen rato he temido que este año no ganáramos las competiciones. El clan de Norg es segundo, pero nos sigue de cerca. ¿Qué te parece el tercero seleccionado, Grod?

–Voord se ha portado bien, pero yo habría escogido a Nouz –respondió Grod–. Creo que también Brun prefería a Nouz.

–Ha sido una difícil decisión, pero creo que Voord se lo merecía –comentó Droog.

–No vamos a ver ya mucho a Goov hasta después del festival –dijo Crug–. Ahora que las competiciones han concluido, los acólitos se van a pasar todo el tiempo con los mog-ures. Espero que las mujeres no crean que porque Broud y Goov no cenen esta noche con nosotros tendrán que preparar menos comida. Yo voy a comer mucho; después ya no probaremos bocado hasta el festín de mañana.

–Si yo fuera Broud, no tendría hambre –dijo Droog–. Es un gran honor ser escogido para la Ceremonia del Oso, pero si alguna vez le ha hecho falta valor, Broud lo necesitará mañana.

Los primeros albores del día encontraron vacía la cueva. Las mujeres estaban ya levantadas trabajando a la luz del fuego y los demás no podían dormir. Los preparativos preliminares para el festín habían llevado días, pero ese trabajo no era nada comparado con lo que tenían por delante. Ya era pleno día mucho antes de que el disco deslumbrante surgiera tras las cimas de los montes, bañando el emplazamiento de la cueva con los rayos ardientes de un sol alto ya.

La excitación se podía palpar, la tensión era insoportable. Una vez terminadas las competiciones, los hombres no tenían nada que hacer hasta las ceremonias y estaban inquietos. Su agitación nerviosa se contagiaba a los muchachos mayores, quienes, a su vez, excitaban a los más jóvenes y distraían a las mujeres: los hombres vagando a su alrededor y los niños corriendo por todos lados tropezaban constantemente con ellas.

La agitación se calmó un rato cuando las mujeres repartieron pastelillos de mijo molido, mezclado con agua y cocido sobre piedras calientes. El desayuno con galletas blandas se consumió en un silencio solemne; este alimento estaba reservado para aquella única ocasión cada siete años, y salvo los niños de pecho, iba a ser

444

la única comida que iban a ingerir antes del banquete. Los pastelillos de mijo eran un símbolo y sólo servían para abrir el apetito. A media mañana, el hambre, estimulada por deliciosos aromas procedentes de diversos fuegos, intensificó el bullicio, que se fue elevando hasta el nivel de fiebre a medida que se aproximaba la hora de la Ceremonia del Oso.

Creb no se había acercado a Uba ni a Ayla con instrucciones para que se prepararan para el rito que habría de celebrarse más tarde, y ambas estaban seguras de que los mog-ures no habían considerado aceptable a ninguna de las dos. No eran las únicas que habrían deseado que Iza se hubiera sentido lo suficientemente bien para hacer el viaje. Creb había apelado a todo su poder de persuasión para convencer a los demás magos de que permitieran a una de las dos preparar la bebida, pero, por mucho que anhelaran celebrar el rito y la experiencia poco frecuente de la bebida hecha con raíces, Ayla era demasiado extraña y Uba demasiado joven. Los mog-ures se habían negado a aceptar a Ayla como mujer del clan y menos aún como curandera de la estirpe de Iza. La celebración de Ursus afectaba a algo más que a los clanes asistentes; las consecuencias, buenas o malas, de cualquiera de los ritos que se celebraran en una Reunión del Clan recaían sobre todo el clan. Los mog-ures no querían arriesgarse a la posibilidad de invocar una mala suerte que causara desdicha a todos los miembros del clan allí donde se encontraran. Había demasiadas cosas en juego.

Eliminar ese rito tradicional de la ceremonia contribuía a devaluar a Brun y su clan. A pesar de todos los esfuerzos de sus hombres en las competiciones, el hecho de que Brun hubiera aceptado a Ayla representaba una mayor amenaza para la posición del clan que cualquier otra cosa que hubiera ocurrido anteriormente. Estaba muy en contra de los convencionalismos. Sólo la posición inflexible de Brun frente a la oposición creciente mantenía la cuestión sin zanjar y no estaba seguro de que, al final, saliera triunfante.

Poco después de que fueron servidos los pastellillos de mijo, los jefes se situaron cerca de la entrada de la cueva. Esperaron en silencio que los clanes reunidos les dedicaran su atención. El silencio se extendió como las ondas que una piedra provoca al caer en una poza, tan pronto como se reconoció la presencia de los jefes. Los hombres ocuparon prontamente los lugares que definían su clan y su situación en él. Las mujeres abandonaron su trabajo, hicieron señas a los niños de que se portaran bien y silenciosamente se sumaron a aquel trasiego. La Ceremonia del Oso estaba a punto de iniciarse.

El primer redoble del palo duro y liso sobre el tambor de madera ahuecada en forma de tazón resonó como un súbito trueno en el silencio expectante que reinaba. Al ritmo lento y majestuoso siguió el golpeteo de lanzas de madera contra el suelo, lo cual agregaba una profundidad de sordina. Un ritmo en contrapunto de palos golpeando un tubo largo y hueco de madera se entrelazaba con el redoble majestuoso y fuerte, como un tema sonoro aparentemente independiente del primero; sin embargo, en los ritmos entrecortados que sonaban siguiendo distintos compases surgía un redoble más intenso que coincidía con cada quinto golpe del ritmo básico, como por casualidad. Se combinaban todos para producir una sensación creciente de expectativa, casi de ansiedad, hasta que tocaban al mismo tiempo. Cada respiro iniciaba otro aumento de la tensión en una oleada hipnótica tras otra oleada de sonido y sensación.

Todos los sonidos se fundieron de repente en un redoble final, satisfactorio. Como si hubieran surgido de la nada, los mog-ures, revestidos de piel de oso, se encontraban, en una hilera de nueve, frente a la jaula del oso cavernario con el Mog-ur solo delante de todos. La sensación del ritmo repercutía aún en la cabeza de los presentes en un silencio opresivo. El Mog-ur sostenía un óvalo plano y largo de madera con un extremo sujeto por una cuerda. Mientras lo hacía girar, un zumbido apenas audible fue aumentando hasta convertirse en un fuerte mugido que llenó el silencio. La resonancia profunda y obsesionante del mugido ponía la carne de gallina, tanto por su significado como por la sonoridad de su timbre. Era la voz del Espíritu del Oso Cavernario advirtiendo a los demás espíritus que se apartaran de aquella ceremonia dedicada únicamente a Ursus. Ningún espíritu totémico acudiría en su ayuda; se habían puesto totalmente bajo la protección del Gran Espíritu del clan.

Un trino agudo penetró en el bajo profundo; su tenue ulular provocó escalofríos en el espinazo de los más audaces mientras el mugido se iba apagando. El trino fantasmagórico, sobrenatural, como un espíritu incorpóreo, perforaba el brillante aire matutino. Ayla, de pie en la primera fila, podía ver que el sonido procedía de algo que sostenía en la boca uno de los mog-ures.

La flauta, hecha del hueso hueco de la pata de un ave grande, no tenía orificios para los dedos. Su tono era controlado tapando y destapando el extremo abierto. En manos de un músico hábil, de aquel instrumento sencillo se podía sacar toda una escala pentatónica. Para la joven, como para los demás, era la magia lo que creaba aquella música extraña; sonaba como algo jamás escuchado en la tierra. Había venido del mundo de los espíritus llamado por el hombre santo y para esta ceremonia única. Así como el instrumento anterior simbolizaba, imitándolo, el bramido del oso cavernario en forma física, la flauta era el sonido de la voz espiritual de Ursus.

Hasta el propio mago que tocaba el instrumento palpaba la santidad del sonido que brotaba del primitivo caramillo, aunque él mismo lo producía. Hacer y tocar la flauta mágica era el secreto esotérico de los magos de su clan, un secreto que, por lo general, les valía el primer lugar a esos magos. Sólo la capacidad única de Creb había desplazado al mog-ur que tocaba la flauta a un segundo lugar, pero era un segundo poderoso. Y él era quien más se oponía a que Ayla fuera aceptada.

El enorme oso cavernario iba y venía en su jaula. No le habían dado de comer y no estaba acostumbrado a prescindir de la comida; nunca había pasado hambre en toda su vida. También le habían quitado el agua y tenía sed. La multitud que rezumaba tensión y excitación, los insólitos sonidos de los tambores de madera, del mugidor y de la flauta, todo ello se combinaba para poner nervioso al animal.

Al ver al Mog-ur que se acercaba cojeando a su jaula, elevó su enorme y pesado volumen sobre sus patas y rugió su queja. Creb se sobresaltó, pero se repuso rápidamente y disimuló el susto con un paso sesgado aparentemente normal. Su rostro, cubierto como el de los demás magos con una pasta de dióxido de manganeso, no reflejaba la menor señal de lo rápidamente que palpitaba su corazón cuando inclinó la cabeza hacia atrás para mirar al infeliz gigante. Llevaba en sus manos un pequeño tazón de agua, cuya forma y color marfil grisáceo evidenciaban que había sido una calavera humana. Puso el recipiente macabro con agua en la jaula y dio un paso atrás mientras el peludo úrsido se bajaba para beber.

Mientras el animal lamía el líquido, veintiún jóvenes cazadores rodearon su jaula llevando cada uno una lanza nueva. Los jefes de los siete clanes que no habían tenido la suerte de que uno de sus hombres fuera seleccionado para los honores especiales, habían escogido a tres de sus mejores cazadores para la ceremonia. Entonces Broud, Gorn y Voord salieron corriendo de la cueva y se alinearon delante de la puerta de la jaula, firmemente sujeta con correas. Estaban desnudos, excepto la parte cubierta con un taparrabos, y sus cuerpos ostentaban marcas rojas y negras.

La pequeña cantidad de agua no había aplacado la sed del gran oso, pero los hombres que estaban cerca de su jaula le daban esperanzas de que iban a traerle más. Se sentó y pidió con un gesto que pocas veces había sido desatendido hasta entonces. Cuando vio que sus esfuerzos no servían de nada, avanzó lentamente hacia el hombre más próximo y metió el hocico entre los fuertes barrotes.

La música de la flauta terminó en una desagradable nota inconclusa, incrementando la expectativa en el silencio ansioso. Creb recuperó la calavera y volvió cojeando a su lugar al frente de los magos alineados a la entrada de la cueva. A una señal invisible, los mog-ures comenzaron los movimientos del lenguaje formal al unísono.

—Acepta tu agua como prueba de nuestro agradecimiento, oh, Poderoso Protector. Tu clan no ha olvidado las lecciones aprendidas de ti. La cueva es nuestro hogar, que nos protege de la nieve y el frío del invierno. También nosotros reposamos tranquilamente nutridos, con los alimentos del verano y calentados con las pieles. Has sido uno de nosotros, has vivido con nosotros y sabes que seguimos tus preceptos.

Con los rostros ennegrecidos y vestidos con capas idénticas de peluda piel de oso, los magos parecían una compañía de danza bien ensayada, moviéndose como uno solo mientras hablaban con gestos majestuosos y fluidos. Los símbolos elocuentes que con su única mano trazaba el Mog-ur, y que se unían a los de los demás aunque modificándolos, realzaban los movimientos elegantes y los enfatizaban.

—Te veneramos a ti, el primero entre todos los Espíritus. Te rogamos que hables en nuestro favor en el mundo de los Espíritus, que cuentes la valentía de nuestros hombres, la obediencia de nuestras mujeres, que hagas sitio para nosotros cuando retornemos al otro mundo. Imploramos tu protección contra los malignos. Somos tu Pueblo, Gran Ursus, somos el Clan del Oso Cavernario. Ve con honor, tú, el más Grande de todos los Espíritus.

Cuando los mog-ures hicieron los símbolos que representaban los nombres del gran animal en su presencia por vez primera, los veintiún jóvenes introdujeron las lanzas por entre los robustos árboles de la jaula y perforaron el tremendo y peludo cuerpo de la venerada criatura. No todas hicieron brotar sangre, pues la jaula era demasiado grande para que todas las lanzas penetraran profundamente, pero el dolor enfureció al oso cavernario que era ya casi un animal adulto. Su airado rugido quebrantó el silencio y la gente se echó hacia atrás, espantada.

Al mismo tiempo, Broud, Gorn y Voord comenzaron a cortar las correas que cerraban la puerta de la jaula, encaramándose a los árboles hasta que llegaron a la parte más alta de la empalizada. Broud llegó arriba el primero, pero Gorn se las arregló para coger el fuerte palo corto que se había depositado allí previamente. El oso cavernario, medio loco de dolor, retrocedió sobre sus patas traseras, emitió un rugido furioso y avanzó hacia los tres jóvenes. Su maciza cabeza abombada alcanzaba casi los troncos más altos del recinto. Se acercó hasta la entrada, empujó la puerta y la lanzó al suelo hecha pedazos. ¡La jaula estaba abierta! ¡El monstruoso e iracundo oso estaba suelto!

Los cazadores, con sus lanzas, acudieron para formar una falange protectora entre el enfurecido animal y el público angustiado. Las mujeres, dominado el impulso de echar a correr, apretaban más fuerte a sus bebés mientras los niños mayores se aferraban a ellas con los ojos desorbitados de terror. Los hombres empuñaron sus lanzas preparados para acudir en defensa de las mujeres vulnerables y de los niños aterrorizados. Pero la gente del clan siguió en su sitio.

Mientras el oso herido salía pesadamente por el orificio abierto en la empalizada de troncos, Broud, Gorn y Voord, encaramados en todo lo alto, saltaron sobre el sorprendido úrsido. Broud se puso sobre sus hombros, tendió la mano y agarró la piel de su cara, de la que tiró hacia atrás. Mientras tanto, Voord había caído sobre su lomo, agarró la melena y tiró hacia abajo con todas sus fuerzas, poniendo tirante la piel floja que le rodeaba el cuello. Sus esfuerzos combinados obligaron al enorme animal que forcejeaba a abrir la cavernosa boca, y Gorn, a caballo sobre uno de sus hombros, se apresuró a meterle la parte más ancha del palo en la boca. El oso mordió en cuanto Broud le soltó, apretando fuertemente el palo entre sus mandíbulas, lo cual le impidió respirar y anuló una de las armas de que disponía el oso cavernario.

Pero la táctica no desarmó del todo al oso. El enfurecido úrsido trató de sacudirse violentamente a las criaturas que se colgaban de él. Sus agudas garras se clavaron en el muslo del hombre que cabalgaba sobre su hombro y se llevaron al joven cazador, que gritaba, entre sus poderosas patas delanteras. El grito de agonía de Gorn quedó interrumpido bruscamente cuando el poderoso abrazo del oso le quebró la espina dorsal. Un largo gemido surgió de la boca de una de las mujeres espectadoras cuando el oso cavernario dejó caer el cuerpo sin vida del valeroso joven.

El oso atacó al escuadrón de hombres que blandían sus lanzas y se acercaban a él. Un zarpazo de la potente pata delantera del animal abrió una brecha, derribando a tres hombres y agarrando al cuarto con una zarpa que le desgarró los músculos de la pierna hasta el hueso. El hombre se encogió de dolor, demasiado aterrorizado para gritar. Los demás pasaron por encima y alrededor de él mientras forcejeaban para acercarse lo suficiente y poder acribillar con sus lanzas a la belicosa bestia.

Ayla se abrazó a Durc con un pavor horrorizado, petrificada ante la posibilidad de que el oso llegara hasta ellos. Pero cuando el hombre cayó, con la sangre salpicando el suelo, no pensó: se limitó a actuar. Poniendo a su bebé en los brazos de Uba, se abalanzó hacia el combate. Abriéndose paso entre los hombres que luchaban hombro con hombro, medio arrastró medio llevó cargado al hombre herido, apartándolo de los pies que pateaban y pisoteaban. Apretando fuerte en el punto afectado de la ingle con una mano, cogió el extremo de la correa de su manto entre los dientes y arrancó un trozo con la otra mano.

El torniquete ya estaba colocado en su sitio y había comenzado a restañar la herida con la faja de transportar a su bebé antes de que otras dos curanderas siguieran su ejemplo. Evitando llenas de susto la peligrosa contienda, corrieron a ayudarla. Entre las tres llevaron al herido a la cueva, y en sus frenéticos esfuerzos por salvarle la vida, ni siquiera se enteraron de cuándo el enorme oso acabó por sucumbir bajo las lanzas de los cazadores del clan.

En cuanto el oso cavernario quedó derribado, la compañera de Gorn se desprendió de los brazos de quienes trataban de consolarla y corrió hacia su cuerpo tendido en posición antinatural sobre el suelo. Se arrojó sobre él, hundiendo su cabeza en el pecho peludo; después, arrodillada, le rogó con ademanes frenéticos que se pusiera en pie. Su madre y la compañera de Norg trataron de apartarla de allí mientras los mog-ures se acercaban. El mago más santo de todos se inclinó hacia ella y suavemente le levantó la cabeza para poder mirarla.

—No sientas tristeza por él —indicó por medio de gestos el Mogur con una tierna mirada de compasión en su ojo moreno y profundo—. Gorn ha tenido el honor más grande. Ha sido escogido por Ursus para acompañarle al mundo de los espíritus. Ayudará al Gran Espíritu a interceder en nuestro favor. El Espíritu del Gran Oso Cavernario sólo escoge al mejor, al más valiente, para hacer el viaje con él. El festín de Ursus será también el de Gorn. Su valor, su voluntad de ganar serán inscritos en la leyenda y relatados en todas las Reuniones del Clan. Así como retorna Ursus, así retornará el espíritu de Gorn. Te esperará para que ambos podáis regresar juntos y aparearos de nuevo, pero debes ser tan valerosa como él. Aleja tu dolor y comparte el gozo de tu compañero en su viaje al otro mundo. Esta noche los mog-ures le otorgarán un honor especial para que su valentía sea compartida por todos, para que se transmita al clan.

La joven se esforzaba visiblemente por dominar su angustia, por ser todo lo valiente que decía el pavoroso hombre santo que debía ser. No quería deshonrar al espíritu de su compañero. El mago ladeado, desfigurado y tuerto al que todos temían, no le parecía tan espantoso ahora. Con una mirada de agradecimiento, se puso en pie y regresó, muy tiesa, a su lugar. Tenía que ser valiente: ¿no había dicho el Mog-ur que su Gorn la esperaría? ¿Que algún día regresarían juntos y volverían a aparearse? Su mente se aferraba a esa promesa y trató de olvidar el vacío desolado del resto de su vida sin él.

Cuando la compañera de Gorn volvió a su lugar, las compañeras de los jefes y de sus segundos comenzaron a desollar hábilmente al oso cavernario. Se recogió la sangre en tazones, y después de que los mog-ures hicieron gestos simbólicos sobre ellos, los acólitos pasaron entre la multitud acercando los recipientes a la boca de cada uno de los miembros de su clan. Hombres, mujeres y niños, todos probaron la sangre caliente, el fluido vital de Ursus. Las propias madres abrieron las bocas de sus hijos y depositaron un dedito de sangre fresca en sus lenguas. Ayla y las dos curanderas salieron de la cueva para beber su parte; el hombre herido, que había perdido tanta, bebió un trago de la sangre del oso. Todos participaron en aquel rito de comunión con el gran oso que los unía en un solo pueblo.

Las mujeres trabajaban rápidamente mientras el clan miraba. La gruesa capa subcutánea del animal expresamente engordado fue cuidadosamente separada de la piel. La grasa fundida tenía propiedades mágicas y sería repartida entre los mog-ures de cada clan. La cabeza quedó sujeta al pellejo, y mientras la carne era depositada en pozos forrados con piedras donde se asaría durante un día entero, los acólitos colgaron el enorme pellejo de unos postes delante de la cueva, desde donde sus ojos ciegos podían contemplar los festejos. El Oso Cavernario sería un huésped de honor en su propio festín. Cuando quedó armada la piel de oso, los mog-ures levantaron el cadáver de Gorn y, con solemne dignidad, se lo llevaron a la profundidad de la cueva. Una vez que desaparecieron, Brun hizo una seña y la multitud se dispersó. El Espíritu de Ursus había sido puesto en camino con una ceremonia completa y correcta.

24

—Entonces, ¿cómo lo hizo? Nadie se atrevió a ir por él, pero ella no tuvo miedo. —El que estaba hablando era el mog-ur del clan al que pertenecía el hombre herido—. Era casi como si supiera que Ursus no le haría daño, igual que el primer día. Yo creo que el Mog-ur tiene razón, Ursus la ha aceptado. Es una mujer del clan. Nuestra curandera ha dicho que le salvó la vida, que no sólo está bien adiestrada, sino que tiene una aptitud natural, como si hubiera nacido para ello. Yo creo que debe ser de la estirpe de Iza.

Los mog-ures estaban en una cámara pequeña, muy adentro en la montaña. Unas lámparas de piedra, cuencos poco hondos llenos de grasa de oso absorbida por una mecha de musgo seco, formaban círculos de luz que rasgaban la negrura absoluta que les rodeaba. Las débiles llamas hacían brillar facetas ocultas de la matriz cristalina de las rocas y se reflejaban en la superficie lustrosa de las estalactitas húmedas que colgaban del techo como eternos carámbanos, anhelando alcanzar a sus complementos invertidos que ascendían desde el suelo. Algunas habían logrado soldarse. Filtradas a través de la piedra a lo largo de los tiempos, las gotas calcáreas habían logrado culminar en majestuosas columnas que partían desde el suelo hasta el techo abovedado, más delgadas en el centro. Una estalactita estaba separada del beso gratificante de una estalagmita por el grosor de un cabello: tendrían que transcurrir unas cuantas eras más para que la alcanzara.

—Sorprendió a todos cuando no mostró temor a Ursus aquel primer día —dijo otro mago—. Pero, si se llegara a un acuerdo, ¿quedará tiempo para que lo prepare?

—Queda tiempo —respondió el Mog-ur—, si nos damos prisa.

—Nació de los Otros, ¿cómo puede ser una mujer del clan? —preguntó el mog-ur de la flauta—. Los Otros no son clan ni lo serán nunca. Dices que llegó marcada ya con las cicatrices de un tótem del clan, pero no son las marcas de un tótem femenino. ¿Cómo puedes estar seguro de que son marcas del clan? Las mujeres del clan no tienen por tótem al León Cavernario.

–Nunca he dicho que naciera con ellas –dijo en tono razonable el Mog-ur–. ¿Estás diciendo que un León Cavernario no puede escoger a una mujer? Un León Cavernario puede escoger a quien quiera. Estaba casi muerta cuando la encontramos; Iza le devolvió la vida. ¿Crees que una niña puede salvarse de un León Cavernario a menos de estar bajo la protección de su Espíritu? Él la marcó con su señal para que no cupiera la menor duda. Nadie puede negar que lleva en su pierna las marcas de un tótem del clan. ¿Por qué iba a estar marcada con cicatrices de un tótem del clan sino para que se convirtiera en mujer del clan? Yo no sé por qué, no pretendo comprender por qué hacen las cosas los espíritus. Con ayuda de Ursus puedo a veces interpretar lo que hacen. ¿Puede hacer algo más uno de vosotros? Yo sólo diré que conoce el rito; Iza le ha dicho el secreto de las raíces que hay en la bolsa roja, y no se lo habría dicho de no ser hija suya. No tenemos por qué renunciar al ritual. Ya he presentado todos mis argumentos anteriormente. La decisión es vuestra, pero que sea pronto.

–Has dicho que tu clan cree que tiene suerte –indicó el mogur de Norg.

–No tanto que tenga suerte como que parece traer suerte. Hemos tenido mucha suerte desde que la encontramos. Droog piensa en ella como en la señal de un tótem, algo único e insólito. Tal vez, a su manera, también ella tenga suerte.

–Bueno, desde luego es bastante insólito que una mujer de los Otros sea mujer del clan –comentó uno de ellos.

–Hoy nos ha traído suerte, nuestro joven cazador vivirá –dijo el mog-ur del herido–. Yo opino que sí; sería una vergüenza que nos priváramos de la bebida de Iza sin necesidad. –Hubo unos cuantos que asintieron con la cabeza.

–¿Y tú? –dijo el Mog-ur señalando al mago que era segundo–. ¿Sigues creyendo que Ursus se disgustará si Ayla elabora la bebida ritual?

Todas las cabezas se volvieron hacia él. Si el poderoso mago seguía oponiéndose, podía hacer cambiar de opinión a un número suficiente de los demás mog-ures para impedirlo. Si se limitaba inflexiblemente a negarse a participar, aun cuando los demás accedieran, sería suficiente; el acuerdo debía ser unánime, no podía haber un cisma entre sus filas. Miró hacia el suelo, ponderando la pregunta, y luego a cada uno de los demás, uno por uno.

–Puede disgustar a Ursus o tal vez no. No estoy convencido. Hay algo en ella que me molesta. Pero es evidente que nadie más quiere eliminar el ritual y parece que es la única que está disponible. Yo casi preferiría a la verdadera hija de Iza, a pesar de sus cortos años. Si todos los demás están de acuerdo, retiraré mi objeción. No me gusta, pero no lo impediré.

El Mog-ur miró a todos y cada uno de ellos y obtuvo una inclinación de cabeza como señal de mudo asentimiento. Con un suspiro de alivio, disimulado tras sus esfuerzos para incorporarse, el hombre tullido salió rápidamente. Atravesó cojeando varios corredores que desembocaban en salas que volvían a estrecharse formando pasillos, orientado por las lámparas de piedra, que iban dando paso a antorchas colocadas a intervalos más cortos, a medida que se acercaba al lugar donde se alojaban los clanes.

Ayla estaba sentada junto al herido en la cueva de la fachada. Tenía a Durc en sus brazos y Uba estaba al otro lado. También la compañera del hombre estaba allí, cuidando su sueño y alzando de vez en cuando la vista hacia Ayla con agradecimiento.

–Pronto, Ayla, tienes que prepararte. No queda mucho tiempo –gesticuló el Mog-ur–. Tendrás que apresurarte, pero no olvides ni un solo paso. Ven a mí cuando estés preparada. Uba, lleva a Durc a Oga para que lo alimente; Ayla no tendrá tiempo.

Las dos se quedaron mirando al mago, asombradas ante el súbito cambio de planes. Tardaron un momento en comprender; entonces Ayla asintió. Corrió rápidamente hasta el hogar de la segunda cueva para recoger un manto limpio. Mog-ur se volvió hacia la joven que vigilaba el sueño de su compañero.

–El Mog-ur quisiera saber cómo está el joven.

–Arrghha dice que vivirá y podrá volver a andar. Pero su pierna nunca volverá a ser la misma. –La mujer hablaba en un dialecto diferente y los gestos cotidianos estaban tan cambiados que a Uba y a Ayla les costaba comunicarse con ella como no fuera en lenguaje formal. Sin embargo, el mago tenía más práctica en el habla común de los demás clanes, pero utilizaba el lenguaje formal para que su significado fuera más preciso.

–El Mog-ur quiere saber cuál es el tótem de este hombre.

–El Íbice.

–¿Y tiene este hombre el pie tan firme como la cabra montés? –preguntó el mago.

–Se ha dicho que este hombre lo tiene –comenzó a decir la mujer–. Este hombre no ha sido tan ágil este día, y ahora no sé lo que hará. ¿Y si nunca más vuelve a caminar? ¿Cómo cazará?

¿Cómo proveerá para mí? ¿Qué puede hacer un hombre si no puede cazar? –La joven pasó al lenguaje común de su clan, mientras sus nervios la ponían al borde de la histeria.

–El hombre vive. ¿No es eso lo más importante? –preguntó el Mog-ur para calmarla.

–Pero es orgulloso. Si no puede cazar, tal vez prefiera no estar vivo. Era un buen cazador, podría haber llegado algún día a ser el segundo del jefe. Ahora nunca podrá alcanzar una posición, perderá la que tenía. ¿Y qué hará si pierde posición? –preguntó la mujer suplicante.

–¡Mujer! –señaló el Mog-ur con severidad fingida–. Ningún hombre pierde posición si ha sido elegido por Ursus. Ya ha probado su virilidad; casi ha sido escogido para acompañar a Ursus al otro mundo. El Espíritu de Ursus no escoge con ligereza. El Gran Oso Cavernario ha decidido dejar que permanezca aquí, pero le ha marcado. Este hombre tiene el honor de proclamar a Ursus como su tótem; sus cicatrices serán las marcas de su nuevo tótem y puede mostrarlas con orgullo. Siempre podrá proveer para ti. El Mog-ur hablará con tu jefe; tu compañero tiene el derecho de reclamar parte de cada cacería. Y puede caminar de nuevo, y hasta puede que cace otra vez. Quizá no sea tan ágil como el Íbice, que camine más bien como un oso, pero eso no significa que no volverá a cazar. Enorgullécete de él, mujer, muéstrate orgullosa de tu compañero, que ha sido elegido por Ursus.

–¿Ha sido elegido por Ursus? –preguntó la mujer con expresión de pavor–. ¿El Oso Cavernario es su tótem?

–Y también el Íbice. Puede reivindicar a ambos –dijo el Mog-ur. Observó que el manto de la mujer revelaba un abultamiento. «Con razón está asustada», pensó–. ¿Tiene hijos esta mujer?

–No, pero la vida se ha iniciado. Espero que sea un hijo.

–Eres una buena mujer, una buena compañera. Quédate con él y cuando despierte, cuéntale lo que ha dicho el Mog-ur.

La joven asintió y después alzó la mirada al ver que Ayla pasaba por allí a toda prisa.

El pequeño río que había cerca de la cueva del clan anfitrión se convertía en un torrente de aguas furiosas en primavera, algo menos violento en otoño, arrancando los árboles de raíz, desprendiendo enormes rocas de la pared pétrea y arrojándolas cuesta abajo desde lo alto de la montaña. Incluso en los momentos de mayor tranquilidad, la corriente impetuosa, levantando espuma en medio de un gran río de la planicie sembrado de rocas y mucho más ancho que ella, tenía el matiz verdoso, nebuloso, del desagüe glacial. Ayla y Uba habían explorado la región aledaña a la cueva poco después de llegar, en busca de plantas purificadoras que habrían de necesitar en el caso de que una de ellas fuera llamada a participar en la ceremonia.

Ayla estaba nerviosa mientras corría en busca de la raíz de la planta jabonera de helecho cola de caballo y de quenopodio de raíz roja, y tenía el estómago hecho un ovillo mientras esperaba que hirviera el agua de uno de los fuegos donde se cocinaba para sacar el elemento insecticida del helecho. La noticia de que se le permitiría llevar a cabo el ritual se difundió rápidamente por el clan. Que los mog-ures la aceptaran hacía que cada uno reconsiderase la opinión que tenía de la mujer del clan procedente de los Otros y su prestigio se incrementó proporcionalmente. Confirmaba que era en verdad la hija de Iza y la elevaba a la categoría de curandera de más alto rango. El jefe del clan que tenía parientes de Zoug entre sus miembros volvió sobre su negativa contundente a recibirla; al final, la recomendación de Zoug bien podría tener algún valor; quizá alguno de los hombres estuviera dispuesto a tomarla, aunque fuera como segunda mujer. Quizá supusiera una aportación valiosa.

Pero Ayla estaba demasiado preocupada para observar los comentarios que se hacían por medio de gestos y ademanes a su alrededor. Estaba más que preocupada: estaba aterrada. «No lo puedo hacer, le gritaba su mente mientras se dirigía corriendo hacia el pequeño río. No hay tiempo suficiente para prepararlo. ¿Y si se me olvidara algo? ¿Y si cometo un error? Deshonraría a Creb, deshonraría a Brun y deshonraría a todo el clan.»

El río, alimentado por glaciares, estaba helado, pero el agua fría le calmó los nervios en tensión. Se sintió más calmada cuando se sentó en una roca, desenredando sus largos cabellos rubios que se secaban con la brisa ligera y observando cómo la cima de la montaña, brillante y rosada, que reflejaba el sol poniente, viraba hacia el espléndido púrpura azulado. Todavía tenía el cabello húmedo cuando se pasó nuevamente por la cabeza el cordel que sostenía su amuleto y se cubrió con el manto limpio. Metiendo sus instrumentos en los pliegues, recogió el otro manto y regresó corriendo a la cueva. Pasó junto a Uba, que tenía a Durc en brazos, y le hizo una señal rápida.

Las mujeres estaban trabajando frenéticamente, sin la menor ayuda, sino todo lo contrario, de la chiquillería, totalmente desenfrenada. El sangriento rito de la matanza del oso cavernario les había vuelto excitables; no acostumbrados a pasar hambre, los aromas de la cocina estimulaban unos apetitos ya muy despiertos y los volvían irritables; y la preocupación atareada de sus respectivas madres les proporcionaba una oportunidad, muy poco frecuente entre los niños del clan, de portarse mal. Algunos de los muchachos habían recogido las ataduras cortadas de la jaula del oso y se las habían puesto alrededor del brazo como insignias de honor. Otros muchachos, menos rápidos, trataban de quitárselas, y todos ellos corrían alrededor de los fuegos donde se estaba cocinando. Cuando se cansaban del juego, molestaban a las niñas, que deberían estar atendiendo a sus hermanos pequeños, y empezaban a correr tras ellos o se acercaban a sus madres para quejarse. Era una verdadera casa de locos, tumultuosa y desorganizada. Ni siquiera la eventual y severa reprimenda del compañero de alguna de las mujeres servía de nada para sosegar a aquella chiquillería inusitadamente alborotada.

Los niños no eran los únicos que tenían hambre. Los alimentos, preparados en cantidades enormes, atormentaban las papilas gustativas de todos, y la perspectiva del gran festín y de la ceremonia nocturna incrementaba la excitación frenética. Montones de ñames silvestres, de blancas y feculentas raíces amiláceas y de tubérculos semejantes a las patatas hervían suavemente en ollas de cuero colgadas encima de las hogueras. Espárragos trigueros, raíces de lirio, cebollas silvestres, legumbres, calabacitas y setas se cocinaban en diversas combinaciones con diferentes aliños. Una montaña de hojas de lechuga silvestre, bardana, cenizo y amargón, recién lavadas, esperaban para ser servidas crudas con una salsa de grasa de oso caliente, especias y sal, añadida a última hora.

La especialidad de un clan consistía en una mezcla de cebollas, setas y las legumbres verdes y redondas del astrágalo, aderezadas con una combinación secreta y espesadas con liquen de los renos desecado. La del otro, una variedad especial de piñas, procedentes de un árbol exclusivo de la zona de su cueva, que producía gruesos y sabrosos piñones, que se desprendieran al calor del fuego.

El clan de Norg asaba castañas, que recogía en las pendientes bajas, y hacía una salsa de gachas con sabor a nuez a base de hayucos, granos secos y rebanadas de manzanas pequeñas, duras y amargas, cocidas a fuego lento durante mucho rato. El área circundante próxima a la cueva había sido despojada de moras, arándanos y, en las elevaciones menos abruptas, de frambuesas y zarzamoras.

Las mujeres del clan de Brun habían pasado días enteros rompiendo y moliendo las bellotas secas que habían traído consigo. La núcula triturada se metía en hoyos poco profundos de la arena junto al río y sobre la mezcla pulposa se vertían cantidades de agua para quitarle el amargor. La masa resultante se cocía para formar unos pastelitos planos, empapados en jarabe de arce hasta que quedaban saturados por completo; después se dejaban secar al sol. El clan anfitrión, que también solía sangrar sus arces a principios de la primavera y hervir la savia acuosa durante largos días, se mostró interesado al ver los recipientes usuales de corteza de abedul que se empleaban para guardar azúcar y jarabe de arce. Los pastelillos de bellotas, pegajosos y edulcorados con dulce de arce, eran una golosina inusitada que las mujeres del clan de Norg decidieron confeccionar más adelante.

Uba, sin quitarle la vista a Durc mientras ayudaba a las mujeres, miraba la cantidad y variedad, aparentemente infinita, de alimentos y se preguntaba cómo conseguirían comérselo todo.

El humo, que ascendía lentamente, desaparecía en la noche tranquila y oscura llena de estrellas tan enormes que parecía que un velo de gasa velara la bóveda de los cielos. La luna era nueva y no insinuaba para nada su presencia, volviéndole la espalda al planeta a cuyo alrededor giraba y reflejando su luz hacia las frías profundidades del espacio. El brillo de los fuegos encendidos para cocinar iluminaba el área próxima a la cueva, contrastando con la oscuridad de los bosques circundantes. Los alimentos habían sido apartados de la acción directa del calor, pero seguían suficientemente cerca para mantenerse calientes, y la mayoría de las mujeres se habían retirado a la cueva. Estaban poniéndose mantos secos y descansando unos momentos antes de que se iniciaran los festejos.

Pero incluso las fatigadas mujeres estaban demasiado excitadas para permanecer mucho rato dentro de la cueva. El espacio que había frente a la entrada empezó a llenarse de una multitud en movimiento, que esperaba el festín y el principio de la ceremonia. Cuando los diez magos y sus diez acólitos comenzaron a salir del interior, se cernió sobre el ambiente un contenido silencio que se convirtió en una algarabía a la busca de un lugar para colocarse. Parecía una reunión desordenada que hacía frente a los hombres santos. Las posiciones de los asistentes no estaban definidas por un orden prefijado, sino más bien por las relaciones con los demás. No importaba que las filas no fueran ordenadas, sino que cada individuo estuviera delante, detrás o en el sitio correcto al lado de determinadas personas. Siempre había movimientos de última hora cuando la gente intentaba ocupar un lugar más ventajoso dentro de su círculo de relaciones.

Con un ceremonial lleno de nobleza, se encendió una gran hoguera delante del oscuro orificio de la montaña. Entonces se retiraron las piedras que cubrían las ollas donde se había estado cociendo la carne del oso. Las compañeras de los jefes del clan principal y del clan anfitrión tuvieron el insigne honor de levantar los enormes cuartos traseros de carne tierna, y el pecho de Brun se ensanchó de satisfacción al ver que Ebra daba un paso adelante.

La aceptación de Ayla por los mog-ures había zanjado finalmente el problema. Brun y su clan eran los primeros con más autoridad que nunca. Por poco probable que pareciera al principio, la hembra alta y rubia era una mujer del clan y una curandera de la prestigiosa estirpe de Iza. La insistencia empecinada de Brun de que así fuera se había impuesto como la correcta, tal era la voluntad de Ursus. Si hubiera vacilado tan sólo un instante, su prestigio no habría sido tan grande ni su triunfo tan satisfactorio.

Nubes de vapor suculento hicieron que gruñeran los estómagos vacíos mientras la carne de oso era removida con palos bifurcados. Era la señal para que las demás mujeres comenzaran a amontonar fuentes de madera y hueso, y a llenar amplios tazones con los alimentos que se habían pasado tanto tiempo preparando. Broud y Voord avanzaron llevando amplias bandejas planas y se detuvieron delante del Mog-ur.

—Esta Fiesta de Ursus honra también a Gorn, escogido por el Gran Oso Cavernario para acompañarle. Mientras vivió con el clan de Norg, Ursus comprobó que su Pueblo no había olvidado sus lecciones. Llegó a conocer bien a Gorn y le juzgó como un digno compañero. Broud y Voord, por vuestro valor, vuestra fuerza y vuestra resistencia, habéis sido escogidos para demostrar al Gran Espíritu la valentía de los hombres de su clan. Os puso a prueba con su gran fortaleza y está complacido. Os habéis portado bien y tenéis el privilegio de llevarle la última comida que compartirá con su clan hasta que regrese del Mundo de los Espíritus. Que el Espíritu de Ursus os acompañe siempre.

Los dos jóvenes pasaron por delante de cada una de las mujeres que se encontraban de pie junto a fuentes llenas de comida, y seleccionaron de cada una de éstas los mejores bocados, con excepción de la carne. El cautivo oso cavernario nunca había comido carne, aunque, cuando vivía en los bosques, a veces lo hacía si estaba a su alcance. Las fuentes fueron colocadas delante de la piel del oso montada sobre postes.

Después prosiguió el Mog-ur:

—Habéis bebido de su sangre; comed ahora de su cuerpo y comulgad con el Espíritu de Ursus.

La bendición señalaba el comienzo del festín. Broud y Voord recibieron los primeros trozos de carne de oso, y a continuación llenaron sendas fuentes, seguidos por el resto del clan. Suspiros y gruñidos de deleite surgieron en cuanto se sentaron para disfrutar de su comida. La carne del oso vegetariano alimentado de la mano a la boca estaba tierna y veteada de grasa. Verduras, frutas y cereales, preparados con meticulosa atención, fueron saboreados plenamente, y ese aperitivo que es el hambre contribuía a que todo tuviera mejor sabor aún. Era un festín que bien merecía la espera.

—Ayla, no estás comiendo. Ya sabes que hay que comer toda la carne esta noche.

—Ya lo sé, Ebra, pero no tengo apetito.

—Ayla está nerviosa —señaló Uba entre bocado y bocado—. Me alegro de que no me hayan escogido. Está tan rico todo, que no me gustaría estar demasiado nerviosa para comer.

—De todos modos, come algo de carne; tienes que hacerlo. ¿Tienes un poco de caldo para Durc? Habría que darle un poco, eso le haría comulgar con el clan.

—Le he dado un poco, pero no ha querido más. Oga acaba de darle de mamar. Oga, ¿tiene todavía hambre Grev? Tengo los pechos tan llenos que empiezan a dolerme.

—Habría esperado, pero los dos estaban hambrientos, Ayla. Podrás alimentarle mañana.

—Para entonces tendré leche suficiente para ellos dos y otros dos más. No querrán nada esta noche, estarán dormidos. El sedante de datura está preparado. Cuando vuelvan a tener hambre, dales esto primero para que duerman. Uba te dirá cuánto; tengo que ver a Creb justo después de cenar y no estaré de vuelta hasta después de la ceremonia.

—No tardes demasiado; nuestra danza comenzará en cuanto los hombres entren en la cueva. Algunas de las curanderas son buenas de verdad tocando los ritmos. En las Reuniones del Clan la danza de las mujeres siempre es algo especial —señaló Ebra.

—Todavía no he aprendido a tocar muy bien, Iza me ha enseñado un poco y también la curandera del clan de Norg me ha estado enseñando, pero no he adquirido mucha práctica –explicó Ayla.

–No llevas mucho tiempo de curandera y además Iza ha dedicado más tiempo a enseñarte la magia curativa que los ritmos, aunque éstos también son mágicos –gesticuló Ovra–. Las curanderas tienen que saber muchas cosas.

–Ojalá estuviera Iza aquí –señaló Ebra–. Me alegro de que te hayan aceptado finalmente, Ayla, pero echo de menos a Iza. Parece tan extraño que no esté con nosotros.

–Yo también desearía que estuviera aquí –dijo Ayla–. Odio haber tenido que dejarla atrás. Está más enferma de lo que quiere reconocer. Espero que esté mucho al sol y descansando.

–Cuando llegue su momento de ir al otro mundo, irá. Cuando los Espíritus la llamen, nadie podrá detenerla –dijo Ebra.

Ayla se estremeció aunque la noche era calurosa, y la súbita sensación de un presentimiento se apoderó de ella... una sensación vaga, incómoda, como esos vientos fríos que anuncian el final del calor del verano. El Mog-ur hizo una señal y ella se puso en pie rápidamente, aunque no pudo sacudirse aquella sensación mientras se dirigía a la cueva.

El tazón de Iza, patinado de blanco por el uso de muchas generaciones, estaba sobre las pieles de dormir donde Ayla lo había dejado. Sacó la bolsita teñida de rojo de su bolsa de medicinas y la vació de su contenido; a la luz de la antorcha comenzó a examinar las raíces. Aun cuando Iza le había explicado muchas veces cómo calcular la cantidad correcta, Ayla no estaba todavía muy segura de cuánto habría que emplear para los diez mog-ures. La fuerza de la poción dependía no sólo del número, sino del tamaño de las raíces y del tiempo que llevaban madurando.

Nunca se lo había visto hacer a Iza. La mujer le había explicado muchas veces que la bebida era demasiado venerable, demasiado sagrada para elaborarla sólo por practicar. Las hijas solían aprender observando a sus madres, por las repetidas explicaciones que les daban y más aún por el conocimiento innato que tenían; pero Ayla no había nacido en el clan. Tomó varias raíces y después añadió una más para estar segura de que la magia sería efectiva. Entonces se acercó a un lugar próximo a la entrada, junto a una fuente de agua fresca, donde Creb le había dicho que esperara, y desde allí observó el comienzo de los ritos.

El sonido de los tambores de madera fue seguido por el golpeteo de las astas de las lanzas y después por el *staccato* del tubo largo y hueco. Los acólitos pasaron por entre los hombres con tazones de infusión de datura y pronto todos oscilaron al compás del redoble. Las mujeres estaban en segundo plano; su momento llegaría después. Ayla esperaba ansiosamente, con su manto suelto cubriéndola. La danza de los hombres se iba haciendo más frenética y la joven se preguntaba cuánto más habría de esperar.

Ayla dio un respingo cuando sintió un golpecito en el hombro; no había oído acercarse a los mog-ures procedentes del fondo de la cueva, pero se calmó al reconocer a Creb. Los magos salieron silenciosamente de la cueva y se situaron alrededor de la piel del oso. El Mog-ur se puso al frente. Desde el sitio ventajoso en que se encontraba, Ayla tuvo fugazmente la impresión de que el oso cavernario, armado, en posición erguida y con la boca abierta, estaba a punto de atacar al hombre tullido. Pero el animal monstruoso que dominaba al Mog-ur se mantenía en movimiento suspendido, era una mera ilusión de fuerza y ferocidad.

Vio que el gran mago hacía señas a los acólitos que estaban tocando los instrumentos de madera. Se interrumpieron con el siguiente redoble fuerte y todos alzaron la mirada, un tanto asombrados al ver a los mog-ures allí donde un momento antes no había ninguno o eso parecía. Pero la aparición súbita de los magos era también una ilusión, y ahora la joven sabía cómo se llevaba a cabo.

El Mog-ur esperó, dejando que el suspense fuera imponiéndose, hasta que estuvo seguro de que la atención de todos se encontraba fija en la gigantesca figura del oso cavernario iluminada por el fuego ceremonial y flanqueada por los hombres santos. Su señal fue prácticamente invisible y él mismo se esforzó por mirar a otro lado, pero era la señal que Ayla esperaba. Se desprendió de su manto, llenó de agua su tazón y, sujetando las raíces con las manos, respiró hondo y echó a andar hacia el mago tuerto.

Hubo un jadeo de sorpresa cuando Ayla avanzó por el círculo iluminado. Mientras estuvo envuelta en su manto, atado con una larga correa, que disimulaba sus formas con sus pliegues sueltos y sus bolsos, actuando como cualquier otra hembra, había comenzado a parecer una de ellas. Pero sin los bultos que la desdibujaban, su verdadera forma se destacaba en marcado contraste con las mujeres del clan. En vez del cuerpo redondo, casi en forma de barril, cuya estructura caracterizaba a hombres y mujeres, Ayla era esbelta. Vista de perfil, parecía delgada, excepto sus senos hinchados de leche. Su cintura se estrechaba primero y se ensanchaba después formando unas caderas redondas; sus brazos y piernas eran largos y rectos. Ni siquiera los círculos rojos y negros ni las líneas pintadas en su cuerpo desnudo podían disimularlo.

Su rostro carecía de la mandíbula saliente y, con su nariz pequeña y su frente alta, parecía más plano de lo que recordaban. Su espesa cabellera rubia, que enmarcaba su rostro en ondas sueltas y llegaba hasta la mitad de su espalda, reflejaba las luces del fuego y brillaba como el oro; una corona extrañamente bella para la fea joven, evidentemente extraña.

Pero lo más sorprendente era su estatura. En realidad, cuando caminaba deprisa, encorvada y arrastrando los pies, o cuando se sentaba al pie de un hombre, no se habían dado tanta cuenta de ello anteriormente, pero en pie frente a los magos, era evidente. Cuando inclinaba la cabeza veía abajo la coronilla del Mog-ur. Ayla era mucho más alta que el hombre más alto del clan.

El Mog-ur ejecutó una serie de gestos formalizados, invocando la protección del Espíritu que todavía se cernía sobre ellos. Entonces Ayla se metió las raíces duras y secas en la boca. Le resultaba difícil masticarlas: no tenía los dientes grandes ni las pesadas mandíbulas de los miembros del clan. Por mucho que la hubiera advertido Iza en contra de tragarse algo del jugo que se formaba en su boca, no podía evitarlo. No sabía realmente cuánto tardaría en ablandar las raíces, pero le parecía estar mascando, mascando y mascando. Cuando escupió lo que quedaba de pulpa masticada, se sentía mareada. La revolvió hasta que el líquido del antiguo tazón sagrado se volvió de un blanco acuoso, y entonces se lo entregó a Goov.

Los acólitos habían estado esperando mientras ella trabajaba con las raíces, y cada uno de ellos sostenía un tazón de infusión de datura largamente macerada. Goov tendió el tazón con el líquido blanco que le había dado Ayla al Mog-ur; después cogió su tazón y se lo entregó a Ayla, al mismo tiempo que los aprendices de mago entregaban los suyos a las curanderas de sus clanes. Un intercambio del mismo género y valor. El Mog-ur tomó un sorbo del líquido.

—Es fuerte —señaló el hombre santo a Goov, con gestos discretos—. Sírveles menos.

Goov asintió y tomó el tazón y después se acercó al mog-ur que era el segundo en jerarquía.

Ayla y las curanderas llevaron los tazones a las mujeres que estaban esperando y administraron cantidades mayores del líquido a ellas y a las muchachas mayores. Ayla bebió las últimas gotas de su tazón, pero ya comenzaba a experimentar una extraña sensación de distancia, como si una parte de ella misma se hubiera desprendido y estuviera observando desde un lugar apartado. Varias de las más viejas curanderas cogieron los tambores de madera y comenzaron a tocar los ritmos de la danza de las mujeres. Ayla miraba los palillos en movimiento con una extraña fascinación; cada redoble resonaba preciso y claro. La curandera del clan de Norg le ofreció un tambor de madera. Ayla escuchó el ritmo golpeando ligeramente, y se encontró tocando con las demás.

El tiempo perdió todo significado. Al alzar la mirada comprobó que los hombres habían desaparecido y que las mujeres giraban con un frenesí salvaje y erótico. Sintió el impulso de unirse a ellas; dejó el tambor y vio cómo caía y giraba un poco antes de detenerse. Su atención fue atraída por la forma del instrumento: era como un tazón, y eso le recordó el tazón de Iza, la valiosa reliquia antigua que le había sido confiada. Recordó haber mirado el líquido blancuzco y acuoso, haberlo revuelto con el dedo. «¿Dónde está el tazón de Iza?, se preguntó. ¿Qué ha sido de él?» Pensó en el tazón, se preocupó por él y se sintió obsesionada.

Se representó a Iza y los ojos se le llenaron de lágrimas. «El tazón de Iza. He perdido el tazón de Iza. Su bello y antiguo tazón. Su madre se lo había transmitido y la madre de su madre, y la madre de la madre de su madre». Con los ojos de la mente vio a Iza y a otra Iza tras ella y otra y otra; curandera tras curandera alineadas detrás de Iza en un pasado antiguo y nebuloso, cada una de ellas con un tazón venerable y patinado de blanco. Las mujeres desaparecieron y los ojos de su mente se fijaron en el tazón. Entonces, de repente, el tazón se rompió, cayó en dos pedazos, partido por el medio. ¡No! ¡No! El grito recalaba en su mente; estaba presa de frenesí. «El tazón de Iza, tengo que encontrar el tazón de Iza.»

A trompicones se apartó de las mujeres y llegó vacilando a la boca de la cueva. Tardó una eternidad. Se puso a rebuscar entre las fuentes de hueso y los tazones de madera que contenían los restos cuajados del festín, en busca del valiosísimo recipiente. La entrada de la cueva, apenas delineada por las antorchas del interior, la atrajo, y llegó hasta ella dando tumbos. De repente se le cerró el paso. Estaba atrapada, encerrada en la malla de alguna criatura peluda y áspera. Alzó la mirada y abrió mucho la boca: un rostro monstruoso con una boca enorme, abierta, la miraba. Ayla retrocedió y después echó a correr hacia el cobijo de la cueva.

Al cruzar la entrada, su vista se sintió atraída hacia algo blanco junto al lugar donde había estado esperando la señal de Mog-ur. Cayó de rodillas y recogió cuidadosamente el tazón de Iza, estrechándolo entre sus brazos. Todavía quedaba un líquido lechoso bañando la pulpa de las raíces del fondo. «No se lo bebieron todo, se dijo. Hice demasiado, sin duda. ¿Qué voy a hacer con esto? No puedo tirarlo, Iza me dijo que no se podía tirar. Por eso no me pudo enseñar, por eso hice demasiado, porque no me pudo enseñar. Lo hice mal. ¿Y si alguien se da cuenta? Podrían pensar que no soy una verdadera curandera. Ni una mujer del clan. Podrían obligarnos a marchar. ¿Qué voy a hacer? ¿Qué voy a hacer?

»¡Me lo beberé! Eso es lo que voy a hacer. Si me lo bebo nadie lo sabrá.» Ayla alzó el tazón hasta sus labios y lo vació. La misteriosa bebida era fuerte, pero las raíces a remojo en el poco líquido que había en el fondo le añadían más fuerza aún. Pasó a la segunda cueva con la vaga idea de guardar el tazón en un lugar seguro, pero, antes de llegar a su hogar, comenzó a sentir los efectos.

Ayla estaba tan desorientada que no se dio cuenta de que había dejado caer el tazón dentro de las piedras que delimitaban su hogar. En la boca tenía un sabor a selva antigua, primitiva; arcilla rica y húmeda, madera mohosa y podrida, árboles enormes de hojas grandes empapados en lluvia, hongos carnosos de grandes dimensiones. Los muros de la cueva se ensancharon, retrocediendo más y más. Se sentía como un insecto arrastrándose por el suelo. Detalles mínimos cobraban un nítido relieve. Sus ojos trazaban el contorno de una pisada, veían todos los pequeños guijarros, cada grano de polvo. Percibió un movimiento con el rabillo del ojo y vio que una araña trepaba por un cable de seda brillante que relucía bajo la luz de una antorcha.

La llama la hipnotizaba. Se quedó mirando la luz parpadeante, danzante, y observó cómo el humo oscuro se elevaba en volutas hacia el oscuro techo. Se acercó a la antorcha y entonces vio otra. Siguió la invitadora llama, pero, al llegar hasta ella, otra antorcha la invitaba y después otra, haciéndola penetrar más profundamente en la cueva. No se percató del momento en que el fuego de las antorchas fue sustituido por los fuegos de las lamparillas de piedra más espaciadas, y tampoco se percató de que estaba pasando por una amplia cámara más pequeña repleta de muchachos adolescentes, liderados por acólitos de más edad, en una ceremonia que les hacía probar la experiencia del varón adulto.

Con un solo propósito fijo en su mente avanzaba hacia cada una de las diminutas llamas únicamente para ser atraída hacia la siguiente. Las luces la condujeron por corredores angostos, que se ensanchaban en salas más amplias y volvían a estrecharse. Tropezaba en el suelo desigual y se sostenía apoyando las manos en la muralla húmeda y rocosa que giraba a su alrededor. Dobló una esquina y penetró en un pasillo; al fondo percibió un resplandor extenso y rosado. Era de una longitud increíble y se prolongaba interminablemente. A menudo le parecía verse a sí misma desde una gran distancia tambaleándose a lo largo del túnel tenuemente iluminado. Sentía que su mente se alejaba cada vez más, dentro de un gran vacío negro, pero se estremecía ante la inmensidad de la nada y trató de luchar para apartarse de ella.

Finalmente se aproximó a la luz que había al final del túnel y vio varias figuras sentadas en círculo. Gracias a alguna reserva de cautela profundamente inscrita en su mente narcotizada, se detuvo antes de llegar a las últimas llamas hipnóticas y se ocultó detrás de una columna de piedra. En su cámara iluminada, los diez mog-ures estaban profundamente entregados a un ritual; habían comenzado la ceremonia que incluía a todos los hombres del clan, pero dejaron que sus acólitos la terminaran y después se retiraron a su sanctasanctórum ellos solos para llevar a cabo ritos demasiado secretos incluso para sus acólitos.

Cada uno de ellos, envuelto en su piel de oso, estaba sentado detrás de la calavera de un oso cavernario. Otras calaveras adornaban los nichos del muro. En medio de su círculo se encontraba un objeto peludo que al principio Ayla no pudo identificar; pero cuando lo hizo, sólo su estupor letárgico inducido por la droga la impidió que gritara: era la cabeza cortada de Gorn.

Observó, presa de un horror fascinado, cómo el mog-ur del clan de Norg cogía la cabeza, le daba vuelta y, con una piedra, ensanchaba el foramen mágnum[4], la gran abertura de la espina dorsal: la masa cerebral de Gorn, una gelatina de un gris rosado, quedó al descubierto. El mago ejecutó unos signos silenciosos por encima de la cabeza, después metió la mano en la abertura y arrancó un trozo del tejido blando; sostuvo la masa temblorosa en su mano mientras el siguiente mog-ur hacía lo propio con la cabeza. Aunque sumida en su estupor, Ayla sintió una profunda

---

[4] Nombre del orificio mayor situado en la parte pósteroinferior del cráneo. (N. del T.)

repugnancia, pero se quedó como hechizada viendo cómo cada uno de los magos metía la mano en la espeluznante cabeza y sacaba una porción de la sesera del hombre que había sido muerto por el oso cavernario.

Un mareo vertiginoso, arrollador, puso a Ayla al borde del profundo vacío; tragó saliva para contener el vómito. Desesperadamente se aferró al borde del vacío, pero cuando vio que los grandes hombres santos del clan se llevaban la mano a la boca y comían el cerebro de Gorn, no pudo más; el acto de canibalismo la sumió en un abismo de espacio negro.

Gritó silenciosamente, incapaz de oírse a sí misma. Era incapaz de ver, incapaz de sentir, privada de toda sensación, pero lo sabía. No se había refugiado en un sueño que bloquea la mente, el vacío tenía otra cualidad, una cualidad aterradora, vacua. El temor, un temor envolvente la atenazó. Luchó por regresar, pidió ayuda a gritos silenciosos, pero sólo para sentirse arrastrada más profundamente. Sintió un movimiento que dejó de sentir a medida que, cada vez más rápidamente, fue cayendo en la profunda infinitud negra, en el infinito vacío negro.

De repente, su movimiento inmóvil se fue lentificando; experimentaba una sensación como de cosquilleo dentro de su cerebro, dentro de su mente, y un tirón en retroceso que le fue sacando poco a poco hacia el borde del orificio infinito. Experimentó sensaciones ajenas a ella, emociones que no eran suyas. La más fuerte era el amor, pero mezclada con una ira profunda, un gran temor y, después, una chispa de curiosidad. Se percató con sobresalto de que Mog-ur estaba dentro de su cabeza. En su mente sintió los pensamientos de él y, junto a sus emociones, los sentimientos de él. Había en ello una entidad claramente física, una sensación de estar invadida, pero no de manera desagradable, más bien como un contacto más estrecho que el contacto físico.

Las raíces perturbadoras de la mente, procedentes de la bolsa roja de Iza, acentuaban la tendencia natural del clan; el instinto había evolucionado en la gente del clan para convertirse en memoria. Pero la memoria, si se retrocedía lo suficiente, se volvía idéntica, se volvía memoria racial. Los recuerdos raciales del clan eran los mismos, y una vez sensibilizadas las percepciones, podían compartir unos recuerdos que eran idénticos en todos ellos. Los adiestrados mog-ures habían desarrollado su tendencia natural mediante un esfuerzo consciente. Todos eran capaces de controlar en cierto modo los recuerdos compartidos, pero el Mog-ur había nacido con una capacidad única.

No sólo podía compartir los recuerdos y controlarlos, sino que podía también mantener el vínculo intacto mientras los pensamientos de ellos avanzaban a través del tiempo desde el pasado hasta el presente. Los hombres de su clan disfrutaban de una interrelación ceremonial más rica y plena que los de cualquier otro clan. Pero con las mentes adiestradas de los mog-ures, él podía establecer un vínculo telepático desde el principio. A través de él, todos los mog-ures compartían una unión mucho más estrecha y satisfactoria que cualquier unión física: era un contacto entre espíritus. El líquido blanco del tazón de Iza, que había potenciado las percepciones y abierto las mentes de los magos al Mog-ur, había permitido que la habilidad especial de éste creara también una simbiosis especial con la mente de Ayla.

El nacimiento traumático que dañó el cerebro del hombre desfigurado tan sólo había deteriorado una parte de sus facultades físicas, no el superdesarrollo psíquico sensible que sustentaba su gran poder. Pero el hombre tullido era el último producto final de su especie; sólo en él había orientado la naturaleza el rumbo establecido para el clan hasta su máximo potencial. No podría haber más desarrollo sin un cambio radical, y las características de aquellos hombres habían dejado de ser adaptables. Como la enorme criatura a la que veneraban, y como otras muchas que compartían su entorno, eran incapaces de sobrevivir a un cambio radical.

La raza de hombres con suficiente conciencia social para cuidar de sus débiles y sus heridos, con suficiente sensibilidad espiritual para enterrar a sus muertos y venerar a su gran tótem, la raza de hombres con cerebro grande pero sin lóbulos frontales, que no daba grandes pasos hacia delante, que casi no progresó en aproximadamente cien mil años, estaba condenada a seguir el camino del mamut lanudo y del gran oso cavernario. No lo sabían, pero sus días en la tierra estaban contados: estaban condenados a extinguirse. En Creb habían llegado al final de su linaje.

Ayla experimentó una sensación parecida al profundo latido de una corriente sanguínea ajena superpuesta a la suya propia. La poderosa mente del gran mago estaba explorando sus extrañas circunvoluciones tratando de encontrar una forma de armonizarlas. El ajuste era imperfecto, pero encontró canales de similitud, y allí donde no existía ninguno buscó alternativas, y estableció conexiones allí donde sólo había tendencias. Con una claridad pasmosa, Ayla captó súbitamente que era él quien la había sacado del vacío; más aún, estaba impidiendo que los demás mog-ures, vinculados también con él, supieran que ella estaba allí. Apenas podía percibir la conexión de él con ellos, pero no los podía sentir a ellos. También ellos sentían que el Mog-ur había establecido una conexión con alguien –o con algo–, pero nunca se les hubiera ocurrido que fuera con Ayla.

Y justo al comprender que Mog-ur la había salvado y seguía protegiéndola, comprendió también el profundo sentimiento de veneración con que los magos habían procedido al acto de canibalismo que tanto le había repugnado. No había comprendido, no disponía de medios para comprender que se trataba de una comunión. La razón que inspiraba la reunión de los clanes era unirlos a todos ellos, hacerlos un clan. Pero el clan era algo más que los diez clanes allí reunidos; todos ellos sabían de clanes que vivían demasiado lejos para poder acudir a esta reunión; iban a Reuniones del Clan que estaban más cerca de sus propias cuevas. Pero no por eso dejaban de formar parte del clan. Todos los miembros del clan compartían una herencia común y la recordaban, y cualquier rito celebrado en cualquiera de las Reuniones tenía el mismo significado para todos. Los magos creían estar contribuyendo benéficamente al clan; estaban absorbiendo el valor del joven que viajaba con el Espíritu de Ursus. Y puesto que eran mog-ures dotados de unos cerebros que tenían facultades especiales, eran ellos quienes tenían la capacidad de distribuir el valor entre todos los demás.

Tal era la razón de la ira de Mog-ur y de su temor. Era una tradición muy antigua que sólo los hombres podían tomar parte en las ceremonias del clan. La consecuencia de que una mujer presenciara aunque no fuera más que una ceremonia ordinaria celebrada por cualquier clan, sería que ese clan estaba condenado. Y ésta no era una ceremonia ordinaria. Era una ceremonia de gran significado para todo el clan. Ayla era mujer; su presencia sólo podía significar una cosa: una desdicha y un infortunio irreversibles, inevitables para todos ellos.

Y ni siquiera era una mujer del clan. Mog-ur se percataba ahora de ello con una seguridad que no le era posible seguir negando. Desde el momento en que se percató de su presencia, supo que no era del clan. Comprendió con la misma rapidez las consecuencias de su presencia, pero ya era demasiado tarde. Eran implacables, y él también lo sabía. Pero el crimen de Ayla era tan grande que no estaba muy seguro de lo que debería hacer con ella, ni siquiera una maldición de muerte sería suficiente. Antes de tomar una decisión, quiso saber más acerca de ella y, a través de ella, acerca de los Otros.

Se sorprendió al oírla pedir ayuda. Los Otros eran diferentes, pero también tenía que haber similitudes. Sintió que necesitaba saber por el bien del clan, y sentía una curiosidad superior a lo normal respecto a su especie. Ayla le había intrigado siempre y quería saber en qué radicaba su diferencia. Decidió ensayar un experimento.

Abriéndose paso en cavidades más recónditas, el poderoso hombre santo –controlando las nueve mentes que se ajustaban a la suya y asentían voluntariamente, además de otra, por separado, que era similar aunque distinta– les hizo volver a todos hasta sus comienzos.

Ayla volvió a sentir el sabor de la selva primitiva, y sintió que se convertía en sal caliente. Sus impresiones no eran tan claras como lo demás, todo era nuevo para ella, esa sensación de ser y recordar el amanecer de la vida, y sus recuerdos de todo aquello eran subconscientes y vagos. Pero sus niveles más interiores, más primitivos, eran los mismos. «Los principios fueron los mismos», pensó Mog-ur. Ella sintió la individualidad de sus propias células y supo cuándo se dividían y diferenciaban en las aguas cálidas y nutricias que todavía llevaba dentro de sí. Crecieron, se dividieron y se apartaron, y el movimiento tuvo un propósito. Nuevamente una divergencia, y las suaves pulsaciones de la vida se endurecieron y adquirieron cuerpo y forma.

Otra divergencia, y conoció el dolor de la primera explosión del aire respirado por las criaturas en un elemento nuevo. Divergencia, y rica tierra arcillosa y el verde de una joven vegetación, y a esconderse para huir de monstruos aplastantes. Divergencia, y la seguridad al cruzar un abismo sobre el vacío, y de repente calor y sequía, y aridez tan grande que la llevó de nuevo a la orilla del mar. Divergencia, y huellas de un eslabón perdido en el mar, que ensanchó su forma, arrancó su piel, cambió los contornos y dejó a los primos atrás para regresar hacia una forma anterior, más aerodinámica, pero ya respirando aire y alimentándose con leche.

Y ahora caminaba erguida sobre dos piernas traseras, dejando las delanteras libres para manipular, ojos para ver un horizonte más lejano y el principio de un prosencéfalo[5]. Estaba alejándose de Mog-ur, siguiendo una senda diferente, pero no tan alejada que él no pudiera seguirla desde la suya, casi paralela. Cortó el contacto con los demás, pero ellos estaban suficientemente lejos para seguir su propio camino. De todos modos, casi había llegado el momento de separarse.

Sólo ellos dos seguían unidos, el hombre viejo del clan y la mujer joven de los Otros. Él había dejado de guiar y no sólo seguía el rumbo de ella, sino que ella seguía el de él. Ayla vio que la tierra cambiaba del calor al hielo, más profundo y más congelante que el hielo de los tiempos actuales. Era una tierra más alejada en el espacio, así como en el tiempo, lejos al oeste, percibía ella, no lejos de un gran mar muchísimo más extenso que el mar que rodeaba su península.

Vio una caverna, hogar de algún antepasado del gran mago, un antepasado muy parecido a él. Era un cuadro nebuloso, visto a través del abismo que separaba sus razas. La cueva se encontraba en una muralla abrupta que se abría sobre un río y una planicie. En la parte superior del risco destacaba una enorme roca; era una columna de piedra, larga y ligeramente aplanada, que se inclinaba sobre el borde, como si se hubiera detenido al caer y congelado en aquel lugar. La piedra provenía de un lugar distinto, era de material diferente, un bloque errático transportado por aguas turbulentas y tierra movediza hasta alojarse en el borde del risco en que se abría la cueva. El cuadro osciló, pero su recuerdo se quedó en ella.

Por un instante sintió un pesar abrumador. Y de repente se encontró sola. Mog-ur no podía ya seguirla. Ella encontró su propio camino que retornaba hacia sí misma y después un poco más allá. Tuvo de nuevo una visión fugaz de la cueva, seguida de un calidoscopio confuso de paisajes que no estaban hechos al azar por la naturaleza, sino formando diseños regulares. Estructuras como cajas surgían de la tierra y largas cintas de piedras se esparcían junto con grandes animales que corrían a grandes velocidades; enormes aves surcaban el aire sin agitar las alas. Después, más escenas, tan extrañas que ella no las captaba. Todo sucedió en un instante. En su prisa por volver al presente traspasó

---

[5] Porción anterior del cerebro durante la fase de desarrollo del embrión. (N. del T.)

472

ligeramente el límite, se adelantó un poco sobre su tiempo justo hasta donde podría haber encontrado una nueva divergencia. Entonces su mente se aclaró y miró, desde detrás de la columna, a los diez hombres sentados en círculo.

El Mog-ur la estaba mirando; vio en el ojo profundo y moreno el pesar que ella misma había sentido. Él había abierto nuevas sendas indelebles en la mente de ella, sendas que permitían ver hacia delante, pero no podía abrir sendas nuevas en su propia mente. Mientras ella miraba hacia delante, él vislumbraba no el futuro, sino cierto sentido de futuro. Un futuro que era de ella, pero no de él. Captó imperfectamente el concepto, pero no comprendió el potencial que encerraba y se descorazonó al comprenderlo.

Creb era casi incapaz de hacer abstracciones; podía contar, no sin gran esfuerzo, hasta poco más de veinte. No podía sumar grandes cantidades ni tener golpes geniales de intuición. Su mente, bien lo sabía él, era mucho más potente que la de ella, más inteligente tal vez. Pero su genio era de índole distinta; él podía identificarse con sus comienzos y con los de ella, podía recordar más y mejor que cualquiera de su antiguo clan. Incluso podía obligar a Ayla a recordar, pero en ella percibía la juventud y vitalidad de una forma más nueva. Ella había vuelto a desviarse, y él no.

—¡Márchate!

Ayla dio un brinco al oír la orden severa, sorprendida de que el Mog-ur hubiera hablado tan fuerte. Entonces se percató de que no había hablado: ella le había sentido, no le había oído.

—¡Sal de la cueva! ¡Pronto! ¡Márchate ahora!

Salió corriendo de su escondite y corrió por el pasillo. Algunas de las lamparillas de piedra se habían consumido, otras estaban chisporroteando y a punto de apagarse. Pero había suficiente luz para guiarla hacia fuera. Ningún sonido salía de las cámaras interiores en que todos los hombres y muchachos dormían ahora sin soñar. Llegó a las antorchas, algunas de las cuales también empezaban a extinguirse, y finalmente salió de la cueva.

Todavía era de noche, pero los leves destellos de un nuevo día ya comenzaban a insinuarse. La mente de Ayla estaba clara, no quedaba ni huella de la poderosa droga, pero se sentía exhausta. Vio a las mujeres tendidas sobre el suelo, purgadas y vacías, y se tendió junto a Uba. Seguía desnuda, pero no sintió el frío del amanecer más que las otras mujeres, que también dormían desnudas.

Cuando Mog-ur llegó a la salida de la cueva, después de haber seguido a la joven a pasos más lentos, ella estaba profundamente dormida sin soñar. Pasó cojeando por encima de ella y contempló sus cabellos rubios enmarañados, tan claramente diferentes de los cabellos de las demás mujeres como la propia Ayla, y una gran pesadumbre se apoderó de su alma. No debería haberla dejado marchar. Debería haberla llevado ante los hombres para matarla allí mismo por su delito. Pero ¿de qué habría servido? Eso no impediría la catástrofe que su presencia había provocado, no eliminaría la calamidad que el clan habría de sufrir. ¿De qué serviría matarla? Ayla era sólo una de su especie, y era una a la que él quería.

25

Goov salió de la cueva, cegado por la luz del sol mañanero, se frotó los ojos y se estiró. Vio que Mog-ur estaba sentado, encorvado, sobre un tronco, mirando al suelo. «Se han apagado tantas lámparas y antorchas, pensó, que cualquiera podría perderse ahí dentro. Preguntaré a Mog-ur si tengo que rellenar las lámparas y colocar otras antorchas.» El acólito se dirigió hacia el mago, pero se detuvo al ver la cara demacrada del viejo y la curva desmadejada de sus hombros. «Será mejor que no le moleste. Voy a hacerlo y nada más.»

«Mog-ur está envejeciendo, pensaba Goov, al entrar de nuevo en la cueva con una vejiga llena de grasa de oso, nuevas mechas y antorchas de repuesto. Siempre se me olvida lo viejo que es. El viaje hasta aquí le ha cansado mucho, y las ceremonias están acabando con sus fuerzas. Además, todavía nos queda el viaje de regreso. Es curioso, se decía el joven acólito, pero nunca había pensado en él como en un viejo hasta ahora.»

Unos cuantos hombres más salieron de la cueva frotándose los adormilados ojos y se quedaron mirando a las mujeres desnudas tendidas en el suelo, preguntándose, como siempre, qué las agotaría tanto. Las primeras mujeres que despertaron corrieron en busca de sus mantos y empezaron a despertar a las demás antes de que salieran de la cueva muchos más hombres.

–Ayla –llamó Uba, sacudiéndola–. Ayla, despierta.

–Mmmmmmmm –murmuró Ayla, y se volvió del otro lado.

–¡Ayla! ¡Ayla! –dijo nuevamente Uba, y la sacudió más fuerte–. Ebra, no consigo despertarla.

–Ayla –dijo la mujer en voz más alta y sacudiéndola fuertemente. Ayla abrió los ojos y trató de expresar una respuesta, pero volvió a cerrarlos y se hizo un ovillo.

–¡Ayla! ¡Ayla! –repitió Ebra. La joven volvió a abrir los ojos.

–Vete a la cueva y duerme un rato más, Ayla. No puedes quedarte aquí, los hombres están levantándose –ordenó Ebra.

La joven se fue dando tumbos hacia el interior de la cueva. Un momento después estaba de vuelta, totalmente despierta, pero pálida como una muerta.

–¿Qué ocurre? –preguntó Uba–. Estás blanca. Parece como si hubieras visto un espíritu.

–Uba, oh, Uba. El tazón. –Ayla cayó al suelo cubriéndose la cara con las manos.

–¿El tazón? ¿Qué tazón, Ayla? No te entiendo.

–Está roto –consiguió expresar Ayla.

–¿Roto? ¿Por qué te preocupa tanto un tazón roto? Puedes hacer otro.

–No, no puedo, no uno como ése. Es el tazón de Iza, el que le dejó su madre.

–¿El tazón de su madre? ¿El tazón ceremonial de su madre? –preguntó Uba, desencajada.

La madera seca y quebradiza de la antigua reliquia había perdido su resistencia al cabo de tantas generaciones de ser usado. Se había ido formando una grieta finísima, pero había pasado inadvertida bajo la capa de pátina blanca. El golpe, al caer de la mano de Ayla sobre el duro piso de piedra de la cueva, fue más de lo que podía resistir: se había partido en dos.

Ayla no vio que Creb levantaba la vista cuando salió de la cueva. Saber que el venerable tazón se había quebrado venía a añadir un matiz final más sombrío a sus pensamientos. «Es lo suyo. Nunca más se usará la magia de esas raíces. Nunca más celebraré ceremonia alguna con ellas ni le enseñaré a Goov cómo fueron usadas antes. El clan las olvidará.» El viejo tullido se apoyó pesadamente en su cayado y se incorporó, sintiendo punzadas dolorosas en sus artríticas articulaciones. «Ya he permanecido lo suficiente dentro de cuevas frías; es hora de que Goov se encargue de todo. Es demasiado joven aún para ello, pero yo soy demasiado viejo. Si le apremio, puede estar preparado en uno o dos años. Quizá tenga que estarlo. ¿Quién sabe cuánto más voy a durar?»

Brun advirtió un cambio notorio en el viejo mago. Atribuyó la depresión de Mog-ur al cansancio natural después de tanta excitación, especialmente porque ésta sería su última Reunión del Clan. Brun estaba preocupado además pensando en cómo podría resistir el viaje de regreso y estaba seguro de que les retrasaría en el viaje de vuelta a casa. Brun decidió llevarse a sus cazadores para una última cacería e intercambiar después la carne fresca por algunas de las provisiones almacenadas por el clan anfitrión con el fin de complementar su abastecimiento para el viaje de regreso.

Después de una provechosa cacería, Brun tenía prisa por partir. Algunos clanes se habían despedido ya. Una vez terminados los festejos, sus pensamientos se volvieron a la cueva y a la gente que había quedado en ella, pero estaba de buen ánimo. El desafío a su posición nunca había sido tan grande; esto hizo que la victoria le resultara tanto más satisfactoria. Estaba contento de sí mismo, contento de su clan y contento con Ayla. Era una buena curandera; ya lo había comprobado anteriormente. Cuando la vida de alguno estaba amenazada, se le olvidaba todo lo demás, lo mismo que a Iza. Brun sabía que Mog-ur había contribuido a convencer a los demás magos, pero fue la propia Ayla quien lo demostró al salvar la vida del joven cazador. Éste y su compañera permanecerían con el clan anfitrión hasta que se sintiera suficientemente bien para viajar y era probable que pasaran el invierno con sus huéspedes.

Mog-ur nunca habló de la visita clandestina que había hecho Ayla a la pequeña cámara en la profundidad de la montaña, salvo una vez. Ella estaba recogiendo sus cosas, preparándose para marchar a la mañana siguiente, cuando Creb llegó cojeando a la segunda cueva. La había estado evitando, y eso a la joven que le quería le dolía mucho. Al verla, se detuvo y dio media vuelta para alejarse, pero ella le cortó el paso corriendo y sentándose a sus pies. Él miró la cabeza inclinada, soltó un suspiro y le golpeó el hombro.

Ayla levantó la mirada y se sorprendió al ver cuánto había envejecido en tan pocos días. La cicatriz que le desfiguraba y el pliegue cutáneo que cubría su cavidad ocular vacía se habían encogido, sumiéndose más profundamente bajo la sombra de su arco ciliar. Su barba gris colgaba macilenta de su mandíbula prognata, y su frente baja y huidiza estaba acentuada por una cabellera que retrocedía; pero lo que la abrumó fue la pesadumbre que nublaba su único ojo, sombrío y licuescente. ¿Qué le había hecho? Deseó fervientemente poder anular su visita a la cueva aquella noche. El dolor que sentía cuando veía a Creb sufrir físicamente no era nada comparado con la angustia que experimentaba cuando veía sufrir el alma de Mog-ur.

–¿Qué pasa, Ayla? –preguntó.

–Mog-ur, yo..., yo... –tartamudeó, y de repente lo dijo todo de corrido–: ¡Oh, Creb! No puedo soportar verte así. ¿Qué puedo hacer? Si quieres iré a ver a Brun, haré lo que digas. Pero dime qué debo hacer.

«¿Qué puedes hacer, Ayla?, pensó. ¿Puedes cambiar lo que eres? ¿Puedes deshacer el daño que has causado? El clan morirá, sólo quedarás tú y tu especie. Somos un pueblo antiguo. Hemos conservado nuestras tradiciones, honrado a los espíritus y al Gran Ursus, pero eso ha terminado para nosotros: se acabó. Tal vez tenía que ser así. Tal vez no seas tú, Ayla, sino tu especie. ¿Será por eso por lo que te enviaron a nosotros? ¿Para decírmelo? La tierra que dejamos es bella y rica; nos ha dado todo lo que necesitábamos durante todas las generaciones que hemos vivido. ¿Cómo la dejaréis cuando os llegue la hora? ¿Qué puedes hacer tú?»

—Hay una cosa que puedes hacer, Ayla —señaló lentamente el Mog-ur, subrayando cada movimiento. Su ojo se volvió frío—. Puedes no volver a mencionarlo nunca más.

Siguió en pie, todo lo erguido que su pierna buena le permitía y tratando de no apoyarse mucho en el cayado. Después, con todo el orgullo de sí mismo y de su Pueblo que pudo reunir, se volvió con rígida dignidad y salió de la cueva.

—¡Broud!

El joven se dirigió dando grandes trancos hacia el hombre que le había llamado. Las mujeres del clan de Brun se afanaban en preparar la comida de la mañana, pues proyectaban marcharse en cuanto acabaran de comer, y los hombres estaban aprovechando la última oportunidad de hablar con gente a la que no volverían a ver en siete años; a algunos no volverían a verlos. Estaban comentando tranquilamente los detalles de la palpitante reunión tratando de hacerla durar un poco más.

—Te portaste bien esta vez, Broud, y para la próxima Reunión tú serás el jefe.

—La próxima vez puedes hacerlo igual de bien —gesticuló Broud, henchido de orgullo—. Hemos tenido suerte.

—Estáis de suerte. Vuestro clan es primero, vuestro Mog-ur es primero e incluso vuestra curandera es primera. ¿Sabes?, Broud, tenéis suerte de contar con Ayla. No muchas curanderas serían capaces de desafiar a un oso cavernario para salvar a un cazador.

Broud arrugó el ceño, pero entonces vio a Voord y se acercó a él.

—¡Voord! —llamó, esbozando un saludo—. Te has portado bien esta vez. Me alegré de que te escogieran a ti y no a Nouz. Él es muy bueno, pero decididamente tú has sido mejor.

–Pero tú merecías ser el primero, Broud. También tú hiciste una buena carrera. Todo tu clan se merece ese lugar; inclusive vuestra curandera es la mejor, aunque al principio tuve mis dudas. Será una buena curandera cuando ocupes tú el mando del clan. Sólo espero que no siga creciendo. Aquí, entre tú y yo, me siento raro cuando levanto la mirada hacia una mujer.

–Sí, la mujer es demasiado alta –respondió Broud con gestos rígidos.

–Pero ¡qué importa con tal de que sea una buena curandera!, ¿verdad?

Broud asintió sin convicción, cortando la discusión, y se alejó. «Ayla, Ayla, me estoy hartando de Ayla», pensó, mientras caminaba por el espacio abierto.

–Broud, quería verte antes de que te marcharas –dijo un hombre que venía a su encuentro–. Sabes que en mi clan hay una mujer que tiene una hija deforme como el hijo de tu curandera. He hablado con Brun y ha accedido a aceptarla, pero me ha dicho que te consultara a ti. Para entonces es probable que tú seas jefe. La madre ha prometido criar a su hija para que sea una buena mujer, digna del primer clan y del hijo de la primera curandera. No te opones, ¿verdad, Broud? Es un apareamiento lógico.

–No –señaló secamente Broud y giró sobre sus talones. De no haber estado tan furioso, tal vez hubiera puesto objeciones, pero no tenía ganas de entrar en una discusión acerca de Ayla.

–A todo esto, fue una buena carrera, Broud.

El joven no vio el comentario pues ya había vuelto la espalda. Mientras caminaba hacia la cueva vio que dos mujeres estaban conversando animadamente. Sabía que debería volver el rostro para evitar ver lo que decían, pero se limitó a mirar hacia delante simulando no fijarse en ellas.

–... No podía creer que fuera una mujer del clan, y después, cuando vi a su bebé... Pero por la manera en que fue directamente a Ursus, lo mismo que si fuera del clan anfitrión, sin temerlo ni nada... Yo no me habría atrevido.

–He hablado un poco con ella. Es realmente agradable y actúa de manera perfectamente normal. Sin embargo, no puedo dejar de hacerme algunas preguntas: ¿Crees que conseguirá compañero? Es tan alta... ¿Qué hombre va a querer a una mujer más alta que él? Aunque sea la primera curandera.

–Alguien me ha dicho que un clan está interesado por ella, pero no ha habido tiempo para entrar en detalles, y creo que desean hablar del asunto. Dicen que enviarán un mensajero si deciden aceptarla.

—Pero ¿no tienen ahora una caverna nueva? Dicen que fue ella quien la encontró, que es muy grande y que, además, trae suerte.

—Se supone que está cerca del mar y que los caminos están muy trillados. Creo que un buen mensajero podría encontrarlos.

Broud pasó junto a las dos mujeres y tuvo que aguantarse las ganas de dar un par de bofetadas a aquellas dos ociosas y entrometidas chismosas. Pero no eran de su clan, y aun cuando era prerrogativa suya imponer la disciplina a cualquier mujer, no era buena política abofetear a una de otro clan sin permiso de sus compañeros o de sus jefes, a menos que la infracción fuera evidente. Para él era más que evidente, pero pudiera no serlo para otro.

—Nuestra curandera dice que es hábil —estaba diciendo Norg cuando Broud entró en la cueva.

—Es hija de Iza —señaló Brun— y ha sido bien adiestrada por ella.

—Es una pena que Iza no haya podido venir. Tengo entendido que está enferma.

—Sí, y ésa es una razón para apresurarnos. Tenemos un largo camino por delante. Vuestra hospitalidad ha sido excelente, Norg, pero la propia cueva es el hogar. Ésta ha sido una de las mejores Reuniones del Clan; será recordada por mucho tiempo —dijo Brun.

Broud volvió la espalda, apretando los puños, lo cual le impidió ver el cumplido que Norg dedicaba al hijo de la compañera de Broud. «Ayla, Ayla, Ayla. Todos hablan de Ayla. Cualquiera diría que nadie más que ella ha hecho algo en esta Reunión del Clan. ¿Ha sido escogida la primera? ¿Quién estaba en la cabeza del oso mientras ella se encontraba a salvo en el suelo? De modo que aunque haya salvado la vida de ese cazador, es probable que éste no pueda volver a caminar. Es fea y demasiado alta, y su hijo es deforme; deberían saber, además, lo insolente que es cuando está en casa.»

En ese preciso instante, Ayla pasó corriendo, llevando varios bultos. La mirada de odio que le dirigió Broud estaba tan cargada de malignidad, que la joven vaciló. «Y ahora, ¿qué he hecho?, pensó. Apenas si he visto a Broud desde que estamos aquí.»

Broud era un hombre adulto y fuertemente constituido del clan, pero la amenaza que representaba iba mucho más allá del simple daño físico. Era el hijo de la compañera del jefe y su destino era ser jefe algún día. En eso estaba pensando mientras observaba cómo Ayla colocaba sus bultos en el suelo, fuera de la cueva.

Una vez que terminaron de comer, las mujeres recogieron rápidamente los pocos utensilios que habían empleado para preparar la primera comida del día. Brun estaba impaciente por marchar, y ellas también. Ayla intercambió unos cuantos ademanes con algunas de las curanderas, la compañera de Norg y algunas más; después envolvió a su hijito en el manto de viaje y se situó al frente de las mujeres del clan de Brun. Éste hizo una señal y todos echaron a andar a través del área despejada delante de la cueva. Antes de doblar un recodo del camino, Brun se detuvo y todos se volvieron para mirar hacia atrás por última vez. Norg y todo su clan estaban en pie frente a la entrada de la cueva.

–Que Ursus te acompañe –señaló Norg.

Brun hizo un ademán con la cabeza y echó nuevamente a andar. Transcurrirían siete años antes de que volvieran a ver a Norg... o tal vez nunca. Sólo el Espíritu del Gran Oso Cavernario lo sabía.

Como había previsto Brun, el viaje de regreso fue penoso para Creb. Como ya no sentía el aliento de los preparativos y como estaba además deprimido por los conocimientos que mantenía en secreto, el cuerpo del viejo le traicionaba una y otra vez. La preocupación de Brun aumentó; nunca había visto tan desalentado al gran mago. Se rezagaba, muchas veces tuvo Brun que enviar a un cazador en su busca mientras todos esperaban. El jefe acortó el paso esperando que así fuera más fácil para él, pero a Creb no parecía importarle. Las pocas ceremonias vespertinas celebradas ante la insistencia de Brun carecían de fuerza. Mog-ur parecía reacio, sus gestos rígidos, como si no pusiera el alma en ello. Brun observó que Ayla y Creb se mantenían alejados uno de otro, y aun cuando a ella no le costaba seguir la marcha, el paso de Ayla había perdido su elasticidad. «Está pasando algo entre esos dos», se dijo.

Habían estado caminando por entre las altas hierbas marchitas desde media mañana. Brun miró hacia atrás: no se veía a Creb por ninguna parte; estuvo a punto de enviar en su busca a uno de los hombres cuando lo pensó mejor y volvió sobre sus pasos hasta donde se encontraba Ayla.

–Anda, vete a buscar a Mog-ur –le dijo.

La joven pareció sorprendida, pero asintió con la cabeza. Puso a Durc en brazos de Uba y salió presurosa por la senda de hierba inclinada y pisoteada. Le encontró muy atrás, caminando lentamente y apoyado en su cayado. Parecía sufrir. Ayla se había asombrado tanto ante la respuesta que le dio a su amoroso remordimiento, que no había sabido qué decirle después. Estaba segura de que sufría en sus dolorosas y artríticas articulaciones, pero se había negado a aceptar que le diera nada para mitigar el dolor. Después de varios desaires, no volvió a proponérselo aunque le dolía el corazón a causa de él. Al ver a la joven, Creb se detuvo.

—¿Qué estás haciendo aquí? —preguntó por señas.

—Me ha enviado Brun a buscarte.

Creb gruñó y se puso nuevamente en marcha. Ayla echó a andar tras él, observando sus movimientos lentos y dolorosos hasta que no pudo soportarlo más. Avanzó hasta ponerse frente a él y se dejó caer sobre el suelo a sus pies, obligándole a detenerse. Creb miró a la joven largo rato antes de tocarle el hombro.

—Esta mujer quisiera saber por qué está enojado el Mog-ur.

—No estoy enojado, Ayla.

—Entonces, ¿por qué no me dejas ayudarte? —suplicó—. Antes no te habías negado nunca. —Ayla luchaba por recuperar la compostura—. Esta mujer es curandera, está adiestrada para aliviar a los que sufren. Es su puesto, su función. A esta mujer le duele ver sufrir al Mog-ur, no lo puede remediar. —Ayla no pudo seguir manteniendo la actitud formal—. ¡Oh, Creb, déjame ayudarte! ¿No sabes que te quiero? Para mí eres como el compañero de mi madre. Has provisto para mí, has hablado en mi favor y te debo la vida. No sé por qué has dejado de quererme, pero yo no he dejado de quererte a ti. —Las lágrimas corrían por su cara con una desesperación desesperanzada.

«¿Por qué se le llenan los ojos de agua cuando cree que no la quiero? ¿Y por qué sus débiles ojos siempre me hacen desear hacer algo por ella? ¿Tendrán ese mismo problema todos los Otros? Tiene razón, nunca anteriormente había rechazado su ayuda. ¿Por qué ahora? No es una mujer del clan. No importa lo que piensen los demás: nació de los Otros y siempre será uno de ellos. Ni siquiera ella lo sabe. Cree ser una mujer del clan, cree ser curandera. Es curandera. Puede no ser de la estirpe de Iza, pero es curandera y se ha esforzado por ser una mujer del clan, por mucho que le haya costado a veces. Me gustaría saber lo duro que eso es para ella. No es la primera vez que se le llenan los ojos de agua, pero ¿cuántas veces habrá luchado para evitarlo? Cuando no puede evitarlo es cuando piensa que yo no la quiero. ¿Puede dolerle tanto? ¿Cuánto me dolería a mí si creyera que no me quiere? Más de lo que quiero reconocer. Si ama de la misma manera, ¿puede ser tan diferente?» Creb trataba de verla como una extraña, como una mujer de los Otros. Pero seguía siendo Ayla, la hija de la compañera que él nunca tuvo.

–Será mejor que nos apresuremos, Ayla. Brun está esperándonos. Sécate los ojos y, cuando nos detengamos, podrás hacerme una infusión de sauce, curandera.

Una sonrisa brilló entre sus lágrimas. Se puso en pie y volvió a caminar detrás de él. Al cabo de unos cuantos pasos, avanzó hasta el lado débil del hombre. Él se detuvo un momento, después asintió con un gesto y se apoyó en ella.

Brun advirtió al instante una mejoría y pronto impuso el mismo paso que antes, aunque, de todos modos, no viajaban todo lo rápidamente que a él le habría gustado. Un hálito de melancolía aureolaba al viejo, pero ya parecía esforzarse algo más. «Sé que ha habido algún problema entre esos dos, se dijo Brun, pero parece que lo han resuelto ya.» Se alegraba por haber tenido la idea de mandarla en su busca.

Creb permitió que Ayla le ayudara, pero seguía habiendo cierta distancia entre ambos, una brecha demasiado grande para que él la cerrara. No podía olvidar la diferencia entre sus destinos, lo que creaba una tensión que enfriaba el calor sincero de otros tiempos.

Si bien los días eran calurosos cuando el clan de Brun se abría paso hacia su cueva, las noches se estaban volviendo frías. La primera visión de los montes cubiertos de nieve hacia el oeste, a lo lejos, animó al clan, pero como la distancia apenas se reducía con el paso de los días, la sierra del extremo inferior de la península se convirtió en parte del paisaje y nada más. Sin embargo, la distancia disminuía, aunque imperceptiblemente. Mientras proseguían día tras día hacia el oeste, las azules profundidades de las grietas empezaban a caracterizar a los glaciares, y la púrpura desdibujada al pie de la corona helada fue matizándose de salientes y crestas.

Antes de acampar la última noche en la estepa, caminaron hasta que oscureció, y todos despertaron al primer albor de la mañana siguiente. Las planicies se fundían en un valle compuesto de pradera abierta y árboles altos, y la vista de un rinoceronte de zona templada paciendo produjo una sensación de familiaridad una vez que se alejó sin dignarse tomarlos en cuenta. Apretaron el paso al llegar a un camino que rodeaba los contrafuertes montañosos; entonces doblaron una cresta que les era familiar, vieron su cueva y todos los corazones palpitaron más fuerte: habían vuelto a su hogar.

Aba y Zoug corrieron a su encuentro. Aba recibió a su hija y a Droog con gozo, abrazó a los niños mayores y tomó en sus brazos a Groob. Zoug saludó a Ayla con un movimiento de la cabeza mientras corría hacia Grod y Uka, después hacia Ovra y Goov.

–¿Dónde está Dorv? –preguntó Ika con un ademán.

–Ahora camina por el mundo de los espíritus –respondió Zoug–. Su vista estaba muy mala, no podía ver lo que decíamos. Creo que renunció y no quiso esperar vuestro regreso. Cuando los espíritus le llamaron, se fue con ellos. Le enterramos y señalamos el lugar para que Mog-ur pueda encontrarlo y celebrar los ritos mortuorios.

Ayla miró a su alrededor, súbitamente ansiosa:

–¿Dónde está Iza?

–Está muy enferma –dijo Aba–. No ha abandonado el lecho desde la última luna nueva.

–¡Iza! ¡Iza, no! ¡No! ¡No! –gritó Ayla echando a correr hacia la cueva. Arrojó sus bultos al suelo tan pronto como estuvo en el hogar de Creb, y se abalanzó sobre la mujer que estaba acostada entre sus pieles.

–¡Iza! ¡Iza! –gritó la joven. La vieja curandera abrió los ojos.

–¡Ayla! –dijo; su voz ronca apenas se oía–. Los espíritus han cumplido mi deseo –señaló débilmente–. Estás de vuelta. –Iza tendió los brazos. Ayla la abrazó y sintió su cuerpo delgado y frágil, apenas algo más que huesos cubiertos de una piel arrugada. Su cabello era de un blanco de nieve; su rostro, un pergamino seco tendido sobre los huesos, con unas mejillas hundidas y unos ojos profundamente sumidos. Parecía tener mil años. Acababa de cumplir los veintiséis.

Ayla casi no podía distinguir nada por las lágrimas que le bañaban el rostro.

–¿Por qué tuve que ir a la Reunión del Clan? Debería haberme quedado aquí cuidándote. Sabía que estabas enferma. ¿Por qué me fui y te dejé?

–No, no, Ayla –gesticuló Iza–, no te eches la culpa. No puedes cambiar lo que tiene que ser. Ya sabía yo que estaba muriéndome cuando te fuiste. No habrías podido ayudarme, nadie habría podido. Lo único que deseaba era verte una vez más antes de reunirme con los espíritus.

–¡No puedes morir! ¡No dejaré que te mueras! Te voy a cuidar. Voy a hacer que te pongas bien –gesticuló Ayla enloquecidamente.

–Ayla, Ayla. Hay cosas que ni la mejor curandera puede hacer. La excitación provocó un acceso de tos. Ayla la sostuvo hasta que terminó de toser. Colocó sus pieles detrás de la mujer para incorporarla un poco y facilitarle la respiración, y empezó a revolver entre las medicinas depositadas junto al lecho de Iza.

–¿Dónde está el helenio? No encuentro helenio.

–Creo que ya no queda nada –señaló débilmente Iza. El acceso de tos la había agotado–. He tomado muchísimo y no pude salir a buscar más. Aba trató de encontrarlo, pero me trajo girasol.

–No debería haberme marchado –decía Ayla, y de repente salió corriendo de la cueva. Se encontró con Uba, que llevaba a Durc, y con Creb en la entrada.

–Iza está enferma –expresó agitadamente Ayla–, y no tiene siquiera helenio. Voy a buscar un poco. No hay fuego en el hogar, Uba. Pero ¿por qué tuve que ir yo a la Reunión del Clan? Debí haberme quedado con ella. ¿Por qué me fui? –El rostro desolado de Ayla, sucio del viaje, estaba surcado de lágrimas, pero ni se daba cuenta ni le importaba. Corrió cuesta abajo mientras Uba y Creb entraban a toda prisa en la cueva.

Ayla chapoteó por el río, corrió hacia la pradera donde crecían las plantas y excavó las raíces con las manos desnudas, sacándolas de la tierra. Deteniéndose en el río lo justo para lavarlas, volvió corriendo a la cueva.

Uba había encendido un fuego, pero el agua que había puesto a calentar apenas estaba tibia. Creb se encontraba en pie junto a Iza ejecutando los movimientos rituales con mayor fervor que en muchos días, invocando a todos los espíritus que conocía para que fortalecieran la esencia de la vida de su hermana y no se la llevaran aún. Uba dejó a Durc en una estera. Empezaba a gatear y se impulsaba a sí mismo con pies y manos. Se dirigió hacia su madre, que estaba atareada cortando la raíz en trocitos, pero ella le apartó cuando quiso mamar. Ayla no tenía tiempo para su hijo. El niño se puso a chillar mientras ella echaba la raíz en el agua y agregaba más piedras calientes para que hirviera más aprisa.

–Déjame ver a Durc –señaló Iza–. Cuánto ha crecido.

Uba lo cogió en brazos y se lo llevó a su madre. Ayla dejó al niño en el regazo de Iza, pero éste no estaba de humor para que le acariciara una vieja a la que no recordaba, y pataleó para que le dejaran otra vez en el suelo.

–Está fuerte y sano –dijo Iza–, y no tiene problemas para mantener la cabeza erguida.

–Y ya tiene compañera –agregó Uba– o por lo menos una pequeña que le han prometido.

–¿Una compañera? ¿Qué clan iría a prometerle una niña? Tan joven y con su deformidad...

–En la Reunión del Clan había una mujer con una hija deforme. Se nos acercó para hablarnos el primer día –explicó Uba–. La niña se parece un poco a Durc, por lo menos su cabeza. Sus rasgos son algo distintos. La madre preguntó si podrían aparearlos. Oda estaba muy preocupada ante la idea de que su hija nunca encontrara compañero. Brun y el jefe de su clan se han puesto de acuerdo. Creo que ella vendrá a vivir aquí después de la próxima Reunión, aunque no sea mujer aún. Ebra ha dicho que podría vivir con ellos hasta que ambos estén en edad de aparearse. Oda estaba muy contenta, sobre todo después de que Ayla preparase la bebida para la ceremonia.

–De modo que aceptaron a Ayla como curandera de mi estirpe. Me preguntaba si la aceptarían –señaló Iza y después se detuvo. Hablar la cansaba, pero, al ver a sus seres amados nuevamente a su alrededor, se sentía rejuvenecida en su mente ya que no en su cuerpo–. ¿Cómo se llama la niña?

–Ura –contestó la hija de Iza.

–Me gusta el nombre, suena bien. –Iza volvió a descansar y después hizo otra pregunta–. ¿Y Ayla? ¿Ha encontrado compañero en la Reunión del Clan?

–El clan de los parientes de Zoug lo está considerando. Al principio se negaron, pero una vez que fue aceptada como curandera, decidieron pensarlo. No hubo tiempo para arreglar nada antes de nuestra partida. Puede que tomen a Ayla, pero no creo que quieran a Durc.

Iza se limitó a mover la cabeza y después cerró los ojos.

Ayla estaba moliendo carne para hacerle un caldo a Iza y atendía con impaciencia el agua hirviendo con las raíces para asegurarse del color y del sabor. Durc gateó hasta ella gimoteando, pero lo volvió a rechazar.

–Dámelo a mí, Uba –señaló Creb. Esto calmó un ratito al niño, sentado en el regazo de Creb e intrigado con la barba del hombre. Pero también de eso se cansó pronto. Se frotó los ojos y luchó para liberarse del brazo que le retenía; una vez libre, gateó de nuevo hasta su madre. Estaba cansado y tenía hambre. Ayla, en pie junto al fuego, pareció no darse por aludida cuando la malhumorada criatura trató de tirarle de la pierna. Creb se enderezó, dejó caer su cayado y, por señas, pidió a Uba que le pusiera al niño en el brazo. Cojeando pesadamente sin su apoyo, llegó al hogar de Broud y puso a Durc sobre el regazo de Oga.

—Durc tiene hambre y Ayla está atareada preparando medicinas para Iza. ¿Quieres darle tú de mamar, Oga?

Oga asintió, cogió al bebé en sus brazos y le dio el pecho. Broud arrugó el ceño, pero una sombría mirada de Mog-ur le hizo disimular rápidamente su ira. Su odio hacia Ayla no alcanzaba hasta el hombre que la protegía y proveía para ella. Broud temía demasiado a Mog-ur para odiarlo. Sin embargo, desde temprana edad había descubierto que el gran hombre santo no solía interferir en la vida seglar del clan, limitando sus actividades al mundo de los espíritus. Mog-ur nunca había tratado de impedir que Broud ejerciera su control sobre la joven que compartía su hogar, pero Broud no deseaba enfrentarse directamente al mago.

El hombre regresó a su hogar y empezó a buscar, en los bultos que habían quedado tirados, la vejiga con la grasa de oso de las cavernas que le correspondió de la grasa derretida del animal ceremonial. Uba le vio y acudió en su ayuda. Creb se lo llevó consigo a su cámara de los espíritus. Aunque estaba seguro de que no quedaba esperanza, iba a utilizar toda la magia de que era capaz para ayudar a Ayla a mantener a Iza con vida.

Las raíces habían hervido lo suficiente, por fin, y Ayla sacó una taza de líquido, impaciente ahora por que se enfriara. El caldo caliente que le había dado antes, en sorbitos, sosteniéndole la cabeza lo mismo que había hecho Iza con ella cuando era una niña de cinco años medio muerta, había reanimado algo a la vieja curandera. Había comido poco desde que se quedó en cama, y no mucho más antes. Los alimentos que le daban permanecían intactos. Había sido un verano desolado y solitario para Iza. Sin nadie que la vigilara y se asegurara de que comía, a menudo se le olvidaba o simplemente no le importaba. Los otros tres habían intentado ayudarla al ver que se debilitaba, pero no sabían cómo hacerlo.

Iza se había incorporado al acercarse el fin de Dorv, pero el miembro más viejo del clan se fue rápidamente y no había podido hacer mucho por él como no fuera tratar de que se sintiera cómodo. Su muerte había deprimido a los demás. La cueva parecía mucho más vacía sin él y eso les recordaba lo cerca que estaban del otro mundo. Su muerte había sido la primera desde el terremoto.

Ayla estaba sentada junto a Iza, soplando sobre el líquido de la taza de hueso y probándolo de vez en cuando para ver si se había enfriado lo suficiente. Su concentración en Iza era tan absoluta que no se dio cuenta de que Creb se había llevado a Durc ni de que se había alejado después hacia la cámara de los espíritus, y tampoco se percató de que Brun la estaba observando. Escuchaba los débiles ruidos de la respiración de Iza y comprendía que estaba muriéndose, pero no se resignaba a creerlo. Buscó otros tratamientos en su memoria.

«Una compresa con la corteza interna de la balsamina, pensó. Sí, y una infusión de milenrama; respirar el vapor también sirve. Moras y culantrillo... no, eso sólo sirve para un catarro. ¿Raíces de bardana? Tal vez. ¿Hierba de almidón? Naturalmente, y la raíz fresca es mejor en otoño.» Ayla estaba decidida a atascar a Iza con infusiones, cubrirla de cataplasmas y ahogarla en vapor, si fuera necesario. Cualquier cosa, lo que fuera, con tal de prolongar la vida de su madre, de la única madre que había conocido. No podía soportar la idea de que se muriera Iza.

Aun cuando Uba tenía perfectamente conciencia de la gravedad de la enfermedad de su madre, no dejó de percatarse de la presencia de Brun. No era habitual que los hombres visitaran el hogar de otro hombre en ausencia de éste, y Brun estaba poniendo nerviosa a Uba. Comenzó a recoger los bultos dispersos por el hogar para dejarlo en orden, mirando alternativamente a Brun, a Ayla y a su madre. Sin nadie para guiarla ni darle órdenes, no sabía cómo manejar la visita de Brun. Nadie le saludaba ni le daba la bienvenida, ¿qué debía hacer ella?

Brun observaba al trío de mujeres: la vieja curandera, la solícita joven curandera, que no se parecía en nada al resto del clan y que, sin embargo, era considerada como la de más alta jerarquía en el arte de curar, y Uba, destinada también a ser curandera. Siempre había querido a su hermana. Fue el bebé al que se acariciaba y mimaba, bienvenida después de que hubiese nacido un niño saludable para hacerse cargo del clan. Siempre se había sentido protector hacia ella. Nunca habría escogido para ella al hombre que fue su compañero; nunca le había gustado a Brun, un fanfarrón que ridiculizaba a su hermano tullido. Iza no tuvo más remedio que someterse, pero manejó bien la situación. Y, sin embargo, había sido más feliz después de la muerte de su compañero que anteriormente. Era una buena mujer y una buena curandera. El clan la echaría de menos.

«La hija de Iza está creciendo, pensaba, observándola. Uba será pronto una mujer. Debería empezar a pensar en un compañero para ella. Deberá ser un buen compañero, uno que sea compatible. También es mejor para un cazador que su compañera le sea adicta. Pero ¿quién hay fuera de Vorn? Hay que pensar también en Ona, que no puede aparearse con Vorn, puesto que son hermanos. Tendrá que esperar a que Borg se haga hombre. Si se convierte pronto en mujer, puede tener un hijo antes de que Borg esté preparado para aparearse. Tal vez debería yo empujarle un poco; es mayor que Ona. Una vez que sea suficientemente grande para aliviar sus necesidades, será suficientemente grande para hacerse hombre. ¿Será Vorn un buen compañero para Uba? Droog ha tenido una buena influencia sobre él y le gusta presumir cuando está Uba delante. Tal vez haya alguna atracción entre ellos.» Brun archivó sus pensamientos en su bien organizado cerebro para otra oportunidad.

La infusión de raíz de helenio se había enfriado y Ayla despertó a la anciana, que se había quedado adormilada, levantándole la cabeza mientras le hacía ingerir la medicina.

«No creo que puedas salvarla esta vez, Ayla, se decía Brun observando a la frágil mujer. ¿Cómo ha envejecido tan pronto? Era la más joven, y ahora parece más vieja que Creb. Recuerdo cuando redujo la fractura de mi brazo. No era mucho mayor que Ayla cuando ésta redujo la fractura de Brac, pero era una mujer y estaba apareada. Y lo hizo bien. Nunca me ha molestado lo más mínimo, salvo algunas punzadas últimamente. También yo estoy envejecido. Mis días de caza pronto habrán terminado y tendré que traspasar a Broud el mando.

»¿Estará ya preparado? Se portó tan bien en la Reunión del Clan que estuve a punto de entregárselo entonces. Es valiente; todos me dicen que soy muy afortunado. Soy afortunado; temí que fuera elegido para acompañar a Ursus. Habría sido un honor, pero es un honor al que renuncio de buena gana. Gorn era un buen hombre; ha sido duro para el clan de Norg. Siempre lo es cuando Ursus escoge. A veces es una suerte no recibir ese honor; el hijo de mi compañera sigue caminando por este mundo. Y no le teme a nada; tal vez sea demasiado temerario. Un poco de osadía y temeridad están bien en un joven, pero un jefe debe ser más juicioso. Debe tomar en cuenta a sus hombres. Debe pensar y disponer de manera que la cacería sea fructuosa, pero sin arriesgar inútilmente a sus hombres. Quizá debería permitirle que dirija unas cuantas cacerías para que adquiera experiencia. Debe comprender que en el mando hay algo más que osadía. Hay responsabilidad y control de sí mismo.

»¿Qué le pasa con Ayla que saca a relucir lo peor que hay en él? ¿Por qué se rebaja compitiendo con ella? Puede parecer diferente, pero no deja de ser una mujer. Aunque valerosa, para ser mujer y decidida. Me pregunto si los parientes de Zoug la recibirán. Me resultaría extraño no tenerla, ahora que me he acostumbrado a ella. Y es una buena curandera, un buen partido para cualquier clan. Haré lo que pueda para asegurarme de que aprecian su valor. Mírala, ni siquiera su hijo, el hijo al que estaba dispuesta a seguir al otro mundo, puede apartar su mente de Iza. No muchas desafiarían a un oso cavernario para salvar la vida de un hombre. También es temeraria y ha aprendido a controlarse. Se ha portado bien en la Reunión, en todo punto ha sido una mujer como es debido, no como cuando era más joven. Nadie ha tenido más que alabanzas para ella al final.»

—Brun —llamó Iza con voz débil—. Uba, sírvele un poco de té al jefe —indicó, tratando de incorporarse. Seguía siendo la dueña del hogar de Creb—. Ayla, trae unas pieles para que se siente Brun. Esta mujer lamenta no poder servir personalmente al jefe.

—Iza, no te preocupes. No he venido a tomar té, he venido a verte —indicó Brun, sentándose junto a ella.

—¿Cuánto tiempo llevas ahí de pie? —preguntó Iza.

—No mucho. Ayla estaba atareada; no he querido molestarla a ella y tampoco a ti, esperando que terminara. Te han echado de menos en la Reunión del Clan.

—¿Todo fue bien?

—Este clan sigue siendo el primero. Los cazadores se portaron bien; Broud fue escogido el primero para la Ceremonia del Oso. También Ayla se portó bien. Recibió muchas felicitaciones.

—¡Felicitaciones! ¿Quién necesita felicitaciones? Demasiadas sirven para provocar envidia entre los espíritus. Si se portó bien, si trajo honor al clan, debe ser suficiente.

—Se portó bien. Fue aceptada; se portó como una mujer correcta. Es hija tuya, Iza. ¿Quién iba a esperar menos?

—Sí, es hija mía, lo mismo que Uba es hija mía. He sido afortunada, los espíritus decidieron favorecerme con dos hijas, y las dos serán buenas curanderas. Ayla puede terminar de adiestrar a Uba.

—¡No! —interrumpió Ayla—. Tú terminarás el adiestramiento de Uba. Te vas a poner bien. Ahora ya estamos de vuelta y vamos a cuidarte. Te pondrás bien, espera y verás —señaló con una desesperación profunda—. Tienes que ponerte bien, madre.

–Ayla, niña, los espíritus están esperándome y pronto tendré que irme con ellos. Me han concedido mi último deseo: ver a mis seres queridos antes de marchar, pero no puedo dejarlos esperando mucho tiempo más.

El caldo y la medicina habían estimulado las últimas reservas de la enferma. Su temperatura subía junto con el esfuerzo valeroso de su cuerpo para luchar contra la enfermedad que la había derribado. La chispa prendida en sus ojos velados por la fiebre y el calor que prestaba a sus mejillas le daban un falso aspecto de salud. Pero había un brillo traslúcido en el rostro de Iza, como si estuviera iluminado por dentro. No era el ardor de la vida; esa calidad fantasmal se llamaba destello espiritual, y Brun la había visto anteriormente: era el surgir de la fuerza vital que se preparaba para partir.

Oga se quedó con Durc en el hogar de Broud hasta muy tarde, y devolvió al niño dormido mucho después de que se pusiera el sol. Uba lo acostó en las pieles de Ayla que ella misma había tendido. La muchacha estaba asustada y perdida, no tenía hacia quién volverse. Temía interrumpir a Ayla en sus esfuerzos por salvar a Iza, y temía molestar a su madre. Creb sólo había vuelto el tiempo suficiente para pintar símbolos en el cuerpo de Iza con una pasta de ocre rojo y grasa de oso, mientras hacía gestos por encima de ella. Regresó inmediatamente después a la cámara pequeña y no volvió.

Uba había sacado todas las cosas de los paquetes y puesto en orden el hogar, preparado una cena que nadie comió y recogido todo. Entonces, se sentó calladamente junto al bebé dormido, pensando en algo que hacer, algo que la tuviera ocupada. Aun cuando eso no ahuyentara el terror que le atenazaba el corazón, por lo menos la actividad la tenía ocupada. Era mejor que estar allí sentada viendo cómo se moría su madre. Finalmente se tendió en el lecho de Ayla, rodeando al bebé con su cuerpo, apretándose a él en un vano intento por sacar de alguien calor y seguridad.

Ayla trabajaba constantemente con Iza, probando todas las medicinas y los tratamientos que se le ocurrían. Se inclinaba sobre ella, temerosa de apartarse de su lado, temerosa de que la mujer se fuera mientras ella estuviera ausente. No fue la única que se mantuvo en vela aquella noche; sólo durmieron los niños pequeños. En cada hogar de la cueva oscura, hombres y mujeres contemplaban las brasas aún encendidas de los fuegos casi apagados o estaban tendidos en sus pieles con los ojos abiertos.

El cielo allá afuera estaba encapotado, no se veía una estrella. La oscuridad interior de la cueva se volvía de un negro más profundo en la abertura, disimulando cualquier indicio de vida más allá de las brasas mortecinas del fuego de la cueva. En la tranquilidad del naciente día, cuando la noche estaba más profundamente sumida en la oscuridad, Ayla se sobresaltó despertando de un sueño ligero.

–Ayla –dijo Iza en un ronco susurro.

–¿Qué ocurre, Iza? –señaló la joven.

Los ojos de la curandera reflejaban la oscura luz del carbón del hogar.

–Quiero decir algo antes de irme –indicó Iza, y entonces dejó caer las manos; levantarlas suponía para ella un esfuerzo grande.

–No trates de hablar, madre. Descansa. Te sentirás más fuerte por la mañana.

–No, niña, tengo que decirlo ahora. No duraré hasta la mañana.

–Sí, sí, madre. Tienes que durar. No puedes irte –indicó Ayla.

–Ayla, me marcho y debes aceptarlo. Déjame terminar, no me queda ya mucho. –Iza se detuvo nuevamente, mientras Ayla esperaba sumida en muda desesperanza.

–Ayla, siempre te he querido más. No sé por qué, pero es cierto. Quise que te quedaras conmigo, quise que te quedaras con el clan. Pero pronto me habré ido. Creb encontrará su camino hacia el mundo de los espíritus dentro de poco, y también Brun está envejeciendo. Entonces el jefe será Broud. Ayla, no puedes quedarte aquí cuando Broud sea el jefe. Encontrará la manera de lastimarte. –Iza descansó nuevamente, cerrando los ojos y luchando por respirar y encontrar fuerzas para seguir.

–Ayla, hija mía, mi extraña y obstinada niña que siempre se ha esforzado tanto. Te he adiestrado para hacer de ti una curandera, de manera que tuvieras posición suficiente para quedarte con el clan aunque nunca encontraras compañero. Pero eres mujer y necesitas compañero, un hombre que sea tuyo. Tú no eres del clan, Ayla. Naciste de los Otros, debes estar con ellos. Tendrás que irte, niña, encontrar a los tuyos.

–¿Irme? –señaló confusa–. ¿Adónde podría ir, Iza? No conozco a los Otros, no sabría siquiera dónde buscarlos.

–Hay muchos al norte de aquí, Ayla, en la tierra continental más allá de la península. Mi madre me dijo que el hombre a quien su madre curó venía del norte. –Iza se interrumpió de nuevo, y después sacó fuerzas de flaqueza para continuar–. No puedes seguir aquí, Ayla. Vete y encuéntralos, hija mía. Encuentra a tu propia gente, encuentra a tu propio compañero.

Las manos de Iza cayeron súbitamente y se le cerraron los ojos. Su respiración se hizo imperceptible. Se esforzó por respirar hondo y abrió nuevamente los ojos.

—Dile a Uba que la amo, Ayla. Pero tú fuiste mi primera hija, la hija de mi corazón. Siempre te he amado... te he amado más...

La respiración de Iza se quebró en un suspiro burbujeante. Eso fue todo.

—¡Iza! ¡Iza! —gritó Ayla—. ¡Madre, no te vayas! ¡No me dejes! ¡Oh, madre, no te vayas!

Uba despertó al grito de Ayla y corrió hacia ellas.

—¡Madre! ¡Oh, no! ¡Mi madre se ha ido! ¡Mi madre se ha ido!

La muchacha y la mujer se miraron.

—Me ha dicho que te diga que te amaba, Uba —dijo Ayla—. Tenía secos los ojos, el impacto no había llegado aún a su cerebro. Creb se acercó arrastrando los pies. Ya estaba fuera de su cámara cuando Ayla gritó. Con un sollozo profundo, Ayla se abrazó a los dos y los tres se fundieron en un abrazo doloroso de mutua desesperación. Las lágrimas de Ayla los mojaron a todos; Uba y Creb no tenían lágrimas, pero su dolor no era menos grande.

26

—Oga, ¿quieres dar de mamar otra vez a Durc?

El gesto del hombre manco estaba claro para la joven, a pesar del pataleante bebé que llevaba consigo. «Ayla debería alimentarlo, pensó. No es bueno para ella pasar tanto tiempo sin darle el pecho.» La tragedia de la muerte de Iza y su confusión ante la reacción de Ayla se reflejaban en la expresión de Mog-ur. No podía negarse al mago suplicante.

—Por supuesto que sí —dijo Oga, y tomó a Durc en sus brazos.

Creb regresó cojeando a su hogar. Vio que Ayla seguía sin cambiar de postura, aunque Ebra y Uka se habían llevado el cadáver de Iza para prepararlo para el entierro. La joven tenía el cabello desordenado y el rostro todavía embadurnado con la suciedad del camino y las lágrimas. Llevaba el mismo manto manchado y sucio que había tenido puesto durante el largo trayecto de regreso de la Reunión del Clan. Creb le había puesto al hijo sobre el regazo cuando lloró pidiendo de mamar, pero se mostró ciega y sorda a sus necesidades. Otra mujer habría comprendido que incluso un dolor profundo podía, llegado el caso, dejar pasar los gritos de un niño. Pero Creb tenía poca experiencia con madres y bebés. Sabía que las mujeres solían amamantar a los hijos de las otras, y no podía dejar que el niño pasara hambre mientras hubiera otras mujeres que le pudieran alimentar. Había llevado a Durc a Ika y Aga, pero sus más pequeños estaban destetándose y las mujeres tenían ya muy poca leche. Grev tenía poco más de un año y parecía que Oga siempre disponía de mucha leche, de modo que Creb había llevado a Durc con ella varias veces. Ayla no sentía el dolor de sus pechos duros, repletos de leche; el dolor de su corazón era mucho más grande.

Mog-ur cogió su cayado y se fue hacia el fondo de la cueva. Habían traído piedras, que ahora estaban amontonadas en un rincón libre de la amplia caverna, y se había excavado una zanja poco profunda en la tierra del piso. Iza había sido una curandera de primera categoría. No sólo su posición en la jerarquía del clan, sino también su intimidad con los espíritus exigían que fuera enterrada en la cueva. Eso garantizaba que los espíritus protectores que la cuidaban se quedarían cerca de su clan, y ella misma podría vigilarlo desde su hogar en el otro mundo. Además, de esa forma quedaba garantizado que ningún animal dispersaría sus huesos.

El mago espolvoreó con ocre rojo el óvalo de la zanja y después hizo unos gestos con su único brazo. Una vez que hubo consagrado la tierra en que sería sepultada Iza, se acercó cojeando hasta una forma indefinida más o menos envuelta en una piel de cuero suave; retiró ésta y dejó al descubierto el cuerpo desnudo y gris de la curandera. Sus brazos y piernas habían sido flexionados en posición fetal por medio de tendones teñidos de rojo. El mago hizo un gesto protector, se agachó y comenzó a frotar la carne fría con un ungüento compuesto de ocre rojo y grasa de oso cavernario. Doblada en posición fetal y cubierta con el color rojo que recordaba la sangre natal, Iza sería entregada al otro mundo de la misma manera en que había llegado a éste.

Nunca le había resultado tan difícil llevar a cabo su tarea; Iza había sido más que una hermana para Creb. Le conocía mejor que nadie; sabía el padecimiento que había sufrido sin quejarse, la vergüenza que le había causado su achaque; comprendía su bondad, su sensibilidad, y se alegraba de su grandeza, su poder y su voluntad de superarse. Había cocinado para él, le había atendido y había aliviado sus dolores. Con ella había conocido la dicha de la vida familiar casi como un hombre normal. Aun cuando nunca la había tocado tan íntimamente como lo estaba haciendo ahora, al embadurnar su cuerpo frío con ungüento, había sido más «compañera» para él de lo que muchos hombres habían tenido. Su fallecimiento le anonadaba.

Cuando regresó a su hogar, el rostro de Creb estaba tan gris como lo había estado el cadáver. Ayla seguía sentada junto al lecho de Iza, mirando al vacío sin ver, pero reaccionó cuando Creb comenzó a revolver las pertenencias de Iza.

–¿Qué estás haciendo? –preguntó, defendiendo todo lo que había sido de Iza.

–Estoy buscando los tazones y las cosas de Iza. Los objetos que ha empleado en su vida deben ser sepultados con ella, de modo que tenga el espíritu de esos objetos en el otro mundo –explicó Creb.

–Voy a buscarlos –dijo Ayla, apartando a Creb. Juntó los tazones de madera y las tazas de hueso que había empleado Iza para preparar sus medicinas y medir las dosis, la piedra redonda de mano y la base de piedra plana que utilizaba para aplastar y moler, sus platos personales para comer, unos cuantos objetos más y su bolsa de medicinas, y lo puso todo sobre el lecho de Iza. Entonces se quedó mirando el humilde montón que representaba la vida y el trabajo de Iza.

–¡Ésos no son los instrumentos de Iza! –gesticuló Ayla con ira, y de un brinco se puso en pie y echó a correr fuera de la cueva. Creb la vio marcharse, meneó la cabeza y recogió las cosas de Iza.

Ayla atravesó el río y corrió hacia una pradera donde Iza y ella habían estado anteriormente. Se detuvo ante un corro de malvarrosas de vivos colores sobre graciosos tallos y arrancó una brazada de distintos matices. Entonces recogió una milenrama parecida a la margarita que se empleaba para cataplasmas y contra los dolores. Corrió por bosques y prados recogiendo más plantas de las que Iza utilizaba en su magia curativa: cardos de hojas blancas con flores amarillas redondas y pálidas y pinchos amarillos, grandes hierbacanas amarillas y brillantes, jacintos tan azules que parecían negros.

Cada una de las plantas que iba recogiendo había encontrado en alguna ocasión el camino de la farmacopea de Iza, pero Ayla sólo escogía las que eran, además, bellas, de flores vistosas y olorosas. Ayla había vuelto a llorar al detenerse a la orilla de una pradera, con las flores en los brazos, recordando las veces que Iza y ella habían caminado juntas recogiendo plantas. Tenía los brazos tan llenos que le costaba trabajo llevarlas, pues no había traído consigo su canasta de recolectora. Algunas flores se le cayeron y se arrodilló para recogerlas; entonces vio las ramas enmarañadas de una centinodia, con sus florecillas, y casi sonrió ante la idea que acababa de ocurrírsele.

Metió la mano en su manto, sacó un cuchillo y cortó una rama de la planta. Bajo el cálido sol de principios del otoño, Ayla se sentó a la orilla de la pradera trenzando los tallos de las bellas plantas floridas entre y en torno a la red de tallos que servía de base, hasta que la rama entera fue un derroche de color.

Todo el clan se quedó atónito al ver a Ayla avanzar por la cueva con su florida guirnalda. Fue directamente al fondo de la cueva y la dejó caer junto al cadáver de la curandera, que estaba tendido de costado en la poco profunda zanja dentro de un óvalo de piedras.

–¡Éstos eran los instrumentos de Iza! –señaló Ayla retadoramente con gestos, como si desafiara a que le llevaran la contraria.

El viejo mago asintió. «Tiene razón, pensó. Éstos fueron los instrumentos de Iza, los que conocía, con los que trabajó toda su vida. Puede sentirse feliz de tenerlos en el mundo de los espíritus. Yo me pregunto, ¿se criarán flores allí?»

Los utensilios de Iza, los demás objetos y las flores fueron colocados en la tumba con la mujer, y el clan comenzó a amontonar las piedras alrededor y por encima de su cuerpo mientras Mog-ur hacía gestos invocando al Espíritu del Gran Ursus y al tótem de la mujer, la Saiga, para que guiaran el espíritu de Iza a salvo al otro mundo.

–¡Esperad! –interrumpió repentinamente Ayla–, se me ha olvidado algo. –Regresó al hogar y buscó su bolsa de medicinas, de donde sacó cuidadosamente las dos mitades del antiguo tazón de la curandera. Volvió a toda prisa y colocó las piezas en la tumba junto al cuerpo de Iza–. He pensado que puede querer llevárselo, ahora que ya no sirve.

Mog-ur aprobó con un gesto. Era lo correcto, mucho más correcto de lo que nadie pudiera saber; entonces reanudó sus gestos. Una vez que quedó colocada la última piedra, las mujeres del clan comenzaron a poner leña alrededor y encima del montón de piedras. Se empleó una brasa del fuego de la cueva para encender el fuego donde preparar el festín funerario de Iza. Los alimentos se cocinaron encima de su tumba y el fuego seguiría ardiendo varios días. El calor del fuego eliminaría toda la humedad del cuerpo, disecándolo, momificándolo y quitándole el olor.

Cuando prendieron las llamas, Mog-ur inició un último y elocuente lamento mediante movimientos que conmovieron el alma de todos los miembros del clan. Habló al mundo de los espíritus del amor que sentían por la curandera que les había atendido, cuidado y ayudado en la enfermedad y el dolor, tan misteriosos para ellos como la muerte. Eran gestos rituales, repetidos esencialmente de la misma manera en cada funeral; algunos de los movimientos se empleaban fundamentalmente durante las ceremonias masculinas y eran desconocidos para las mujeres, pero su significado se transmitía claramente. Si bien la forma externa era convencional, el fervor, la convicción y la pena inefable del gran hombre santo impregnaban los gestos oficializados de un significado que iba mucho más allá de la forma pura y simple.

Con los ojos secos, Ayla miraba, por encima del fuego que danzaba, los graciosos movimientos del hombre manco y tullido, y sentía las emociones de él como si fueran las suyas propias. Mog-ur estaba expresando su pesar y ella se identificaba totalmente con él como si el mago hubiera penetrado en ella y hablara con su cerebro, sintiera con su corazón. Pero no era ella la única que sentía como propia la pena manifestada por Creb. Ebra comenzó a lamentar su dolor y las demás mujeres también. Uba, con Durc en brazos, sintió que un agudo gemido sin palabras se formaba en su garganta y, con un estallido de alivio, se unió al lamento compasivo. Ayla miraba sin ver, demasiado sumida en la profundidad de su pesadumbre para expresarlo. Ni siquiera podía encontrar el alivio de las lágrimas.

No sabía cuánto tiempo llevaba contemplando el resplandor hipnótico de las llamas con ojos ciegos. Ebra tuvo que sacudirla para que reaccionara; entonces dirigió una mirada vacía hacia la compañera del jefe.

—Ayla, come algo. Es el último festín que hemos de compartir con Iza.

Ayla aceptó el plato de madera con alimentos, metió automáticamente un trozo de carne en la boca y estuvo a punto de ahogarse al intentar tragarlo. De repente, se puso en pie y salió corriendo de la cueva. Enceguecida, tropezó con piedras y maleza. Al principio sus pies iban a llevarla por el camino familiar hasta una alta pradera montañosa y una pequeña cueva que le habían brindado refugio y seguridad en otros tiempos. Pero se apartó; desde que le había mostrado el lugar a Brun, ya no le parecía suyo, y su última visita encerraba recuerdos demasiado tristes. En cambio, trepó por el risco que protegía la cueva contra los vientos del norte que aullaban montaña abajo en invierno y desviaba los fuertes vientos del otoño.

Sacudida por ráfagas, Ayla cayó de rodillas al llegar arriba y allí, sola con su dolor insoportable, se abandonó a la angustia en forma de un gemido quejoso y modulado mientras se balanceaba al ritmo de su corazón dolorido. Creb salió de la cueva cojeando tras ella, la vio recortarse contra las nubes que el crepúsculo matizaba y oyó el gemido lejano y débil. Por muy grande que fuera su propio dolor, no podía comprender que la joven rechazara el alivio de la compañía en su pena, su encierro dentro de sí misma. Su discernimiento habitual estaba embotado por su propia pena; no comprendía que ella sufría de algo más que de pena.

La culpabilidad embargaba su alma: se echaba la culpa de la muerte de Iza. Había abandonado a una enferma para ir a una Reunión del Clan; era una curandera que había abandonado a alguien que la necesitaba, a alguien a quien amaba. Se echaba la culpa de que Iza hubiera ido a la montaña a buscar una raíz que le ayudara a ella a conservar el bebé que tan desesperadamente deseaba, lo que había desatado la enfermedad casi mortal que debilitó a la mujer. Se sintió culpable por el dolor que había ocasionado inconscientemente a Creb cuando siguió las luces hasta la pequeña cámara de la montaña allá en el este. Más que por el pesar y la culpabilidad, estaba débil por la falta de alimento y a causa de la fiebre producida por la leche acumulada en sus pechos hinchados y doloridos. Pero, por encima de todo, sufría una depresión que Iza podría haberla ayudado a superar de haber estado allí. Ayla era una curandera dedicada a aliviar el dolor y a salvar la vida, e Iza era la primera paciente que se le había muerto.

Lo que más necesitaba Ayla era su bebé. No sólo necesitaba alimentarlo, necesitaba las exigencias de sus cuidados para devolverla a la realidad, para hacerle comprender que la vida sigue. Pero cuando regresó a la cueva, Durc estaba dormido junto a Uba. Creb se lo había llevado a Oga de nuevo para que le alimentara. Ayla se revolvía en su lecho, sin poder dormir, sin darse cuenta siquiera de que lo que la mantenía despierta era la fiebre y el dolor físico. Su mente estaba demasiado introvertida, concentrada en su pena y en su sentimiento de culpa.

Cuando Creb se despertó, Ayla se había marchado ya. Había salido de la cueva y escalado de nuevo el risco. Creb podía verla de lejos y la observaba ansiosamente, pero no podía ver su debilidad ni su fiebre.

—¿Voy a buscarla? —preguntó Brun, tan desconcertado como Creb por la reacción de Ayla.

—Parece que prefiere estar sola. Tal vez haya que dejarla —respondió Creb.

Se quedó preocupado por ella cuando la perdió de vista y, por la noche, como no regresaba, pidió a Brun que fuera a buscarla. Cuando vio que el jefe la traía en brazos al regresar a la cueva, Creb lamentó no haber dejado que Brun hubiera ido a buscarla antes. La pena y la depresión se habían cobrado su tributo, la debilidad y la fiebre habían completado la obra. Ebra y Uba cuidaron a la curandera del clan. Deliraba, alternativamente tiritaba de frío y ardía de calentura. Gritaba en cuanto le rozaban los senos, por muy levemente que fuera.

—Va a quedarse sin leche –dijo Ebra a la muchacha–. Es demasiado tarde para que Durc pueda conseguir algo ahora; la leche está cuajada y el bebé no podrá chuparla.

—Pero Durc es demasiado pequeño para destetarle. ¿Qué va a ser de él? ¿Qué va a ser de ella?

Tal vez no hubiera sido demasiado tarde de haber vivido Iza o si Ayla hubiera estado lúcida. La propia Uba conocía las compresas que habrían ayudado, medicinas que podían servir, pero era joven y no estaba segura de sí misma, y Ebra se mostraba tan positiva... Para cuando bajó la fiebre, la leche de Ayla se había secado: ya no podía alimentar a su propio hijo.

—No quiero tener a ese mocoso deforme en mi hogar, Oga. ¡No lo quiero por hermano de tus hijos!

Broud estaba furioso, movía los puños y Oga estaba a sus pies, atemorizada.

—Pero, Broud, si sólo es un bebé; necesita mamar. Aga e Ika no tienen suficiente leche, no sería bueno para ellas que se quedaran con él. Yo tengo suficiente, siempre he tenido leche abundante. Si no se alimenta, morirá de hambre, Broud, morirá.

—Poco me importa que muera. Para empezar, nunca se le debería haber permitido vivir. No vivirá en este hogar.

Oga dejó de temblar y miró al hombre que era su compañero. No creía realmente que se negara a dejarle tener consigo al bebé de Ayla. Sabía que gritaría, disparataría y bramaría, pero estaba segura de que al final se lo permitiría. No podía ser tan cruel, no podía permitir que un bebé muriera de hambre por mucho que aborreciera a la madre de Durc.

—Broud, Ayla salvó la vida de Brac, ¿cómo puedes dejar morir a su hijo?

—¿No ha sido recompensada lo suficiente por haber salvado la vida a Brac? Se le ha permitido vivir, se le ha permitido incluso cazar. Nada le debo.

—No le fue permitido vivir; fue maldecida de muerte. Volvió del mundo de los espíritus porque su tótem lo quiso, porque la protegió –protestó Oga.

—Si hubiera sido debidamente maldecida, no habría vuelto y nunca habría dado a luz a ese mocoso. Si su tótem es tan fuerte, ¿por qué ha perdido la leche? Todos decían que su bebé sería infortunado. ¿Qué puede ser más infortunado que perder la leche de su madre? Y ahora quieres traer su mala suerte a este hogar. No lo permitiré, Oga. ¡Es definitivo!

–No, Broud –señaló–. No es definitivo. –Ya no tenía miedo. La expresión de Broud cambió a una sorpresa escandalizada–. Puedes impedir que Durc viva en tu hogar; es tu derecho y nada puedo hacer contra eso. Pero no puedes impedir que yo le amamante; es el derecho de toda mujer. Una mujer puede amamantar al bebé que quiera y ningún hombre se lo puede impedir. Ayla salvó la vida de mi hijo y yo no dejaré que muera el suyo. Durc será el hermano de mis hijos, tanto si te gusta como si no.

Broud se quedó pasmado; la negativa de su compañera a someterse a sus deseos era totalmente inesperada. Oga nunca se había mostrado insolente, nunca había sido irrespetuosa, nunca había dado muestras de desobediencia. Apenas podía creerlo; su asombro se convirtió en furor.

–¡Cómo te atreves a desafiar a tu compañero, mujer! ¡Haré que abandones este hogar! –atronó.

–Entonces cogeré a mis hijos y me marcharé, Broud. Suplicaré a otro hombre que me acepte. Tal vez Mog-ur me permita vivir con él si ningún otro hombre me quiere. Pero estoy decidida a amamantar al bebé de Ayla.

La única respuesta de Broud fue un fuerte puñetazo que la tumbó. Estaba demasiado cargado de ira para dar otra respuesta. Iba a seguir golpeándola, pero giró sobre sus talones. «Voy a ocuparme de esta falta flagrante de respeto», pensó, dirigiéndose al hogar de Brun.

–Primero contamina a Iza, ahora su obstinación se ha transmitido a mi compañera –gesticuló Broud en el momento en que pasó las piedras limítrofes–. He dicho a Oga que no quiero tener con nosotros al hijo de Ayla, le he dicho que no quiero a ese muchacho deforme como hermano de sus hijos. ¿Sabes lo que me ha dicho? ¡Que de todos modos lo criará! Ha dicho que no puedo impedírselo. Ha dicho que será hermano de sus hijos, me guste o no me guste. ¿Puedes creerlo?, ¿de Oga?, ¿de mi compañera?

–Tiene razón, Broud –dijo Brun con una calma controlada–. No le puedes impedir que le alimente. Qué bebé amamante una mujer no es asunto del hombre, nunca lo ha sido. Tiene cosas más importantes en que pensar.

Brun no estaba muy satisfecho con la violenta objeción de Broud. Era deshonroso para Broud reaccionar tan emocionalmente sobre cuestiones que atañían sólo a las mujeres. ¿Y quién más podría hacerlo? Durc era del clan, especialmente después del Festival del Oso. Y los del clan siempre atendían a los suyos. Ni siquiera la mujer que venía de otro clan y nunca tuvo un solo hijo quedó abocada a morirse de hambre cuando su compañero falleció. Podía carecer de valor, podía ser una carga, pero mientras hubo alimentos en el clan, tuvo comida suficiente.

Broud podía negarse a aceptar a Durc en su hogar; eso imponía la responsabilidad de proveer para él y adiestrarle junto con los hijos de Oga. Eso no hacía muy feliz a Brun, pero no tenía nada de anormal. Todos sabían cuáles eran sus sentimientos respecto a Ayla y su hijo. Pero ¿por qué había de oponerse a que su compañera amamantara al niño, si todos eran de un mismo clan?

–¿Quieres decir con eso que Oga puede ser tercamente desobediente y salirse con la suya? –preguntó Broud, furioso.

–¿Y eso a ti qué te importa, Broud? ¿Quieres que muera el niño? –preguntó Brun. Broud se puso colorado ante aquella pregunta tan directa–. Es del clan, Broud. A pesar de su cabeza deforme, no parece retrasado. Crecerá y será un cazador. Éste es su clan. Incluso ya tiene prometida una compañera, y tú estuviste de acuerdo. ¿Por qué te muestras tan exaltado ante la idea de que tu compañera amamante al bebé de otra mujer? ¿Todavía te sientes beligerante respecto a Ayla? Eres un hombre, Broud; lo que le ordenes tiene que ejecutarlo. Y ella te obedece. ¿Por qué compites con una mujer? Te menosprecias a ti mismo. ¿O estoy equivocado? ¿Eres un hombre, Broud? ¿Eres lo suficientemente hombre para liderar este clan?

–Es que no quiero que un niño deforme sea hermano de los hijos de mi compañera –señaló Broud con un gesto poco convincente. Era una menguada excusa, pero no dejaba de encerrar una amenaza.

–Broud, ¿qué cazador no ha salvado la vida de otro? ¿Qué hombre no lleva una parte del espíritu de todos los demás? ¿Qué hombre no es hermano de los demás? ¿Importa que Durc sea hermano de los hijos de tu compañera ahora o después de que crezcan? ¿Por qué te opones?

Broud no tenía respuesta, ninguna respuesta que fuera aceptable para el jefe. No podía admitir su devastadora animadversión contra Ayla; sería admitir que no era suficientemente hombre para ser jefe. Lamentaba haber ido a ver a Brun: «Debería haberlo recordado, pensó. Siempre se pone de su parte. Estaba tan orgulloso de mí en la Reunión del Clan... Y ahora, por culpa de ella, vuelve a dudar».

–Bueno, no me importa que Oga le amamante –indicó Broud–, pero no le quiero en mi hogar. –Sabía que sobre ese punto estaba en su derecho y no iba a ceder–. Puedes pensar que no es retrasado, pero yo no estoy tan seguro. No quiero tener la responsabilidad de su educación. Dudo mucho de que llegue a ser un cazador.

–Como tú quieras, Broud. Yo asumí la responsabilidad de su educación y tomé esa responsabilidad antes de aceptarle. Pero le acepté. Durc es miembro de este clan y será cazador. Yo me encargo de eso.

Broud regresó a su hogar, pero vio que Creb llevaba nuevamente a Durc a Oga y volvió a salir de la cueva. No desahogó su ira hasta que estuvo seguro de encontrarse suficientemente lejos de la vista de Brun. «Todo es culpa de ese viejo inútil», se dijo, y trató de apartar ese pensamiento de su mente por miedo a que el mago pudiera, de alguna forma, saber lo que estaba pensando.

Broud temía a los espíritus, tal vez más que cualquiera de los hombres del clan, y su temor se extendía a aquel que los trataba tan íntimamente. Al fin y al cabo, ¿qué podía hacer un cazador contra toda la formación de seres incorpóreos capaces de causar mala suerte, enfermedad o muerte, y qué podía hacer contra el hombre que tenía el poder de llamarlos a su voluntad? Broud acababa de volver de una Reunión del Clan en la que pasó muchas noches con jóvenes de otros clanes que trataban de asustarse unos a otros con historias de desdichas causadas por mog-ures a quienes se había incomodado. Lanzas que se volvían en el último instante impidiendo cobrar la pieza, terribles enfermedades que causaban dolor y sufrimiento, puñaladas, palizas, todo tipo de calamidades aterradoras que eran atribuidas a magos iracundos. Las historias de terror no eran tan comunes en su propio clan, pero, de todos modos, el Mog-ur era el mago más poderoso de todos.

Aun cuando hubo veces en que el joven lo consideró más digno de burla que de respeto, el cuerpo del Mog-ur y su rostro tuerto y horriblemente cubierto de cicatrices le hacían más imponente. A quienes no le conocían, se les antojaba inhumano, tal vez parcialmente demoníaco. Broud había capitalizado el temor de los demás jóvenes, disfrutando de su expresión de incrédulo pavor cuando presumía de que no temía al Gran Mog-ur. Pero a pesar de su jactancia, las historias le habían impresionado. La veneración del clan por el viejo tambaleante que no podía cazar incitaba a Broud a mostrarse más cauteloso respecto a su poder.

Siempre que soñaba con el momento en que sería jefe, pensaba en Goov como su mog-ur. Goov tenía casi su edad y era un compañero de cacería demasiado íntimo como para que Broud

503

considerara al futuro mago de la misma manera. Estaba seguro de poder convencer o coaccionar al acólito para que aceptara sus decisiones, pero ni siquiera se le ocurría enfrentarse al Mog-ur.

Mientras Broud iba caminando por los bosques próximos a la cueva, tomó una decisión firme: nunca más permitiría que el jefe pudiera dudar de él, nunca más volvería a poner en peligro el destino que estaba a punto de ver realizarse. «Pero cuando sea jefe, pensó, yo tomaré las decisiones. Ella ha puesto a Brun en mi contra, incluso a Oga, mi propia compañera. Pero cuando yo sea jefe, poco importará que Brun se ponga de su parte, ya no podrá seguir protegiéndola.» Broud recordaba cada perjuicio que le había causado, cada vez que había eclipsado su gloria, cada desaire contra su ego. Se recreaba sobre todo ello, saboreando anticipadamente la idea de hacérselo pagar. Podía esperar. «Algún día, se decía a sí mismo, algún día, y muy pronto, lamentará haber venido a vivir a este clan.»

Broud no era el único que echaba la culpa al viejo tullido; también Creb se echaba la culpa de que Ayla hubiera perdido la leche. Poco importaba que fuera suya la culpa de tan desastrosos resultados. Lo que pasaba era que no había comprendido cómo funcionaba el cuerpo de la mujer; había tenido muy poca experiencia con mujeres. Sólo a edad avanzada había llegado a establecer un contacto estrecho con una madre y un bebé. No se había percatado de que cuando una madre amamantaba al bebé de otra, el favor era compensado más por consideración hacia ella que para descargarla de una obligación. Nadie se lo había dicho, nadie tuvo que decírselo hasta que ya fue demasiado tarde.

Se preguntaba por qué le habría caído aquella terrible calamidad. ¿Sería solamente porque su hijo tenía mala suerte? Creb buscaba razones y en su introspección cargada de culpabilidad comenzó a poner en duda sus propios motivos. ¿Sería la suya una preocupación sincera o deseaba hacerle daño como ella se lo había hecho inadvertidamente a él? ¿Era digno de su gran tótem? ¿Se habría rebajado el Mog-ur a una venganza tan mezquina? Si él era un ejemplo de su más elevado hombre santo, tal vez su pueblo mereciera perecer. El convencimiento de que su raza estaba condenada, la muerte de Iza y su culpa por la pena que había causado a Ayla le sumían en una desalentadora melancolía. La prueba más difícil en toda la vida de Mog-ur estaba llegando a su fin.

Ayla no le echaba la culpa a Creb, se echaba la culpa a sí misma, pero ver que otra mujer amamantaba a su hijo era más de lo que podía soportar. Oga, Aga e Ika habían ido a verla y a decirle que alimentarían a Durc, y les estaba agradecida, pero casi siempre era Uba quien se lo llevaba a una de ellas y permanecía allí hasta que el niño quedaba satisfecho. Al perder su leche, Ayla perdió una parte importante de la vida de su hijo. Seguía llorando la muerte de Iza y se echaba la culpa de que hubiera muerto, y Creb se había retirado tan dentro de sí mismo que no podía llegar a él y temía intentarlo. Pero todas las noches, cuando se llevaba a Durc a su lecho, se sentía agradecida a Broud: su negativa a aceptarlo en su hogar significaba que ella no lo había perdido del todo.

Al comenzar a reducirse los días del otoño, Ayla volvió a tomar su honda como excusa para salir sola. Había cazado tan poco el año anterior que su habilidad estaba algo menguada, pero, con la práctica, recuperó la precisión y la rapidez. La mayor parte del tiempo salía temprano por la mañana y volvía tarde, dejando a Durc al cuidado de Uba; sólo lamentaba que el invierno se abatiera tan pronto sobre ellos. El ejercicio le venía muy bien, pero tuvo que superar un problema: no había cazado mucho después de desarrollarse plenamente como mujer, y sus pesados senos, que oscilaban a cada paso, la fastidiaban cuando corría o brincaba. Observó que los hombres llevaban taparrabos para proteger sus desnudos y delicados órganos. Para sostener su pecho en su sitio se hizo una banda atada a la espalda. Era más cómodo para ella y le traían sin cuidado las miradas curiosas que le echaban cuando la llevaba puesta.

Aunque la caza fortalecía su cuerpo y ocupaba su mente mientras estaba fuera, seguía soportando su carga de duelo y pena. Para Uba era como si la dicha hubiera abandonado el hogar de Creb. Echaba de menos a su madre, y tanto Creb como Ayla estaban rodeados de un aura de tristeza perpetua. Sólo Durc, con sus ademanes infantiles y espontáneos, le recordaba algo de la felicidad que anteriormente había tenido como cosa natural. Había ocasiones en que hasta a Creb le sacaba de su letargo.

Ayla había salido temprano y Uba se había alejado del hogar en busca de algo que había en el fondo de la cueva. Oga acababa de traer a Durc y Creb tenía su ojo puesto en el niño. Éste se sentía lleno y satisfecho, pero no tenía sueño; gateó hasta donde estaba el viejo y se puso en pie sobre sus piernas inseguras y tambaleantes, agarrándose a Creb para sostenerse.

–De modo que pronto echarás a andar –señaló Creb–. Antes de que termine el invierno estarás corriendo por la cueva, jovencito.

Creb le rascó la barriguita para dar énfasis a sus gestos; las comisuras de la boca de Durc se elevaron y el niño produjo un sonido que Creb sólo había oído a otra persona en el clan: reía. Creb volvió a rascarle y el niño repitió con más intensidad su risa entrecortada de bebé, perdió el equilibrio y cayó sentado sobre su firme traserito. Creb le ayudó a ponerse en pie de nuevo y miró al niño como nunca antes le había mirado.

Las piernecitas de Durc estaban arqueadas, pero no tanto como las de los demás bebés del clan; y aunque las tenía regordetas, Creb podía ver que los huesos eran más largos y delgados. «Creo que las piernas de Durc van a ser rectas cuando crezca, como las de Ayla, y también será alto. Y su cuello, tan delgado y larguirucho al nacer que no podía sostener su cabeza, es igual que el cuello de Ayla. Pero su cabeza no es como la de ella, ¿o sí? Esa frente alta es la de Ayla. –Creb hizo girar la cabeza de Durc para verla de perfil–. Sí, decididamente su frente sí lo es, pero las cejas y los ojos son del clan, y también su nuca es más como la del clan.

»Ayla tenía razón: no es deforme, es una mezcla de ella y el clan. Me pregunto si siempre será así. ¿Se mezclan los espíritus? Tal vez sea eso lo que hace a las muchachas, no un débil tótem masculino. ¿Se iniciará la vida con una mezcla de espíritus totémicos masculino y femenino?» Creb sacudió la cabeza; no lo sabía, pero eso dio que pensar al viejo mago. Pensó a menudo en Durc durante aquel frío invierno. Tenía la sensación de que Durc era importante, pero el porqué se le escapaba.

27

–Pero, Ayla, yo no soy como tú. Yo no sé cazar. ¿Adónde iré cuando oscurezca? –imploraba Uba–. Ayla, tengo miedo.

La cara asustada de la joven inspiraba a Ayla el deseo de ir con ella. Uba no tenía aún ocho años y la idea de pasarse los días sola lejos de la seguridad de la cueva la aterraba, pero el espíritu de su tótem había librado batalla por vez primera y así debía ser; no quedaba más remedio.

–¿Recuerdas la pequeña cueva en que me escondía cuando nació Durc? Ve allí, Uba. Será más seguro que quedarte al descubierto. Iré a verte todas las tardes y te llevaré de comer; sólo son unos pocos días, Uba. Asegúrate de llevar contigo una piel para dormir y una brasa para prender fuego; hay agua cerca. Será solitario, especialmente de noche, pero estarás bien. Y piénsalo: ahora eres una mujer. Pronto te aparearás y quizá tengas un bebé propio antes de mucho. –Fue el consuelo que Ayla le proporcionó.

–¿A quién crees que escogerá Brun para mí?

–¿A quién te gustaría que escogiera, Uba?

–Vorn es el único hombre sin aparear, aunque estoy segura de que Borg también lo será pronto. Naturalmente, puede decidir darme por segunda mujer a uno de los demás. Creo que me gustaría Borg. Solíamos jugar juntos a que estábamos apareados, hasta que una vez trató de aliviar realmente sus necesidades conmigo. No funcionó del todo bien, ahora se muestra tímido y, como está a punto de convertirse en hombre, no quiere seguir jugando con las muchachas. Pero Ona es una mujer también y no se puede aparear con Vorn. Como Brun no decida dársela a un hombre que tenga ya compañera, no queda nadie más que Borg para ella. Supongo que eso significa que mi compañero será Vorn.

–Vorn es hombre desde hace algún tiempo ya y probablemente a estas alturas estará deseando aparearse –dijo Ayla. Ella también había llegado a esa conclusión–. ¿Crees que te gustaría Vorn por compañero?

–Trata de actuar como si no me viera, pero a veces me mira. Tal vez no sea tan malo.

–A Broud le gusta; probablemente sea algún día segundo-almando. No necesitas preocuparte por la posición, pero sería bueno para tus hijos. Cuando era más joven no me gustaba Vorn, pero creo que tienes razón; incluso es amable con Durc cuando Broud no anda cerca.

–Todo el mundo es amable con Durc, menos Broud –dijo Uba–. Todos le quieren.

–Bueno, la verdad es que se encuentra como en su casa en todos los hogares. Está tan acostumbrado a que lo lleven a mamar de un lado a otro, que incluso llama «madre» a todas las mujeres –indicó Ayla con una fugaz contracción de la frente. Una sonrisa rápida sustituyó su expresión de infelicidad–. ¿Recuerdas aquella vez que fue al hogar de Grod como si viviera allí?

–Lo recuerdo; traté de no mirar, pero no pude remediarlo –recordó Uba–. Pasó por delante de Ovra, la saludó y la llamó «madre», se fue derecho a Grod y se subió a su regazo.

–Ya sé –dijo Ayla–. Nunca he visto a Grod tan sorprendido en mi vida. Entonces se bajó y fue por las lanzas de Grod. Estaba segura de que Grod se enfadaría, pero no pudo resistir a un chiquillo tan descarado cuando comenzó a tirar de la lanza más grande que tenía. Y cuando Grod se la quitó de las manos dijo: «Durc caza como Grod».

–Creo que Durc era muy capaz de llevarse a rastras aquella pesada lanza hasta fuera de la cueva, si Grod le hubiera dejado.

–Se lleva a la cama la lanza pequeña que le ha hecho Grod –señaló Ayla, sin dejar de sonreír–. Ya sabes que Grod no habla mucho, pero me sorprendió al verle llegar el otro día. Apenas me saludó: sin más se fue derecho hacia Durc, le puso la lanza en las manos e incluso le enseñó a sostenerla. Al marcharse, lo único que dijo fue: «Si el niño desea tanto cazar, debe tener su propia lanza».

–Es una lástima que Ovra no haya tenido hijos. Creo que a Grod le gustaría que la hija de su compañera tuviera un bebé –dijo Uba–. Tal vez por eso Grod quiere a Durc, porque no depende de hombre alguno. También Brun le quiere, estoy segura; y Zoug ya le está enseñando a usar la honda. No creo que vaya a tener problemas para aprender a cazar, aun cuando no hay hombre en el hogar que pueda educarle. Por la manera en que los hombres actúan, cualquiera diría que cada uno de ellos es el compañero de su madre, menos Broud —se detuvo—. Tal vez así sea, Ayla. Dorv dijo siempre que se combinaron los tótems de cada uno de los hombres para derrotar a tu León Cavernario.

—Creo que será mejor que te vayas, Uba —dijo Ayla cambiando de tema—. Te acompañaré parte del camino. Ha dejado de llover y creo que las fresas están maduras. Hay una buena mancha de ellas en el camino. Iré a verte más tarde.

Goov pintó el símbolo del tótem de Vorn sobre el símbolo del tótem de Uba con pasta ocre amarillo, emborronando la señal de ella y mostrando el predominio de él.

—¿Aceptas a esta mujer por compañera? —señaló Creb.

Vorn tocó el hombro de Uba y ésta le siguió cueva adentro. Entonces Creb y Goov llevaron a cabo el mismo ritual para Ona y Borg, quienes se fueron a su nuevo hogar para comenzar el período de aislamiento. Los árboles vestidos de verano, de un tono más claro de lo que sería más adelante, se agitaban bajo la suave brisa cuando se deshizo el grupo. Ayla cogió a Durc para llevárselo a la cueva, pero él se revolvió para que lo dejara en el suelo.

—Está bien, Durc —le indicó por señas—, puedes andar, pero ven a tomar un poco de caldo y de papilla.

Mientras preparaba el desayuno, su hijo dejó el hogar y se dirigió al nuevo hogar ocupado ahora por Uba y Vorn, pero Ayla corrió tras él y se lo trajo.

—Durc quiere ver a Uba —insistió el niño.

—No puedes, Durc. Nadie puede visitarla por algún tiempo. Pero si te portas bien y comes tu papilla, te llevaré de cacería.

—Durc se porta bien. ¿Por qué no puede ver Uba? —preguntó el niño, calmado ante la promesa de acompañar a su madre—. ¿Por qué Uba no viene a comer con nosotros?

—Ya no vive aquí, Durc. Está apareada con Vorn —explicó Ayla.

Durc no era el único que echaba de menos a Uba. Los demás también. El hogar parecía vacío con sólo Creb, Ayla y el niño, y la tensión entre el viejo y la joven era más palpable. No habían encontrado la manera de superar sus remordimientos mutuos por el daño que se habían causado el uno al otro. Muchas veces, cuando veía Ayla al viejo mago sumido en su profunda melancolía, sentía deseos de acercársele, rodear su cabeza blanca y melenuda con sus brazos, y abrazarlo como cuando era pequeña. Pero se contenía, renuente a obligarle a aceptarla.

Creb echaba de menos el afecto, aunque no se percataba de que su carencia contribuía a su depresión. Y muchas veces, cuando Creb veía la pena que Ayla sentía al observar cómo otra mujer amamantaba a su hijito, habría querido acercarse a ella. De haber vivido Iza, habría encontrado la manera de reunirlos de nuevo, pero sin aquel catalizador, se iban distanciando uno de otro, deseosos de mostrar el amor que sentían y sin saber cómo cerrar la brecha que los separaba. Los dos se sintieron incómodos durante el primer desayuno sin Uba.

–¿Quieres más, Creb? –preguntó Ayla.

–No. No. No te preocupes, ha sido suficiente –respondió. Se quedó mirando cómo lavaba los platos mientras Durc se servía de nuevo con ambas manecitas y una cuchara de concha. Aunque sólo tenía poco más de dos años, ya estaba prácticamente destetado. Todavía se acercaba a Oga, y a Ika, ahora que ésta tenía otro bebé, para mamar un poco y sentir mimo y cariño, y porque se lo permitían. Por lo general, cuando nacía un nuevo bebé, los niños mayores que todavía mamaban eran apartados, pero Ika hizo una excepción con Durc. El niño parecía comprender que no debía abusar de su privilegio; nunca la agotaba, nunca privaba de leche a su nuevo bebé; tan sólo se quedaba en brazos unos momentos como para demostrar que tenía derecho.

También Oga se mostraba indulgente con él, y aun cuando Grev había superado técnicamente su año de lactante, se aprovechaba de la tolerancia de su madre. A menudo se les veía a los dos en el regazo de ella, cada uno mamando de un pecho, hasta que su interés mutuo superaba a su deseo de mimos, y entonces se ponían a jugar. Durc era tan alto como Grev aunque no tan corpulento; y aunque Grev solía ganar a Durc en sus peleas amistosas, Durc dejaba atrás al muchacho mayor cuando se trataba de correr. Ambos eran inseparables, se juntaban tan pronto como se presentaba la oportunidad.

–¿Vas a llevarte al niño? –preguntó Creb después de un silencio incómodo.

–Sí –asintió la joven, limpiando la cara y las manos del niño–. He prometido llevármelo de caza. No creo que pueda cazar mucho con él, pero también necesito recoger hierbas y el día es hermoso.

Creb dio un gruñido.

–También tú deberías salir un poco, Creb –agregó–. El sol te vendrá muy bien.

–Sí, sí, saldré, Ayla, más tarde.

Durante un instante pensó en obligarle a salir de la cueva ofreciéndole dar un paseo junto al río como solían hacer antes, pero ya parecía que el viejo se hubiera encerrado en sí mismo. Le dejó sentado donde estaba, cogió a Durc y salió rápidamente. Creb no alzó la vista hasta que estuvo seguro de que se había ido; tendió la mano hacia su bastón, pero decidió que el esfuerzo de levantarse era demasiado grande y lo dejó donde estaba.

Ayla estaba preocupada por él mientras echaba a andar con Durc apoyado en su cadera y su canasto de recolectora sujeto a la espalda. Se daba cuenta de que el poder mental del Mog-ur estaba decreciendo, parecía más distraído que nunca y repetía preguntas a las que ella ya le había contestado. Apenas se movía para salir de la cueva, ni siquiera cuando hacía sol y calor. Y cuando permanecía sentado durante largas horas sumido en lo que él llamaba meditación, a veces se quedaba dormido.

Ayla aceleró el paso una vez que perdió de vista la cueva. La libertad de movimientos y la belleza del día estival alejaron sus preocupaciones a una parte más recóndita de su mente. Dejó que Durc caminara cuando llegaron a un calvero y se agachó para recoger algunas plantas. El niño la observó y después cogió un puñado de hierba y alfalfa de flores púrpura y lo arrancó de raíz. Después se lo llevó bien apretado en su minúsculo puño.

–Eres una gran ayuda, Durc –le indicó, tomándolo de su mano y depositándolo en el canasto que tenía al lado.

–Durc, trae más –indicó, y volvió a alejarse.

Ayla se sentó sobre los talones a mirar cómo su hijo tiraba de un puñado más grande; de repente éste cedió y el niño cayó sentado. Empezó a hacer pucheros como si fuese a llorar, más sorprendido que dolorido, pero Ayla corrió hacia él, le alzó y le lanzó por el aire, recibiéndole de nuevo en sus brazos. Durc reía alborozado. Ayla le dejó en el suelo y fingió correr tras él para atraparle.

–A que te alcanzo –señaló.

Durc corrió con sus piernecitas de bebé, riendo. Le dejó tomar la delantera y corrió tras él gateando, agarrándole y poniéndole encima de ella, mientras ambos reían. Le hizo cosquillas sólo para oírle reír de nuevo.

Ayla nunca reía con su hijo a menos que ambos estuvieran solos, y Durc no tardó en comprender que nadie más apreciaba ni aprobaba sus sonrisas y sus risas. Aun cuando Durc hacía el gesto de «madre» a todas las mujeres del clan, dentro de su corazoncito sabía que Ayla era especial. Siempre se sentía más feliz con ella que con nadie, y le gustaba que le llevara cuando iba sola, sin las demás mujeres. Y también le gustaba el juego que sólo su madre y él sabían.

–Ba-ba-na-ni-ni –decía Durc.

–Ba-ba-na-ni-ni –repetía Ayla en voz alta las sílabas sin sentido.

–No-na-ni-ga-gu-la –vocalizaba Durc otra serie de sonidos.

Ayla volvía a imitarle y le hacía cosquillas. Le encantaba oírle reír. Siempre reía ella también. Entonces ella emitía una serie de sonidos, unos sonidos que le agradaba oírle más que ningún otro; no sabía por qué, sólo que despertaban en ella una sensación de ternura tan grande que casi se le llenaban los ojos de lágrimas.

–Ma-ma-ma-ma –decía Ayla.

–Ma-ma-ma-ma –repetía Durc. Ayla rodeó a su hijito con sus brazos y le estrechó contra su cuerpo–. Ma-ma –repitió Durc.

Se agitó para liberarse; sólo le gustaba estar abrazado a ella a la hora de dormir. Ayla se secó una lágrima; las lágrimas eran una peculiaridad que su hijo no compartía con ella. Los ojos grandes y morenos de Durc, profundamente hundidos bajo unos pesados arcos ciliares, eran del clan.

–Ma-ma –dijo Durc. A menudo la llamaba con estas sílabas cuando estaban solos, especialmente si se las había recordado ella–. ¿Ahora cazas? –preguntó por señas.

Las últimas veces que salió con Durc había estado enseñándole a sostener la honda. Iba a hacerle una, pero Zoug se le adelantó; el viejo había dejado de salir, pero el placer que mostraba al tratar de enseñar al niño complacía también a Ayla. Aunque Durc era pequeño aún, Ayla podía ver que tendría la misma aptitud que ella con el arma, y él se enorgullecía tanto de su diminuta honda como de su pequeña lanza.

Le gustaba la atención que despertaba al caminar con una honda colgada de la correa que le rodeaba la cintura –lo único que llevaba puesto en verano además de su amuleto– y la lanza en la mano. También a Grev hubo que hacerle sus pequeñas armas. La pareja de niños arrancaba expresiones complacidas en los ojos del clan y comentarios acerca de lo apuestos que eran aquellos dos hombrecitos. Su papel futuro empezaba a definirse ya. Cuando Durc descubrió que una actitud autoritaria hacia las niñas era bien vista, e incluso aceptada benévolamente cuando se ejercía con las mujeres de más edad, nunca vaciló en pasarse de los límites, excepto con su madre.

Durc sabía que su madre era diferente. Era la única que se reía con él, la única que jugaba con él a los sonidos, sólo ella tenía aquella suave cabellera que le gustaba tocar. No podía recordar que le hubiera dado de mamar, pero no quería dormir más que con ella. Sabía que era mujer porque respondía a los mismos gestos que las demás mujeres, pero era mucho más alta que los hombres y cazaba. No estaba muy seguro de lo que era cazar, sólo que los hombres lo hacían y su madre. No encajaba en ninguna categoría; era mujer y no lo era, hombre y no lo era. Era única. El nombre que había comenzado a darle, el nombre hecho de sonidos, parecía ser el más adecuado. Era Mamá; y Mamá, la diosa de los cabellos de oro a la que adoraba, no asentía con aprobación si intentaba darle órdenes.

Ayla acomodó la pequeña honda de Durc en sus manecitas y, poniéndole las suyas encima, trató de mostrarle cómo usarla. Zoug había hecho lo mismo, y el niño empezaba a entender la idea. Entonces Ayla tomó la honda de su cinturón, buscó unos guijarros y los lanzó contra objetos cercanos. Cuando colocó piedras pequeñas sobre las rocas y procedió a derribarlas una y otra vez, Durc empezó a divertirse; fue tambaleándose en busca de más piedras para que lo repitiera. Al cabo de un rato dejó de interesarse y Ayla volvió a recoger plantas mientras Durc la seguía. Encontraron algunas frambuesas y se detuvieron para comerlas.

—Estás todo sucio, hijo mío —señaló Ayla al verle todo cubierto de jugo rojo: la cara, las manos y la barriguita redonda. Le levantó, se lo puso bajo el brazo y lo llevó a un arroyo para lavarle. Después encontró una hoja grande, le dio forma de cono y la llenó de agua para beber ella y el niño. Durc bostezó y se frotó los ojos. La madre tendió su manto en el suelo, a la sombra de un gran roble, y se acostó junto a él hasta que se quedó dormido.

En la quietud de la tarde de verano, Ayla estaba sentada con la espalda pegada al árbol mirando cómo revoloteaban las mariposas y se detenían con las alas a la espalda y cómo zumbaban los insectos en perpetuo movimiento, y escuchando una sinfonía de gorjeos de alegres pajarillos. Su mente regresó a los sucesos de la mañana. «Espero que Uba sea dichosa con Vorn, pensó. Espero que sea bueno con ella. Todo ha quedado tan vacío desde que se fue, aunque no está lejos. Pero ya no es lo mismo. Ahora cocinará para su compañero y dormirá con él después del aislamiento. Ojalá tenga pronto un bebé; eso la hará feliz.

»Pero ¡y yo! Nadie ha venido nunca desde aquel clan para preguntar por mí. Tal vez no consigan encontrar nuestra cueva. De todos modos, no creo que estuvieran muy interesados. Me alegro. No tengo ganas de aparearme con un hombre desconocido.

Ni siquiera deseo a los que conozco, y ninguno de ellos me quiere. Soy demasiado alta; el mismo Droog apenas me llega a la barbilla. Iza se preguntaba si dejaría de crecer algún día. Empiezo a preguntármelo yo también. A Broud eso le irrita; no aguanta que haya a su lado una mujer más alta que él. Pero no me ha molestado para nada desde que volvimos de la Reunión del Clan. ¿Por qué me estremezco cada vez que me mira?

»Brun se está haciendo viejo; Ebra me ha estado pidiendo medicamentos para sus músculos doloridos y sus articulaciones agarrotadas; pronto traspasará el mando a Broud, lo sé. Y Goov será mog-ur. Cada vez se encarga de más ceremonias. No creo que Creb desee seguir siendo mog-ur, no desde aquella vez que les vi. ¿Por qué iría yo a la cámara aquella noche? Ni siquiera recuerdo cómo llegué hasta allí. Ojalá nunca hubiera ido a la Reunión del Clan. De no haber ido, habría mantenido con vida a Iza unos cuantos años más. La echo tanto de menos... y no encontré compañero, pero Durc sí.

»Es curioso que le fuera permitido vivir a Ura, casi como si estuviera destinada a ser la compañera de Durc. Hombres de los Otros, dijo Oda. ¿Quiénes serán? Iza dijo que nací de ellos, ¿por qué no recuerdo? ¿Qué le pasaría a mi verdadera madre? ¿A su compañero? ¿Tuve hermanos?» —Ayla sentía cierta incomodidad en la boca del estómago; no era exactamente una náusea, sino una sensación de incomodidad. Entonces, de repente, sintió que le hormigueaba el cuero cabelludo al recordar algo que Iza le había dicho la noche en que murió. Ayla lo había apartado de su mente, era demasiado doloroso para ella recordar la muerte de Iza.

«¡Iza me dijo que me marchara! Dijo que yo no era del clan, dijo que había nacido de los Otros. Me dijo que tenía que hallar a mi gente y encontrarme un compañero. Dijo que Broud encontraría la manera de lastimarme si me quedo. Al norte, dijo que viven al norte, más allá de la península, en el territorio continental.

»¿Cómo podría marcharme? Éste es mi hogar. No puedo abandonar a Creb y Durc me necesita. ¿Y si no puedo encontrar a los Otros? Y si los encuentro tal vez no me acepten. Nadie quiere a una mujer fea. ¿Cómo sé que encontraré a un compañero aun cuando halle a algunos de los Otros?

»Pero Creb se está haciendo viejo. ¿Qué será de mí cuando ya no esté? ¿Quién proveerá entonces para mí? No puedo vivir sólo con Durc, algún hombre tendrá que hacerse cargo de mí. ¿Pero quién? ¡Broud! Va a ser el jefe; si ninguno otro me quiere, tendrá que ser él. ¿Y si tuviera que vivir con Broud? Tampoco me querría, pero sabe que a mí no me gustaría. Lo haría precisamente porque no me gustaría. Yo no podría vivir con Broud, preferiría vivir con algún otro hombre que no conozco. De algún otro clan, pero ellos tampoco me quieren.

»Quizá debería marcharme. Podría coger a Durc e irnos los dos. Pero ¿y si no encuentro a ninguno de los Otros? ¿Y si algo llega a sucederme? ¿Quién se ocuparía de él? Se quedaría solo, lo mismo que yo; tuve suerte de que Iza me encontrara, tal vez Durc no fuera tan afortunado. No puedo llevármelo, ha nacido aquí, es del clan aun cuando también es una parte de mí. Tiene ya prometida su compañera. ¿Qué sería de Ura si yo me llevara a Durc? Oda la está adiestrando para que sea la compañera de Durc, le está diciendo que hay un hombre para ella aunque es deforme y fea. Durc necesitará de Ura también. Necesitará una compañera cuando sea mayor, y Ura es la que le conviene.

»Pero yo no podría vivir sin Durc. Prefería vivir con Broud a tener que dejar a Durc. Tendré que quedarme, no hay más remedio. Me quedaré y viviré con Broud si no hay otra solución.» –Ayla miró a su hijito dormido y trató de poner sus ideas en orden, de ser una buena mujer del clan y aceptar su sino. Una mosca se paró en la naricilla de Durc. Hizo muecas, se frotó la nariz en sueños y siguió durmiendo.

«De todos modos, no sabría adónde ir. ¿Al norte? ¿Qué significa eso? Todo está al norte de aquí, menos el mar, que está al sur. Podría pasarme el resto de mi vida vagando sin encontrarme con nadie. Y ellos pueden ser tan malos como Broud. Oda dijo que aquellos hombres la obligaron, que ni siquiera le dejaron poner a su hijita a un lado. Sería mejor quedarme aquí con un Broud al que conozco que con otro hombre que pudiera ser peor.

»Se hace tarde, será mejor que regrese.» –Ayla despertó a su hijito y, mientras volvía sobre sus pasos hacia la cueva, trató de apartar de su mente la idea de los Otros, pero interrogantes fugaces seguían insinuándosele. Una vez que los hubo recordado, no pudo ya olvidarse totalmente de los Otros.

–¿Estás ocupada, Ayla? –preguntó Uba. Tenía una expresión a la vez complacida y tímida, y Ayla adivinó por qué, pero decidió dejar que Uba se lo contara.

–No, no estoy muy ocupada. Acabo de mezclar algo de menta con alfalfa y quería probar a qué sabe. Puedo poner a calentar agua para hacer una infusión.

–¿Dónde está Durc? –preguntó Uba, mientras Ayla atizaba el fuego y agregaba más leña y unas piedras más.

–Está fuera con Grev; Oga los cuida. Esos dos siempre andan juntos –señaló Ayla.

–Será porque han mamado juntos. Son más íntimos que si fueran hermanos. Son casi como gemelos.

–Pero los gemelos suelen parecerse uno al otro, y éstos desde luego no. ¿Recuerdas aquella mujer, en la Reunión del Clan, que tenía dos gemelos? Yo no podía ver diferencia alguna entre ellos.

–A veces trae mala suerte tener dos gemelos, y cuando nacen tres a un tiempo no se les permite vivir. ¿Cómo podría amamantar una mujer tres al mismo tiempo si sólo tiene dos senos? –preguntó Uba.

–Con ayuda de muchas. Ya es bastante pesado para una mujer tener dos. Agradezco que Oga haya tenido siempre leche en abundancia, por el bien de Durc.

–Espero tener leche abundante –señaló Uba–. Ayla, creo que voy a tener un bebé.

–Eso pensé, Uba. No has tenido la maldición femenina desde que te apareaste, ¿no es cierto?

–No. Creo que el tótem de Vorn ha estado esperando mucho tiempo. Tiene que haber sido muy fuerte.

–¿Se lo has dicho ya?

–Iba a esperar a estar segura, pero él lo adivinó. Habrá observado que no estuve aislada. Está muy contento –señaló orgullosamente Uba.

–¿Es un buen compañero, Uba? ¿Eres feliz?

–¡Oh, sí, es un buen compañero, Ayla! Cuando descubrió que iba a tener un bebé, me dijo que había esperado mucho y que estaba contento de que no hubiera perdido tiempo comenzando uno. Dijo que me había pedido incluso antes de que fuera mujer.

–Es maravilloso, Uba –dijo Ayla.

No agregó que no había nadie más en el clan con quien pudiera haberse apareado, excepto con ella, Ayla. «Pero, ¿por qué habría de quererme? ¿Por qué iba a querer a una mujer alta y fea cuando podía tener una tan guapa como Uba, y además de la estirpe de Iza? ¿Qué me está pasando? Nunca he querido a Vorn por compañero. Supongo que debo estar pensando en lo que será de mí cuando se haya ido Creb. Tendré que cuidarlo mucho para que viva largo tiempo. Pero más bien parece que no tiene ganas de vivir. Casi no sale de la cueva. Si no hace un poco de ejercicio, no será capaz de salir de la cueva.»

–Ayla, ¿en qué estás pensando? ¡Has estado tan callada últimamente!

–Estaba pensando en Creb; me preocupa.

–Está envejeciendo. Es mucho mayor que madre, y ella se ha ido. Sigo echándola de menos, Ayla. No quiero pensar en cuando Creb se vaya al otro mundo.

–Lo mismo me pasa a mí, Uba –indicó Ayla con mucho sentimiento.

Ayla estaba inquieta. Cazaba con frecuencia y, cuando no cazaba, trabajaba con una energía incansable. No podía quedarse sin hacer nada. Escogió y ordenó sus plantas medicinales, corrió por la campiña para sustituir medicinas viejas o agotadas, después reorganizó el hogar. Tejió nuevas esteras y canastas, hizo tazones y fuentes de madera, recipientes de cuero rígido y de corteza de abedul, confeccionó nuevos mantos, curó y curtió pieles nuevas, hizo polainas, sombreros, protectores para pies y manos en previsión del próximo invierno. Impermeabilizó vejigas y estómagos para que sirvieran de recipientes de agua y demás líquidos, construyó un nuevo armazón firmemente asegurado con tendones y correas para sostener las pieles en que se guisaba por encima del fuego. Ahondó piedras planas para hacer lámparas de grasa con ellas, y secó nuevas mechas de musgo, talló una nueva serie de cuchillos, rascadores, sierras, punzones y hachas, recorrió la playa en busca de conchas para hacer cucharas, cucharones y platos pequeños. Cuando fue su turno, viajó con los cazadores para secar la carne, recogió frutas, semillas, bayas y verduras con las mujeres, aventó, tostó y molió granos hasta lograr una textura ultrafina de manera que resultara más fácil de masticar para Creb y Durc. Aun así, no conseguía aplacar sus ansias de actividad.

Creb se convirtió en el objeto de su intenso interés. Ayla le mimaba, se ocupaba de él como nunca anteriormente. Guisaba platos especiales para abrirle el apetito, hacía brebajes y cataplasmas medicinales, le obligaba a descansar al sol y a dar largas caminatas como ejercicio. Él parecía disfrutar de su atención y de su compañía y recobrar algo de su fuerza y su ánimo. Pero faltaba algo. La intimidad estrecha, el calor amigable, las largas charlas de los años pasados no se habían reanudado. Por lo general caminaban en silencio. La conversación que tenían era forzada y no había demostraciones espontáneas de afecto.

Creb no era el único que envejecía. El día en que Brun vio desde la loma cómo se alejaban los cazadores en la estepa hasta convertirse en diminutos puntos negros allí abajo, Ayla cobró súbitamente conciencia de cuánto había cambiado. Su barba no estaba entrecana, estaba gris, lo mismo que su cabello. Profundas arrugas surcaban su rostro, agrietando las comisuras de sus ojos. Su cuerpo fuerte y musculoso había perdido tonicidad, su piel estaba más flácida aunque el hombre seguía siendo fuerte. Volvió lentamente a la cueva y pasó el resto del día dentro de los límites de su hogar. En la siguiente cacería acompañó a los cazadores, pero la segunda vez que Brun se quedó atrás, Grod también se quedó: era un segundo muy leal.

Un día, casi al terminar el verano, Durc llegó corriendo a la cueva.

—¡Mamá! ¡Mamá! ¡Un hombre! ¡Viene un hombre!

Ayla corrió a la entrada de la cueva, con todos los demás, para observar al extraño que subía por el sendero de la costa.

—Ayla, ¿crees que venga a buscarte? —señaló Uba, muy excitada.

—No lo sé. No sé nada más que tú, Uba.

Los nervios de Ayla estaban de punta, y sus emociones eran complejas. Esperaba que el visitante procediera del clan de los parientes de Zoug, y temía que así fuera. El hombre se detuvo para hablar con Brun y acompañó al jefe hasta el hogar de éste. Poco después Ayla vio que Ebra se retiraba dirigiéndose directamente a ella.

—Brun te llama, Ayla —indicó.

El corazón de Ayla palpitó locamente, sentía que las rodillas se le doblaban y creía que no iban a sostenerla hasta el hogar de Brun. Se dejó caer a los pies de Brun; éste tocó su hombro.

—Éste es Vond, Ayla —dijo el jefe, señalando al visitante—. Ha viajado desde muy lejos para verte, desde el clan de Norg. Su madre está enferma y su curandera no ha podido ayudarla. Ha pensado que tal vez tú conozcas la magia que la alivie.

Ayla se había hecho una reputación de curandera hábil y con muchos conocimientos en la Reunión del Clan. El hombre había venido en busca de su magia, no de ella. El alivio que Ayla sintió fue mayor que su pesar. Vond se quedó tan sólo unos pocos días, pero traía noticias de su clan. El joven que había sido herido por el oso cavernario había pasado el invierno con ellos; se fue a principios de la primavera siguiente, caminando con sus dos piernas, y su cojera apenas se notaba. Su compañera había dado a luz un hijo saludable que fue llamado Creb. Ayla hizo algunas preguntas al hombre y preparó un paquete para que se lo llevara Vond, junto con las explicaciones para su curandera. No sabía si sus remedios resultarían más eficaces, pero había venido desde tan lejos que había que intentarlo.

Brun pensó en Ayla cuando Vond se fue. Había pospuesto cualquier decisión en lo concerniente a la joven mientras hubiera esperanzas de que algún otro clan pudiera considerarla aceptable. Pero si un mensajero había podido encontrar su cueva, también otros podrían hacerlo si querían. Al cabo de tanto tiempo no era ya posible hacerse ilusiones; habría que buscar una solución para ella en su mismo clan.

Pero Broud sería pronto jefe, y le correspondería a él encargarse de ella. Era preferible que la decisión partiera del mismo Broud, y mientras viviera Mog-ur no había por qué apresurarse. Brun decidió dejarle el problema al hijo de su compañera. «Parece haber superado sus violentas reacciones contra ella, pensó Brun. No ha vuelto a molestarla. Tal vez esté ya preparado, tal vez esté finalmente preparado.» Pero aún abrigaba el germen de una duda.

El verano llegó a su fin lleno de colores y el clan se acomodó al discurrir más lento de la estación fría. El embarazo de Uba progresó normalmente hasta pasado el segundo trimestre. Entonces se detuvieron los impulsos de la vida. La joven trató de ignorar el dolor creciente de su espalda y los tremendos calambres, pero cuando empezó a ver sangre, acudió a Ayla.

–¿Cuánto hace que no sientes movimientos, Uba? –preguntó Ayla, con el rostro hondamente preocupado.

–No hace muchos días, Ayla. ¿Qué voy a hacer? Vorn se puso tan contento de que la vida comenzara tan pronto después de nuestro apareamiento... No quiero perder a mi bebé. ¿Qué habrá pasado? Falta tan poco. Pronto estaremos en primavera.

–Yo no sé, Uba. ¿Recuerdas haberte caído? ¿Te has esforzado por levantar algo pesado?

–No creo, Ayla.

–Vuelve a tu hogar, Uba, y acuéstate. Coceré algo de corteza negra de abedul y te llevaré una infusión. Ojalá estuviéramos en otoño... buscaría esa raíz que Iza encontró para mí. Pero la nieve está demasiado alta para poder llegar muy lejos ya. Trataré de pensar en otra cosa; tú también piensa en ello, Uba. Sabes casi todo lo que Iza sabía.

–He estado pensando, Ayla, pero no puedo recordar nada que haga patalear a un bebé una vez que se ha detenido.

Ayla no supo contestar; dentro de su corazón sabía tan bien como Uba que no había esperanza y compartía la angustia de la joven.

Durante los siguientes días, Uba permaneció acostada esperando contra toda esperanza que algo viniera en su ayuda y sabiendo que no podía esperarlo. El dolor de su espalda se volvió casi insoportable y las únicas medicinas que lo aliviaban eran las que le hacían dormir con un sueño pesado que no la descansaba. Pero los calambres no se convertían en contracciones ni se desencadenaban los dolores del parto.

Ovra estaba casi viviendo en el hogar de Vorn, brindando su apoyo comprensivo. Había pasado tantas veces por la misma prueba que ella mejor que nadie podía comprender el dolor y el pesar de Uba. La compañera de Goov nunca había conseguido llevar un bebé a término, y se había vuelto más callada y retraída aún a medida que pasaban los años y seguía sin tener hijos. Ayla se alegraba de que Goov fuera tan bueno con ella. Muchos hombres la habrían repudiado o tomado una segunda mujer, pero Goov estaba muy encariñado con su compañera y no incrementaría su pesar tomando otra mujer que tuviera hijos para él. Ayla había comenzado a administrar a Ovra la medicina secreta que Iza le había recomendado para que su tótem no fuera derrotado. Era demasiado duro para la pobre mujer seguir teniendo embarazos que no terminaban en bebés. Ayla no le dijo para qué era la medicina, pero al cabo de algún tiempo, cuando Ovra dejó de concebir, lo adivinó; era mejor así.

En una fría y triste mañana de fines del invierno, Ayla examinó a la hija de Iza y tomó una decisión.

–Uba –dijo dulcemente. La joven abrió los ojos aureolados por unas ojeras oscuras que los hacían parecer más sumidos aún bajo sus arcos ciliares–. Ha llegado el momento del cornezuelo. Tenemos que iniciar las contracciones. Ya nada puede salvar a tu bebé, Uba. Si no sale, también tú vas a morir. Eres joven y podrás tener otro bebé –señaló Ayla.

–Está bien –asintió–. Tienes razón, ya no hay esperanzas. Mi bebé ha muerto.

El parto de Uba fue difícil. Era difícil conseguir que comenzaran las contracciones, y Ayla se mostraba reacia a suministrar algo demasiado fuerte contra el dolor por miedo a que se detuvieran del todo. Aunque las demás mujeres del clan hacían breves visitas para brindar su aliento y su apoyo, ninguna quiso quedarse mucho rato. Todas sabían que el dolor y el esfuerzo serían vanos. Sólo Ovra permaneció para ayudar a Ayla.

Cuando nació el niño muerto, Ayla lo envolvió rápidamente con el tejido placentario en la cobija de cuero preparada para el alumbramiento.

—Era niño —dijo a Uba.

—¿Puedo verlo? —preguntó la joven, agotada.

—Será mejor que no lo veas, Uba, sólo te hará sentirte peor. Tú descansa. Yo me desharé de todo en tu lugar, estás demasiado débil para levantarte.

Ayla dijo a Brun que Uba estaba demasiado débil y que ella misma se desharía del bebé, pero no dijo nada más. No era un hijo lo que Uba había parido, sino dos hijos que nunca habían logrado separarse debidamente. Sólo Ovra había visto aquella cosa, lamentable y repugnante, que apenas podía reconocerse como humana, con demasiados brazos y piernas y rasgos grotescos en una cabeza demasiado grande. Ovra tuvo que luchar para no devolver el contenido de su estómago y la propia Ayla tragó con dificultad.

No se trataba de las variaciones que ostentaba Durc en relación con las características del clan, parecidas a las de ella; esto era una deformidad. Ayla se alegraba de que la cosa toscamente informe no hubiera sobrevivido lo suficiente para que Uba lo pariera con vida. Sabía que Ovra nunca se lo diría a nadie. Era mejor que el clan creyera que Uba había dado a luz un niño normal, muerto, por el bien de Uba.

Ayla se puso su ropa de abrigo y echó a andar dificultosamente entre la nieve profunda hasta llegar muy lejos de la cueva. Abrió las envolturas y dejó todo expuesto. «Es mejor asegurarse de que toda evidencia quede destruida», pensó Ayla; y cuando volvía la espalda, pudo divisar con el rabillo del ojo un movimiento furtivo: el olor de la sangre había proporcionado ya los medios.

28

–¿Quieres dormir esta noche con Uba, Durc? –preguntó Ayla.

–¡No! –El niño meneó la cabeza enfáticamente–. Durc duerme con Mamá.

–Está bien, Ayla. Ya sabía yo que no iba a querer. Ha pasado todo el día conmigo –dijo Uba–. ¿De dónde ha sacado el nombre que te da, Ayla?

–Es un nombre que usa para mí –contestó Ayla, volviendo la cabeza. La censura del clan contra palabras o sonidos innecesarios había arraigado tan profundamente en Ayla desde su llegada que se sentía culpable por el juego de palabras que practicaba con su hijo. Uba no insistió, aunque comprendía que Ayla estaba callando algo.

–A veces, cuando salgo sola con Durc, hacemos sonidos juntos –admitió Ayla–. Ha aprendido de mí esos sonidos. Puede emitir muchos sonidos.

–Tú también puedes emitir sonidos. Madre decía que solías hacer toda clase de sonidos y palabras cuando eras pequeña, sobre todo antes de que aprendieras a hablar –señaló–. Todavía recuerdo que cuando yo era muy pequeña me gustaba ese sonido que hacías al mecerme.

–Supongo que lo hacía de pequeña, en realidad no lo recuerdo muy bien –indicó Ayla–. Durc y yo jugamos a eso y nada más.

–No creo que tenga nada de malo –dijo Uba–. No es como si no supiera hablar. Ojalá estas raíces no estuvieran tan podridas –agregó, al tiempo que desechaba una grande–. No va a ser un gran festín el de mañana, con sólo carne seca, pescado y verduras medio echadas a perder. Sólo con que Brun esperara un poco más, habría por lo menos algunas verduras y brotes.

–No es sólo Brun –dijo Ayla–, Creb dice que el mejor momento es la primera luna llena después de comenzar la primavera.

–Lo que me pregunto es cómo sabe él que empieza la primavera –observó Uba–. A mí un día lluvioso me parece igual que otro día lluvioso.

–Creo que tiene algo que ver con su observación de la puesta de sol. Ha estado observándolo durante días. Incluso cuando llueve, a menudo se puede ver dónde se duerme el sol, y ha habido bastantes noches claras para ver la luna. Creb sabe.

–No me gustaría que Creb hiciera mog-ur a Goov –añadió Uba.

–Tampoco a mí –señaló Ayla–. Se pasa demasiado tiempo sentado sin hacer nada todos estos días. ¿Qué va a hacer cuando ni siquiera tenga ceremonias que celebrar? Ya sabía yo que algún día llegaría, pero es una fiesta de la que no voy a disfrutar.

–Va a parecer muy raro. Estoy acostumbrada a que Brun sea el jefe y Creb el Mog-ur, pero Vorn dice que ya es hora de que los jóvenes se hagan cargo. Dice que Broud ha esperado lo suficiente.

–Supongo que tiene razón –indicó Ayla–. Vorn ha admirado siempre a Broud.

–Es bueno conmigo, Ayla. Ni siquiera se enojó cuando perdí al bebé. Sólo dijo que le pediría a Mog-ur un encantamiento para que dé nuevamente fuerzas a su tótem y que pueda iniciar otro. Creo que también te quiere a ti, Ayla; incluso me ha dicho que te pida que Durc duerma con nosotros. Creo que sabe cuánto me agrada tenerle cerca –expresó confidencialmente Uba–. El mismo Broud no ha sido tan malo para ti últimamente.

–No, no me ha fastidiado mucho –reconoció Ayla. No sabía cómo explicar el temor que experimentaba cada vez que el hombre la miraba. Incluso podía sentir cómo se le ponían de punta los pelos del cogote si la miraba cuando ella no le veía.

Creb se quedó hasta tarde aquella noche con Goov en la cámara de los espíritus. Ayla preparó una cena ligera para Durc y para ella, y apartó algo para cuando volviera Creb, aun cuando dudaba de que se tomara la molestia de cenar. Se había despertado aquella mañana con una sensación de ansiedad que fue aumentando a medida que avanzaba el día. La cueva parecía estrecharse sobre ella y tenía la boca tan seca como el polvo. Consiguió tragar unos bocaditos, y de repente dio un brinco y corrió hacia la entrada de la cueva, miró el cielo plomizo y la lluvia pesada, cerrada, que abría cráteres diminutos en el barro saturado. Durc se metió en su cama y estaba ya dormido cuando ella regresó al hogar. Tan pronto como la sintió acostada junto a él, se apretó más y produjo un gesto medio consciente terminado con la palabra «mamá».

Ayla rodeó con su brazo al niño, sintiendo latir su corazón mientras lo abrazaba, pero tardó mucho en dormirse. Se quedó tendida despierta, mirando los contornos borrosos de la áspera muralla rocosa a la luz tenue del fuego mortecino. Estaba despierta cuando, por fin, volvió Creb, pero se quedó quieta, escuchando mientras él daba vueltas, y acabó por dormirse después de que el mago se acostara.

Despertó gritando.

—¡Ayla! ¡Ayla! —gritó Creb, sacudiéndola para despertarla del todo—. ¿Qué te pasa, niña? —señaló con una mirada preocupada.

—¡Oh, Creb! —sollozó, y le echó los brazos al cuello—. He tenido ese sueño. Hacía años que no lo tenía. —Creb la rodeó con su brazo y sintió cómo temblaba.

—¿Qué le pasa a mamá? —preguntó Durc, sentado y con los ojos muy abiertos y llenos de miedo. Nunca había oído gritar a su madre. Ayla le sujetó con un brazo.

—¿Qué sueño, Ayla? ¿El del león cavernario? —preguntó Creb.

—No, el otro, el que nunca puedo recordar bien. —Y volvió a temblar espasmódicamente—. Creb, ¿por qué he soñado eso ahora? Creí que ya había terminado con las pesadillas.

Creb la rodeó con el brazo para consolarla. Ayla le abrazó también. Ambos se percataron de cuánto tiempo había pasado y se fundieron en un abrazo con Durc entre ellos.

—Oh, Creb, no puedo decirte cuántas veces he ansiado abrazarte. Creí que no me querías, temía que me apartaras como lo hiciste cuando era una niña insolente. Hay algo más que quería decirte: te quiero, Creb.

—Ayla, tuve que obligarme a apartarte aquella vez, pero algo tenía que hacer, pues, de lo contrario, lo habría hecho Brun. Nunca he podido enojarme contigo. Te quería demasiado. Te sigo queriendo demasiado. Creía que estabas perturbada porque habías perdido la leche por culpa mía.

—¡Pero no tenías tú la culpa, Creb! La culpa era mía, nunca te lo eché en cara.

—Yo me lo eché en cara. Debería haber comprendido que un bebé tiene que seguir mamando para que la leche no se detenga, pero tú parecías querer estar a solas con tu pena.

—¿Cómo podías saberlo? Ningún hombre sabe mucho acerca de los bebés. Les gusta tenerlos en brazos y jugar con ellos cuando están saciados y contentos, pero tan pronto como empiezan a molestar, todos los hombres se los devuelven a las madres. Por lo demás, no le hizo daño. Está iniciando el año de destete y es grande y saludable aunque haya sido destetado hace tiempo.

–Pero te hizo daño a ti, Ayla.

–Mamá, ¿tú daño? –interrumpió Durc, todavía preocupado por el grito.

–No, Durc, mamá no tiene daño, ya no.

–¿Dónde aprendió a llamarte así, Ayla?

La joven se ruborizó.

–Durc y yo jugamos a veces a emitir sonidos. Él ha decidido llamarme con ese nombre.

Creb asintió.

–A todas las mujeres les dice «madre»; supongo que necesitaba encontrar una palabra para ti. Probablemente significa madre para él.

–Para mí también.

–Emitías muchos sonidos y palabras cuando llegaste. Creo que tu gente debe de hablar con sonidos.

–Mi gente es la del clan. Yo soy una mujer del clan.

–No, Ayla –señaló Creb con lentos ademanes–, tú no eres del clan, eres una mujer de los Otros.

–Eso es lo que me dijo Iza la noche en que murió. Dijo que yo no era del clan, dijo que era una mujer de los Otros.

Creb se mostró sorprendido.

–No creí que lo supiera. Iza era una mujer sabia, Ayla. Yo no lo descubrí hasta que nos seguiste dentro de la cueva.

–No era mi intención entrar en la cueva, Creb. Ni siquiera sé cómo llegué hasta allí. No sabía lo que te disgustaba tanto, pero pensé que habías dejado de quererme porque entré en aquella cueva.

–No, Ayla, no dejé de quererte, te quería demasiado.

–Durc tiene hambre –interrumpió el niño. Todavía estaba trastornado por el grito de su madre, y la intensa conversación entre Creb y ella le aburría.

–¿Tienes hambre? A ver si encuentro algo que darte.

Creb la observó mientras se levantaba y se acercaba al fuego. «Me pregunto por qué fue traída a vivir con nosotros, pensaba Creb. Nació de los Otros, y el León Cavernario siempre la ha protegido. ¿Por qué la traería aquí? ¿Por qué no la llevó con ellos? ¿Y por qué se dejó derrotar, permitió que tuviera un bebé y después que perdiera su leche? Todos creen que es porque el niño tiene mala suerte, pero mírale: es saludable, es feliz y todos le quieren. Tal vez tuviera razón Dorv, tal vez el espíritu del tótem de cada uno de los hombres esté mezclado con su León Cavernario. Tenía razón en eso: no es deforme, es una mezcla. Incluso puede emitir sonidos como ella. Es en parte Ayla y en parte clan.»

De repente, Creb sintió que la sangre se retiraba de su rostro y que se le ponía la carne de gallina. «¡En parte Ayla y en parte clan! ¿Por eso la trajeron con nosotros? ¿Por Durc? ¿Por su hijo? El clan está condenado, desaparecerá, sólo la especie de ella seguirá viviendo. Lo sé, lo sentí. Pero ¿y Durc? Es parte de los Otros y sobrevivirá, pero también es clan. Y Ura se parece a Durc, y nació poco después del incidente con los hombres de los Otros. ¿Son tan potentes sus tótems como para superar al tótem de una mujer en tan corto tiempo? Puede ser; si sus mujeres pueden tener por tótem al León Cavernario, así tiene que ser. ¿También Ura será una mezcla? Y si hay un Durc y una Ura, también puede haber otros más. Niños de espíritus mezclados, niños que seguirán adelante, niños que llevarán adelante el clan. No muchos, tal vez, pero los suficientes.

»Tal vez el clan estuviera condenado antes de que Ayla viera la ceremonia sacra, y fue conducida hasta allí sólo para mostrármelo. Dejaremos de existir, pero mientras haya Durcs y Uras, no habremos muerto. Me pregunto si Durc tendrá los recuerdos. Si fuera lo suficientemente grande para una ceremonia... No importa, Durc tiene más que los recuerdos, tiene el clan. Ayla, hija mía, hija de mi corazón, traes suerte y nos la has traído a nosotros. Ahora sé por qué viniste: no para traernos muerte, sino para darnos la oportunidad de vivir. Nunca será lo mismo, pero es algo.»

Ayla llevó a su hijo un trozo de carne fría. Creb parecía perdido en sus pensamientos, pero la observó mientras se sentaba.

–¿Sabes, Creb? –dijo reflexivamente–. A veces me parece que Durc no es simplemente mi hijo. Desde que perdí la leche y se acostumbró a ir de un hogar a otro para mamar, come en todos los hogares, todos le dan de comer. Me recuerda a un cachorro de oso cavernario, es como si fuera hijo de todo el clan.

Ayla experimentó una gran tristeza bajo el impacto de la mirada del único ojo de Creb, oscuro y líquido.

–Durc es el hijo de todo el clan. Es el único hijo del clan.

La primera luz que anunciaba el alba traspasó la abertura de la cueva inundando su espacio triangular. Ayla estaba acostada, despierta, mirando a su hijo que dormía a su lado bajo la luz creciente. Podía ver a Creb cubierto con sus pieles y, por su respiración regular, comprendió que también él dormía. «Me alegro de que hayamos hablado por fin Creb y yo», pensó, sintiéndose como si le hubieran quitado un terrible peso de encima, pero la náusea que había experimentado en el estómago el día anterior y toda la noche había ido en aumento. Tenía la garganta seca y pensó que si permanecía un instante más en la cueva, se ahogaría. Se deslizó de entre sus pieles, se echó un manto encima y, poniéndose protectores en los pies, se fue silenciosamente hacia la salida.

Respiró profundamente en cuanto salió de la boca de la cueva. Su alivio fue tan grande que no le importó que la lluvia helada la empapara a través del manto de cuero. Fue avanzando pesadamente por el lodazal que había delante de la cueva y se dirigió al río, estremeciéndose súbitamente de frío. Manchas de nieve, ennegrecidas por el hollín procedente de muchas hogueras, daban origen a regatos de agua fangosa a lo largo de la pendiente, sumando su pequeño caudal al aguacero que hacía crecer el canal encerrado entre los hielos.

Los protectores de cuero que llevaba en los pies no tenían buen agarre en el barro de un rojo moreno, y resbaló y cayó a poca distancia de la corriente. Sus cabellos colgantes, pegados a la cabeza, caían como cuerdas terminadas en chorritos que abrían surcos en el barro pegado a su manto antes de que la lluvia lo lavara. Se quedó largo rato en la orilla del río, que luchaba por liberarse de su helada prisión, y vio cómo el agua oscura rodeaba trozos de hielo, los desprendía finalmente y los lanzaba girando hacia un destino incógnito.

Le castañeteaban los dientes cuando pudo trepar por la pendiente resbaladiza, observando cómo el cielo encapotado se aclaraba imperceptiblemente más allá de la sierra del este. Tuvo que hacer un esfuerzo para penetrar a través de la barrera invisible que bloqueaba la boca de la cueva, y volvió a sentirse incómoda tan pronto como traspasó el umbral.

–Ayla, estás empapada –le señaló Creb–. ¿Por qué has salido bajo esa lluvia? –Cogió un leño y lo echó al fuego–. Sal de ese manto y acércate al fuego. Vas a coger un resfriado.

Se cambió y fue a sentarse junto a Creb, cerca del fuego, contenta de que el silencio entre ambos hubiera dejado de ser tenso.

–Creb, ¡qué contenta estoy de que habláramos anoche! He ido al río, el hielo está desprendiéndose. Ya viene el verano y podremos volver a dar largos paseos.

–Sí, Ayla, ya viene el verano. Si quieres, daremos nuevamente largos paseos. En verano.

Ayla sintió un escalofrío. Tuvo el horrible presentimiento de que nunca volvería a dar un largo paseo con él, y le parecía que también Creb lo sabía. Se acercó a él y ambos se abrazaron como si fuera la última vez.

A media mañana la lluvia se convirtió en llovizna y por la tarde dejó de caer del todo. Un sol débil y cansado perforó la sólida capa de nubes, pero no hizo mucho por calentar ni secar la tierra empapada. A pesar del mal tiempo y la comida escasa, el clan estaba ilusionado por tan notable ocasión para una fiesta. Un cambio de jefe era un acontecimiento harto raro, pero un nuevo mogur al mismo tiempo resultaba una ocasión excepcional. Oga y Ebra tendrían que desempeñar un papel en la ceremonia, y también Brac. El niño de siete años sería el siguiente heredero.

Oga era un manojo de nervios; saltaba de un sitio a otro para comprobar los fuegos donde había algo cocinándose. Ebra trataba de calmarla, pero tampoco estaba muy serena. Tratando de parecer mayor, Brac daba órdenes a los niños pequeños y a las mujeres atareadas. Finalmente, Brun se puso en pie y le llamó para que ensayara una vez más su papel. Uba se llevó a los niños al hogar de Vorn para quitarlos de en medio, y cuando la mayor parte de los preparativos quedaron terminados, Ayla se reunió con ella. Además de cocinar, el único papel de Ayla consistiría en preparar datura para los hombres, puesto que Creb le había dicho que no hiciera la bebida de raíces.

Por la noche, sólo quedaban unos cuantos jirones de nubes para correr por delante de la luna llena que iluminaba el paisaje yermo y sin vida. Dentro de la cueva, una gran hoguera ardía en un espacio detrás del último hogar, definido por un círculo de antorchas.

Ayla estaba sentada, sola, en sus pieles, contemplando el pequeño fuego del hogar, que chisporroteaba y crepitaba junto a ella. Todavía no había podido deshacerse de su desasosiego. Decidió ir hasta la entrada de la cueva para mirar a la luna hasta que comenzaran las festividades, pero precisamente cuando se ponía en pie, vio la señal de Brun y volvió sobre sus pasos en dirección contraria. Cuando todos ocuparon los lugares que les correspondían, Mog-ur salió de la cámara de los espíritus seguido por Goov, ambos envueltos en pieles de oso.

Cuando el gran hombre santo llamó por última vez a los espíritus, los años parecieron quitársele de encima. Hizo los ademanes elocuentes y familiares con más fuerza y potencia de lo que el clan había presenciado durante años. Fue una actuación magistral.

Estimuló las emociones de su auditorio con la habilidad de un virtuoso, provocando su respuesta con una sincronía perfecta después de una cima llena de suspenso, de emoción evocadora, hasta un clímax que apuró hasta la última gota y los dejó exhaustos. A su lado, Goov era una copia borrosa; el joven era un mogur digno, incluso bueno, pero no de la talla del Mog-ur. El mago más poderoso que hubiera conocido nunca el clan había celebrado su última y más bella ceremonia. Cuando hizo la entrega a Goov, Ayla no era la única que lloraba. El clan de los ojos secos lloraba con el corazón.

La mente de Ayla vagabundeó mientras Goov efectuaba los gestos que relevaban a Brun y elevaban a Broud al rango de jefe. Estaba observando a Creb y recordando la primera vez que, al ver aquel rostro tuerto y cubierto de cicatrices, había tendido la mano para tocarlo. Recordó la paciencia con que trató de enseñarle a comunicarse, y cómo comprendió de repente. Tocó su amuleto y sintió en su garganta una diminuta cicatriz, donde él había pinchado con pericia para sacarle la sangre como sacrificio a los espíritus antiguos que le permitieron cazar. Y se encogió al recordar la visita clandestina a una pequeña cueva en la montaña; y entonces recordó también su mirada de tristeza amorosa y su enigmática declaración de la noche anterior.

Apenas probó la comida del festín que celebraba el acceso de la nueva generación al imperio de la autoridad. Los hombres desfilaron hacia la pequeña cámara sagrada para completar en secreto su ceremonia, y Ayla repartió la datura que le había entregado Goov, ahora mog-ur. Pero no tenía ánimos para la danza de las mujeres, sus ritmos carecían de ímpetu, y bebió tan poco té ceremonial que los efectos pasaron rápidamente. Regresó al hogar de Creb tan pronto como pudo hacerlo sin faltar a las reglas, y se quedó dormida antes del regreso de Creb, pero durmió profundamente. Él se quedó en pie junto a su cama, contemplándolos, a ella y a su hijo, antes de irse cojeando hasta su propio lecho.

–¿Mamá va cazar? ¿Durc va cazar con mamá? –preguntó el niño saliendo de un brinco de las pieles en que dormía y echando a andar hacia la boca de la cueva. Pocas personas se movían aún, pero Durc estaba muy despierto.

–De todos modos, no será antes del desayuno, Durc. Ven acá –señaló Ayla, y se puso en pie para traerle–. Probablemente no en todo el día; ha llegado la primavera, pero todavía no hace calor.

Después de comer, Durc estuvo vigilando a Grev y se olvidó de la caza mientras echaba a correr hacia el hogar de Broud. Ayla le vio alejarse con un sentimiento de ternura que le levantaba las comisuras de los labios. La sonrisa se apagó al ver la manera en que Broud le miraba: le hormigueó el cuero cabelludo. Los dos muchachitos echaron a correr juntos. De repente, una sensación de claustrofobia se apoderó de ella con tanta fuerza que creyó que vomitaría si no salía de la cueva. Se volvió rápidamente hacia la entrada, sintiendo que el corazón le latía fuertemente, y respiró varias veces profundamente.

—¡Ayla!

Dio un respingo al oír su nombre pronunciado por Broud, y entonces dio media vuelta, inclinó la cabeza y bajó la mirada para cruzarla con la del nuevo jefe.

—Esta mujer saluda al jefe —señaló con ademanes formales. Pocas veces estaba Broud de pie frente a ella; era mucho más alta que el más alto del clan, y Broud no era de los más altos: apenas le llegaba al hombro. Ella sabía que no le agradaba levantar la vista hacia ella.

—No te vayas corriendo a ninguna parte. Voy a celebrar una reunión ahí fuera enseguida.

Ayla asintió sumisamente.

El clan se reunió lentamente. El sol brillaba y todos estaban contentos de que Broud hubiera decidido reunirlos fuera a pesar del suelo embarrado. Esperaron un poco, y entonces Broud llegó pavoneándose al lugar que anteriormente ocupaba Brun, sumamente consciente de su nueva posición.

—Como bien sabéis, soy vuestro nuevo jefe —comenzó diciendo. Su nerviosismo al hablar a todo el clan en su nueva condición se revelaba en una declaración inicial tan patentemente obvia—. Puesto que el clan tiene un nuevo jefe y un nuevo mog-ur, es el momento oportuno para anunciar algunos cambios más —prosiguió—. Quiero que todos sepan que ahora mi segundo-al-mando es Vorn.

Hubo señales de asentimiento; todos lo esperaban. Brun pensó que Broud debería haber esperado a que Vorn fuera mayor antes de elevar su posición por encima de cazadores más experimentados, pero todos sabían que sería así. «Probablemente es igual que lo haya hecho ahora», se dijo Brun.

—Hay otros cambios —señaló Broud—. En este clan hay una mujer que no está apareada. —Ayla sintió que se ponía colorada—. Alguien debe proveer para ella y no quiero agobiar con ella a mis cazadores. Ahora soy jefe y debo responsabilizarme de ella. Tomaré a Ayla como segunda mujer en mi hogar.

Ayla se lo había esperado, pero no se sintió más feliz porque así se confirmara. «Puede que a ella no le agrade, pensó Brun, pero Broud está haciendo lo correcto.» Y Brun miró con orgullo al hijo de su compañera. «Broud está preparado para ser jefe.»

—Tiene un hijo deforme —prosiguió Broud—. Quiero que se sepa ahora: no se aceptarán en este clan más niños deformes. No quiero que nadie piense que eso tiene algo que ver con mis sentimientos personales cuando sea rechazado el siguiente. Si ella tiene un hijo normal, lo aceptaré.

Creb estaba en pie a la entrada de la cueva y meneó la cabeza al ver que Ayla palidecía y bajaba más la cabeza para ocultar su rostro. «Pues bien, puedes estar seguro de que no tendré más hijos, Broud, no si la magia de Iza sirve para mí, se dijo Ayla. No me importa que los bebés sean iniciados por los tótems de los hombres o por sus órganos, no iniciarás ninguno dentro de mí. No voy a dar a luz bebés que tengan que morir porque tú creas que son deformes.»

—Lo he dejado claro anteriormente —siguió diciendo Broud—, de modo que esto no sorprenda a nadie. No quiero ningún niño deforme en mi hogar.

Ayla alzó bruscamente la cabeza. «¿Qué quiere decir con eso? Si tengo que ir a su hogar, mi hijo viene conmigo.»

—Vorn ha aceptado a Durc en su hogar; su compañera quiere al niño a pesar de su deformidad. Ellos le atenderán.

Hubo un murmullo desconcertado y un revoloteo de manos haciendo señales en todo el clan. Los niños pertenecían a sus madres hasta que eran adultos. ¿Por qué había Broud de tomar a Ayla pero rechazar a su hijo? Ayla se salió de su lugar y se arrojó a los pies de Broud; éste le tocó el hombro.

—Todavía no he terminado, mujer; es una falta de respeto interrumpir al jefe, pero por esta vez, pase. Puedes hablar.

—Broud, no puedes quitarme a Durc. Es mi hijo. Allí donde vaya una mujer, sus hijos van con ella —señaló olvidando emplear cualquier forma de saludo cortés o frasear su declaración en forma de ruego, de tan ansiosa como estaba. Brun miraba ceñudo; el orgullo que le inspiró antes el nuevo jefe se había esfumado.

—Mujer, ¿acaso estás diciéndole a este jefe lo que puede o no puede hacer? —señaló Broud con una expresión despectiva en el rostro. Estaba contento de sí mismo: lo había estado planeando

531

durante mucho tiempo y había conseguido precisamente la reacción que esperaba de ella.

—No eres madre. Oga es más madre de Durc que tú. ¿Quién lo amamantó? Tú no. Ni siquiera sabe quién es su madre: todas las mujeres del clan son madre para él. ¿Qué diferencia hay en que esté en un hogar o en otro? Es obvio que a él no le importa: come en todos los hogares —dijo Broud.

—Ya sé que no pude amamantarle, pero sabes que es mi hijo, Broud. Duerme todas las noches conmigo.

—Bueno, pues conmigo no va a dormir todas las noches. ¿Puedes negar que la compañera de Vorn es «madre» para él? Ya se lo he dicho a Goov... al mog-ur, que la ceremonia de apareamiento se celebrará después de esta reunión; de nada sirve esperar. Esta noche pasarás a mi hogar, y Durc al de Vorn. Ahora vuelve a tu lugar —ordenó. Broud miró a su alrededor, al clan entero, y observó que Creb estaba apoyado en su cayado junto a la cueva; el viejo parecía furioso.

Pero no tan furioso como Brun. Su rostro era una máscara de furor negro mientras veía que Ayla regresaba a su lugar. Luchaba por controlarse, por no interferir. Había algo más que ira en sus ojos, también el dolor de su corazón se revelaba. «El hijo de mi compañera, pensaba, al que crié y adiestré, y acabo de hacer jefe de este clan. Está aprovechando su posición para vengarse. Para vengarse de una mujer por daños imaginarios. ¿Por qué no me di cuenta antes? ¿Por qué he sido tan ciego con él? Ahora comprendo por qué elevó tan pronto la posición de Vorn; Broud lo arregló todo con él, proyectó desde siempre hacerle esto a Ayla. Broud, Broud, ¿acaso es esto lo primero que hace un nuevo jefe? ¿Poner en peligro a sus cazadores con un segundo joven e inexperto para vengarse de una mujer? ¿Qué placer puede causarle el separar a una madre de su hijo, cuando ella ha sufrido tanto ya? ¿No tienes corazón, hijo de mi compañera? Lo único que tiene de su hijo es que comparte con él el lecho por la noche.»

—No he terminado, tengo más que decir —señaló Broud tratando de llamar la atención del clan escandalizado e incómodo. Finalmente todos se aquietaron—. Este hombre no ha sido el único ascendido a una nueva posición. Tenemos un nuevo mog-ur. Hay ciertos privilegios que acompañan a una posición más elevada. He decidido que Goov... el mog-ur, pase al hogar que corresponde por derecho al mago del clan. Creb pasará al fondo de la cueva.

Brun lanzó una mirada a Goov: ¿también estaría él en la combinación? Pero Goov estaba meneando la cabeza con expresión intrigada.

–Yo no quiero mudarme al hogar del Mog-ur –dijo–. Ha sido su casa desde que nos asentamos en esta cueva.

El clan estaba sintiéndose más que incómodo respecto al nuevo jefe.

–¡He decidido que te cambiarás! –gesticuló imperiosamente Broud, enojado ante la negativa de Goov. Al ver al viejo tullido apoyado en su bastón y mirándole con ira, se había percatado súbitamente de que el gran Mog-ur había dejado de ser mago. ¿Qué había de temer él de un viejo tullido y deforme? Había hecho el ofrecimiento obedeciendo a un impulso, esperando que Goov saltara de gusto al obtener un lugar de elección en la cueva, del mismo modo que Vorn había saltado ante la oportunidad de una posición más elevada. Pensaba que con eso cimentaría la lealtad del nuevo mog-ur, que le haría sentirse obligado hacia él; pero no había contado con la lealtad y el amor que Goov sentía hacia su maestro. Brun no pudo contenerse más y estaba a punto de tomar la palabra, pero Ayla se le adelantó.

–¡Broud! –gritó Ayla desde su lugar; el nuevo jefe alzó la cabeza bruscamente–. ¡No puedes hacer eso! ¡No puedes obligar a Creb a marcharse de su hogar! –Avanzaba a grandes trancos hacia él presa de una ira justiciera–. Necesita estar en un lugar abrigado, los vientos son demasiado fuertes atrás, tú sabes cuánto sufre en invierno. –Ayla se había olvidado de sí misma como una mujer del clan; ahora era la curandera que protegía a su paciente–. Lo estás haciendo por lastimarme a mí. Estás tratando de desquitarte de Creb porque me cuidó a mí. No me importa lo que me hagas a mí, Broud, pero deja en paz a Creb. –Estaba frente a él, dominándolo con su estatura, gesticulando furiosamente en su cara.

–¡Quién te ha dado permiso para hablar, mujer! –atronó Broud. Se volvió hacia ella con el puño cerrado, pero al verle venir, ella se agachó. Broud se quedó desconcertado al no dar más que con aire. La ira sustituyó al asombro cuando echó a correr tras ella.

–¡Broud! –El grito de Brun le hizo detenerse; estaba demasiado acostumbrado a obedecer a aquella voz, especialmente cuando se alzaba furiosa.

–Es el hogar de Mog-ur, Broud, y será su hogar mientras viva; demasiado pronto lo abandonará sin que tú le obligues a mudarse.

Ha servido a este clan bien y por largo tiempo, es merecedor de ese lugar. ¿Qué clase de jefe eres? ¿Qué clase de hombre eres? ¿Aprovechas tu situación para vengarte de una mujer? Una mujer que nunca te ha hecho nada, Broud, que nunca podría hacértelo aunque quisiera. ¡No eres un jefe!

—No, eres tú el que no es jefe, Brun, ya se acabó. —Broud había recuperado la noción de su posición y de la de Brun, después de su impulso inicial de obedecer—. ¡Ahora soy jefe! ¡Ahora tomo yo las decisiones! Siempre te has puesto de su parte en contra de mí, siempre la has protegido. Pues bien, ya no puedes seguir protegiéndola. —Broud estaba perdiendo el control, gesticulando alocadamente, con el rostro púrpura de ira—. Hará lo que yo digo y, si no, ¡la maldeciré! ¡Y no temporalmente! Acabas de presenciar su insolencia, ¡y todavía la defiendes! ¡No lo toleraré! Ya nunca más. Merece ser maldita por eso. ¡Y lo haré! ¿Qué te parece eso, Brun? ¡Goov! ¡Échale la maldición! ¡La maldición! ¡Ahora mismo! Quiero que sea maldita ahora mismo. Nadie va a decirle a este jefe lo que debe hacer, y menos que nadie esa mujer fea. ¿Me entiendes? Goov, échale la maldición.

Creb había tratado de llamar la atención de Ayla desde el momento en que se desató contra Broud, para advertirla. No le importaba vivir delante o detrás en la cueva, le era totalmente indiferente. Sus sospechas habían comenzado desde el momento en que Broud dijo que tomaría a Ayla como segunda mujer; era una maniobra demasiado llena de responsabilidad para que Broud la tomara sin alguna razón. Pero sus sospechas no le habían preparado para la fea escena que siguió. Al ver que Broud ordenaba a Goov la maldición, todo deseo de lucha desapareció para él. Ya no quería ver nada más y se volvió para entrar lentamente en la cueva. Ayla alzó la mirada justo en el momento en que Creb desaparecía por el orificio de la montaña.

No era Creb el único que se desconcertó al presenciar el altercado, todo el clan estaba alborotado haciendo gestos, gritando, arremolinándose en plena confusión. Algunos no podían ni mirar, mientras otros contemplaban fijamente, sin creerlo, el espectáculo que ninguno de ellos habría creído tener que presenciar en toda su vida. Sus vidas eran demasiado ordenadas, demasiado seguras, demasiado apegadas a las tradiciones y a las costumbres.

Les asombraron los anuncios irracionales e irregulares de Broud en cuanto a separar a Ayla de su hijo; les escandalizó el enfrentamiento de Ayla con el nuevo jefe, así como la decisión de Broud de desalojar a Creb; también les asombró la denuncia iracunda de Brun contra el hombre al que acababa de hacer jefe, al igual que el berrinche desaforado de Broud exigiendo la maldición contra Ayla. Y todavía les quedaba un trauma por experimentar.

Ayla temblaba con tanta fuerza que no sintió el temblor bajo sus pies hasta que vio que la gente caía al suelo, incapaz de mantener el equilibrio. Su propio rostro reflejó las expresiones pasmadas de los demás cuando se volvieron espantadas y después aterrorizadas. Entonces fue cuando oyó el profundo y aterrador retumbar de las entrañas de la tierra.

—¡Duurrc! —gritó, y vio que Uba cogía al niño y caía encima de él como tratando de proteger su cuerpecito con el suyo propio. Ayla se dirigía a ellos cuando de repente recordó algo que la horrorizó.

—¡Creb! ¡Está dentro de la cueva!

Gateó por la pendiente movediza tratando de alcanzar la amplia entrada triangular. Una enorme roca rodó desde lo alto de la empinada muralla en la que se abría la caverna y, desviada por un árbol que se astilló bajo el impacto, se estrelló contra el suelo junto a ella. Ayla no se enteró. Estaba entumecida, conmocionada. Los recuerdos encerrados en su vieja pesadilla andaban sueltos, pero revueltos y confusos por el pánico. En el rugido del terremoto ni siquiera ella oyó la palabra de un lenguaje olvidado desde hacía mucho, cuando salió de sus labios:

—¡Madrrre!

Bajo sus pies, el suelo se hundió varios centímetros y después volvió a elevarse; cayó y luchó por ponerse en pie, y entonces vio que el techo abovedado de la cueva se derrumbaba. Trozos de piedra desmenuzados, arrancados del alto techo, se estrellaron deshaciéndose aún más por el efecto del impacto. Después cayeron otros más. A su alrededor, las rocas brincaban y rodaban por la fachada rocosa, bajaban la pendiente más suave y se sumergían en el río helado. La sierra del este se partió y la mitad se desprendió.

Dentro de la cueva llovían piedras y guijarros y tierra, mezclados con el retumbar intermitente de amplias secciones de los muros y de la bóveda. Allá fuera, las coníferas bailaban como torpes gigantes y los deshojados árboles deciduos sacudían sus ramas desnudas en una desmayada convulsión, moviéndose al ritmo agitado del ruidoso canto fúnebre. Una grieta en la muralla, cerca del lado este de la abertura, opuesta a la poza llena del agua primaveral, se ensanchó con un estallido que desprendió piedras y gravas. Abrió otro canal subterráneo que depositó su carga de desechos en el amplio porche de la cueva antes de seguir viaje hasta el río. El rugido de la tierra y el estruendo de las rocas ahogaban los gritos de la gente aterrorizada. El ruido era ensordecedor.

Finalmente, el temblor se calmó. Unas cuantas piedras cayeron todavía desde la montaña, rebotaron y rodaron antes de detenerse. Atontados y asustados, los miembros del clan comenzaron a ponerse en pie y caminar sin rumbo tratando de recobrar el dominio de sí mismos. Empezaron a reunirse alrededor de Brun. Siempre había sido para ellos una roca de firmeza, la estabilidad en persona. Gravitaban hacia la seguridad que siempre había representado.

Pero Brun no hizo nada. Creía que en todos sus años de jefe la mayor insensatez la había cometido al convertir a Broud en jefe. Ahora se daba cuenta de lo ciego que había estado ante los defectos del hijo de su compañera. Incluso sus virtudes –su osadía temeraria y su valor precipitado– las veía ahora Brun como manifestaciones del mismo ego despreocupado y temperamentalmente impulsivo. Pero no era ésa la razón por la que Brun se negaba a actuar. Ahora Broud era jefe, para bien o para mal. Era demasiado tarde para que Brun volviera sobre lo hecho y adiestrara a otro hombre, aun cuando sabía que el clan se lo admitiría. La única manera en que Broud podía abrigar la esperanza de llegar a dirigir, la única esperanza para el clan, era que asumiera ahora el mando. Broud dijo que él era el jefe, y lo dijo desafiante, totalmente descontrolado. «Pues bien, Broud, sé jefe, pensó Brun. Haz algo.» Cualesquiera fueran las decisiones que tomara Broud de ahora en adelante o que dejara de tomar, Brun no interferiría.

Cuando el clan se convenció de que Brun no iba a asumir el mando, se volvió finalmente hacia Broud. Estaban todos acostumbrados a sus tradiciones, a su jerarquía, y Brun había sido un jefe demasiado bueno, demasiado fuerte y demasiado responsable. Estaban acostumbrados a que tomara el mando en los momentos de crisis, acostumbrados a contar con su juicio sereno y razonado. No sabían cómo actuar librados a sí mismos, a tomar decisiones propias sin un jefe. Incluso Broud esperó que Brun se hiciera cargo; también él necesitaba alguien en quien apoyarse. Cuando, finalmente, Broud se percató de que la carga le correspondía ahora a él, intentó asumirla. Lo intentó.

–¿Quién falta? ¿Quién está herido? –señaló Broud. Hubo un suspiro colectivo de alivio: finalmente, alguien estaba haciendo algo. Los grupos familiares comenzaron a reunirse, y a medida que el clan se fue juntando en medio de expresiones de asombro al ver a un ser amado al que se creía perdido, milagrosamente parecía no faltar nadie. A pesar de todas las rocas caídas y de la tierra removida, ninguno estaba malherido. Golpes, cortaduras y arañazos, pero ningún hueso roto. Bueno, eso no era realmente cierto.

–¿Dónde está Ayla? –gritó Uba con un apunte de pánico.

–Aquí –contestó Ayla, bajando la pendiente y olvidando por un instante por qué se encontraba allí.

–¡Mamá! –gritó Durc, soltándose del abrazo protector de Uba y corriendo hacia ella. Ayla echó a correr. Le cogió en brazos, le abrazó fuerte y se lo llevó.

–Uba, ¿te encuentras bien? –preguntó.

–Sí, nada grave.

–¿Dónde está Creb? –Y entonces Ayla recordó, puso a Durc en brazos de Uba y corrió cuesta arriba.

–¡Ayla! ¿Adónde vas? ¡No entres en la cueva! Puede haber más sacudidas.

Ayla no vio la advertencia gesticulada, ni le habría prestado atención de haberla visto. Corrió cueva adentro, derecha hacia el hogar de Creb. Piedras y gravas caían espasmódicamente, amontonándose en el suelo. Excepto unas cuantas rocas y una capa de tierra, su lugar en la cueva estaba intacto, pero Creb no estaba allí. Ayla visitó cada hogar; algunos estaban totalmente destrozados, pero la mayoría tenían aún cosas que se podían recuperar. Creb no estaba en ninguno de los hogares. Ayla vaciló ante la pequeña abertura que conducía a la cámara de los espíritus y finalmente entró, pero estaba demasiado oscuro; necesitaría una antorcha. Decidió registrar primero el resto de la cueva.

Un chorro de grava cayó sobre su cabeza, haciéndola saltar de costado. Una roca dentada se estrelló en el piso, rozando el brazo de la joven. Ayla examinó las paredes y después atravesó varias veces la sala, hurgando en profundas sombras detrás de los recipientes donde almacenaban comida y grandes rocas en la cueva sin luz. Estaba a punto de tomar una antorcha cuando decidió visitar un lugar más.

Encontró a Creb junto al montón de piedras bajo el que estaba enterrada Iza; se encontraba tendido sobre su lado deforme, con las piernas encogidas, casi como si le hubieran atado en posición fetal. El cráneo grande, magnífico, que había protegido su potente cerebro, había dejado de protegerlo: la pesada roca que lo aplastó había rodado unos cuantos pies más allá. La muerte había sido instantánea. Ayla se arrodilló junto al cadáver y empezaron a correrle las lágrimas.

–¡Creb, oh, Creb! ¿Por qué entraste en la cueva? –indicó por medio de gestos. Se mecía de atrás hacia delante sobre las rodillas, llamándole por su nombre. Entonces, por alguna razón inexplicable, se puso en pie y comenzó a hacer los movimientos que le había visto hacer a él por encima del cadáver de Iza: el ritual funerario. Lágrimas silenciosas empañaban su visión mientras que la mujer alta y rubia, sola en la cueva cubierta de piedras, efectuaba los movimientos antiguos, simbólicos, con una gracia y una sutileza tan consumadas como las del propio hombre santo. Muchos de los movimientos que hacía no los comprendía siquiera, nunca los comprendería. Era su último tributo al único padre que conoció.

–Ha muerto –señaló Ayla a los rostros que la miraban mientras salía de la cueva.

Broud se quedó mirándola como los demás y de repente un gran temor se apoderó de él; ella era quien había encontrado la cueva, ella a quien favorecían los espíritus. Y después de que él la maldijo, sacudieron la tierra y destruyeron la cueva que ella había encontrado. ¿Estarían furiosos contra él por la maldición? ¿Habrían destruido la cueva que ella encontrara porque estaban furiosos contra él? ¿Y si los del clan creyeran que él había provocado esta calamidad? En lo más recóndito de su alma supersticiosa, se estremeció ante el funesto augurio y temió la ira de los espíritus a los que estaba seguro de haber desatado. Entonces, en un destello impulsivo de razonamiento siniestro, pensó que si le echaba a ella la culpa antes de que alguien se la pudiera echar a él, nadie podría decir que él lo había causado y los espíritus se volverían contra ella.

–¡Ella lo ha hecho! ¡Es culpa suya! –señaló repentinamente Broud–. Ella ha sido quien ha enojado a los espíritus, ha desafiado las tradiciones. Todos la habéis visto. Ha sido insolente e irrespetuosa con el jefe. Debe ser maldita. Entonces los espíritus estarán felices de nuevo, entonces sabrán cuánto les honramos, entonces nos llevarán a otra cueva mejor que ésta y más afortunada. Lo harán. Sé que lo harán. ¡Maldícela, Goov! ¡Ahora, hazlo ahora! ¡Maldícela! ¡Maldícela!

Todas las cabezas se volvieron hacia Brun. Éste permanecía mirando frente a sí, con las mandíbulas apretadas, los puños cerrados, los músculos de la espalda temblando de tensión. Se negaba a moverse, se negaba a interferir aunque tenía que apelar a todas sus reservas de fuerza de voluntad. Los miembros del clan, molestos, se miraron unos a otros, después a Goov, después a Broud. Goov se quedó mirando a Broud sin dar crédito a lo que estaba viendo. ¡Cómo puede echar la culpa a Ayla! Si alguien era el culpable, ése era Broud. De repente, Goov comprendió.

–¡Yo soy el jefe, Goov, y tú eres el mog-ur! Te ordeno que la maldigas... ¡La maldición de muerte!

Goov se volvió de repente, tomó una ramita encendida, resinosa, del fuego que había prendido mientras Ayla estaba dentro de la cueva, subió la pendiente y desapareció dentro de la oscura boca triangular. Buscó cuidadosamente su camino entre los escombros que cubrían el piso, apartándose prudentemente de la caída de las piedras y gravas que se desprendían de vez en cuando, seguro de que una sacudida posterior podría desprender sobre su cabeza toneladas de roca y deseando que así fuera para no tener que hacer lo que le habían ordenado. Llegó a la cámara de los espíritus y alineó los huesos sagrados de oso cavernario en hileras paralelas, efectuando gestos rituales con cada uno de ellos. El último hueso lo colocó en la base y saliendo de la cuenca del ojo izquierdo de una calavera de oso cavernario. Entonces dijo en voz alta las palabras que sólo los mog-ures conocían, los terribles nombres de los espíritus malignos. El reconocimiento que les daba el poder.

Ayla seguía en pie delante de la cueva cuando Goov pasó junto a ella sin verla.

–Yo soy el mog-ur. Tú eres el jefe. Has ordenado que Ayla sea maldita de muerte. Está hecho –señaló Goov, y entonces dio la espalda al jefe del clan.

Al principio nadie podía creerlo, había sido demasiado rápido, no debía hacerse de esa manera. Brun lo habría discutido, lo habría razonado y habría preparado previamente al clan. Pero, para empezar, no la habría mandado maldecir. ¿Qué había hecho? Fue insolente con el jefe y eso estaba mal, pero ¿era causa suficiente de muerte? Se había limitado a defender a Creb. ¿Y qué le había hecho Broud a ella? Le había quitado a su hijo y había despachado al viejo mago de su hogar para vengarse de ella. Ahora nadie tenía hogar. ¿Por qué lo hizo Broud? ¿Por qué la maldijo? Los espíritus la habían favorecido siempre, ella traía buena suerte hasta que dijo Broud que quería maldecirla, hasta que mandó al mog-ur que la maldijera. Broud les trajo la mala suerte a todos. Ahora ¿qué sería de ellos? Broud había hecho enojar a los espíritus protectores y, después, había desatado a los espíritus malignos. Y el viejo mago había muerto. El Mog-ur no podía ayudarles ya.

Ayla estaba tan sumida en su pesar que no se percataba de los rápidos acontecimientos que se desarrollaban a su alrededor. Vio cómo Broud mandaba que la maldijeran y vio que Goov decía que ya estaba, pero su mente apesadumbrada no entendió. Lentamente, el significado de todo aquello fue golpeando en su conciencia. Cuando penetró, con todas sus ramificaciones, el impacto fue devastador.

«¿Maldita? ¿Maldita de muerte? ¿Por qué? ¿Qué he hecho yo que sea tan malo? ¿Cómo ha sucedido todo tan aprisa?» El clan tardaba tanto en entenderlo como ella; no se había repuesto aún del terremoto. Ayla los observaba a todos con un extraño desprendimiento mientras, uno tras otro, los ojos se volvían vidriosos y dejaban de verla. «Ahí va Crug... ¿Quién viene detrás? Uka. Ahora Droog, pero Aga todavía no. Ahí va, sin duda ha visto que la miraba.»

Ayla no reaccionó hasta que los ojos de Uba dejaron de verla y comenzó a lamentarse por la madre del niño que tenía en brazos. «¡Durc! ¡Mi bebé, mi hijo! Estoy maldita, nunca volveré a verle. ¿Qué va a ser de él? Sólo le queda Uba. Ella le cuidará, pero ¿qué puede hacer contra Broud? Broud le odia porque es hijo mío.» Ayla miró alocadamente a su alrededor y vio a Brun. «¡Brun! Brun puede proteger a Durc, sólo Brun puede protegerle.»

Ayla corrió hacia el hombre impasible, fuerte y sensible que, hasta el día anterior, había dirigido el clan. Se dejó caer al suelo a sus pies inclinando la cabeza. Tardó un poco en comprender que nunca le tocaría el hombro. Cuando alzó la mirada, vio que él tenía los ojos fijos en el fuego que había detrás. Si quisiera, sus ojos podrían verla. «Me puede ver, pensó Ayla. Yo sé que puede verme. Creb recordaba todo lo que le había dicho, Iza también.»

—Brun, sé que me crees muerta, que soy un espíritu. No apartes la mirada. ¡Te suplico que no apartes la mirada! ¡Todo ha sucedido con demasiada rapidez! Me iré, prometo que me iré, pero temo por Durc. Broud le odia, sabes que le odia. ¿Qué será de él con Broud por jefe? Durc es del clan, Brun. Tú le aceptaste. Te suplico, Brun, que protejas a Durc. Sólo puedes hacerlo tú. ¡No permitas que Broud le haga daño!

Brun volvió lentamente la espalda a la mujer suplicante, apartando la mirada como si cambiara de postura, no como si intentara evitar mirarla. Pero ella vio una chispa de reconocimiento en sus ojos, un indicio de asentimiento. Fue suficiente. Protegería a

Durc, se lo había prometido al espíritu de la madre del muchachito. Era cierto que había sido demasiado rápido, que no había tenido tiempo de pedírselo antes. Él faltaría sólo en eso a su decisión de no interferir en las decisiones de Broud, no permitiría que el hijo de su compañera hiciera daño al hijo de Ayla.

Ayla se puso en pie y caminó deliberadamente hacia la cueva. No había decidido marcharse hasta que le dijo a Brun lo que deseaba, pero, una vez que se lo dijo, se decidió. Su dolor por la muerte de Creb lo aparcó en un rincón de su mente para volver sobre ello más adelante, cuando su supervivencia no estuviera en juego. Se iría, tal vez al mundo de los espíritus, tal vez no, pero no se iría desprovista.

No había tenido conciencia de la destrucción del interior de la cueva la primera vez que entró; se quedó mirando el lugar desconocido, agradecida de que todo el clan se hallara fuera durante el cataclismo. Respirando profundamente, corrió hacia el hogar de Creb sin tomar en cuenta el estado peligroso de la cueva. Si no se llevaba lo necesario para sobrevivir, de seguro moriría.

Apartó una roca de su lecho, sacudió su manto de piel y comenzó a amontonar cosas en él: su bolsa de medicinas, su honda, dos pares de protectores para los pies, polainas, protectores para las manos, un manto forrado de piel, una capucha. Su taza y su cuenco, bolsas de agua, herramientas. Se dirigió al fondo de la cueva y encontró la provisión de pastelillos concentrados, que proporcionaban gran energía durante los viajes, hechos con carne seca, fruta y grasa. Buscó entre la grava y encontró paquetes de corteza de abedul llenos de azúcar de arce, nueces, fruta seca y unas cuantas legumbres. No era una variedad muy grande, pues la temporada ya estaba avanzada, pero sería suficiente. Quitó tierra y guijarros de su canasto y empezó a llenarlo.

Recogió el manto de Durc y lo acercó a su rostro, sintiendo cómo se le llenaban los ojos de lágrimas. No lo necesitaría, pues no se llevaba a Durc. Lo empacó. Por lo menos podía llevarse algo que había estado cerca de él. Se vistió con ropa de abrigo. La estación acababa de comenzar y en la estepa haría frío. En el norte tal vez fuera todavía invierno. No había adoptado una decisión consciente en cuanto a la dirección que tomaría; sabía que iba hacia el territorio continental que se extendía al norte de la península.

En el último momento decidió coger el cuero protector que empleaba cuando iba de cacería con los hombres, aun cuando técnicamente no le pertenecía; podía llevarse lo que quisiera de sus pertenencias: lo que quedara atrás sería quemado. Y consideró que parte de los alimentos también le correspondían, pero el cuero protector era de Creb, para uso de los miembros de su hogar. Creb se había ido y nunca lo había usado, no creía que le importara.

Lo puso encima del todo en su canasto, se echó a las espaldas la pesada carga y ató las correas que lo aseguraban. Nuevamente se llenaron sus ojos de lágrimas mientras estaba en pie en medio del espacio que había sido su hogar desde pocos días después de que Iza la recogiera. Nunca lo volvería a ver. Un caleidoscopio de recuerdos desfiló por su mente, deteniéndose ésta por un instante en escenas importantes. Por último, pensó en Creb. «Me gustaría saber qué es lo que te ocasionó tanto dolor. Quizá lo comprenda yo algún día, pero me alegro tanto de que habláramos la otra noche, antes de que te fueras al mundo de los espíritus. Nunca te olvidaré a ti, ni a Iza, ni al clan.» Entonces Ayla salió de la cueva.

Nadie la miró, pero todos se dieron cuenta cuando apareció. Se detuvo ante la poza tranquila que había fuera de la cueva, para llenar de agua sus bolsas, y recordó una cosa más. Antes de sacar agua y turbar el espejo líquido, se inclinó para mirarse; estudió cuidadosamente sus rasgos, no le pareció ser tan fea esta vez, pero no era su rostro lo que le interesaba. Quería ver el rostro de los Otros.

Cuando se levantó, Durc estaba luchando por liberarse de los brazos de Uba. Estaba pasando algo que concernía a su madre; no estaba seguro de lo que era, pero no le gustaba. De un fuerte impulso, se soltó y corrió hacia Ayla.

–Te marchas –le dijo con tono de acusación, empezando a comprender y enfadado porque no se lo habían dicho–. Estás vestida del todo y te marchas.

Ayla vaciló sólo una fracción de segundo; entonces abrió los brazos y el niño se arrojó en ellos. Le alzó y le abrazó muy fuerte, luchando contra las lágrimas. Le dejó en el suelo y se agachó para estar a su nivel, mirando directamente a sus grandes ojos oscuros.

–Sí, Durc, me marcho. Tengo que irme.

–Llévame contigo, mamá. Llévame contigo. ¡No me dejes!

–No puedo llevarte conmigo, Durc. Tienes que quedarte aquí con Uba. Ella te cuidará. También Brun.

–¡No quiero quedarme aquí! –gesticuló fieramente Durc–. Quiero ir contigo. ¡No te vayas y me dejes!

542

Uba se acercaba a ellos, tenía que sacar a Durc de los brazos del espíritu. Ayla abrazó nuevamente a su hijo.

–Te quiero, Durc. Nunca lo olvides: te quiero. –Le alzó y le puso en brazos de Uba–. Cuida a mi hijo en mi lugar, Uba –señaló, mirando a los tristes ojos que devolvieron su mirada y la vieron–. Cuídalo... hermana mía.

Broud las observaba, enfureciéndose cada vez más. La mujer estaba muerta, era un espíritu. ¿Por qué no actuaba como tal? Y algunos de su clan no la estaban tratando como si lo fuera.

–Es un espíritu –gesticuló con ira–. Ha muerto. ¿No sabes que está muerta?

Ayla avanzó directamente hacia Broud y lo dominó con toda su estatura. También a él le costaba no verla. Trató de ignorarla, pero le miraba desde arriba, no a sus pies como debían hacer las mujeres.

–No estoy muerta, Broud –gesticuló desafiante–. No voy a morir. Tú no puedes obligarme a morir; puedes obligarme a que me vaya, puedes quitarme a mi hijo, pero no puedes hacerme morir.

Dos emociones lucharon en Broud: la ira y el temor. Alzó el puño con un deseo irreprimible de golpearla, y así se quedó, asustado ante la idea de tocarla. «Es un truco, se dijo. Es un truco de su espíritu. Ella está muerta, ha sido maldita.»

–Pégame, Broud, anda, reconoce a este espíritu. Pégame y verás cómo no estoy muerta.

Broud se volvió hacia Brun para apartar la vista del espíritu. Bajó el brazo, incómodo al ver que no podía conseguir que pareciera un movimiento natural. No la había tocado, pero temía que con sólo alzar el puño la hubiera reconocido y trató de transmitir la mala suerte a Brun.

–No creas que no te he visto, Brun. Le has contestado cuando te hablaba antes de entrar en la cueva. Es un espíritu y vas a traer mala suerte –expresó delatándole.

–Sólo para mí, Broud, ¿y qué peor suerte podría tener? Pero, dime, ¿cuándo la has visto hablarme? ¿Cuándo la has visto entrar en la cueva? ¿Por qué has estado a punto de golpear a un espíritu? Todavía no lo comprendes, ¿no es cierto? La has reconocido, Broud, ella te ha derrotado. Le has hecho todo el mal que has podido, incluso la has mandado maldecir. Está muerta y, sin embargo, ha ganado. Era una mujer y mostró más valor que tú, Broud, más determinación, más control de sí misma. Era más hombre que tú. Ayla debería haber sido el hijo de mi compañera.

Ayla se sorprendió ante el panegírico inesperado que le dedicaba Brun. Durc estaba luchando de nuevo por escapar, la llamaba. No pudo soportarlo y echó a correr. Al pasar delante de Brun, inclinó la cabeza con un gesto de agradecimiento. Cuando llegó al saliente del farallón, se volvió para mirar atrás una vez más. Vio que Brun alzaba la mano como para rascarse la nariz, pero parecía que hacía un gesto, el mismo gesto que había hecho Norg cuando se alejaron de la Reunión del Clan. Parecía como si Brun hubiera dicho: «Que Ursus te acompañe».

Lo último que oyó Ayla al desaparecer detrás del saliente quebrado fue el gemido de Durc:

−¡Maamá, maaamá, maamaaá!

Agradecimientos

La publicación de un libro no es obra exclusiva del autor. Éste recibe ayuda de diversas fuentes por diferentes conductos. Pero algunas contribuciones para mi obra han venido de gente a quien nunca he conocido y a la que probablemente nunca conoceré. A pesar de ello, estoy agradecida a los habitantes de la ciudad de Portland y del condado de Multonomah, Oregón, cuyos impuestos sostienen la biblioteca del Multonomah Country; sin los libros de consulta que encontré allí no podría haber escrito este libro.

También doy las gracias a los arqueólogos, antropólogos y demás especialistas que escribieron los libros en los que he recogido la mayor parte de la información para utilizarla como telón de fondo y como encuadre de esta novela.

Muchas personas me ayudaron más directamente; entre ellas deseo dar las gracias especialmente a:

Gin DeCamp, la primera en escuchar la idea de mi historia, una amiga cuando más falta me hacía, que leyó un enorme manuscrito con entusiasmo y sin dejar pasar un error, y quien esculpió un símbolo para la serie. John DeCamp, amigo y colega escritor, buen conocedor de la agonía y el éxtasis, y que tenía sentido de la oportunidad para llamar exactamente cuando yo necesitaba hablar con alguien. Karen Auel, que alentó a su madre más de lo que imaginaba, porque reía y lloraba cuando se suponía que debía hacerlo, aunque sólo se trataba de un primer esbozo.

Cathy Humble, a quien solicité el favor más grande que se le puede pedir a una amiga –una crítica sincera– porque valoraba su sentido de las palabras. Hizo lo imposible: su crítica fue a la vez sabia y amable. Deannna Sterett, porque se dejó prender en la trama de la historia y sabía lo suficiente de cacerías para señalar algunos descuidos. Lana Elmer, que escuchó con una atención incansable horas enteras de disertación y que, aun así, gustó de la historia. Anna Bacus, que me brindó su excepcional sentido de la percepción y su dominio de la ortografía.

No todas mis investigaciones se llevaron a cabo en bibliotecas. Mi esposo y yo hicimos muchas excursiones de campo para conocer directamente diversos aspectos de la vida en contacto con la naturaleza. En cuanto a la experiencia directa, debo dar las gracias especialmente a Frank Heyl, experto en supervivencia en el Ártico, del Museo de Ciencia e Industria de Oregón, quien me enseñó a hacerme la cama en una choza de nieve y se aseguró de que me acostaba en ella. Sobreviví a aquella fría noche de enero sobre las faldas del Monte Hood. Aprendí muchísimo más acerca de la supervivencia con el señor Heyl, junto a quien declaro estar dispuesta a pasar la próxima Era Glacial.

Estoy en deuda con Andy Van't Hul por haber compartido conmigo sus conocimientos especiales sobre la forma de vivir en el entorno natural. Me enseñó a encender un fuego sin cerillas, a hacer hachas de piedra, a trenzar fibras vegetales y tejer espuertas con tendones y tiras de cuero, y cómo tallar mi propia hacha de piedra capaz de cortar el cuero como si fuera mantequilla.

Una gratitud inmensa siento para con Jean Naggar, una agente literaria tan buena que convirtió mis fantasías increíbles en realidad, y las mejoró. Y para con Carole Baron, mi aguda, sensible y astuta editora, que creyó en la realidad, se apoderó de mi mejor esfuerzo y lo perfeccionó.

Finalmente, hay dos individuos que no tenían la menor idea de que me estaban ayudando y, sin embargo, su ayuda fue inestimable. He llegado a conocer a uno de ellos, pero la primera vez que oí hablar al escritor y maestro Don James acerca de cómo se escribe una novela, él no sabía que se estaba dirigiendo directamente a mí: creía estar hablando a todo un grupo. Las palabras que decía eran precisamente las que yo necesitaba oír. Don James no lo sabía, pero tal vez nunca se habría terminado este libro de no haber sido por él.

El otro es un hombre al que sólo conozco por su libro: Ralph S. Solecki, autor de *Shanidar*. La historia de sus excavaciones en la Cueva Shanidar y su descubrimiento de varios esqueletos del hombre de neandertal me impresionaron profundamente. Me ofreció una perspectiva del hombre prehistórico de las cavernas que de otra manera tal vez nunca hubiera tenido, así como una mejor comprensión del significado de «humanidad». Pero aquí hago algo más que dar las gracias al profesor Solecki: debo pedirle perdón por un ejemplo de licencia literaria que me he tomado respecto a los hechos, en beneficio de mi historia. En la vida real, fue un neandertal quien puso flores sobre la tumba.

EL VALLE DE LOS CABALLOS

Aquí puedes continuar leyendo el siguiente título
de la serie LOS HIJOS DE LA TIERRA®.

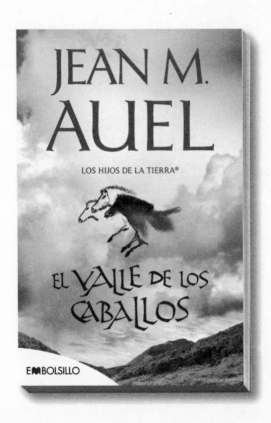

EL VALLE DE LOS CABALLOS

1

Estaba muerta. No importaba que agujas gélidas de lluvia helada la despellejaran, dejándole el rostro en carne viva. La joven entrecerraba los ojos de cara al viento y apretaba su capucha de piel de lobo para protegerse mejor. Ráfagas violentas le azotaban las piernas al sacudir la piel de oso que las cubría.

Aquello que había delante, ¿serían árboles? Creyó recordar haber visto una hilera rala de vegetación boscosa en el horizonte, horas antes, y deseó haber prestado mayor atención o que su memoria fuera tan buena como la del resto del clan. Seguía pensando en sí misma como clan, aun cuando nunca lo había sido, y ahora estaba muerta.

Agachó la cabeza y se inclinó hacia el viento. La tormenta se le había venido encima súbitamente, precipitándose desde el norte, y Ayla estaba desesperada por la necesidad de encontrar un refugio. Pero se encontraba muy lejos de la caverna y no conocía aquel territorio. La luna había recorrido todo un ciclo de fases desde que se marchó, pero seguía sin tener la menor idea de adónde se dirigía.

Hacia el norte, la tierra firme más allá de la península: era lo único que conocía. La noche en que murió, Iza le dijo que se marchara, porque Broud hallaría la forma de lastimarla en cuanto se convirtiera en jefe. Iza no se había equivocado. Broud la había lastimado, mucho más de lo que ella hubiera podido imaginar.

«No tenía razón alguna para quitarme a Durc», pensaba Ayla. «Es mi hijo. Tampoco tenía ningún motivo para maldecirme. Fue él quien enojó a los espíritus. Fue él quien provocó el terremoto.» Por lo menos, esta vez ya sabía lo que la esperaba. Pero todo sucedió tan aprisa que incluso el clan había tardado algo en aceptarlo, en apartarla de su vista. Pero nadie pudo impedir que Durc la viera, aun cuando estuviera muerta para el resto del clan.

Broud la había maldecido en un impulso provocado por la ira. Cuando Brun la maldijo por primera vez, había preparado a todos; había tenido razón, ellos sabían que debía hacerlo y él brindó a Ayla una oportunidad.

Alzó la cabeza afrontando otra borrasca helada y se percató de que oscurecía. Pronto sería de noche y sus pies estaban entumecidos. Una nevisca glacial estaba empapando las envolturas de cuero que protegían sus pies, a pesar del aislamiento de hierbas con que las había rellenado. Sintió algo de alivio al divisar un pino enano retorcido.

Los árboles escaseaban en la estepa; sólo crecían allí donde hubiera suficiente humedad para alimentarlos. Una doble hilera de pinos, abedules o sauces, esculpidos por el viento en formas atrofiadas, solía indicar una corriente de agua. Era una visión reconfortante en la temporada seca en un terreno con poca agua subterránea. Cuando las tormentas aullaban por las planicies abiertas desde el gran ventisquero del norte, los árboles brindaban protección, por reducido que fuera su número.

Unos cuantos pasos más condujeron a la joven hasta la orilla de un río, aunque sólo un angosto canal de agua corría entre las riberas aprisionadas por el hielo. Se volvió hacia el oeste para seguir aquella corriente río abajo, en busca de una vegetación más densa que le brindara un mejor refugio que la maleza cercana.

Avanzó trabajosamente con la capucha cubriéndole media cara, pero alzó la mirada al sentir que el viento se había interrumpido súbitamente. Al otro lado del río, un risco bajo protegía la ribera opuesta. La hierba no le sirvió de nada cuando cruzó el agua helada, que se filtró entre las envolturas de sus pies, pero Ayla agradeció sentirse al abrigo del viento. La orilla de tierra se había hundido en un punto, dejando un saliente con raíces enmarañadas y vegetación muerta y entrelazada; justo debajo había un lugar seco.

Desató las correas que sujetaban el cuévano a su espalda y se lo quitó de encima; sacó una pesada piel de bisonte y una fuerte rama lisa. Preparó una tienda baja, inclinada, que apuntaló con piedras y trozos de madera del río. La rama la mantenía abierta al frente.

Ayla aflojó con los dientes las correas de las cubiertas que, a modo de guantes, le envolvían las manos. Se trataba de trozos de cuero peludo, de forma circular, atados alrededor de las muñecas, con una raja abierta en las palmas para que pudiera sacar el dedo pulgar cuando quisiera agarrar algo. Las abarcas que calzaba estaban hechas de la misma forma pero sin hendidura; le costó trabajo soltar las ataduras de cuero, hinchadas, que le rodeaban los tobillos. Al quitárselas, tuvo buen cuidado de conservar la hierba mojada.

Tendió su capa de piel de oso sobre la tierra, dentro de la tienda, con la parte mojada hacia abajo; colocó encima la hierba y los protectores de manos y pies, y se metió con los pies por delante. Se arrebujó en la piel y tiró del cuévano para cerrar la entrada de la tienda. Después de frotarse los pies, cuando su nido de pieles húmedas comenzó a caldearse, se hizo un ovillo y se quedó dormida.

El invierno estaba lanzando sus gélidos estertores, cedía lentamente el paso a la primavera, pero la estación juvenil coqueteaba caprichosa. Entre helados recordatorios de un frío álgido, insinuantes indicios templados prometían calor estival. Un cambio brusco hizo que la tormenta se calmara en el transcurso de la noche.

Ayla despertó a los reflejos de un sol deslumbrante que brillaba desde los rastros de hielo y nieve a lo largo de las riberas, bajo un cielo azul profundo y radiante. Jirones desgarrados de nubes se movían majestuosamente muy lejos en dirección al sur. Ayla salió a gatas de su tienda y corrió descalza hasta la orilla del río, con su bolsa para agua. Sin hacer caso del frío intenso, llenó la vejiga cubierta de cuero, bebió un buen trago y volvió a meterse, también a gatas, bajo la piel de oso para entrar de nuevo en calor.

No se quedó allí mucho rato. Tenía demasiadas ganas de salir ahora que había pasado el peligro de la tormenta y que el sol la llamaba. Se envolvió los pies, secos ya por el calor de su cuerpo, en las abarcas y ató la piel de oso sobre la capa de cuero forrada de pieles en que había dormido. Luego cogió un trozo de tasajo del cuévano, recogió la tienda y las manoplas y se puso en camino mientras masticaba la carne.

El curso del río era bastante recto, corría colina abajo y se podía seguir sin dificultad. Ayla canturreaba para sí una melodía. Vio trazos de verde en los matorrales de la orilla. Una florecilla que mostraba audazmente su diminuto rostro entre charcos de aguanieve, la hizo sonreír. Un trozo de hielo se desprendió, fue saltando junto a ella durante un corto trecho y después avanzó veloz, flotando en la corriente.

Cuando Ayla dejó la caverna, ya había comenzado la primavera, pero el extremo sur de la península era más cálido y la estación empezaba más temprano. Además, la cadena montañosa constituía una barrera contra los rigurosos cierzos helados, y las brisas marítimas del mar interior calentaban y regaban la estrecha franja costera y las pendientes que daban al sur, favoreciéndolas con un clima templado.

Las estepas eran más frías. Ayla había bordeado el extremo oriental de la cordillera, pero, mientras avanzaba hacia el norte por la pradera descampada, la estación la siguió al mismo paso. No parecía que nunca fuera a hacer más calor que al principio de la primavera.

Los chillidos roncos de las golondrinas de mar llamaron su atención. Alzó la mirada y pudo ver algunas de las aves, parecidas a las gaviotas, que giraban y planeaban sin esfuerzo con las alas extendidas. Pensó que el mar debía de quedar cerca; las aves estarían haciendo sus nidos ahora..., eso significaba huevos. Aceleró el paso. También era posible que hubiera mejillones en las rocas, almejas y lapas, así como charcos dejados por la marea al retirarse, llenos de anémonas de mar.

El sol se aproximaba a su cenit cuando Ayla llegó a una bahía protegida, formada por la costa meridional del territorio continental y el flanco noroeste de la península. Por fin había llegado al ancho paso que unía la lengua de tierra con el continente.

Ayla se deshizo de su cuévano y trepó por una abrupta cornisa que dominaba todo el panorama circundante. El azote de las olas había desprendido trozos dentados de la roca maciza por el lado del mar. Una bandada de alcas y golondrinas de mar la increpó con gritos iracundos mientras recogía huevos. Cascó algunos y los sorbió, todavía tibios por el calor del nido. Antes de bajar metió unos cuantos más en uno de los repliegues de su capa.

Se descalzó y caminó por la arena, lavándose los pies con el agua de mar y limpiando de arena los mejillones que había arrancado de la roca a nivel del mar. Anémonas como flores recogieron sus falsos pétalos cuando la joven tendió la mano para sacarlas de las charcas poco profundas que la bajamar había dejado tras de sí. Pero su color y su forma le resultaban desconocidos. Completó, pues, su almuerzo con unas cuantas almejas desenterradas de la arena allí donde una ligera depresión revelaba su presencia. No encendió fuego; saboreó crudos los dones del mar.

Harta de huevos y alimentos marinos, la joven descansó al pie de la alta roca y volvió a escalarla para examinar mejor la costa y las tierras del interior. Abrazándose las rodillas, se sentó en la parte superior del monolito y lanzó una mirada al otro lado de la bahía. El viento que le acariciaba la cara trasportaba el hálito de la rica vida que el mar contenía.

La costa meridional del continente formaba un arco suave hacia el oeste. Más allá de una delgada hilera de árboles, podía ver un amplio territorio estepario que no difería mucho de la fría pradera peninsular; pero no había en él una sola señal de estar habitado por el ser humano. «Ahí está, pensó, el continente más allá de la península. Y ahora, ¿adónde voy, Iza? Tú dijiste que ahí estaban los Otros, pero yo no veo a nadie.» Y frente al vasto territorio vacío, los pensamientos de Ayla retornaron a la espantosa noche de la muerte de Iza, tres años antes.

–Tú no eres del clan, Ayla. Naciste de los Otros, debes estar con ellos. Tendrás que irte, niña, encontrar a los tuyos.

–¿Irme? ¿Adónde podría ir, Iza? No conozco a los Otros. No sabría siquiera dónde buscarlos.

–En el norte, Ayla. Vete al norte. Hay muchos al norte de aquí, en la tierra continental más allá de la península. No puedes seguir aquí. Broud encontrará la manera de lastimarte. Vete y encuéntralos, hija mía. Encuentra a tu propia gente, encuentra a tu propio compañero.

No se había ido entonces. No pudo. Luego no tuvo otro remedio. Ahora tenía que encontrar a los Otros, no quedaba nadie más. Nunca podría regresar; nunca volvería a ver a su hijo.

Las lágrimas corrían por el rostro de Ayla. No había llorado hasta entonces. Su vida estaba en juego cuando se fue, y la pena era un lujo que no podía permitirse, pero una vez pasada la barrera, no pudo retenerla.

–Durc..., mi pequeño –sollozó, hundiendo el rostro entre las manos–. ¿Por qué me lo arrebató Broud?

Lloró por su hijo y por el clan que había dejado atrás; lloró por Iza, la única madre que podía recordar; y lloró por su soledad y su temor ante el mundo desconocido que la esperaba. Pero no por Creb, que la había querido como si fuera su propia hija, todavía no; le dolía demasiado; no estaba preparada para hacerle frente.

Cuando se le terminaron las lágrimas, Ayla se encontró mirando las olas que se estrellaban allá abajo. Vio las olas estallar en chorros de espuma y bañar después las rocas dentadas.

«Habría sido tan fácil», pensó.

«¡No!, y meneando la cabeza, se enderezó. Le dije que podía quitarme a mi hijo, que podía obligarme a marcharme, que podía maldecirme con la muerte, ¡pero que no podría hacer que me muriera!»

Sintió el sabor de la sal y una sonrisa sesgada cruzó su rostro. Sus lágrimas siempre habían desorientado a Iza y a Creb. Los ojos de la gente del clan no echaban agua a menos que estuvieran enfermos, ni siquiera los de Durc. Había mucho de ella en el niño, podía emitir sonidos como los suyos, pero los grandes ojos oscuros de Durc eran del clan.

Ayla bajó con rapidez. Al echarse el cuévano a la espalda, se preguntó si sus ojos eran realmente débiles o si a todos los Otros también les llorarían los ojos. Acto seguido, otro pensamiento le pasó por la mente: «Encuentra a tu propia gente, encuentra a tu propio compañero».

La joven siguió su camino hacia el oeste a lo largo de la costa, cruzando numerosos ríos y arroyos que se abrían paso hacia el mar interior, hasta que llegó a un río bastante grande. Entonces se orientó hacia el norte, siguiendo el agua torrentosa tierra adentro y buscando un lugar por donde pudiera vadear. Atravesó la franja costera de pinos y alerces, una zona boscosa en la que ocasionalmente se erguía un gigante dominando a sus parientes enanos. Cuando llegó a las estepas continentales, matorrales de sauces, abedules y álamos temblones se unieron a las coníferas apretadas que bordeaban el río.

Siguió cada meandro, cada recodo del curso, y cada día que pasaba se sentía más inquieta. El río estaba llevándola de nuevo hacia el este, en una dirección generalmente nordeste. Ella no quería ir hacia el este, pues algunos clanes cazaban en la parte oriental del continente. Había decidido orientarse hacia el oeste en su viaje al norte. No quería correr el riesgo de encontrarse con alguien del clan... ¡y menos con la maldición de muerte que pesaba sobre ella! Tendría que encontrar el modo de atravesar el río.

Cuando el río se ensanchó y se separó en dos canales, con un islote cubierto de grava en medio y unas orillas rocosas a las que se aferraba la maleza, decidió arriesgarse a cruzar. Unas cuantas peñas enormes en el canal, al otro lado del islote, le hicieron pensar que tal vez fuera poco profundo y pudiera vadearse. Nadaba bien, pero no deseaba que sus ropas y su cuévano se mojaran; tardarían demasiado en secarse y las noches seguían siendo frías.

Yendo y viniendo a lo largo de la ribera, observó el agua que corría rápidamente. Una vez hubo decidido cuál era el tramo que le parecía menos hondo, se quitó la ropa, la metió toda en el cuévano y, sosteniéndolo en alto, penetró en el agua. Las rocas estaban resbaladizas bajo sus pies y la corriente amenazaba con hacerle perder el equilibrio. A medio camino del primer canal, el agua le llegaba a la cintura, pero consiguió alcanzar el islote sin sufrir ningún percance. El segundo canal era más ancho. No estaba segura de que fuera vadeable, pero estaba a mitad del camino y no quería darse por vencida.

Se encontraba ya más allá de la mitad de la corriente cuando el río se hizo más profundo, tanto que tuvo que caminar de puntillas, con el agua al cuello, sosteniendo el cuévano por encima de su cabeza. De repente el fondo se hundió. La cabeza de Ayla se sumergió e involuntariamente tragó agua. Casi instantáneamente empezó a agitar los pies en el agua, sin soltar el cuévano; lo afirmó con una mano, mientras con la otra trataba de aproximarse a la orilla opuesta. La corriente la levantó y la sostuvo, pero sólo una corta distancia. Sintió piedras bajo sus pies y poco después estaba trepando por el ribazo.

Dejando el río a sus espaldas, Ayla se puso nuevamente a recorrer la estepa. A medida que los días soleados se fueron haciendo más frecuentes que los lluviosos, la estación cálida le dio finalmente alcance y la dejó atrás en su camino hacia el norte. Las yemas dieron paso a las hojas en árboles y maleza y las coníferas enarbolaban sus agujas suaves, verde claro, en el extremo de ramas y ramitas. Arrancaba algunas para mascarlas mientras caminaba, paladeando el sabor a pino, algo picante.

Adoptó la rutina de viajar todo el día hasta encontrar, antes del atardecer, un arroyo o un riachuelo junto al que acampaba. Todavía era fácil encontrar agua. Las lluvias primaverales y la fusión de los hielos del norte hacían que los ríos se desbordaran y se inundaran los barrancos y marjales, que más tarde se convertirían en cárcavas secas o, en el mejor de los casos, en arroyos fangosos. La abundancia de agua era una fase efímera. La humedad sería rápidamente absorbida, pero no antes de que florecieran las estepas.

Casi de la noche a la mañana, flores herbáceas blancas, amarillas y púrpura –menos frecuentes eran las de azul fuerte o rojo brillante– cubrieron la tierra, fundiéndose en la distancia con el verde joven predominante de la hierba nueva. Ayla se deleitaba ante la belleza de la estación; la primavera había sido siempre su estación predilecta.

En cuanto las planicies abiertas comenzaron a bullir de vida, Ayla hizo menos uso de la escasa provisión de alimentos conservados que llevaba y comenzó a vivir de la tierra. Esto no retrasaba mucho su marcha. Todas las mujeres del clan aprendían a cortar hojas, flores, brotes y bayas mientras viajaban, casi sin detenerse. Ayla arrancó las hojas y las ramitas de una rama más gruesa, afiló un extremo con un cuchillo y la utilizó para arrancar bulbos y raíces con la misma rapidez. Recolectar era fácil: sólo tenía que alimentarse a sí misma.

Pero la joven contaba con una ventaja que las mujeres del clan no solían tener: podía cazar. Sólo con la honda, claro está, pero incluso los hombres estaban de acuerdo –una vez se hicieron a la idea de que pudiera cazar– en que era la más hábil cazadora con honda de todo el clan. Había aprendido sola y pagó cara aquella habilidad.

Como las hierbas recién salidas de la tierra tentaban a las ardillas terrestres, a los hamsters gigantes, a los jerbos grandes, a los conejos y a las liebres recién salidos de sus nidos invernales, Ayla comenzó a llevar nuevamente la honda metida en la correa que le sujetaba la capa de pieles. Llevaba también en el mismo sitio el palo de cavar, pero su bolsa de medicinas estaba, como siempre, colgada de la correa que, alrededor del talle, le sujetaba su prenda interior.

Abundaba el alimento; la leña y el fuego resultaban algo más difíciles de conseguir. Podía encender una fogata, porque en los matorrales y árboles bajos que conseguían sobrevivir a lo largo de algunos de los ríos de temporada, encontraba con frecuencia leña seca. Siempre que tropezaba con ramas secas o boñigas, las recogía también. Pero no hacía fuego todas las noches. En ocasiones no disponía del material adecuado, o estaba demasiado verde o mojado, y otras veces se sentía cansada y no quería tomarse esa molestia.

En cualquier caso, no le gustaba dormir en descampado sin la seguridad que proporcionaba una hoguera. La inmensidad herbosa daba vida a muchísimos rumiantes grandes, pero sus filas se veían diezmadas por diferentes cazadores de cuatro patas. Generalmente una hoguera los mantenía a distancia. Era práctica común en el clan que un varón de categoría transportara un carbón durante los viajes para encender la siguiente hoguera, pero a Ayla no se le había ocurrido llevar consigo materiales para hacer fuego. Una vez que cayó en la cuenta, se preguntó por qué no lo habría pensado antes.

No era fácil encender fuego, si la leña estaba demasiado verde o húmeda, con el palo de frotar y la plataforma de madera plana. Cuando encontró el esqueleto de un uro, pensó que sus problemas estaban solucionados.

La luna había recorrido otro ciclo de sus fases y la húmeda primavera estaba convirtiéndose en un cálido verano tempranero. Ayla seguía recorriendo la vasta llanura costera que se inclinaba suavemente hacia el mar interior. El limo arrastrado por las inundaciones de temporada formaba en muchos lugares largos estuarios parcialmente cerrados por bancos de arena o bien bloqueados por completo y convertidos en lagunas y albuferas.

Ayla había acampado en un paraje seco junto a una charca a media mañana. El agua parecía estancada, no potable, pero su bolsa para agua estaba casi vacía. Metió la mano para probarla y escupió el líquido fétido; después se enjuagó la boca con un sorbo de su cantimplora.

«Me pregunto si los uros beberán este agua», pensó, al ver huesos blanqueados y una calavera con largos cuernos afilados. Se apartó del agua estancada con su espectro de muerte, pero los huesos no se borraban de su pensamiento. Seguía viendo la calavera blanca y los largos cuernos, curvos y huecos...

Se detuvo junto a un río casi a mediodía y decidió hacer fuego y asar un conejo que había cazado. Sentada bajo el cálido sol, haciendo girar el palo de hacer fuego entre las palmas sobre la plataforma de madera, suspiraba porque apareciera Grod con el carbón que llevaba en...

Dio un brinco, metió el palo y la base de madera en el cuévano, colocó encima el conejo y echó a correr volviendo sobre sus pasos. Cuando llegó a la charca, buscó la calavera. Grod solía llevar un carbón encendido, envuelto en musgo seco o en liquen, dentro del largo cuerno hueco de un uro. Por tanto, si ella seguía su ejemplo, podría transportar su propio fuego.

Mientras tiraba del cuerno sintió una punzada de remordimiento: las mujeres del clan no transportaban fuego; estaba prohibido.

«Pero ¿quién lo llevará por mí, si no?», pensó, tirando con fuerza hasta arrancar el cuerno. Se alejó en seguida, como si creyera que esa acción prohibida había atraído sobre ella miradas llenas de reprobación.

Hubo un tiempo en que su supervivencia fue cuestión de ajustarse a un modo de vida ajeno a su naturaleza. Ahora dependía de su capacidad para superar los condicionamientos de su niñez y de que supiera pensar por sí misma. El asta de uro era un comienzo, así como buen presagio en cuanto a sus oportunidades.

Continúa en tu librería